E L James

Pięćdziesiąt twarzy Greya

Z angielskiego przełożyła
Monika Wiśniewska

WYDAWNICTWO
SONIA DRAGA

Tytuł oryginału:
FIFTY SHADES OF GREY

Copyright © Fifty Shades Ltd, 2011
Pierwsza wersja niniejszej powieści zatytułowana *Master of Universe*
ukazała się wcześniej w Internecie. Autorka wydała ją w formie odcinków,
z innymi bohaterami, pod pseudonimem Snowqueen's Icedragon.

Copyright © 2012 for the Polish edition by Wydawnictwo Sonia Draga
Copyright © 2012 for the Polish translation by Wydawnictwo Sonia Draga

Projekt graficzny okładki: Jennifer McGuire
Ilustracja na okładce: © Papuga2006/Dreamstime.com
Zdjęcie autora: © Michael Lionstar

Redakcja: Ewa Penksyk-Kluczkowska
Korekta: Magdalena Bargłowska, Iwona Wyrwisz, Aneta Iwan

ISBN: 978-83-7508-556-3

Sprzedaż wysyłkowa:
www.merlin.com.pl
www.empik.com
www.soniadraga.pl

WYDAWNICTWO SONIA DRAGA Sp. z o. o.
Pl. Grunwaldzki 8-10, 40-127 Katowice
tel. 32 782 64 77, fax 32 253 77 28
e-mail: info@soniadraga.pl
www.soniadraga.pl
www.facebook.com/WydawnictwoSoniaDraga
www.facebook.com/50TwarzyGreya
www.piecdziesiattwarzygreya.pl

Skład i łamanie:
Wydawnictwo Sonia Draga

Katowice 2012. Wydanie I

Druk:
Abedik S.A., Poznań

Wydrukowano na papierze Exopress 80% 60g
dostarczonym przez Zing Sp. z o.o.

Dla Nialla,
pana mojego wszechświata

PODZIĘKOWANIA

Dziękuję następującym osobom za pomoc i wsparcie:

Mojemu mężowi, Niallowi, za tolerowanie mojej obsesji, zajmowanie się domem i pierwszą redakcję tekstu.

Mojej szefowej, Lisie, za wytrzymanie ze mną przez ostatni rok, kiedy ogarnięta byłam tym całym szaleństwem.

CCL – nie zdradzę, kim jesteś, ale dziękuję Ci.

Oryginalnym „bunker babes" za przyjaźń i nieustanne wsparcie.

SR – za wszystkie przydatne rady od samego początku.

Sue Malone za zrobienie ze mną porządku.

Amandzie i całej ekipie TWCS za przyjęcie zakładu.

ROZDZIAŁ PIERWSZY

Patrzę w lustro i krzywię się. Do diaska z tymi włosami, zupełnie się nie chcą układać. I do diaska z Katherine Kavanagh, która się rozchorowała i każe mi teraz przez to przechodzić. „Nie mogę się kłaść z mokrymi włosami. Nie mogę się kłaść z mokrymi włosami". Recytując to niczym mantrę, jeszcze raz próbuję podporządkować je szczotce. Wzdycham z irytacją i przyglądam się bladej szatynce z niebieskimi oczami, zbyt dużymi w stosunku do całej twarzy. Szatynka odpowiada mi gniewnym spojrzeniem. Poddaję się. Mogę jedynie związać niesforne włosy w koński ogon i mieć nadzieję, że jakoś się będę prezentować.

Kate to moja współlokatorka i akurat dzisiaj musiała dopaść ją grypa, jakby nie mogła w jakikolwiek inny dzień. Dlatego też nie jest w stanie przeprowadzić od dawna zaplanowanego wywiadu dla gazety studenckiej z jakimś megapotężnym potentatem przemysłowym, o którym nigdy nie słyszałam. Zgodziłam się więc zrobić to za nią. Muszę zakuwać do egzaminów końcowych, dokończyć pracę pisemną, no a po południu powinnam pojawić się w pracy, ale nie – dzisiaj pokonam dwieście sześćdziesiąt kilometrów do centrum Seattle, aby się spotkać z tym tajemniczym prezesem Grey Enterprises Holdings Inc. Czas owego wybitnego przedsiębiorcy i głównego dobroczyńcy naszej uczelni jest niezwykle cenny – znacznie cenniejszy niż mój – niemniej jednak zgodził się udzielić

Kate wywiadu. Nie lada osiągnięcie, tak twierdzi moja
współlokatorka. Te jej przeklęte zajęcia dodatkowe.

Kate siedzi skulona na kanapie w salonie.

– Ana, tak mi przykro. Dziewięć miesięcy zabiega-
łam o ten wywiad. Sześć kolejnych potrwa ustalanie nowego terminu, a do tego czasu obie zdążymy skończyć
studia. Jako redaktor naczelna nie mogę tego skopać. Proszę – chrypi błagalnie. Jak ona to robi? Nawet chora ślicznie wygląda: jasnorude włosy są nienaganne, a zielone
oczy błyszczące, choć nieco zaczerwienione i załzawione.
Ignoruję przypływ niepożądanego współczucia.

– Oczywiście, że pojadę, Kate. A ty wracaj do łóżka.
Przynieść ci nyquil albo tylenol?

– Nyquil. Tu masz pytania i dyktafon. Wystarczy, że
wciśniesz przycisk nagrywania, o tutaj. Rób notatki, ja
wszystko spiszę.

– Kompletnie nic o nim nie wiem – burczę, bez powodzenia próbując stłumić rosnącą panikę.

– Pytania cię poprowadzą. Jedź już. To długa trasa.
Nie chcę, żebyś się spóźniła.

– No dobra, jadę. Kładź się do łóżka. Ugotowałam
zupę, później ją sobie odgrzej. – Patrzę na nią z czułością.
Robię to, Kate, tylko dla ciebie.

– Dobrze. Powodzenia. I dziękuję ci. Jak zawsze ra-
tujesz mi życie.

Biorę torbę na ramię, uśmiecham się cierpko do
Kate, po czym schodzę do samochodu. Nie mogę uwierzyć, że dałam się na to namówić. No ale przecież Kate
jest w czymś takim mistrzynią. Będzie z niej świetna
dziennikarka. Jest elokwentna, zdecydowana, przekonująca, śliczna – no i to moja najlepsza przyjaciółka.

NA DROGACH PANUJE NIEWIELKI ruch. Wyjeżdżam
z Vancouver w stanie Waszyngton i kieruję się w stronę

Portland i autostrady I-5. Jest jeszcze wcześnie, a w Seattle muszę być dopiero na drugą. Na szczęście Kate pożyczyła mi swojego sportowego mercedesa CLK. Nie jestem pewna, czy Wanda, mój stary garbus, dałaby radę dowieźć mnie na czas. Merca fajnie się prowadzi, a kilometry uciekają jeden za drugim, gdy wciskam pedał gazu.

Celem mojej podróży jest centrala globalnego przedsiębiorstwa pana Greya. To olbrzymi, dwudziestopiętrowy biurowiec, cały ze szkła i stali, funkcjonalna fantazja architekta. Nad szklanymi drzwiami metalowe litery tworzą dyskretny napis „Grey House". Na miejsce docieram kwadrans przed drugą. Uff, nie spóźniłam się. Ogarnięta uczuciem ulgi wchodzę do ogromnego – i, szczerze mówiąc, onieśmielającego – holu ze szkła, stali i białego piaskowca.

Siedząca za biurkiem z litego piaskowca bardzo atrakcyjna, zadbana młoda blondynka uśmiecha się do mnie uprzejmie. Ma na sobie najbardziej szykowną grafitową marynarkę i białą koszulę, jakie w życiu widziałam. Wygląda jak spod igły.

– Mam umówione spotkanie z panem Greyem. Anastasia Steele w zastępstwie Katherine Kavanagh.

– Chwileczkę, panno Steele.

Unosi lekko brew, a ja stoję przed nią skrępowana. Zaczynam żałować, że nie pożyczyłam od Kate eleganckiej marynarki, żeby ją włożyć zamiast granatowego palta. W sumie się postarałam i przywdziałam swoją jedyną spódnicę, brązowe kozaki do kolan oraz niebieski sweter. Dla mnie taki strój jest elegancki. Odgarniam za ucho pasmo włosów, które wymknęło się z kucyka, i udaję, że nie czuję onieśmielenia.

– Panna Kavanagh jest umówiona. Proszę się tu podpisać, panno Steele. Ostatnia winda po prawej stronie, dwudzieste piętro. – Gdy składam podpis, uśmiecha się do mnie uprzejmie, jak nic rozbawiona.

Wręcza mi identyfikator, na którym wielkimi literami napisano GOŚĆ. Uśmiecham się nieco drwiąco. To oczywiste, że jestem gościem, gołym okiem widać. Zupełnie do tego miejsca nie pasuję. Nic nowego, wzdycham w duchu. Dziękuję jej, po czym udaję się w stronę wind, mijając dwóch pracowników ochrony. W dobrze skrojonych czarnych garniturach wyglądają zdecydowanie bardziej elegancko ode mnie.

Winda w ekspresowym tempie zawozi mnie na dwudzieste piętro. Drzwi rozsuwają się i widzę następny duży hol – ponownie szkło, stal i biały piaskowiec. Staję przed kolejnym biurkiem z piaskowca i kolejną młodą blondynką odzianą nienagannie w czerń oraz biel i powstającą na mój widok.

– Panno Steele, zechce pani zaczekać tutaj. – Gestem wskazuje kilka krzeseł obitych białą skórą.

Za skórzanymi krzesłami widać sporych rozmiarów przeszkloną salę konferencyjną z dużym stołem z ciemnego drewna, wokół którego stoi co najmniej dwadzieścia krzeseł. Za tym wszystkim znajduje się sięgające od podłogi do sufitu okno z widokiem na Seattle, ciągnącym się aż do Zatoki Puget. Ta panorama jest oszałamiająca i przez chwilę stoję jak wrośnięta w ziemię. Rany.

Siadam, wyciągam z torby pytania i przeglądam je, w duchu przeklinając Kate za to, że nie dorzuciła choćby krótkiej notki biograficznej. Nic nie wiem na temat mężczyzny, z którym za chwilę mam przeprowadzić wywiad. Czy ma lat dziewięćdziesiąt, czy trzydzieści. Ta niepewność jest irytująca i znowu zaczynam się denerwować. Nigdy nie przepadałam za rozmowami twarzą w twarz, preferując anonimowość dyskusji grupowej, podczas której mogę siedzieć na końcu sali i nie zwracać na siebie uwagi. Jeśli mam być szczera, to preferuję własne towarzystwo i czytanie w kampusowej bibliotece jakiegoś brytyjskiego klasyka. A nie nerwowe wiercenie się na krześle w potężnym szklanym gmachu.

Gromię się w duchu. Weź się w garść, Steele. Sądząc po budynku, który jest zbyt zimny i nowoczesny, uznaję, że Grey ma czterdzieści parę lat: wysportowany, opalony i jasnowłosy, żeby pasować do reszty personelu.

W dużych drzwiach po prawej stronie pojawia się kolejna elegancka, nienagannie ubrana blondynka. O co chodzi z tymi jasnowłosymi panienkami jak spod igły? Czy ja trafiłam do Stepford? Robię głęboki wdech i wstaję.

– Panna Steele? – pyta najnowsza blondynka.

– Tak – odpowiadam chrypliwie i odkasłuję. – Tak. – Proszę, teraz zabrzmiało to pewniej.

– Pan Grey za chwilę się z panią spotka. Mogę wziąć pani płaszcz?

– Oczywiście. – Zdejmuję palto.

– Zaproponowano pani coś do picia?

– Eee, nie. – O rety, czy Blondynka Numer Jeden będzie mieć kłopoty?

Blondynka Numer Dwa marszczy brwi i mierzy spojrzeniem młodą kobietę za biurkiem.

– Co podać? Herbatę, kawę, wodę? – pyta, skupiając uwagę ponownie na mnie.

– Wodę, dziękuję – mamroczę.

– Olivio, przynieś, proszę, pannie Steele szklankę wody. – W jej głosie słychać surową nutę. Olivia natychmiast zrywa się z miejsca i spieszy w stronę drzwi po drugiej stronie holu.

– Najmocniej przepraszam, panno Steele, Olivia to nasza nowa stażystka. Proszę zająć miejsce. Pan Grey zjawi się za pięć minut.

Olivia wraca ze szklanką wody z lodem.

– Proszę bardzo, panno Steele.

– Dziękuję.

Blondynka Numer Dwa maszeruje do wielkiego biurka, a stukot obcasów o podłogę z piaskowca roznosi się echem po pomieszczeniu. Siada i obie wracają do pracy.

Może pan Grey nalega, aby wszystkie jego pracownice były blondynkami. Zastanawiam się właśnie, czy to zgodne z prawem, kiedy drzwi do gabinetu otwierają się i pojawia się w nich wysoki, elegancko ubrany, przystojny Afroamerykanin z krótkimi dredami. Zdecydowanie powinnam była inaczej się ubrać.

Odwraca się i mówi:

– Golf w tym tygodniu, Grey.

Nie słyszę odpowiedzi. Mężczyzna odwraca się, zauważa mnie i uśmiecha się. Olivia zdążyła już wyskoczyć zza biurka i wcisnąć przycisk przywołujący windę. Szybkie zrywanie się z krzesła ma opanowane do perfekcji. Denerwuje się bardziej ode mnie!

– Do widzenia paniom – mówi mężczyzna, znikając za drzwiami kabiny.

– Pan Grey czeka na panią, panno Steele. Proszę wejść – mówi Blondynka Numer Dwa. Wstaję i niepewnie próbuję opanować zdenerwowanie. Podnoszę torbę, zostawiam szklankę z wodą i kieruję się w stronę uchylonych drzwi. – Proszę wchodzić bez pukania. – Uśmiecha się uprzejmie.

Popycham drzwi i w tym samym momencie potykam się o własne nogi, po czym wpadam do gabinetu głową naprzód.

A niech to szlag – ja i moje dwie lewe nogi! Znajduję się na czworakach w progu gabinetu pana Greya, a usłużne ręce pomagają mi wstać. Mam ochotę zapaść się pod ziemię. Ale ze mnie niezdara. Sporo wysiłku muszę włożyć w podniesienie wzroku. Ożeż ty – jest taki młody.

– Panno Kavanagh. – Gdy odzyskuję pozycję pionową, wyciąga w moją stronę smukłą dłoń. – Jestem Christian Grey. Nic się pani nie stało? Usiądzie pani?

Taki młody – i przystojny, bardzo przystojny. Ma na sobie elegancki szary garnitur, białą koszulę i czarny krawat. Jest wysoki, ma niesforne włosy w odcieniu ciemnej miedzi i błyszczące szare oczy, których spojrzeniem mierzy mnie uważnie. Dopiero po chwili jestem w stanie odpowiedzieć.

– Eee, prawdę mówiąc… – bąkam. Jeśli ten facet ma więcej niż trzydzieści lat, to ja jestem tybetańskim mnichem. Oszołomiona wyciągam dłoń i witamy się uściskiem. Gdy nasze palce się stykają, przez moje ciało przebiega dziwny, przyjemny dreszcz. Pospiesznie cofam rękę. Wyładowania elektryczne i tyle. Mrugam szybko, a ruchy moich powiek dorównują szybkością biciu serca. – Panna Kavanagh jest niedysponowana, przysłała więc mnie. Mam nadzieję, że nie przeszkadza to panu, panie Grey.

– A pani to…? – Ton głosu ma ciepły i chyba nawet rozbawiony, choć trudno to ocenić, gdyż wyraz jego twarzy pozostaje niewzruszony. Sprawia wrażenie umiarkowanie zainteresowanego, ale przede wszystkim bije z niego uprzejmość.

– Anastasia Steele. Studiuję literaturę angielską razem z Kate, eee… Katherine… eee… panną Kavanagh na Uniwersytecie Stanu Waszyngton.

– Rozumiem – rzuca zwięźle. Wydaje mi się, że przez jego twarz przemknął cień uśmiechu, ale nie mam pewności. – Może usiądziemy? – Gestem wskazuje na obitą białą skórą kanapę w kształcie litery L.

Ten gabinet jest stanowczo zbyt duży dla jednej osoby. Naprzeciwko sięgających od podłogi do sufitu okien stoi wielkie nowoczesne biurko z ciemnego drewna, wokół którego spokojnie mogłoby zasiąść sześć osób. Z ta-

kiego samego drewna wykonano ławę stojącą obok kanapy. Wszystko inne jest białe: sufit, podłoga i ściany. Na
jednej z nich, tej z drzwiami, wisi mozaika niewielkich
obrazów, w sumie trzydziestu sześciu, ułożonych w kwa-
drat. Są śliczne – przedstawiają zwyczajne, zapomniane
przedmioty, namalowane z taką dbałością o szczegóły,
że wyglądają jak fotografie. Powieszone razem zapierają
dech w piersiach.

– Miejscowy malarz. Trouton – wyjaśnia Grey, kiedy
dostrzega, na co patrzę.

– Są piękne. Zwyczajność zmieniają w nadzwyczaj-
ność – rzucam zaintrygowana zarówno nim, jak i obrazami.

Przekrzywia głowę i przygląda mi się z uwagą.

– W pełni się z panią zgadzam, panno Steele – odpowiada cicho, a ja z jakiegoś niewytłumaczalnego powodu
oblewam się rumieńcem.

Nie licząc obrazów, reszta gabinetu jest zimna, czysta i beznamiętna. Zastanawiam się, czy odzwierciedla
to osobowość tego adonisa, który z gracją zajmuje jeden
z białych skórzanych foteli naprzeciwko mnie. Potrząsam
głową, zaniepokojona biegiem swoich myśli, i wyjmuję
z torby pytania Kate. Następie kładę na ławie dyktafon,
który oczywiście najpierw dwa razy ląduje na podłodze.
Grey nic nie mówi, cierpliwie – mam nadzieję – czekając,
gdy tymczasem mnie ogarnia coraz większe zażenowanie.
Kiedy zbieram się na odwagę i podnoszę wzrok, dostrzegam, że mnie obserwuje. Jedna ręka leży swobodnie na
kolanach, drugą podpiera brodę i przesuwa palcem wskazującym po ustach. Chyba próbuje powstrzymać uśmiech.

– Przepraszam – bąkam. – Nie jestem do tego przyzwyczajona.

– Ależ proszę się nie spieszyć, panno Steele.

– Nie będzie panu przeszkadzać, jeśli nagram pańskie odpowiedzi?

– Teraz mnie pani o to pyta? Po tym, jak zadała sobie pani tyle trudu, aby umieścić na ławie dyktafon? Rumienię się. Przekomarza się ze mną? Oby. Mrugam, nie bardzo wiedząc, co powiedzieć, a on chyba się nade mną lituje, ponieważ stwierdza:

– Nie będzie mi to przeszkadzać.

– Czy Kate, to znaczy panna Kavanagh, wyjaśniła cel tego wywiadu?

– Tak. Ma się pojawić w kolejnym, ostatnim w tym roku akademickim numerze gazety studenckiej, ponieważ to ja mam wręczać absolwentom dyplomy.

Och! To dla mnie nowość i zaintrygowana jestem faktem, że ktoś niewiele ode mnie starszy – okej, może z sześć lat lub coś koło tego, i okej, odnoszący niesamowite sukcesy, no ale jednak młody – wręczy mi dyplom ukończenia studiów. Marszczę brwi, próbując się ponownie skoncentrować na wyznaczonym zadaniu.

– Świetnie. – Przełykam nerwowo ślinę. – Mam kilka pytań, panie Grey. – Zatykam niesforny lok za ucho.

– Tego właśnie oczekiwałem – mówi, zachowując śmiertelną powagę.

Natrząsa się ze mnie. Gdy dociera to do mnie, policzki zaczynają mi płonąć i prostuję się, aby się wydać wyższą i bardziej onieśmielającą. Wciskając guzik w dyktafonie, próbuję wyglądać jak profesjonalistka.

– Jest pan bardzo młody jak na osobę, której udało się stworzyć takie imperium. Czemu zawdzięcza pan swój sukces? – Podnoszę na niego wzrok. Co prawda uśmiecha się, ale sprawia wrażenie nieco rozczarowanego.

– Biznes to ludzie, panno Steele, a mnie świetnie wychodzi ich ocena. Wiem, jak pracują, co poprawia ich wyniki, co nie, co ich inspiruje i jak ich motywować. Zatrudniam wyjątkowy zespół i sowicie go wynagradzam. – Przeszywa mnie spojrzeniem szarych oczu.

– Żywię przekonanie, że aby osiągnąć sukces w jakiejś dziedzinie, trzeba stać się w niej mistrzem, poznać ją na wylot, każdy najmniejszy szczegół. Ciężko nad tym pracuję. Podejmuję decyzje, kierując się logiką i faktami. Instynkt pozwala mi dostrzec dobry pomysł i zająć się nim, a także zgromadzić dobrych ludzi. W tym właśnie sedno: wszystko zawsze się sprowadza do dobrych ludzi.

– Może ma pan po prostu szczęście. – To nie znajduje się na liście Kate. Ale on jest taki arogancki. Przez chwilę w jego oczach widzę zaskoczenie.

– Nie uznaję czegoś takiego jak szczęście czy traf, panno Steele. Wygląda na to, że im ciężej pracuję, tym więcej mam szczęścia. Naprawdę wszystko jest uzależnione od tego, czy ma się w zespole odpowiednich ludzi i czy należycie pożytkuje się ich energię. To chyba Harvey Firestone powiedział, że ludzki rozwój to najważniejsze powołanie przywództwa.

– Widać, że lubi pan rządzić. – Te słowa wydostają się z moich ust bez mojej wiedzy.

– Och, sprawuję kontrolę we wszystkich dziedzinach życia, panno Steele – mówi, ale jego uśmiech pozbawiony jest wesołości. Patrzę na niego, a on odpowiada mi spojrzeniem bacznym i beznamiętnym. Serce zaczyna szybciej mi bić, a policzki znowu oblewa rumieniec.

Czemu tak mnie wytrąca z równowagi? Może to kwestia jego atrakcyjności? Przeszywającego spojrzenia? Sposobu, w jaki palcem wskazującym przesuwa po dolnej wardze? Naprawdę mógłby przestać tak robić.

– Poza tym ogromną władzę człowiek zdobywa wtedy, gdy przekona samego siebie, iż urodził się po to, aby sprawować kontrolę – kontynuuje gładko.

– Uważa pan, że ma ogromną władzę? – Normalnie obsesja na punkcie sprawowania kontroli.

– Mam cztery tysiące pracowników, panno Steele. Zapewnia mi to swoiste poczucie odpowiedzialności, władzy, jeśli takie określenie bardziej pani odpowiada. Gdybym podjął decyzję, że już mnie nie interesuje branża telekomunikacyjna i sprzedałbym firmę, po mniej więcej miesiącu dwadzieścia tysięcy ludzi miałoby problem ze spłatą hipoteki.

Moje usta same się otwierają. Jego brak pokory wprawia mnie w osłupienie.

– Nie musi pan odpowiadać przed zarządem? – pytam zdegustowana.

– Jestem właścicielem mojej firmy. Nie muszę odpowiadać przed zarządem. – Unosi brew. Czerwienieję. Oczywiście wiedziałabym to, gdybym zebrała choć trochę informacji na jego temat. Ale, cholera, strasznie jest arogancki. Zmieniam taktykę.

– Inwestuje pan w produkcję przemysłową. Co jest tego powodem? – pytam. Dlaczego w jego towarzystwie czuję się taka skrępowana?

– Lubię budować różne rzeczy. Lubię wiedzieć, jak wszystko działa: na jakiej zasadzie, jak to złożyć i rozłożyć. Poza tym kocham statki. Cóż mogę powiedzieć?

– Mam wrażenie, jakby mówiło to pańskie serce, a nie logika i fakty.

Dostrzegam drgnięcie kącika jego ust. Wpatruje się we mnie bacznie.

– Możliwe. Choć niektórzy powiedzieliby, że ja nie mam serca.

– A czemu mieliby tak mówić?

– Bo dobrze mnie znają. – Wykrzywia usta w cierpkim uśmiechu.

– Czy pańscy przyjaciele powiedzieliby, że łatwo pana poznać? – I natychmiast żałuję tego pytania. Nie ma go na liście Kate.

– Mocno bronię swojej prywatności, panno Steele. Rzadko udzielam wywiadów.

– Dlaczego więc na ten się pan zgodził?

– Ponieważ jestem dobroczyńcą waszej uczelni, no i prawdę powiedziawszy, panna Kavanagh nie pozwalała się zbyć. Bez końca wierciła dziurę w brzuchu moim ludziom z PR, a ja podziwiam tego rodzaju upór.

Wiem, jak uparta potrafi być Kate. Dlatego właśnie siedzę tutaj i kulę się pod badawczym spojrzeniem Greya, gdy tymczasem powinnam zakuwać do egzaminów.

– Inwestuje pan także w technologie rolnicze. Skąd pańskie zainteresowanie tą akurat branżą?

– Nie da się jeść pieniędzy, panno Steele, a zbyt wielu ludzi na tej planecie jest niedożywionych.

– Bardzo filantropijne podejście. Czy to właśnie jest pańską pasją? Nakarmienie biednych tego świata?

Wzrusza niezobowiązująco ramionami.

– To całkiem niezły biznes – stwierdza, choć mnie się wydaje, że nie mówi tego szczerze. Jaki to ma sens: karmienie biednych tego świata? Nie widzę w tym żadnych korzyści finansowych. Zerkam na kolejne pytanie, skonsternowana tym, co usłyszałam.

– Ma pan swoją filozofię? A jeśli tak, to jaką?

– Nie mam filozofii jako takiej. Może jedynie zasadę przewodnią, słowa Andrew Carnegiego: „Ten, kto posiądzie umiejętność władania własnym umysłem, może objąć w posiadanie wszystko inne, do czego ma słuszne prawo". Z determinacją dążę do celu. Lubię kontrolę zarówno nad samym sobą, jak i nad tymi, którzy mnie otaczają.

– A więc chce pan obejmować rzeczy w posiadanie.

– Ależ z niego „kontroler".

– Chcę zasługiwać na to, aby je posiadać, ale owszem, tak to można ująć.

– Mówi pan jak konsument pierwszej wody.

– Bo nim jestem.

Uśmiecha się, ale uśmiech nie dociera do oczu. Po raz kolejny nie pasuje to do kogoś, kto chce nakarmić świat, nie potrafię się więc oprzeć wrażeniu, że mówimy o czymś innym, tyle że nie mam pojęcia o czym. Przełykam ślinę. Panująca w gabinecie temperatura uległa podwyższeniu, a może tylko ja tak to odczuwam. Chciałabym mieć już ten wywiad za sobą. Chyba zgromadziłam dość materiału dla Kate, no nie? Zerkam na kolejne pytanie.

– Został pan adoptowany. Jak dalece ukształtowało to pański charakter? – Och, to akurat pytanie osobiste. Patrzę na swego rozmówcę, mając nadzieję, że go nie uraziłam. Marszczy czoło.

– Nie jestem w stanie tego określić.

Zaintrygował mnie.

– Ile miał pan lat w momencie adopcji?

– To fakt powszechnie znany, panno Steele. – W jego głosie pobrzmiewa surowość. Ponownie oblewam się rumieńcem. Cholera. Gdybym wiedziała, że będę przeprowadzać ten wywiad, to oczywiste, że lepiej bym się przygotowała. Szybko zmieniam temat.

– Dla pracy poświęca pan życie rodzinne.

– To nie jest pytanie – rzuca krótko.

– Przepraszam. – Czuję się jak zbesztane dziecko. Próbuję raz jeszcze. – Czy musi pan poświęcać dla pracy życie rodzinne?

– Mam rodzinę. Mam brata i siostrę, i kochających rodziców. Nie interesuje mnie powiększanie tej rodziny.

– Jest pan gejem, panie Grey?

Wciąga głośno powietrze, a ja kulę się z zażenowaniem. Cholera. Jak mogłam nie zastosować czegoś w rodzaju filtra, tylko od razu głośno to przeczytać? Jak mam mu powiedzieć, że ja jedynie czytam pytania? Cholerna Kate i jej ciekawość!

– Nie, Anastasio, nie jestem. – Unosi brwi, a w jego oczach pojawia się chłodny błysk. Nie wygląda na zadowolonego.

– Bardzo przepraszam. To, eee… jest tu napisane. – Po raz pierwszy wypowiedział moje imię. Szybciej bije mi serce, a policzki znowu czerwienieją. Nerwowym gestem zatykam pasmo włosów za ucho.

Grey przechyla głowę.

– To nie są pani pytania?

Krew odpływa mi z twarzy. O nie.

– Eee… nie. Kate, panna Kavanagh, to ona je przygotowała.

– Pracujecie razem w gazecie studenckiej? – Cholera jasna! Nie mam nic wspólnego z tą gazetą. To zajęcie dodatkowe Kate, nie moje. Twarz mi płonie.

– Nie. To moja współlokatorka.

W zamyśleniu gładzi się po brodzie, przyglądając mi się uważnie.

– Zaoferowała się pani, że przeprowadzi ten wywiad? – pyta niebezpiecznie cichym głosem.

Chwileczkę, kto ma komu zadawać pytania? Jego spojrzenie przewierca mnie na wylot, a ja zmuszona jestem powiedzieć prawdę.

– Zostałam oddelegowana. Kate jest chora – mówię przepraszająco.

– To wiele wyjaśnia.

Rozlega się pukanie do drzwi i do gabinetu wsuwa głowę Blondynka Numer Dwa.

– Panie Grey, przepraszam, że przeszkadzam, ale za dwie minuty ma pan kolejne spotkanie.

– Jeszcze nie skończyliśmy, Andreo. Odwołaj, proszę, to spotkanie.

Andrea waha się, wpatrując się w niego. Sprawia wrażenie zagubionej. Grey odwraca powoli głowę w jej stronę i unosi brwi. Kobieta oblewa się pąsowym rumieńcem. Uff, nie tylko ja tak mam.

– Oczywiście, panie Grey – bąka, po czym zamyka za sobą drzwi.

Mój rozmówca marszczy brwi, a następnie skupia uwagę z powrotem na mnie.

– Na czym skończyliśmy, panno Steele?

Och, a więc wracamy do „panny Steele".

– Ja naprawdę nie chcę w niczym panu przeszkadzać.

– Chciałbym dowiedzieć się czegoś na pani temat. Dla wyrównania rachunków. – W jego szarych oczach błyszczy ciekawość. Kurde i jeszcze raz kurde. Po co mu to? Opiera łokcie na poręczach fotela, a palce krzyżuje na wysokości ust. Jego usta są bardzo... rozpraszające. Przełykam ślinę.

– Niewiele tego jest – mówię, rumieniąc się po raz enty.

– Co ma pani w planach po ukończeniu studiów?

Wzruszam ramionami, zakłopotana jego zainteresowaniem. Jechać do Seattle z Kate, znaleźć pracę. Tak naprawdę nie wybiegam zbytnio myślami w przyszłość.

– Jeszcze nie poczyniłam planów, panie Grey. Na razie muszę zdać egzaminy końcowe. – Do których powinnam się teraz przygotowywać, a nie siedzieć w tym okazałym, eleganckim, sterylnym gabinecie, kuląc się pod twoim badawczym spojrzeniem.

– Mamy tutaj doskonały program dla stażystów – mówi cicho. Unoszę z zaskoczeniem brwi. Proponuje mi pracę?

– Och. Będę to miała na uwadze – dukam skonfundowana. – Choć nie jestem pewna, czybym tutaj pasowała. – O nie. Znowu myślę na głos.

– Dlaczego tak pani uważa? – Zaintrygowany przechyla głowę na bok, a przez jego twarz przemyka coś na kształt uśmiechu.

– To chyba oczywiste. – Jestem niezgrabna, mało elegancka i nie mam włosów w kolorze blond.

– Dla mnie nie.

Już się nie uśmiecha i nagle czuję skurcz jakichś dziwnych mięśni w brzuchu. Pochylam głowę i niewidzącym wzrokiem wpatruję się w zaplecione palce. Co się dzieje? Muszę stąd wyjść, natychmiast. Wyciągam rękę po dyktafon.

– Może oprowadzić panią? – pyta.

– Jestem pewna, że ma pan zbyt wiele zajęć, panie Grey, a mnie czeka długa droga.

– Wraca pani do Vancouver? – W jego głosie słychać zaskoczenie, a nawet niepokój. Zerka w stronę okna. Zdążyło się rozpadać. – Cóż, proszę zachować ostrożność. – Ton ma surowy, autorytarny. Czemu miałoby go to obchodzić? – Otrzymała pani wszystko, co trzeba? – dodaje.

– Tak, proszę pana – odpowiadam, wrzucając dyktafon do torby. On mruży oczy z namysłem. – Dziękuję za rozmowę, panie Grey.

– Cała przyjemność po mojej stronie. – Jak zawsze uprzejmy.

Gdy wstaję, on także podnosi się z fotela i wyciąga rękę.

– Do zobaczenia, panno Steele. – I brzmi to jak wyzwanie albo groźba, nie mam pewności. Marszczę brwi. Do zobaczenia? Ponownie ujmuję jego dłoń, zdumiona tym, że nadal przeskakują między nami te dziwne iskry. To pewnie nerwy.

– Panie Grey. – Kiwam głową.

Sprężystym krokiem podchodzi do drzwi i otwiera je na oścież.

– Chcę dopilnować, aby nic się pani nie stało, panno Steele. – Uśmiecha się lekko. To oczywiste, że czyni aluzję do mojego mało eleganckiego wkroczenia do gabinetu. Oblewam się rumieńcem.

– Jest pan bardzo uprzejmy, panie Grey – warczę, a jego uśmiech staje się szerszy. Fajnie, że uważasz mnie za zabawną, wściekam się w duchu, wychodząc do holu. Ku memu zaskoczeniu sam też wychodzi. Andrea i Olivia unoszą głowy znad biurek, równie zdziwione.

– Miała pani jakiś płaszcz?

– Tak. – Olivia zrywa się z krzesła i przynosi moje palto, które przechwytuje Grey. Przytrzymuje je dla mnie, a ja wsuwam z zażenowaniem ręce w rękawy. Na chwilę kładzie dłonie na moich ramionach. Wciągam gwałtownie powietrze. Jeśli zauważa moją reakcję, nic nie daje po sobie poznać. Długim palcem wskazującym wciska guzik przywołujący windę i stoimy, czekając – ja skrępowana, on obojętnie opanowany. Drzwi rozsuwają się i wchodzę natychmiast do kabiny, desperacko pragnąc stąd uciec. Naprawdę muszę wydostać się z tego miejsca. Kiedy odwracam się, widzę, że Grey opiera się jedną ręką o ścianę przy windzie. Naprawdę jest bardzo, ale to bardzo przystojny. Mocno mnie to rozprasza. Przewierca mnie swymi szarymi oczami.

– Anastasio – mówi tytułem pożegnania.

– Christianie – odpowiadam. I litościwie zasuwają się drzwi.

ROZDZIAŁ DRUGI

Serce wali mi jak młot. Winda zatrzymuje się na parterze i opuszczam ją od razu po rozsunięciu się drzwi. Potykam się, ale na szczęście udaje mi się zachować równowagę. W ekspresowym tempie docieram do dużych szklanych drzwi i wypadam na rześkie i wilgotne powietrze Seattle. Unoszę twarz ku niebu, wystawiając ją na chłodne krople odświeżającego deszczu. Zamykam oczy i oddycham głęboko, próbując odzyskać to, co pozostało z mojego opanowania.

Żaden mężczyzna nigdy nie podziałał na mnie tak jak Christian Grey i nie jestem w stanie pojąć dlaczego. To przez jego wygląd? Uprzejmość? Zamożność? Władzę? Nie rozumiem swojej irracjonalnej reakcji. Głośno oddycham z ulgą. Co to, u licha, miało być? Opierając się o jedną ze stalowych kolumn, próbuję się uspokoić i zebrać myśli. Potrząsam głową. Cholera – co to było? Serce powoli odzyskuje zwykły rytm, a ja znowu jestem w stanie normalnie oddychać. Ruszam w stronę samochodu.

Gdy zostawiam za sobą miasto i odtwarzam w głowie niedawną rozmowę, ogarnia mnie zażenowanie. Zbyt emocjonalnie reaguję na coś wyimaginowanego. Okej, rzeczywiście jest bardzo przystojny, pewny siebie, władczy – ale z drugiej strony arogancki. I choć maniery ma nienaganne, to zimny autokrata. W każdym razie na pierwszy rzut oka. Po plecach przebiega mi dreszcz.

Może i zachowuje się arogancko, no ale w końcu ma do tego prawo – tak wiele udało mu się osiągnąć w tak młodym wieku. Nie cierpi głupoty, ale czemu miałoby być inaczej? Po raz kolejny czuję irytację na Kate, że nie zaznajomiła mnie z jego biografią.

Podczas jazdy moje myśli ciągle uciekają ku niemu. Autentycznie zastanawia mnie, co sprawia, że ktoś jest tak bardzo nakierowany na odniesienie sukcesu. Część jego odpowiedzi była mocno enigmatyczna – jakby miał jakieś skryte zamiary. I te pytania Kate! Adopcja i homoseksualizm! Wzdrygam się. Nie mogę uwierzyć, że go o to zapytałam. Ziemio, rozstąp się natychmiast pode mną! Za każdym razem, gdy przypomni mi się to pytanie, będę się skręcać z zażenowania. Cholerna Katherine Kavanagh!

Zerkam na prędkościomierz. Jadę wolniej niż zazwyczaj. I wiem, że powodem tego jest wspomnienie przenikliwych szarych oczu i surowego głosu, zalecającego mi ostrożność. Kręcę głową. Grey sprawia wrażenie, jakby miał dwa razy więcej lat, niż ma.

Zapomnij o tym, Ana. Uznaję, że generalnie było to bardzo interesujące doświadczenie, ale nie powinnam tak tego rozpamiętywać. Nigdy więcej się z nim nie spotkam. Na tę myśl od razu poprawia mi się nastrój. Włączam odtwarzacz MP3, robię głośniej, rozpieram się wygodnie i słucham dudniącej muzyki indie rock, wciskając jednocześnie pedał gazu. Gdy wjeżdżam na autostradę, dociera do mnie, że mogę jechać tak szybko, jak tylko mam ochotę.

MIESZKAMY NA MAŁYM OSIEDLU bliźniaków w Vancouver, niedaleko miasteczka uniwersyteckiego. Szczęściara ze mnie – rodzice Kate kupili dla niej to mieszkanie, a ja płacę jej grosze za wynajem. Mieszkam tu już od czterech lat. Gdy podjeżdżam pod dom, wiem, że Kate zażąda drobiazgowej relacji, a jej się nie da tak łatwo zbyć. Cóż, dostanie dyktafon. Przy odrobinie szczęścia nie będę musiała opowiadać zbyt wiele ponad to, co się nagrało.

– Ana! Wróciłaś. – Kate siedzi w salonie, otoczona podręcznikami. Najwyraźniej uczy się do egzaminów, mimo że nadal ma na sobie piżamę z różowej flaneli w króliczki, tę, którą rezerwuje na czas po rozstaniach z chłopakami, choroby i generalnie nastrój depresyjny. Podbiega do mnie i mocno ściska. – Zaczynałam się martwić. Myślałam, że szybciej wrócisz.

– Och, wywiad się przedłużył, więc uważam, że czas mam całkiem dobry. – Macham dyktafonem.

– Ana, tak bardzo ci dziękuję. Jestem twoją dłużniczką, wiem. Jak poszło? Jaki był Grey? – O nie, zaczyna się, Wielkie Przesłuchanie Katherine Kavanagh.

Wzruszam ramionami. Co mam powiedzieć?

– Cieszę się, że jest już po wszystkim i że nie muszę ponownie się z nim spotykać. Był dość onieśmielający. – Wzruszam ramionami. – Dąży do wyznaczonego celu, rzekłabym, że ostro, no i jest młody. Naprawdę młody.

Kate patrzy na mnie z miną niewiniątka. Gromię ją wzrokiem.

– Nie zgrywaj mi tu niewiniątka. Czemu nie dołączyłaś biografii? Czułam się przez to jak idiotka.

Kate przykłada dłoń do ust.

– Jezu, Ana, przepraszam, nie pomyślałam.

– Generalnie był uprzejmy, formalny, nieco wyniosły, jakby przedwcześnie się postarzał. Nie mówi jak facet przed trzydziestką. A tak na marginesie to ile on ma lat?

– Dwadzieścia siedem. Ana, przepraszam. Powinnam ci to była streścić, ale strasznie panikowałam. Daj mi dyktafon, zabiorę się za spisywanie wywiadu.

– Lepiej wyglądasz. Zjadłaś zupę? – pytam, chcąc zmienić temat.

– Tak, i jak zawsze była pyszna. Czuję się znacznie lepiej. – Uśmiecha się do mnie z wdzięcznością.

Zerkam na zegarek.

– Muszę lecieć. Zdążę na część popołudniowej zmiany u Claytona.

– Ana, będziesz wykończona.

– Dam sobie radę. No to na razie.

PRACUJĘ U CLAYTONA OD początku studiów. To największy sklep żelazny w Portland i okolicy i przez cztery lata pracy nabyłam nieco wiedzy na temat większości sprzedawanych przez nas produktów, choć – o ironio – beznadziejny ze mnie majsterkowicz. Zostawiam to tacie. Jestem raczej typem dziewczyny, która lubi zasiąść z książką w wygodnym fotelu przed kominkiem. Cieszę się, że zdążyłam na swoją zmianę, gdyż dzięki temu mogę się skupić na czymś, co nie jest Christianem Greyem. W sklepie panuje spory ruch – to początek sezonu letniego i ludzie remontują domy. Pani Clayton wita mnie z otwartymi ramionami.

– Ana! Sądziłam, że dzisiaj nie dasz rady.

– Wyrobiłam się szybciej, niż zakładałam. Kilka godzin mogę popracować.

– Naprawdę się cieszę, że cię widzę.

Wysyła mnie do magazynu, abym zabrała się za wykładanie towaru na półki i nie mija dużo czasu, a zadanie to pochłania mnie całkowicie.

KIEDY WRACAM DO DOMU, Kate ze słuchawkami na uszach stuka w klawiaturę laptopa. Nos nadal ma czerwony, ale w ferworze pracy koncentruje się i szybko pisze. Ja jestem totalnie wypompowana – wykończona długą jazdą, wyczerpującym wywiadem i pracą u Claytona. Padam na kanapę, myśląc o eseju, który muszę dokończyć, i nauce, którą dziś zaniedbałam, ponieważ byłam z… nim.

– Sporo tu niezłego materiału, Ana. Dobra robota. Nie mogę uwierzyć, że nie przyjęłaś jego propozycji oprowadzenia cię po budynku. To oczywiste, że chciał spędzić z tobą więcej czasu. – Patrzy na mnie zagadkowo. Rumienię się i z niewiadomych powodów moje serce przyspiesza. Chyba nie to było powodem, prawda? Chciał mi jedynie zaprezentować swoje włości. Uświadamiam sobie, że przygryzam wargę, i mam nadzieję, że Kate tego nie widzi. Ale ona jest pochłonięta swoją pracą.

– Wiem już, o co ci chodziło z jego formalnością. Notowałaś coś? – pyta.

– Eee, nie.

– Nie szkodzi. Jest sporo materiału na dobry artykuł. Szkoda, że nie mamy żadnych oryginalnych zdjęć. Przystojny z niego sukinsyn, no nie?

Pąsowieję.

– Owszem. – Bardzo się staram, aby zabrzmiało to obojętnie. Chyba mi się udaje.

– Daj spokój, Ana, nawet ty nie możesz być odporna na jego wygląd. – Unosi idealną brew.

Jasny gwint! Aby zmienić temat, uciekam się do pochlebstwa, co zawsze jest dobrym wybiegiem.

– Ty pewnie więcej byś z niego wyciągnęła.

– Wątpię. W zasadzie zaproponował ci pracę. Zważywszy, że wrobiłam cię w to na ostatnią chwilę, świetnie sobie poradziłaś. – Patrzy na mnie badawczo. Pospiesznie wycofuję się w stronę kuchni. – No więc co o nim myślisz tak naprawdę? – Dociekliwa jak diabli. Nie może tak po prostu odpuścić? Wymyśl coś, Steele, szybko.

– Z determinacją dąży do celu, uwielbia kontrolować, jest arogancki, w sumie nawet przerażający, ale bardzo charyzmatyczny. Fascynacja jest całkowicie zrozumiała – dodaję zgodnie z prawdą, mając nadzieję, że to ją w końcu zamknie.

– Ty zafascynowana mężczyzną? Pierwszy taki przypadek – prycha.

Zabieram się za robienie kanapek, żeby nie widziała mojej twarzy.

– Dlaczego chciałaś wiedzieć, czy nie jest gejem? Nawiasem mówiąc, to było najbardziej krępujące pytanie. Ja czułam potworne zażenowanie, a on się wkurzył.

– Krzywię się na to wspomnienie.

– Na zdjęciach w rubrykach towarzyskich zawsze pojawia się sam.

– To było żenujące. Cała ta sprawa była żenująca. Cieszę się, że już nigdy nie będę musiała go oglądać.

– Och, Ana, na pewno nie było aż tak źle. Z nagrania wnioskuję, że zrobiłaś na nim spore wrażenie.

Wrażenie? Ja? Co ta Kate plecie?

– Zrobić ci kanapkę?

– Poproszę.

Ku mojej uldze tego wieczoru nie rozmawiamy już o Christianie Greyu. Po kolacji siadam przy stole obok Kate i podczas gdy ona pracuje nad artykułem, ja piszę pracę na temat *Tessy d'Urberville*. Jejku, ona to dopiero znalazła się w niewłaściwym miejscu, w niewłaściwym czasie, w niewłaściwym kraju. Gdy kończę, jest już północ, a Kate dawno poszła spać. Udaję się do swojego pokoju wykończona, ale zadowolona, że udało mi się zrobić tak dużo.

Kładę się na białym łóżku z kutego żelaza, otulam kołdrą od mamy, zamykam oczy i natychmiast zapadam w sen. Tej nocy śnię o mrocznych miejscach, białych zimnych podłogach i szarych oczach.

Reszta tygodnia upływa mi na nauce i pracy u Claytona. Kate także jest mocno zajęta: przygotowuje ostatni numer gazety studenckiej, a jednocześnie zakuwa do egzaminów.

W środę czuje się na tyle dobrze, że nie muszę już oglądać flanelowej piżamy w króliczki. Dzwonię do Georgii do mamy, aby sprawdzić, co u niej, ale też po to, aby życzyła mi powodzenia na egzaminach. Tak właśnie robi, a potem zaczyna opowiadać o swoim najnowszym przedsięwzięciu, czyli produkcji świeczek. Moja mama co rusz zabiera się za coś nowego. Generalnie nudzi jej się i potrzebuje czegoś, co ją zajmie, ale nie potrafi się na niczym dłużej skoncentrować. Za tydzień będzie to nowy kolejny projekt. Mam nadzieję, że nie wzięła kredytu pod zastaw domu, aby sfinansować najświeższy pomysł. I że Bob – względnie nowy, ale znacznie od niej starszy mąż – ma na nią oko. Wydaje się zdecydowanie solidniejszy od Męża Numer Trzy.

– A co u ciebie, Ano?

Przez chwilę waham się i mama od razu to wyłapuje.

– Wszystko dobrze.

– Ana? Poznałaś kogoś? – O kurczę, jak ona to robi? Jej ekscytacja jest wręcz namacalna.

– Nie, mamo, dowiesz się o tym jako pierwsza.

– Skarbie, naprawdę musisz częściej wychodzić. Martwię się o ciebie.

– Zupełnie niepotrzebnie. A co u Boba? – Jak zawsze najlepsza strategia to zmiana tematu rozmowy.

Później tego wieczoru dzwonię do Raya, mojego ojczyma, Męża Numer Dwa, człowieka, którego uważam za ojca i którego nazwisko noszę. Rozmowa nie jest długa. W zasadzie to nie tyle rozmowa, co seria pomruków w odpowiedzi na moje łagodne wypytywania. Ray nie należy do ludzi rozmownych. Ale nadal żyje, nadal ogląda w telewizji piłkę nożną, chodzi na kręgle oraz na ryby i robi meble. Ray to zdolny stolarz i dzięki niemu potrafię odróżnić piłę ręczną od packi. Wygląda na to, że u niego wszystko po staremu.

* * *

Kate i ja zastanawiamy się właśnie, jak spożytkować piątkowy wieczór – mamy ochotę oderwać się na parę godzin od nauki, pracy i gazet studenckich – kiedy rozlega się dzwonek. Na progu z butelką szampana stoi José, mój przyjaciel.

– José! Fajnie, że wpadłeś! – Witam go uściskiem. – Wchodź.

To pierwsza osoba, którą poznałam po przyjeździe na studia. Wydawał się wtedy równie zagubiony i osamotniony jak ja. Rozpoznaliśmy w sobie bratnie dusze i od tamtego dnia się przyjaźnimy. Łączy nas nie tylko identyczne poczucie humoru. Okazało się, że Ray i José Senior służyli w wojsku w tej samej jednostce. W efekcie nasi ojcowie także się zaprzyjaźnili.

José studiuje inżynierię i będzie pierwszą osobą w rodzinie z wyższym wykształceniem. Świetnie sobie radzi na studiach, ale jego prawdziwa pasja to fotografia. Ma fantastyczne oko do dobrych ujęć.

– Przynoszę wieści. – Uśmiecha się szeroko, a w jego ciemnych oczach pojawia się błysk.

– Nic mi nie mów, jednak nie wyrzucono cię ze studiów – przekomarzam się, a on z udawaną irytacją marszczy brwi.

– W przyszłym miesiącu w galerii Portland Place odbędzie się wystawa moich zdjęć.

– Fantastycznie, moje gratulacje! – Uradowana ponownie go ściskam.

Kate także uśmiecha się do niego promiennie.

– Dobra robota, José! Powinnam umieścić tę wiadomość w gazecie. Nie ma jak ostatnie poprawki w piątkowy wieczór.

– Uczcijmy to. Chcę, żebyś przyszła na otwarcie. – José patrzy na mnie bacznie. Oblewam się rumieńcem. – To znaczy… żebyście obie przyszły – dodaje, zerkając nerwowo na Kate.

José i ja jesteśmy bliskimi przyjaciółmi, on jednak na pewno chciałby, żeby łączyło nas coś więcej. Jest uroczy i zabawny, ale to nie mężczyzna dla mnie. Traktuję go raczej jak brata, którego nigdy nie miałam. Katherine często się ze mną droczy, że brak mi genu „potrzebny mi chłopak", ale prawda jest taka, że po prostu nie spotkałam nikogo, kto... cóż, kto by mi się spodobał, choć nie powiem, że nie chciałabym się przekonać, jak to jest, kiedy trzęsą się nogi, serce podchodzi do gardła, w brzuchu fruwa stado motyli i nie można w nocy spać.

Czasami się zastanawiam, czy przypadkiem coś jest ze mną nie tak. Być może za dużo czasu spędzam w towarzystwie moich bohaterów literackich i, co za tym idzie, moje ideały i oczekiwania są zdecydowanie zbyt wysokie. Ale w świecie rzeczywistym nikt nigdy nie sprawił, abym tak się poczuła.

Aż do niedawna – szepcze cicho moja podświadomość. NIE! Natychmiast przeganiam tę myśl. Nie będę o tym myśleć, nie po tym żenującym wywiadzie. „Jest pan gejem, panie Grey?". Wzdrygam się na samo wspomnienie. Wiem, że ten człowiek pojawia się teraz w moich snach, ale tylko dlatego, aby oczyścić mój organizm z tego okropnego przeżycia, no nie?

Patrzę, jak José otwiera szampana. Jest wysoki, ma na sobie dżinsy i T-shirt podkreślający twarde mięśnie, śniadą cerę, ciemne włosy i oczy. Tak, niezłe z niego ciacho, ale myślę, że w końcu to do niego dotarło: jesteśmy tylko przyjaciółmi. Korek wyskakuje z butelki, a José unosi głowę i uśmiecha się.

Sobota w sklepie to koszmar. Mamy wtedy nalot majsterkowiczów, którzy pragną odpicować swoje domy. Państwo Claytonowie, John oraz Patrick – dwóch innych pracowników na pół etatu – i ja uwijamy się jak w ukropie. Ale w porze lunchu klienci tymczasowo się wykruszają i pan Clayton prosi, abym rzuciła okiem na zamówienia. Robię to, siedząc za kasą i dyskretnie podjadając bajgla. Sprawdzam numery katalogowe produktów, których potrzebujemy, i tych, które zamówiliśmy, przeskakując wzrokiem od książki z zamówieniami do monitora i z powrotem, upewniając się, czy wszystko się zgadza. Nagle z jakiegoś powodu podnoszę wzrok… i napotykam zuchwałe spojrzenie szarych oczu Christiana Greya, który stoi po drugiej stronie lady i wpatruje się we mnie.

Chyba mam atak serca.

– Panno Steele. Cóż za miła niespodzianka.

Jego spojrzenie jest nieustępliwe i zdecydowane. Rany Julek. A co, u licha, on tutaj robi, na dodatek w kremowym swetrze z grubej dzianiny, dżinsach i traperkach? Chyba mam otwartą buzię i nie jestem w stanie zlokalizować mózgu ani głosu.

– Panie Grey. – Tyle jedynie udaje mi się wyszeptać.

Przez jego twarz przemyka cień uśmiechu, a oczy błyszczą wesoło, jakby bawił go jakiś dobry żart.

– Byłem akurat w okolicy – mówi tytułem wyjaśnienia. – Muszę zrobić małe zakupy. Miło znowu panią widzieć, panno Steele. – Jego głos jest ciepły i aksamitny niczym rozpuszczona gorzka czekolada albo karmel… albo coś w tym rodzaju.

Potrząsam głową, aby zebrać myśli. Moje serce łomocze jak szalone i z jakiegoś powodu oblewa mnie krwisty rumieniec. Widok tego mężczyzny zupełnie wytrącił mnie z równowagi. Wygląda lepiej, niż go zapamiętałam. Określić go mianem „przystojny" to zdecydowanie za mało – stanowi uosobienie męskiego, zapierającego dech w piersiach piękna. No i jest tutaj. W sklepie żelaznym pana Claytona. To ci dopiero. W końcu moje funkcje poznawcze odzyskują łączność z resztą ciała.

– Ana. Mam na imię Ana – bąkam. – Czym mogę służyć, panie Grey?

Uśmiecha się i znowu ma taką minę, jakby był wtajemniczony w jakiś wielki sekret. To takie denerwujące. Biorę głęboki oddech i robię minę w stylu „pracuję w tym sklepie od lat". Dam sobie radę.

– Potrzebuję paru rzeczy. Na początek spinki do kabli. – Patrzy na mnie spokojnie, ale w jego szarych oczach tańczy rozbawienie.

Spinki do kabli?

– Mamy opaski w różnych rozmiarach. Pokazać panu? – Głos mam cichy i drżący. Weź się w garść, Steele.

Grey lekko marszczy czoło.

– Tak. Proszę prowadzić, panno Steele – mówi.

Kiedy wychodzę zza lady, próbuję zachowywać się nonszalancko, ale tak naprawdę muszę mocno się koncentrować, aby się nie potknąć o własne nogi, które nagle nabrały konsystencji galaretki. Jak dobrze, że rankiem zdecydowałam się włożyć swoje najlepsze dżinsy.

– Znajdują się w dziale elektrycznym, regał ósmy. – Mój głos jest odrobinę zbyt radosny. Zerkam na Greya i niemal od razu tego żałuję. Kurde, przystojniak z niego. Rumienię się.

– Pani przodem – czyni gest dłonią z wypielęgnowanymi paznokciami.

Choć serce niemal mnie dusi – ponieważ podeszło mi do gardła, próbując uciec ustami – podchodzę do jednego z regałów w dziale elektrycznym. Dlaczego zjawił się w Portland? Dlaczego zjawił się tutaj, u Claytona? A jakaś maleńka, rzadko używana część mego mózgu – prawdopodobnie umiejscowiona w rdzeniu przedłużonym, tam gdzie się panoszy podświadomość – szepcze: żeby się z tobą spotkać. W życiu! Natychmiast ją odrzucam. Czemu ten piękny, możny, wytworny mężczyzna miałby chcieć się ze mną spotkać? Ten pomysł jest nie-dorzeczny.

– Przyjechał pan do Portland służbowo? – py-tam zbyt wysokim głosem, jakbym przytrzasnęła palec drzwiami. Jasny gwint! Wyluzuj, Ana!

– Odwiedzałem wydział rolniczy WSU* w Vancou-ver. Finansuję badania dotyczące płodozmianu i glebo-znawstwa – odpowiada rzeczowo.

Widzisz? Wcale nie przyjechał tu dla ciebie – drwi zadowolona z siebie moja podświadomość. Czerwienię się, zmieszana wcześniejszymi pomysłami.

– To wszystko stanowi część pańskiego planu nakar-mienia świata? – pytam żartobliwie.

– Coś w tym rodzaju – przyznaje, a jego usta rozcią-gają się w półuśmiechu.

Obrzuca spojrzeniem dostępne w sklepie spinki do kabli. Co on, u licha, zamierza z nimi robić? Jakoś trud-no mi go sobie wyobrazić jako majsterkowicza. Przesuwa palcami po leżących na półce woreczkach i z jakiegoś nie-wytłumaczalnego powodu muszę odwrócić wzrok. Schyla się i wybiera jeden z woreczków.

– Te będą dobre – mówi z tym swoim tajemniczym uśmiechem, a ja oblewam się rumieńcem.

– Potrzebuje pan czegoś jeszcze?

– Taśmy malarskiej.

Taśmy malarskiej?

– Remontuje pan mieszkanie? – Te słowa wydostają się z moich ust w sposób absolutnie niekontrolowany. Do tego to chyba zatrudnia cały sztab ludzi, no nie?

– Nie remontuję – odpowiada szybko, a potem uśmiecha się znacząco, a ja nie mogę się oprzeć wrażeniu, że śmieje się ze mnie.

---

* Washington State University – Uniwersytet Stanu Waszyngton (ten i pozostałe przypisy pochodzą od tłumacza).

Jestem aż taka śmieszna? Śmiesznie wyglądam?

– Tędy – bąkam zakłopotana. – Taśmę malarską mamy w innym dziale. – Ruszam w tamtym kierunku, a po chwili zerkam za siebie.

– Długo tu pani pracuje?

Głos ma niski i wpatruje się we mnie intensywnie tymi swoimi szarymi oczami. Moje policzki robią się jeszcze czerwieńsze. Czemu, u licha, tak na mnie działa? Czuję się, jakbym znowu była nieporadną czternastolatką. Patrz przed siebie, Steele!

– Cztery lata – mamroczę, gdy docieramy na miejsce. Biorę z półki dwie taśmy o różnej szerokości.

– Ta może być – mówi miękko Grey, wskazując szerszą. Podaję mu ją. Nasze dłonie na krótką chwilę się stykają i znowu pojawia się prąd, jakbym włożyła palec do kontaktu. Mimowolnie wciągam głośno powietrze, gdy prąd odnajduje drogę do jakiejś mrocznej i niezbadanej części mojej istoty. Desperacko próbuję odzyskać równowagę.

– Coś jeszcze? – Głos mam lekko schrypnięty.

Oczy Greya się rozszerzają.

– Chyba jeszcze trochę sznurka. – Mówi równie chrapliwie.

– Tędy. – Pochylam głowę, aby ukryć nawracające rumieńce, i ruszam w stronę właściwego regału. – O jaki sznurek panu chodzi? Mamy syntetyczny i z włókna naturalnego… szpagat… kabel… – Urywam, gdy widzę jego minę i pociemniałe spojrzenie. A niech mnie.

– Poproszę pięć metrów sznurka z włókna naturalnego.

Drżącymi rękami szybko odmierzam pięć metrów, świadoma spoczywającego na mnie gorącego wzroku. Nie mam śmiałości na niego spojrzeć. Jezu, czy można czuć jeszcze większe zażenowanie? Z tylnej kieszeni dżinsów wyjmuję nóż tapicerski, przecinam sznurek i sprawnie go zwijam. Jakimś cudem zdołałam nie odciąć sobie przy tym palca.

– Była pani harcerką? – pyta, a jego kształtne, zmysłowe usta wygięte są w rozbawieniu.

Nie patrz na jego usta!

– Zorganizowane zajęcia grupowe to nie dla mnie, panie Grey.

Unosi brew.

– A co jest dla ciebie, Anastasio? – pyta miękko.

Wraca jego tajemniczy uśmiech.

Wpatruję się w niego, nie będąc w stanie sklecić jednego zdania. Czuję się, jakbym stała na przesuwających się płytach tektonicznych. „Ana, weź się w końcu w garść" – błaga moja udręczona podświadomość.

– Książki – szepczę, gdy tymczasem podświadomość krzyczy: „Ty! Ty jesteś dla mnie!". Natychmiast ją uciszam zażenowana tym, że moja psychika ma tak wygórowane ambicje.

– Jakiego rodzaju książki? – Przechyla głowę. Czemu go to interesuje?

– Och, no wie pan. Normalne. Klasyka. Głównie literatura brytyjska.

Pociera brodę długim palcem wskazującym i kciukiem, zastanawiając się nad moją odpowiedzią. A może jest po prostu mocno znudzony i próbuje to ukryć.

– Potrzebuje pan czegoś jeszcze? – Muszę koniecznie zmienić temat; te palce na brodzie są tak zniewalające.

– Nie wiem. A co pani proponuje?

Co proponuję? Nie wiem nawet, po co mu to wszystko.

– Majsterkowiczowi?

Kiwa głową, a jego szare oczy błyszczą szelmowsko. Rumienię się, a moje spojrzenie mknie ku jego dżinsom.

– Kombinezon – odpowiadam i od razu wiem, że nie mam już władzy nad tym, co wydostaje się z moich ust.

Po raz kolejny unosi z rozbawieniem brew.

– Chyba nie chce pan pobrudzić ubrania – wskazuję jego spodnie.

– Zawsze mogę je zdjąć. – Uśmiecha się znacząco.

Czuję, jak na moje policzki wracają rumieńce. Z barwy niewątpliwie przypominam manifest komunistyczny. Zamilknij. NATYCHMIAST zamilknij.

– Wezmę ten kombinezon. Boże broń, abym zniszczył ubranie – odpowiada Grey bez emocji.

– Czy coś jeszcze? – pytam piskliwie, podając mu kombinezon.

Ignoruje moje pytanie.

– Jak praca nad artykułem?

W końcu zadał mi normalne pytanie zamiast tych wszystkich podtekstów i niedomówień. Pytanie, na które potrafię udzielić odpowiedzi. Chwytam się go mocno oburącz, niczym tratwy ratunkowej, i decyduję się na szczerość.

– To nie ja go piszę, lecz Katherine. Panna Kavanagh. Moja współlokatorka. Świetnie jej idzie. Jest redaktorem naczelnym gazety i była załamana tym, że nie mogła sama przeprowadzić tego wywiadu. – Mam wrażenie, że udało mi się zaczerpnąć powietrza; nareszcie jakiś normalny temat. – Martwi się jedynie, że nie ma żadnych pańskich oryginalnych zdjęć.

Grey unosi brew.

– O jakiego rodzaju zdjęcia jej chodzi?

Okej. Nie wzięłam pod uwagę czegoś takiego. Kręcę głową, ponieważ rzeczywiście nie wiem.

– Cóż, jestem w okolicy. Może jutro… – urywa.

– Wziąłby pan udział w sesji zdjęciowej? – Głos mam znowu piskliwy. Kate będzie w siódmym niebie, jeśli jej to załatwię. „I możliwe, że jutro znowu się z nim spotkasz" – szepcze kusząco to mroczne miejsce u podstawy mego mózgu. Odsuwam od siebie tę myśl; ze wszystkich nie-mądrych, absurdalnych…

– Kate będzie zachwycona. O ile oczywiście znaj-dziemy fotografa. – Tak bardzo się cieszę, że uśmiecham się do niego szeroko. Jego usta rozchylają się, jakby gwałtownie wciągał powietrze. Mruga. Przez ułamek sekundy wygląda bezradnie i Ziemia porusza się delikatnie na swej osi, a płyty tektoniczne przesuwają się na nową pozycję.

O rety. Bezradne spojrzenie Christiana Greya.

– Da mi pani znać w kwestii jutra, dobrze? – Sięga do kieszeni i wyjmuje portfel. – To moja wizytówka. Jest tu numer mojej komórki. Proszę o telefon przed dziesiątą rano.

– Dobrze. – Uśmiecham się do niego promiennie. Kate oszaleje z radości.

– Ana!

Niedaleko nas zmaterializował się Paul. To najmłodszy brat pana Claytona. Słyszałam, że przyjechał z Princeton, ale nie spodziewałam się, że go dzisiaj zobaczę.

– Eee, przepraszam na chwilę, panie Grey.

Grey marszczy brwi, gdy odwracam się od niego.

Z Paulem od zawsze się kumplujemy i podczas tego dziwnego spotkania z bogatym, kosmicznie przystojnym i uwielbiającym sprawować kontrolę Greyem fajnie pogadać z kimś, kto jest normalny. Paul ściska mnie mocno na powitanie.

– Ana, witaj, tak miło cię widzieć! – wyrzuca z siebie.

– Cześć, Paul, co słychać? Przyjechałeś na urodziny brata?

– Aha. Dobrze wyglądasz, naprawdę świetnie.

Uśmiecha się szeroko i mierzy uważnym spojrzeniem. Następnie wypuszcza mnie z objęć, ale nadal trzyma za ramiona. Zakłopotana przestępuję z nogi na nogę. Fajnie spotkać się z Paulem, ale on zawsze zachowuje się nazbyt poufale.

Kiedy podnoszę wzrok na Christiana Greya, stwierdzam, że obserwuje nas niczym jastrząb, a usta ma zaciśnięte w obojętną linię. Z dziwacznego klienta zmienił się w kogoś innego – chłodnego i trzymającego dystans.

– Paul, mam właśnie klienta. Kogoś, kogo powinieneś poznać – mówię, próbując poradzić sobie z wrogością widoczną w oczach Greya. Ciągnę Paula za sobą i teraz mierzą się wzrokiem. Atmosfera staje się nagle lodowata. – Eee, Paul, to Christian Grey. Panie Grey, to Paul Clayton. Brat właściciela tego sklepu. – I z jakiegoś irracjonalnego powodu odczuwam potrzebę dodatkowych wyjaśnień. – Znam Paula, odkąd zaczęłam tutaj pracować, ale niezbyt często się widujemy. Przyjechał właśnie z Princeton, gdzie studiuje administrację – paplam. Przestań, natychmiast!

– Panie Clayton. – Christian wyciąga dłoń. Z jego twarzy nic się nie da wyczytać.

– Panie Grey. – Wymieniają uścisk. – Chwileczkę, chyba nie TEN Christian Grey? Ten od Grey Enterprises Holdings? – Opryskliwość Paula w ułamku sekundy zmienia się w podziw. Grey odpowiada mu grzecznym uśmiechem, ale jego oczy pozostają chłodne. – O kurczę. Mogę w czymś panu pomóc?

– Anastasia się wszystkim zajęła, panie Clayton. Jest bardzo pomocna. – Wyraz twarzy ma obojętny, ale jego słowa… można by odnieść wrażenie, że mówi coś zupełnie innego. Dziwne.

– Super – odpowiada Paul. – No to później pogadamy, Ana.

– Jasne. – Patrzę, jak odchodzi w stronę magazynu. – Coś jeszcze, panie Grey?

– Tylko te rzeczy – odpowiada szorstko.

Cholera… obraziłam go? Biorę głęboki oddech, odwracam się i idę do kasy. O co mu chodzi?

Wbijam na kasę sznurek, kombinezon, taśmę malarską i spinki do kabli.

– Razem czterdzieści trzy dolary. – Podnoszę wzrok na Greya i od razu tego żałuję. Przygląda mi się uważnie szarymi oczami. Wytrąca mnie to z równowagi. – Chce pan reklamówkę? – pytam, biorąc od niego kartę kredytową.

– Poproszę, Anastasio. – Jego język pieści moje imię, a mnie serce po raz kolejny wali jak młotem. Ledwie jestem w stanie oddychać. Pospiesznie pakuję mu zakupy do plastikowej torby. – Zadzwoni pani do mnie w sprawie tej sesji zdjęciowej, tak? – I znowu przemawia przez niego rzeczowy biznesmen. Kiwam głową i oddaję mu kartę.

– Świetnie. Wobec tego być może do zobaczenia jutro. – Odwraca się, aby wyjść, po czym się zatrzymuje. – Och, jeszcze jedno, Anastasio. Cieszę się, że panna Kavanagh nie mogła przeprowadzić tego wywiadu. – Uśmiecha się, po czym sprężystym krokiem opuszcza sklep, przewieszając sobie reklamówkę przez ramię.

A ja zostaję, drżąca masa szalejących kobiecych hormonów. Długo wpatruję się w drzwi, za którymi zniknął, nim wreszcie wracam na Ziemię.

Okej, podoba mi się. Proszę bardzo, przyznałam to sama przed sobą. Nie jestem już w stanie się ukrywać przed własnymi uczuciami. Jeszcze nigdy nie czułam czegoś takiego. Podoba mi się ten mężczyzna, i to bardzo. Ale wiem, że to sprawa przegrana, i wzdycham z żalem zaprawionym kroplą goryczy. Jego pojawienie się tutaj to jedynie zbieg okoliczności. No ale chyba wolno mi go podziwiać z daleka, prawda? Co w tym złego? A jeśli znajdę fotografa, jutro będę miała szansę na dalsze podziwianie. Przygryzam wargę i przyłapuję się na tym, że uśmiecham się jak uczennica. Muszę zadzwonić do Kate i zorganizować sesję zdjęciową.

ROZDZIAŁ TRZECI

K ate szaleje z radości.

– Ale co on robił u Claytona? – Jej ciekawość aż emanuje z telefonu. Znajduję się właśnie w czeluściach magazynu, starając się udawać obojętność.

– Akurat znalazł się w okolicy.

– Uważam, że to zbyt duży zbieg okoliczności, Ana. Nie sądzisz, że przyszedł, aby się z tobą spotkać?

Serce podskakuje mi na tę myśl, ale to krótkotrwała radość. Nudna i rozczarowująca rzeczywistość jest taka, że przyjechał tutaj w sprawach służbowych.

– Odwiedzał wydział rolniczy WSU. Sponsoruje jakieś badania – mamroczę.

– No tak. Przekazał na rzecz wydziału dwa i pół miliona. O kurczę.

– Skąd wiesz?

– Ana, jestem dziennikarką i sporządzam właśnie sylwetkę tego człowieka. Wiedza na ten temat to mój obowiązek.

– Okej, Carlo Bernstein, nie gorączkuj się tak. No więc chcesz te zdjęcia czy nie?

– Pewnie, że chcę. Pytanie, kto je zrobi i gdzie.

– Możemy jego zapytać gdzie. Mówił, że zatrzymał się w okolicy.

– Możesz się z nim skontaktować?

– Mam numer jego komórki.

Kate aż się zachłystuje.

– Najbogatszy, najbardziej nieuchwytny i tajemniczy kawaler w całym stanie Waszyngton ot tak dał ci numer swojej komórki.

– Eee... tak.

– Ana! Podobasz mu się. Nie mam co do tego żadnych wątpliwości – oświadcza zdecydowanie.

– Kate, on jedynie próbuje być miły. – Ale nawet gdy wypowiadam te słowa, wiem, że to nieprawda. Christian Grey nie bawi się w bycie miłym. Uprzejmym – może. A cichy głosik szepcze: „Być może Kate ma rację". Swędzi mnie skóra na myśl, że może, takie maleńkie „może", jednak mu się podobam. Bądź co bądź powiedział, że cieszy się, iż to nie Kate przeprowadziła z nim wywiad. Obejmuję się radośnie ramionami i kołyszę z boku na bok, przez krótką chwilę ciesząc się ewentualnością, że mu się podobam. Kate sprowadza mnie jednak na ziemię.

– Nie wiem, kto zrobi te zdjęcia. Levi, z którym normalnie współpracujemy, nie może. Wyjechał na weekend do domu do Idaho Falls. Wkurzy się, kiedy się dowie, że stracił okazję cyknięcia fotki jednemu z największych przedsiębiorców w kraju.

– Hmmm... No a José?

– Świetny pomysł! Ty go poproś, dla ciebie zrobi wszystko. Potem zadzwoń do Greya i dowiedz się, gdzie chce zrobić te zdjęcia. – Kate w stosunku do José zachowuje się irytująco nonszalancko.

– Myślę, że to ty powinnaś do niego zadzwonić.

– Do kogo, José? – pyta drwiąco.

– Nie, Greya.

– Ana, to ciebie coś z nim łączy.

– Łączy? – pytam piskliwie. – Ledwie go znam.

– Ale przynajmniej znasz. I wygląda na to, że on ma ochotę poznać cię bliżej. Po prostu do niego zadzwoń. – Po tych słowach rozłącza się.

Czasami zachowuje się strasznie apodyktycznie. Marszczę brwi i pokazuję mojej komórce język.

Właśnie wysyłam José esemesa, kiedy do magazynu wchodzi Paul. Szuka papieru ściernego.

– Mamy sporo klientów – mówi bez uszczypliwości.

– Eee, sorki – bąkam i odwracam się, aby wyjść.

– No więc skąd znasz Christiana Greya? – Paul stara się mówić w sposób nonszalancki, ale nie bardzo mu to wychodzi.

– Musiałam przeprowadzić z nim wywiad do gazety studenckiej. Kate się rozchorowała. – Wzruszam ramionami, udając obojętność. Ze mnie także jest kiepska aktorka.

– Christian Grey u Claytona. To ci dopiero – prycha zdumiony Paul. Kręci głową. – A tak z innej beczki, to masz ochotę wieczorem wybrać się na drinka albo coś w tym rodzaju?

Zawsze, gdy przyjeżdża do domu, chce się ze mną umówić, a ja zawsze odmawiam. To już rytuał. Nie sądzę, aby spotykanie się z bratem szefa było dobrym pomysłem, poza tym Paul to taki fajny amerykański chłopak z sąsiedztwa, ale na pewno nie bohater literacki, choćby nie wiadomo jak wysilać wyobraźnię. „A Grey?" – pyta mnie podświadomość, unosząc brew. Uciszam ją.

– Nie macie rodzinnej kolacji czy czegoś w tym rodzaju?

– To jutro.

– Może innym razem, Paul. Dziś muszę się uczyć. W przyszłym tygodniu mam egzaminy końcowe.

– Ana, pewnego dnia w końcu się zgodzisz. – Uśmiecha się, a ja opuszczam magazyn.

– ALE JA FOTOGRAFUJĘ MIEJSCA, Ana, nie ludzi – jęczy José.

– José, proszę? – mówię błagalnie. Przyciskając do ucha telefon, przemierzam nasz salon, patrząc przez okno na zapadający zmierzch.

– Daj mi ten telefon. – Kate zabiera mi go i zamaszystym gestem przerzuca włosy przez ramię. – Posłuchaj mnie, José Rodriguez, jeśli chcesz, aby nasza gazeta napisała o otwarciu twojej wystawy, jutro zrobisz dla nas te zdjęcia, *capiche*? – Kate potrafi być wyjątkowo ostra. – Świetnie. Ana zadzwoni i poda ci miejsce i godzinę. W takim razie do jutra. – Zatrzaskuje mój telefon. – Załatwione. Teraz trzeba jedynie zdecydować, gdzie i kiedy. Dzwoń do niego. – Podaje mi telefon. A ja czuję ściskanie w żołądku. – Dzwoń do Greya, ale już!

Patrzę na nią wilkiem i sięgam do kieszeni po jego wizytówkę. Kilka razy oddycham głęboko, a potem drżącymi palcami wystukuję numer.

Odbiera po drugim sygnale.

– Grey. – Wypowiada to chłodno i spokojnie.

– Eee... panie Grey? Z tej strony Anastasia Steele. – Tak bardzo się denerwuję, że nie rozpoznaję własnego głosu.

Przez chwilę panuje cisza. W środku cała się trzęsę.

– Panna Steele. Jakże miło panią słyszeć.

Ton jego głosu uległ zmianie. Myślę, że jest zaskoczony i wypowiadane przez niego słowa brzmią tak... ciepło, wręcz uwodzicielsko. Zaczynam szybciej oddychać i oblewam się rumieńcem. Nagle uświadamiam sobie, że Katherine Kavanagh wpatruje się we mnie z otwartą buzią, więc czmycham do kuchni, aby uniknąć jej badawczego spojrzenia.

– Eee, chcielibyśmy się umówić na tę sesję zdjęciową do artykułu. – Oddychaj, Ana, oddychaj. Moje płuca łykają haust powietrza. – Jutro, jeżeli panu pasuje. Jakie miejsce panu odpowiada?

Niemal widzę jego uśmiech w stylu Sfinksa.

– Zatrzymałem się w hotelu Heathman w Portland. Jutro rano, dziewiąta trzydzieści?

– Okej, spotkamy się na miejscu. – Zachowuję się eg-
zaltowanie jak dziecko, a nie dorosła kobieta, której w stanie Waszyngton wolno głosować i legalnie pić alkohol.

– Czekam niecierpliwie, panno Steele. – Oczami
wyobraźni widzę szelmowski błysk w szarych oczach.

Jak to możliwe, że w czterech słowach zawarł tyle
kuszących obietnic? Rozłączam się. Kate stoi w kuchni
i przygląda mi się z konsternacją.

– Anastasio Rose Steele. On ci się podoba! Jeszcze
nigdy nie widziałam, aby ktoś tak na ciebie działał. Ty się
rumienisz.

– Och, Kate, wiesz, że rumienię się na okrągło. Tak
już mam. Nie bądź niemądra – warczę. Zaskoczona mruga oczami, bo naprawdę bardzo rzadko pozwalam sobie
na wybuchy emocji. – Onieśmiela mnie i tyle – dodaję
spokojniej.

– A więc Heathman, tak? – mruczy Kate. – Zadzwonię do kierownictwa i wynegocjuję jakieś miejsce na sesję.

– Zrobię kolację. Potem muszę się pouczyć. – Otwieram szafkę, nie umiejąc ukryć irytacji na Kate.

NOC MAM NIESPOKOJNĄ i bez końca przekręcam się
z boku na bok. Śniąc o szarych oczach, kombinezonie,
długich nogach, długich palcach i mrocznych, niezba-
danych miejscach. Dwa razy się budzę z mocno bijącym
sercem. Jutro będę wyglądać po prostu świetnie. Uderzam
pięścią w poduszkę, a potem znowu próbuję zasnąć.

HOTEL HEATHMAN znajduje się w samym centrum
Portland. To imponujący gmach z brunatnego piaskowca wybudowany tuż przed wielkim kryzysem. José, Travis i ja jedziemy moim garbusem, a Kate swoim CLK,
gdyż do mojego auta wszyscy się nie mieścimy. Travis to
kumpel José, który ma mu pomóc przy ustawianiu świa-

teł. Kate udało się uzyskać bezpłatny dostęp do jednego z pokoi w Heathmanie w zamian za wzmiankę na ten temat w artykule. Kiedy wyjaśnia w recepcji, że będziemy fotografować pana prezesa Christiana Greya, natychmiast otrzymujemy apartament zamiast zwykłego pokoju. Taki zwykłych rozmiarów, bo największy zajął już pan Grey. Zaaferowany kierownik marketingu prowadzi nas do apartamentu – jest strasznie młody i z jakiegoś powodu bardzo się denerwuje. Podejrzewam, że rozbrajają go uroda Kate i jej władczy styl bycia, ponieważ ona robi z nim, co chce. Pomieszczenia są eleganckie, pełne prostoty, a jednocześnie przepychu.

Jest dziewiąta. Mamy pół godziny na przygotowania. Kate jest w swoim żywiole.

– José, myślę, że tłem będzie ta ściana, zgadzasz się ze mną? – Nie czeka na odpowiedź. – Travis, przestaw te krzesła. Ana, poprosisz personel o jakieś napoje? I daj Greyowi znać, gdzie jesteśmy.

Tak, proszę pani. Jest taka apodyktyczna. Przewracam oczami, ale robię to, co mi każe.

Pół godziny później do apartamentu wkracza Christian Grey.

O niebiosa! Ma na sobie białą koszulę z rozpiętym kołnierzykiem i szare flanelowe spodnie. Włosy ma jeszcze wilgotne po prysznicu. Gdy na niego patrzę, zasycha mi w ustach… jest tak nieziemsko przystojny. Za Greyem wchodzi trzydziestoparoletni mężczyzna z kilkudniowym zarostem. Jest ubrany w elegancki ciemny garnitur i staje bez słowa w rogu pomieszczenia. Beznamiętnie przygląda się nam orzechowymi oczami.

– Panno Steele, a więc znowu się spotykamy. – Grey wyciąga rękę i wymieniamy uścisk dłoni.

Mrugam szybko. O rety… on jest naprawdę, całkiem… rety. Gdy nasze dłonie się stykają, znowu czuję

ten rozkoszny prąd, który mnie rozświetla i wywołuje rumieńce, i jestem pewna, że wszyscy słyszą mój przyspieszony oddech.

– Panie Grey, to Katherine Kavanagh – bąkam, machając ręką w stronę koleżanki, która podchodzi i patrzy
mu prosto w oczy.

– Nieustępliwa panna Kavanagh. Co słychać? –
Uśmiecha się do niej i wygląda na autentycznie rozbawionego. – Ufam, że czuje się już pani lepiej? Anastasia
mówiła, że w zeszłym tygodniu zmogła panią choroba.

– Czuję się dobrze, dziękuję, panie Grey. – Zdecydowanym gestem ściska jego dłoń, nie mrugnąwszy przy
tym okiem. Przypominam sobie, że Kate uczęszczała do
najlepszych prywatnych szkół w Waszyngtonie. Jej rodzina ma pieniądze i moja przyjaciółka dorastała pewna
siebie i swego miejsca na świecie. Nie da sobie w kaszę
dmuchać. Budzi mój wielki podziw. – Dziękuję, że poświęca nam pan swój czas. – Obdarza go grzecznym, zawodowym uśmiechem.

– Drobiazg – odpowiada, przenosząc spojrzenie na
mnie, a ja znowu się rumienię. Cholera.

– To José Rodriguez, nasz fotograf – uśmiecham się
do José, który odpowiada mi równie ciepłym uśmiechem.
W jego oczach pojawia się chłód, kiedy przenosi spojrzenie ze mnie na Greya.

– Panie Grey – kiwa głową.

– Panie Rodriguez. – Wyraz twarzy Greya także się
zmienia, kiedy lustruje tamtego. – Gdzie pan chce zrobić
zdjęcia? – pyta. W jego głosie można wyczuć delikatną
nutkę groźby.

Ale Katherine ani myśli pozwolić José grać pierwsze
skrzypce.

– Panie Grey, mógłby pan usiąść tutaj? Proszę uważać na przewody od oświetlenia. A potem zrobimy także

kilka ujęć na stojąco. – Pokazuje mu krzesło ustawione pod ścianą.

Travis włącza światła, oślepiając na chwilę Greya, i bąka przeprosiny. Następnie on i ja odsuwamy się i patrzymy na pracę José. Najpierw robi zdjęcia z ręki, prosząc Greya, aby odwrócił się w jedną stronę, następnie w drugą, przesuwa rękę. Kolejne ujęcia wykonuje z użyciem statywu. Grey siedzi i cierpliwie pozuje przez jakieś dwadzieścia minut. Spełniło się moje życzenie: mogę stać i podziwiać Greya wcale nie z tak daleka. Dwukrotnie nasze spojrzenia krzyżują się i nie jest mi łatwo oderwać od niego wzrok.

– Wystarczy siedzenia. – Po raz kolejny do akcji wkracza Katherine. – Stajemy, panie Grey? – pyta.

Ten się podnosi, a Travis pospiesznie zabiera krzesło. Znowu słychać trzask migawki nikona.

– Chyba mamy dość materiału – oznajmia José pięć minut później.

– Świetnie – mówi Kate. – Jeszcze raz dziękujemy, panie Grey.

Wymienia z nim uścisk dłoni, podobnie José.

– Czekam niecierpliwie na ten artykuł, panno Kavanagh – mówi Grey i odwraca się w moją stronę. – Odprowadzi mnie pani, panno Steele? – pyta.

– Jasne – odpowiadam, zupełnie zaskoczona. Rzucam Kate niespokojne spojrzenie. Wzrusza ramionami. Zauważam, że stojący obok niej José marszczy brwi.

– Miłego dnia – mówi do wszystkich Grey i otwiera drzwi, po czym odsuwa się na bok, puszczając mnie przodem.

Jasny gwint... o co w tym wszystkim chodzi? Czego on chce? Zatrzymuję się na hotelowym korytarzu i przestępuję nerwowo z nogi na nogę, podczas gdy Grey wychodzi z apartamentu, a za nim mężczyzna w garniturze.

– Zadzwonię do ciebie, Taylor – rzuca w jego stronę. Taylor oddala się, a Grey wwierca we mnie płonące spojrzenie szarych oczu. Kurde… zrobiłam coś nie tak? – Tak sobie pomyślałem, że mogłaby pani pójść ze mną na kawę. Serce podchodzi mi do gardła. Randka? Christian Grey właśnie się ze mną umawia. Pyta, czy mam ochotę na kawę. „Może uważa, że jeszcze się nie obudziłaś" – drwi ze mnie podświadomość, która jest znowu w szyderczym nastroju. Chrząkam, starając się odzyskać kontrolę nad nerwami.

– Muszę wszystkich odwieźć – mówię przepraszająco, wykręcając dłonie.

– Taylor! – woła, a ja aż podskakuję. Taylor, który zdążył już dotrzeć na koniec korytarza, odwraca się i wraca w naszą stronę. – Mieszkają w pobliżu uczelni? – pyta Grey. Kiwam głową, zbyt zdumiona, by wydobyć z siebie głos. – Taylor może ich zawieźć. To mój kierowca. Mamy tu dużego suva, więc sprzęt się także zmieści.

– Panie Grey? – pyta Taylor, kiedy dociera do nas. Jego mina nie zdradza niczego.

– Czy mógłbyś, proszę, odwieźć do domu fotografa, jego asystenta i pannę Kavanagh?

– Oczywiście, proszę pana – odpowiada Taylor.

– Widzi pani. Pójdziemy więc razem na kawę? – Grey uśmiecha się, jakby sprawa była już załatwiona. Marszczę brwi.

– Eee, panie Grey, to naprawdę… Taylor nie musi ich odwozić. – Posyłam szybkie spojrzenie Taylorowi, który zachowuje stoicki spokój. – Jeśli da mi pan chwilkę, zamienię się samochodami z Kate.

Grey obdarza mnie promiennym, naturalnym, szerokim uśmiechem. O rety… I otwiera drzwi do apartamentu, abym mogła tam wejść. Okazuje się, że Katherine jest pogrążona w rozmowie z José.

– Ana, uważam, że z całą pewnością mu się podobasz – oświadcza bez żadnego wstępu. José mierzy mnie wzrokiem pełnym dezaprobaty. – Ale ja mu nie ufam – dodaje.

Unoszę rękę w nadziei, że przestanie mówić. I jakimś cudem tak właśnie się dzieje.

– Kate, mogłabyś wrócić garbusem, a zostawić mi swoje auto?

– Dlaczego?

– Christian Grey zaprosił mnie na kawę.

Otwiera szeroko buzię. Kate oniemiała! Delektuję się tą chwilą. Chwyta mnie za ramię i zaciąga do sąsiadującej z salonem sypialni.

– Ana, coś mi się w nim nie podoba – rzuca ostrzegawczo. – Jest oszałamiający, zgoda, ale myślę, że także niebezpieczny. Zwłaszcza dla kogoś takiego jak ty.

– Kogoś takiego jak ja? Co masz na myśli? – pytam ostro. Dotknęła mnie tym.

– Dla kogoś tak niewinnego, jak ty, Ana. Wiesz, o co mi chodzi – dodaje z pewną dozą irytacji.

Moje policzki robią się czerwone.

– Kate, to tylko kawa. W tym tygodniu zaczynają się egzaminy i muszę się uczyć, więc szybko się zmyję.

Sznuruje usta, jakby rozważała moją propozycję. W końcu wyciąga z kieszeni kluczyki i wręcza mi je. Ja podaję jej swoje.

– No to na razie. Nie siedź za długo, inaczej wyślę ekipę ratunkową.

– Dzięki. – Ściskam ją.

Gdy wychodzę z apartamentu, Christian Grey czeka na mnie, opierając się o ścianę. Wygląda jak model pozujący dla ekskluzywnego magazynu o modzie.

– Okej, chodźmy na tę kawę – bąkam czerwona jak burak.

Uśmiecha się szeroko.

– Pani przodem, panno Steele.

Prostuje się i pokazuje ręką, abym szła pierwsza. Na drżących nogach idę przez korytarz, czując w brzuchu całe stado motyli. Serce wali mi głośno i nierówno. Idę na kawę z Christianem Greyem... a ja nie znoszę kawy.

Szerokim korytarzem idziemy razem w stronę wind. Co powinnam powiedzieć? Nagle paraliżuje mnie lęk. O czym będziemy rozmawiać? Co, u licha, mamy ze sobą wspólnego? Z odrętwienia wyrywa mnie jego aksamitny, ciepły głos.

– Od jak dawna znacie się z panną Kavanagh?

Och, na początek proste pytania.

– Od pierwszego roku studiów. Bardzo się przyjaźnimy.

– Hmm – odpowiada niezobowiązująco. O czym teraz myśli?

Gdy docieramy do wind, wciska guzik przywołujący i niemal natychmiast rozbrzmiewa dzwonek. Drzwi rozsuwają się, ukazując młodą parę w namiętnym uścisku. Zaskoczeni i zażenowani, odskakują od siebie i za wszelką cenę starają się na nas nie zerknąć. Wchodzimy do windy.

Bardzo się staram zachować spokój, więc patrzę w podłogę, czując, jak policzki robią mi się różowe. Kiedy spod rzęs rzucam spojrzenie na Greya, widzę, że na jego ustach błąka się uśmiech. Młoda para milczy i tak jedziemy na dół w pełnej skrępowania ciszy. Nawet z głośników nie płynie żadna muzyka.

Drzwi rozsuwają się i ku memu zdziwieniu Grey ujmuje mnie za rękę. Czuję przepływ prądu i serce mi przyspiesza. Gdy wyprowadza mnie z windy, słyszymy za sobą zduszony chichot pary. Grey uśmiecha się szeroko.

– Ach, te windy – mruczy.

Przechodzimy przez duży, tętniący życiem hol i kierujemy się w stronę wyjścia, ale mój towarzysz omija drzwi obrotowe. Ciekawe, czy dlatego, że wtedy musiałby puścić moją rękę.

Mamy spokojne majowe przedpołudnie. Świeci słońce, a ruch na ulicach jest niewielki. Grey skręca w lewo i idzie niespiesznie ku przejściu dla pieszych, gdzie czekamy na zmianę świateł. Nadal trzyma mnie za rękę. Jestem na ulicy, a Christian Grey trzyma mnie za rękę. Nikt nigdy tego nie robił. Kręci mi się w głowie i czuję mrowienie w całym ciele. Staram się powstrzymać niedorzeczny uśmiech, który już-już ma się pojawić na mojej twarzy. „Spokojnie, Ana" – poucza mnie podświadomość. Światła zmieniają się na zielone i ruszamy dalej.

Mijamy cztery kwartały, aż docieramy do Portland Coffee House, gdzie Grey puszcza moją dłoń, aby przytrzymać przede mną drzwi.

– Może wybierze pani stolik, a ja pójdę w tym czasie po napoje. Na co ma pani ochotę? – pyta uprzejmie.

– Poproszę… eee… English Breakfast, z torebką na spodeczku.

Unosi brwi.

– Nie kawa?

– Nie przepadam za kawą.

Uśmiecham się.

– Okej, English Breakfast, z torebką na spodeczku. Cukier?

Przez pełną zdumienia chwilę myślę, że to czułe słówko*, na szczęście podświadomość wkracza do akcji: „Nie, idiotko, on pyta, czy słodzisz".

– Nie, dziękuję. – Wpatruję się w zaplecione palce.

– Coś do jedzenia?

– Nie, dziękuję. – Kręcę głową, a on udaje się w stronę lady.

---

* Sugar – ang. cukier, ale także pieszczotliwe określenie w rodzaju „skarbie", „kotku", „cukiereczku".

Ukradkiem przyglądam mu się, gdy stoi i czeka na swoją kolej. Mogłabym patrzeć na niego cały boży dzień... Jest wysoki, szeroki w ramionach i szczupły, a to, w jaki sposób spodnie opinają mu biodra... O rety. Raz i drugi przeczesuje długimi, smukłymi palcami już suche, ale pozostające w lekkim nieładzie włosy. Hmmm... Chętnie ja bym to zrobiła. Ta myśl pojawia się nieproszona w mojej głowie i twarz zaczyna mi płonąć. Przygryzam wargę i ponownie wbijam wzrok w dłonie. Nie podoba mi się kierunek, w jakim zmierzają moje niesforne myśli.

– Grosik za pani myśli? – Grey wrócił.

Policzki robią mi się szkarłatne. Właśnie myślałam o tym, aby przeczesać palcami pańskie włosy i zastanawiałam się, czy byłyby miękkie w dotyku. Potrząsam głową. Przyniósł tacę, którą stawia teraz na niewielkim okrągłym stoliku z blatem oklejonym imitacją brzozy. Podaje mi filiżankę i spodek, mały dzbanek i talerzyk z saszetką z napisem „Twinings English Breakfast". To moja ulubiona herbata. Dla siebie zamówił kawę ze ślicznym liściem wyczarowanym na mlecznej piance. Jak oni to robią? Przyniósł sobie także muffinkę z jagodami. Odstawia tacę, siada naprzeciwko mnie i krzyżuje długie nogi. Wygląda na tak rozluźnionego, tak pewnego siebie we własnym ciele, że aż mu zazdroszczę. Oto ja, miss gracji, ledwie będąca w stanie przejść od punktu A do punktu B, nie upadając przy tym na twarz.

– O czym pani myśli? – powtarza.

– To moja ulubiona herbata. – Głos mam cichy i lekko chropawy. Nie mogę uwierzyć w to, że siedzę naprzeciwko Christiana Greya w kafejce w Portland. Marszczy brwi. Wie, że coś ukrywam. Wrzucam saszetkę do dzbanka i niemal od razu wyjmuję ją łyżeczką. Gdy odkładam saszetkę na talerzyk, Grey przechyla głowę i mierzy mnie pytającym spojrzeniem. – Herbatę lubię czarną i słabą – wyjaśniam.

– Rozumiem. To pani chłopak.

Że co?

– Kto?

– Ten fotograf. José Rodriguez.

Śmieję się nerwowo. Zaciekawił mnie. Dlaczego odniósł takie wrażenie?

– Nie. Przyjaźnię się z José, ale nic więcej nas nie łączy. Dlaczego pan sądzi, że to mój chłopak?

– Widziałem, jak uśmiechała się pani do niego, a on do pani. – Nasze spojrzenia krzyżują się. Chcę odwrócić wzrok, ale czuję się sparaliżowana. Zaczarowana.

– Jest dla mnie jak rodzina – szepczę.

Grey kiwa lekko głową, wyraźnie usatysfakcjonowany moją odpowiedzią, i opuszcza spojrzenie na muffinkę. Długimi palcami sprawnie odsuwa papierek, a ja przyglądam się temu z fascynacją.

– Chce pani spróbować? – pyta. Wraca ten jego tajemniczy uśmiech.

– Nie, dziękuję. – Marszczę brwi i znowu wbijam wzrok w dłonie.

– A ten chłopak, którego wczoraj poznałem w sklepie. To nie pani chłopak?

– Nie. Paul to tylko kolega. Mówiłam to panu wczoraj. – Och, to się robi niemądre. – A czemu pan pyta?

– Denerwuje się pani w towarzystwie mężczyzn.

Jasna cholera, to ma charakter personalny. Denerwuję się tylko w twoim towarzystwie, Grey.

– Onieśmiela mnie pan. – Pąsowieję, ale w duchu gratuluję sobie szczerości. Znowu patrzę na dłonie.

– I słusznie czuje pani onieśmielenie. Jest pani bardzo uczciwa. Proszę nie opuszczać głowy. Lubię widzieć pani twarz.

Och. Zerkam na niego, a on posyła mi krzepiący, ale zarazem cierpki uśmiech.

– Dzięki temu mogę choć trochę się domyślać, w jakim kierunku zmierzają pani myśli – oświadcza. – Tajemnicza z pani kobieta, panno Steele.

Tajemnicza? Ja?

– Nie ma we mnie nic tajemniczego.

– Jest pani bardzo zamknięta w sobie – mruczy.

Naprawdę? Rany… jak ja to robię? To zdumiewające. Ja zamknięta w sobie? Nie ma mowy.

– Z wyjątkiem tego, że się pani rumieni, co zdarza się często. Żałuję jedynie, że nie wiem, z jakiego powodu się pani rumieni.

Wkłada do ust mały kawałek muffinki i zaczyna go powoli przeżuwać, nie odrywając ode mnie wzroku. A ja, jak na komendę, rumienię się. Jasna cholera!

– Zawsze czyni pan takie osobiste uwagi?

– Nie zdawałem sobie sprawy z tego, że to robię. Uraziłem panią? – W jego głosie słychać zaskoczenie.

– Nie – odpowiadam zgodnie z prawdą.

– To dobrze.

– Ale zachowuje się pan bardzo władczo – wbijam mu szpilę.

Unosi brwi i o ile dobrze widzę, on także się lekko rumieni.

– Przyzwyczajony jestem do zdobywania tego, czego chcę, Anastasio – mówi. – Na wszystkich polach.

– Nie wątpię. Dlaczego nie poprosił pan, abym mówiła mu po imieniu? – Dziwi mnie moja śmiałość. Dlaczego ta rozmowa stała się tak poważna? Nie przebiega tak, jak przewidywałam. Nie mogę uwierzyć, że moje nastawienie względem niego jest takie wrogie. Zupełnie jakby próbował mnie odstraszyć.

– Po imieniu zwracają się do mnie jedynie członkowie rodziny i kilkoro bliskich przyjaciół. Lubię taki stan rzeczy.

Och. I dalej nie powiedział: „Mów mi Christian".
Rzeczywiście ma bzika na punkcie kontrolowania
wszystkich i wszystkiego i jakaś część mnie myśli teraz,
że może lepiej by było, gdyby to jednak Kate pojechała na ten wywiad. Ona jest taka sama jak on. Poza tym
jest prawie blondynką – lekko rudawą – tak jak wszystkie
kobiety w jego biurze. „No i jest piękna" – przypomina
mi podświadomość. Nie podoba mi się ta myśl. Biorę łyk
herbaty, a Grey zjada kolejny kawałeczek ciastka.

– Jest pani jedynaczką? – pyta.

Co takiego? Znowu zmienia temat.

– Tak.

– Proszę mi opowiedzieć o rodzicach.

Czemu chce to wiedzieć? To takie nudne.

– Moja mama mieszka w Georgii ze swoim nowym
mężem, Bobem. Mój ojczym mieszka w Montesano.

– A ojciec?

– Ojciec zmarł, kiedy byłam mała.

– Przykro mi. – Widać, że mówi to szczerze.

– Nawet go nie pamiętam.

– I pani matka ponownie wyszła za mąż.

Prycham.

– Można tak to ująć.

Marszczy brwi.

– Niewiele pani zdradza, prawda? – pyta cierpko, pocierając w zamyśleniu brodę.

– Tak jak i pan.

– Już raz przeprowadziła pani ze mną wywiad i pamiętam, że pojawiło się wtedy kilka całkiem dociekliwych
pytań. – Uśmiecha się drwiąco.

Kurka wodna. Pamięta to gejowskie pytanie. Po raz
kolejny skręcam się z zażenowania. Wiem, że w przyszłości będzie mi potrzebna intensywna terapia, jeśli nie chcę
czuć skrępowania za każdym razem, gdy przypomnę so-

bie tamtą chwilę. Zaczynam opowiadać o mojej matce – cokolwiek, byle tylko zagłuszyć tamto wspomnienie.

– Moja mama jest cudowna. To nieuleczalna romantyczka. Obecnie ma czwartego męża.

Christian unosi z zaskoczeniem brwi.

– Tęsknię za nią – kontynuuję. – Teraz ma Boba. Nie tracę nadziei, że Bob czuwa i zdoła jej pomóc, kiedy kolejny idiotyczny plan spali na panewce. – Uśmiecham się ciepło. Już tak dawno nie widziałam się z mamą. Christian przygląda mi się uważnie, co jakiś czas racząc się kawą. Naprawdę nie powinnam patrzeć na jego usta. Wytrąca mnie to z równowagi. Te usta.

– Dogaduje się pani z ojczymem?

– Oczywiście. Dorastałam z nim. To jedyny ojciec, jakiego znam.

– A jaki on jest?

– Ray? Jest… małomówny.

– I tyle? – pyta zaskoczony Grey.

Wzruszam ramionami. Czego ten facet się spodziewa? Historii mego życia?

– Małomówny jak jego pasierbica.

Jakoś się powstrzymuję, aby nie przewrócić oczami.

– Lubi futbol, zwłaszcza europejski, i grę w kręgle, i wędkarstwo muchowe, i robienie mebli. Jest stolarzem. Byłym wojskowym. – Wzdycham.

– Mieszkała pani z nim?

– Tak. Moja mama poznała Męża Numer Trzy, kiedy miałam piętnaście lat. Zostałam z Rayem.

Marszczy brwi, jakby nie rozumiał.

– Nie chciała pani mieszkać z mamą? – pyta.

Rumienię się. To naprawdę nie twoja sprawa, Grey.

– Mąż Numer Trzy mieszkał w Teksasie. Myśmy mieszkali w Montesano. I… no wie pan, moja mama była świeżo upieczoną mężatką. – Urywam. Mama nigdy nie mówi o Mężu Numer Trzy. Po co Greyowi ta wiedza? To naprawdę nie jego sprawa. No ale każdy kij ma dwa końce. – Opowie mi pan o swoich rodzicach? – pytam.

Wzrusza ramionami.

– Tato jest prawnikiem, a mama pediatrą. Mieszkają w Seattle.

Och… a więc dorastał w zamożnej rodzinie. Ciekawi mnie ta odnosząca zawodowe sukcesy para, która adoptuje troje dzieci, a jedno z nich wyrasta na pięknego mężczyznę, który wyrusza na podbój świata biznesu i w pojedynkę go podbija. Co uczyniło go takim właśnie człowiekiem? Rodzina musi być z niego dumna.

– Czym się zajmuje pańskie rodzeństwo?

– Elliot pracuje w budownictwie, a moja młodsza siostra przebywa obecnie w Paryżu i uczy się gotować pod okiem jakiegoś znanego francuskiego szefa kuchni. – W jego oczach pojawia się irytacja. Nie chce rozmawiać o swojej rodzinie ani o sobie.

– Podobno Paryż jest śliczny – mówię. Czemu nie chce rozmawiać o swojej rodzinie? Dlatego, że został adoptowany?

– To prawda. Była tam pani? – pyta. Po irytacji nie ma ani śladu.

– Nigdy nie byłam za granicą. – A więc powrót do banałów. Co on ukrywa?

– Chciałaby pani jechać?

– Do Paryża? – pytam piskliwie. A kto by nie chciał? – Pewnie – przyznaję. – Ale tak naprawdę to marzy mi się Anglia.

Przechyla głowę na bok, przesuwając palcem wskazującym po dolnej wardze… O rety.

– Ponieważ?

Mrugam szybko. Skoncentruj się, Steele.

– To ojczyzna Szekspira, Austen, sióstr Brontë, Thomasa Hardy'ego. Chciałabym zobaczyć miejsca, które za-

inspirowały tych ludzi do napisania takich wspaniałych książek. – Ta rozmowa o geniuszach literatury przypomina mi, że powinnam się teraz uczyć. Zerkam na zegarek.
– Czas na mnie. Mam dużo nauki.

– Do egzaminów?

– Tak. Zaczynają się we wtorek.

– Gdzie jest samochód panny Kavanagh?

– Na hotelowym parkingu.

– Odprowadzę panią.

– Dziękuję za herbatę, panie Grey.

Posyła mi ten swój dziwny uśmiech w stylu „a ja mam wielką tajemnicę".

– Nie ma za co, Anastasio. Cała przyjemność po mojej stronie. Chodźmy.

Wyciąga rękę. Speszona ujmuję ją i wychodzę za nim z kafejki.

Wracamy spacerkiem do hotelu i chciałabym rzec, że w przyjacielskim milczeniu. On przynajmniej wygląda jak zawsze spokojnie i opanowanie. Jeśli zaś chodzi o mnie, to desperacko próbuję ocenić, jak się udało nasze spotkanie przy kawie. Czuję się, jakbym wracała z rozmowy w sprawie pracy, tyle że nie wiem, na jakie stanowisko.

– Zawsze chodzi pani w dżinsach? – pyta ni z tego, ni z owego.

– Najczęściej.

Kiwa głową. Wracamy do skrzyżowania niedaleko hotelu. Kręci mi się w głowie. Cóż za dziwne pytanie… I świadoma jestem tego, że nasz wspólny czas jest ograniczony. Wiem, że wszystko schrzaniłam. Być może on kogoś ma.

– Ma pan dziewczynę? – wyrzucam z siebie. O święty Barnabo, czy ja to właśnie powiedziałam na głos?

Jego usta wykrzywiają się w półuśmiechu. Patrzy na mnie.

– Nie, Anastasio. Nie bawię się w dziewczyny – mówi miękko.

Och… co on ma na myśli? Nie jest gejem? A może jest – o kurde! Najwyraźniej podczas wywiadu mnie okłamał. Przez chwilę sądzę, że udzieli mi jakiegoś wyjaśnienia, że rozwinie to enigmatyczne stwierdzenie – tak się jednak nie dzieje. Muszę stąd iść. Muszę spróbować zebrać myśli. Muszę od niego uciec. Robię krok w przód i potykam się.

– Cholera, Ana! – woła Grey.

Pociąga mnie za rękę tak mocno, że wpadam na niego w chwili, gdy obok mnie śmiga rowerzysta, jadący pod prąd ulicy jednokierunkowej. Mija mnie o włos.

Wszystko dzieje się tak szybko – w jednej chwili upadam, w drugiej znajduję się w jego ramionach. Tuli mnie mocno do piersi. Wdycham jego czysty, męski zapach. Pachnie świeżym praniem i jakimś drogim żelem pod prysznic. O kurczę, to mieszanka odurzająca. Oddycham głęboko.

– Wszystko w porządku? – pyta szeptem.

Obejmuje mnie ramieniem, przyciskając do siebie, gdy tymczasem palce drugiej ręki delikatnie i badawczo błądzą po mojej twarzy. Kciukiem muska dolną wargę i słyszę, jak wciąga powietrze. Patrzy mi prosto w oczy, a ja nie uciekam spojrzeniem przez chwilę, a może przez całą wieczność… Ale w końcu moją uwagę przyciągają jego piękne usta. O rety. I po raz pierwszy od dwudziestu jeden lat pragnę być pocałowana. Pragnę poczuć jego usta na swoich.

ROZDZIAŁ CZWARTY

Błagam go w myślach, aby mnie, do cholery, pocałował, a sama nie mogę się poruszyć. Paraliżuje mnie dziwna, nieznajoma potrzeba. Czuję się zniewolona. Wpatruję się jak urzeczona w idealnie wykrojone usta Christiana Greya, a on pociemniałych oczu nie odrywa ode mnie. Słyszę, jak oddycha, podczas gdy ja w ogóle przestałam to robić. Trzymasz mnie w ramionach. Pocałuj mnie, proszę. Zamyka oczy, wciąga powietrze i ledwie zauważalnie kręci głową, jakby udzielał odpowiedzi na moje niewyartykułowane pytanie. Kiedy ponownie otwiera oczy, widać, że podjął jakąś decyzję.

– Anastasio, powinnaś trzymać się ode mnie z daleka. Nie jestem mężczyzną dla ciebie – szepcze.

Że co? A skąd on to może wiedzieć? Chyba ocena należy do mnie. Marszczę brwi i ogarnia mnie uczucie odrzucenia.

– Oddychaj, Anastasio, oddychaj. Teraz cię puszczę i pozwolę odejść – mówi cicho i delikatnie odpycha mnie od siebie.

Poziom adrenaliny wywołany niemal zderzeniem z rowerzystą albo odurzającą bliskością Christiana opada i czuję teraz słabość w całym ciele. „Nie!" – krzyczy moja psychika, gdy on się odsuwa. Jego dłonie spoczywają na moich ramionach, uważnie śledzi moją reakcję. A ja jestem w stanie myśleć wyłącznie o tym, że pragnęłam, aby mnie pocałował, dałam mu to jasno do zrozumienia, a on tego nie zrobił. Nie chce mnie. Naprawdę mnie nie chce. Koncertowo wszystko spieprzyłam.

– Rozumiem. – W końcu wraca mi zdolność mówienia. – Dziękuję – mamroczę zalana falą upokorzenia. Jak mogłam tak niewłaściwie odczytać wysyłane przez niego sygnały? Muszę stąd jak najszybciej uciec.

– Za co? – Marszczy brwi. Nie zabrał rąk z moich ramion.

– Za to, że mnie uratowałeś – odpowiadam szeptem.

– Ten idiota jechał pod prąd. Dobrze, że tu byłem. Boję się myśleć, co ci się mogło stać. Chcesz przez chwilę odpocząć w hotelu? – Puszcza mnie, a ja stoję przed nim, czując się jak idiotka.

Z trudem odzyskuję zdolność myślenia. Chcę stąd jak najszybciej odejść. Wszystkie moje mgliste, nieokreślone bliżej nadzieje legły w gruzach. On mnie nie chce. Co ja sobie w ogóle wyobrażałam? „Czego Christian Grey mógłby chcieć od ciebie?" – drwi moja podświadomość. Odwracam się w stronę ulicy i z ulgą się przekonuję, że właśnie się włączyło zielone światło. Szybko przechodzę na drugą stronę, świadoma tego, że za mną podąża Grey. Pod hotelem odwracam się do niego, ale nie potrafię spojrzeć mu w oczy.

– Dzięki za herbatę i za sesję zdjęciową – bąkam.

– Anastasio… ja… – Urywa i moją uwagę przyciąga udręka słyszalna w jego głosie. Niechętnie podnoszę wzrok. W jego oczach maluje się przygnębienie. Przeczesuje dłonią włosy. Wygląda na rozdartego, sfrustrowanego. Zniknęła gdzieś wcześniejsza samokontrola.

– Co, Christianie? – warczę z irytacją, gdy nie kończy zdania. Chcę stąd jechać. Muszę zabrać kruchą, zranioną dumę i jakoś ją uleczyć.

– Powodzenia na egzaminach.

Co? Dlatego jest tak zasmucony? Tak ma wyglądać nasze pożegnanie? „Powodzenia na egzaminach"?

– Dzięki. – W moim głosie słychać sarkazm. – Do widzenia, panie Grey. – Odwracam się na pięcie, nawet zdziwiona tym, że się nie potykam, i bez oglądania się za siebie odchodzę w stronę garażu podziemnego.

Kiedy docieram do ciemnego betonowego wnętrza, oświetlanego jedynie słabymi jarzeniówkami, opieram się o ścianę i chowam twarz w dłoniach. Co ja sobie wyobrażałam? W moich oczach wzbierają nieproszone łzy. Dlaczego płaczę? Osuwam się na ziemię, zła na siebie za tę bezsensowną reakcję. Podciągam kolana pod brodę, chcąc się zwinąć w jak najmniejszą kulkę. Być może ten niedorzeczny ból zmniejszy się, kiedy ja stanę się mniejsza. Kładąc głowę na kolanach, pozwalam płynąć tym irracjonalnym łzom. Opłakuję coś, czego nigdy nie miałam. Co za absurd. Rozpacz z powodu przeklętych nadziei, przeklętych marzeń i oczekiwań.

Nigdy dotąd nie poznałam, jak smakuje odrzucenie. Zgoda, to mnie wybierano zawsze jako ostatnią podczas gry w kosza albo siatkę, ale to akurat rozumiałam: bieganie i jednoczesne odbijanie czy rzucanie piłki to nie dla mnie. Na boisku jestem zdecydowanie kulą u nogi.

Jednak w kategoriach romantycznych nie zaznałam dotąd porażki. Od zawsze brak mi pewności siebie; jestem zbyt blada, zbyt chuda, zbyt niechlujna, zbyt niezgrabna – lista moich wad nie ma końca. Zawsze więc to ja odtrącałam potencjalnych adoratorów. Był na uczelni chłopak, któremu się podobałam, ale nikt nigdy nie wzbudził we mnie zainteresowania – nikt z wyjątkiem cholernego Christiana Greya. Może powinnam być milsza dla chłopców pokroju Paula Claytona i José Rodrigueza. Ale jestem przekonana, że żaden z nich nie szlochał w żadnym ciemnym zakątku. Może muszę się po prostu wypłakać.

„Przestań! Przestań! Przestań!" – krzyczy moja podświadomość. Ręce ma skrzyżowane na piersiach i z frustracją tupie jedną stopą. „Wsiadaj do samochodu, jedź do domu, bierz się za naukę. Zapomnij o nim… Natychmiast! I przestań się nad sobą użalać".

Oddycham głęboko, a potem wstaję. Weź się w garść, Steele. Ruszam w stronę samochodu Kate, ocierając po drodze łzy z twarzy. Nie będę już o nim myśleć. Potraktuję ten incydent jako nauczkę i skoncentruję się na egzaminach.

KATE SIEDZI PRZY STOLE, pochylona nad laptopem. Powitalny uśmiech gaśnie, kiedy dostrzega moją twarz.

– Ana, co się stało?

O nie, tylko nie inkwizycja Katherine Kavanagh. Kręcę głową, dając tym gestem do zrozumienia, aby mi odpuściła, ale równie dobrze mogłabym mieszkać z głuchoniemym ślepcem.

– Płakałaś. – Czasem ma wyjątkowy dar ubierania w słowa tego, co cholernie oczywiste. – Co ci zrobił ten drań? – warczy, a jej mina… o kurczę, jest naprawdę groźna.

– Nic, Kate. – I w tym cały problem. Myśl ta wywołuje na mojej twarzy cierpki uśmiech.

– W takim razie czemu płakałaś? Ty nigdy nie płaczesz. – Głos jej łagodnieje. Wstaje, a jej spojrzenie pełne jest troski. Mocno mnie przytula. Muszę coś powiedzieć, aby dała mi spokój.

– Mało brakowało, a przejechałby mnie rowerzysta. – To w sumie niewiele, ale od razu odwraca jej uwagę od… niego.

– Jezu, Ana, wszystko w porządku? Jesteś ranna? – Odsuwa mnie na odległość ramienia i szybko lustruje od stóp do głów.

– Nie. Christian mnie uratował – szepczę. – Ale bardzo się zdenerwowałam.

– Nic dziwnego. Jak tam kawa? Wiem, że jej nie znosisz.

– Zamówiłam herbatę. Było w porządku, w zasadzie
nie ma o czym opowiadać. Nie wiem, dlaczego mnie zaprosił.

– Podobasz mu się.

– Już nie. Więcej się z nim nie spotkam. – Tak, udaje
mi się wypowiedzieć to spokojnie i rzeczowo.

– Och?

Dupa blada. Zaintrygowałam ją tym. Udaję się do
kuchni, aby nie widziała mojej twarzy.

– Tak, to przecież nie moja liga, Kate – dodaję cierpko.

– Co masz na myśli?

– Och, Kate, to oczywiste. – Odwracam się na pięcie
i staję z nią twarzą w twarz, gdyż zdążyła już się pojawić
w drzwiach kuchni.

– Dla mnie nie – oświadcza. – Okej, ma więcej kasy
niż ty, no ale w sumie ma jej więcej od większości Ame-
rykanów!

– Kate, on jest… – Wzruszam ramionami.

– Ana! Na litość boską, ile razy mam ci to powta-
rzać? Ślicznotka z ciebie – przerywa mi. O nie. Zaraz zacznie tę swoją tyradę.

– Kate, proszę cię. Muszę się uczyć.

Marszczy brwi.

– Chcesz zobaczyć artykuł? Jest gotowy. José zrobił
naprawdę świetne zdjęcia.

Czy naprawdę potrzebuję wizualnego przypomnie-
nia pięknego Christiana „Nie-chcę-cię" Greya?

– Jasne. – Wyczarowuję uśmiech i podchodzę do
laptopa. No i oto on, czarno-biały, wpatruje się we mnie
i uznaje mnie za wybrakowaną.

Udaję, że czytam artykuł, a tymczasem patrzę mu
prosto w oczy, szukając w tym zdjęciu jakiejś wskazówki
odnośnie do tego, dlaczego to podobno nie mężczyzna
dla mnie. I nagle robi się to oczywiste. Jest zbyt olśniewa-

jąco przystojny. Krańcowo różnimy się od siebie; pochodzimy z dwóch różnych światów. Jestem Ikarem, który znalazł się zbyt blisko słońca i w rezultacie spłonął. Jego słowa mają sens. To nie mężczyzna dla mnie. To właśnie miał na myśli i teraz łatwiej jest mi zaakceptować jego odrzucenie... prawie. Jakoś dam radę z tym żyć. Rozumiem.

– Bardzo dobry artykuł, Kate. A teraz idę się uczyć.

W duchu składam sobie przyrzeczenie, że od teraz nie będę o nim myśleć, a potem wyjmuję notatki i biorę się za czytanie.

Dopiero kiedy leżę w łóżku i próbuję zasnąć, pozwalam myślom pomknąć ku temu dziwacznemu przedpołudniu. Ciągle przypomina mi się ten jego tekst: „Nie bawię się w dziewczyny" i wkurzam się na siebie, że nie przyswoiłam tej informacji prędzej, kiedy znajdowałam się w jego ramionach i każdą komórką błagałam, aby mnie pocałował. Przecież to wtedy powiedział. Nie chciał mnie jako swojej dziewczyny. Przekręcam się na bok. A może on żyje w celibacie? Zamykam oczy i zaczyna mi pracować wyobraźnia. Może on czeka. „Nie na ciebie" – prycha zaspana podświadomość, po czym przypuszcza atak na moje sny.

Tej nocy śnię o szarych oczach, liściastych wzorkach na mleku i biegam po ciemnych pomieszczeniach, rozjaśnianych jedynie upiornym światłem jarzeniówek, i nie wiem, czy biegnę ku czemuś, czy przed czymś uciekam...

Odkładam długopis. Skończyłam. Ostatni egzamin dobiegł kresu. Na mojej twarzy pojawia się uśmiech zadowolenia. To chyba pierwszy uśmiech w tym tygodniu. Jest piątek i wieczorem będziemy świętować, ostro świętować. Możliwe, że nawet się upiję! Jeszcze nigdy nie byłam pijana. Zerkam w drugi koniec sali gimnastycznej na Kate, która zawzięcie pisze. Zostało pięć minut. No i nadszedł koniec mojej uczelnianej kariery. Już nigdy nie będę musiała siedzieć wśród niespokojnych, osamotnionych studentów. W myślach robię pełne gracji gwiazdy, doskonale wiedząc, że tylko tam jest to możliwe. Kate kończy pisać i odkłada długopis. Patrzy w moją stronę. Ona także się uśmiecha.

Wracamy jej autem do mieszkania, nie rozmawiając po drodze o ostatnim egzaminie. Kate bardziej przejmuje się tym, w co się ubrać dzisiejszego wieczoru.

Szukam w torebce kluczy.

– Ana, przesyłka dla ciebie. – Kate stoi na schodkach przed drzwiami, trzymając w ręce paczkę owiniętą w brązowy papier.

Dziwne. Niczego ostatnio nie zamawiałam z Amazona. Kate wręcza mi paczkę i bierze ode mnie klucze, aby otworzyć drzwi. Przesyłkę zaadresowano do panny Anastasii Steele. Brak adresu nadawcy. Może to od mamy albo Raya.

– Pewnie od rodziców.

– Otwórz! – Kate cała w skowronkach idzie prosto do kuchni po naszego „szampana na koniec egzaminów".

Rozrywam papier i moim oczom ukazuje się obite skórą pudełko. W środku znajdują się trzy pozornie identyczne książki w idealnym stanie, obite starym materiałem, oraz arkusik białego papieru. Po jednej stronie napisano odręcznie następujący tekst:

Dlaczego nie powiedziałaś o grożącym niebezpieczeństwie?
Dlaczego mnie nie ostrzegłaś?
Kobiety wiedzą, przed czym się mieć na baczności, gdyż czytają powieści, zdradzające wszystkie sztuczki…

Rozpoznaję cytat z *Tessy*. Cóż za ironia – dopiero co przez trzy godziny pisałam pracę na temat powieści Thomasa Hardy'ego. A może to wcale nie ironia... może to coś rozmyślnego. Oglądam książki, trzy tomy *Tessy d'Urberville*. Otwieram pierwszą z góry. A tam staroświecką czcionką napisano:

„Londyn: Jack R. Osgood, McIlvaine and Co., 1891".

A niech mnie, to pierwsze wydanie. Muszą być warte majątek. I od razu wiem, kto je przysłał. Kate zerka mi ponad ramieniem na książki. Bierze do ręki kartkę.

– Pierwsze wydanie – szepczę.

– Nie. – Kate otwiera szeroko oczy z niedowierzaniem. – Grey?

Kiwam głową.

– Nikt inny nie przychodzi mi na myśl.

– Co znaczy ta kartka?

– Nie mam pojęcia. To chyba ostrzeżenie; on ciągle mnie ostrzega. Licho wie czemu. Przecież nie dobijam się do jego drzwi. – Marszczę brwi.

– Wiem, że nie chcesz o nim rozmawiać, ale też wiem, że o nim myślisz. Czy cię ostrzega, czy nie.

W minionym tygodniu nie pozwoliłam sobie rozmyślać o Christianie Greyu. Okej... jego szare oczy nadal prześladują mnie w snach i wiem, że minie wieczność, nim wymażę z pamięci, jak to jest – być w jego ramionach i czuć ten wspaniały zapach. Dlaczego mi to przysłał? Przecież powiedział, że nie jestem dla niego.

– Znalazłam jedno pierwsze wydanie *Tessy* w Nowym Jorku za czternaście tysięcy dolarów. Ale twoje jest w znacznie lepszym stanie. Musiało kosztować jeszcze więcej. – Kate zasięga porady u swego najlepszego przyjaciela, Google.

– Ten cytat, Tessa mówi to do matki niegodziwie po-
traktowana przez Aleca D'Urberville'a.
– Wiem – duma Kate. – Co on ci próbuje powiedzieć?
– Nie wiem i mam to gdzieś. Nie mogę przyjąć tych
książek. Odeślę je z równie zbijającym z tropu cytatem
z jakiegoś mroczniejszego fragmentu *Tessy*.
– Tego, w którym Angel Clare każe się odpierdolić?
– pyta Kate, zachowując całkowitą powagę.
– Tak, właśnie tego. – Chichoczę. Uwielbiam Kate,
jest taka lojalna i zawsze mnie wspiera. Wypakowu-
ję książki i kładę je na stole. Kate wręcza mi kieliszek
z szampanem.
– Za koniec egzaminów i nasze nowe życie w Seattle
– mówi z szerokim uśmiechem.
– Za koniec egzaminów, nasze nowe życie w Seattle
i doskonałe wyniki. – Stukamy się kieliszkami i pijemy.

W BARZE JEST GŁOŚNO i pełno w nim prawie absolwentów, którzy przyszli świętować. Dołącza do nas José. On
kończy studia dopiero za rok, ale jest w imprezowym
nastroju i kupuje nam wszystkim dzban margarity, dzięki czemu ogarnia nas poczucie wolności. Gdy wypijam
piątego drinka, doskonale zdaję sobie sprawę, że to mało
rozsądne. Zwłaszcza że wcześniej był już szampan.
– I co teraz, Ana? – José przekrzykuje hałas.
– Kate i ja przeprowadzamy się do Seattle. Rodzice
Kate kupili jej tam mieszkanie.
– *Dios mio*, ależ oni sobie żyją. Ale wrócisz na moją
wystawę?
– No jasne, José, za nic bym jej nie przegapiła. –
Uśmiecham się, a on obejmuje mnie w talii i przyciąga
do siebie.
– Twoja obecność wiele dla mnie znaczy, Ana – szep-
cze mi do ucha. – Jeszcze jedną margaritę?

– José Luisie Rodriguez, czy ty próbujesz mnie upić? Bo chyba ci się udaje. – Chichoczę. – Chyba lepiej napiję się piwa. Pójdę zamówić nam cały dzban.

– Więcej procentów, Ana! – woła Kate.

Kate ma bardzo mocną głowę. Ramieniem obejmuje Leviego, jednego z naszych kolegów z wydziału, który pracuje w studenckiej gazecie jako fotograf. Na dzisiaj dał sobie spokój z fotografowaniem otaczającej go pijackiej zabawy. Wzrokiem wodzi za Kate. A ona wygląda oszałamiająco w bluzeczce na ramiączkach, obcisłych dżinsach i szpilkach. Włosy upięła wysoko i tylko pojedyncze pasma otaczają jej twarz. Ja należę raczej do dziewczyn preferujących trampki i T-shirty, ale włożyłam najlepsze dżinsy. Wyplątuję się z objęć José i wstaję od stolika. O kurczę. Kręci mi się w głowie. Muszę się przytrzymać oparcia krzesła. Drinki oparte na tequili to nie jest dobry pomysł.

Przeciskam się do baru i uznaję, że skoro i tak wstałam od stolika, to powinnam skorzystać z toalety. Dobrze myślisz, Ana. Chwiejnym krokiem ruszam w stronę łazienek. Oczywiście trzeba czekać w kolejce, ale na korytarzu jest przynajmniej spokojnie i chłodno. Wyjmuję z kieszeni komórkę, aby zabić czymś nudę czekania. Hmm… do kogo ostatniego dzwoniłam? Do José? Przed nim jest numer, którego nie rozpoznaję. Ach tak. Grey, to chyba jego numer. Chichoczę. Nie mam pojęcia, która jest godzina, może go obudzę. Może powie mi, dlaczego przysłał mi te książki i zagadkową wiadomość. Jeśli chce, abym się trzymała na dystans, powinien zostawić mnie w spokoju. Powstrzymuję pijacki uśmiech i wciskam odpowiedni przycisk. Odbiera po drugim sygnale.

– Anastasio?

W jego głosie słychać zaskoczenie. Cóż, szczerze mówiąc, sama jestem zaskoczona tym, że do niego dzwonię. Wtedy mój zamroczony umysł zaczyna pracować... Skąd wie, że to ja?

– Dlaczego przysłałeś mi książki? – pytam bełkotliwie.

– Anastasio, wszystko w porządku? Masz dziwny głos – mówi z niepokojem.

– To nie ja jestem dziwna, ale ty – rzucam oskarżycielsko. Proszę bardzo, niech wie. Alkohol uczynił mnie odważną.

– Anastasio, czy ty piłaś?

– A co ci do tego?

– Jestem ciekawy. Gdzie teraz jesteś?

– W barze.

– Którym barze? – W jego głosie słychać irytację.

– W barze w Portland.

– Jak wrócisz do domu?

– Dam sobie radę. – Ta rozmowa nie przebiega tak, jak się spodziewałam.

– W jakim barze jesteś?

– Dlaczego przysłałeś mi te książki, Christianie?

– Anastasio, gdzie jesteś? Mów natychmiast. – Jego ton jest tak despotyczny, że wyobrażam go sobie jako reżysera sprzed lat ubranego w bryczesy i dzierżącego staroświecki megafon oraz szpicrutę. Pod wpływem tej wizji śmieję się w głos.

– Jesteś taki... władczy – chichoczę.

– Ana, gdzie ty, kurwa, jesteś?

Christian Grey przeklina. Znowu się śmieję.

– Jestem w Portland... daleko od Seattle.

– Gdzie w Portland?

– Dobranoc, Christianie.

– Ana!

Rozłączam się. Ha! Ale w sumie nie odpowiedział mi na pytanie dotyczące książek. Marszczę brwi. Misja niezakończona sukcesem. Naprawdę jestem pijana – strasznie kręci mi się w głowie, kiedy krok za krokiem przesuwam się w stronę toalety. Cóż, taki był przecież plan. W końcu docieram do kabiny. Bezmyślnie wpatruję się w wiszący na drzwiach plakat, wychwalający zalety bezpiecznego seksu. Zaraz, zaraz, czy ja przed chwilą zadzwoniłam do Christiana Greya? Cholera. Odzywa się mój telefon, a ja aż podskakuję.

– Cześć – rzucam nieśmiało do aparatu. Tego akurat się nie spodziewałam.

– Jadę po ciebie – oświadcza i rozłącza się. Tylko Christian może wydawać się jednocześnie spokojny i groźny.

Kuźwa. Podciągam dżinsy. Mocno wali mi serce. Jedzie po mnie? O nie. Chyba zaraz zwymiotuję… nie… już dobrze. To przez niego kręci mi się w głowie. Nie powiedziałam mu, gdzie jestem. Nie znajdzie mnie. Poza tym podróż z Seattle potrwa kilka godzin, a do tego czasu nas już tu dawno nie będzie. Myję ręce i zerkam do lustra. Mam zaróżowione policzki i wyglądam nieco niewyraźnie. Hmm… tequila.

Całą wieczność czekam przy barze na dzban piwa, w końcu wracam do stolika.

– Długo cię nie było – gani mnie Kate. – Gdzie się podziewałaś?

– Czekałam w kolejce do kibelka.

José i Levi zatopieni są w ożywionej dyskusji na temat miejscowej drużyny bejsbolowej. José przerywa na chwilę tyradę i rozlewa wszystkim piwo, a potem pociąga spory łyk.

– Kate, wyjdę na chwilę na dwór i zaczerpnę świeżego powietrza.

– Ana, ale ty masz słabą głowę.

– Za pięć minut wracam.

I znowu przeciskam się przez tłum. Robi mi się niedobrze, w głowie mi się nieprzyjemnie kręci i lekko się
chwieję na nogach. Bardziej niż zazwyczaj.

Oddychając chłodnym wieczornym powietrzem,
uświadamiam sobie, że naprawdę mam nieźle w czubie.
Wszystko widzę podwójnie, jak w starych odcinkach
Toma i Jerry'ego. Chyba zaraz puszczę pawia. Czemu się
aż tak zaprawiłam?

– Ana. – Przy moim boku zjawia się José. – Wszystko w porządku?

– Chyba trochę za dużo wypiłam. – Uśmiecham się
do niego blado.

– Ja też – mruczy i bacznie mi się przygląda. – Pomóc
ci? – pyta i przysuwa się, po czym obejmuje ramieniem.

– José, nic mi nie jest. Trzymam się. – Dość słabo
próbuję go odepchnąć.

– Ana, proszę – szepcze i przyciąga mnie bliżej siebie.

– José, co ty wyrabiasz?

– Wiesz, że cię lubię, Ana, proszę. – Jedną ręką obejmuje w pasie, a drugą ujmuje brodę. Jasny gwint... on
mnie zamierza pocałować.

– Nie, José, przestań, nie. – Odpycham go, ale jego
umięśnione ciało jest silniejsze. Palce wsunął w moje włosy i teraz unieruchamia mi głowę.

– Proszę, Ana, *cariña* – szepcze w moje usta. Oddech
ma ciepły i zbyt słodki: od margarity i piwa. Delikatnie
całuje moją brodę, kierując się ku kącikowi ust. Ogarnia
mnie panika. Czuję się pijana i pozbawiona kontroli nad
sytuacją. Mam wrażenie, że się duszę.

– José, nie – błagam. Nie chcę tego. Jesteś moim
przyjacielem i zaraz chyba zwymiotuję.

– Wydaje mi się, że pani powiedziała „nie". – W ciemnościach odzywa się cichy głos. Święty Barnabo! Christian Grey, to on. Skąd się tu wziął? José mnie puszcza.

– Grey – rzuca zwięźle. Zerkam niespokojnie na Christiana. Patrzy spode łba na José i widać, że jest wściekły. Cholera. Żołądek podchodzi mi do gardła i zginam się we dwoje. Moje ciało nie jest dłużej w stanie tolerować alkoholu i spektakularnie wymiotuję na ulicę.

– *Dios mio*, Ana! – José odskakuje ze wstrętem.

Grey chwyta moje włosy i odsuwa je z linii ognia. Delikatnie prowadzi mnie w stronę wysokiego klombu na skraju parkingu. Z uczuciem ulgi dostrzegam, że panuje tam względna ciemność.

– Jeśli masz jeszcze wymiotować, zrób to tutaj. Przytrzymam cię.

Jedną ręką obejmuje moje ramiona, a drugą przytrzymuje włosy. Niezdarnie próbuję go odepchnąć, ale znowu wymiotuję... i znowu. Kurczę, ile to jeszcze będzie trwać? Nawet kiedy żołądek mam już pusty, targają mną paskudne torsje. W duchu zarzekam się, że już nigdy nie tknę alkoholu. To wszystko jest po prostu zbyt potworne. W końcu torsje mijają.

Opieram się dłońmi o otaczający klomb murek i ledwie się trzymam na nogach – takie wymioty są strasznie wyczerpujące. Grey puszcza mnie i podaje chusteczkę. Tylko on mógłby mieć przy sobie świeżo wypraną, lnianą chusteczkę z monogramem. CTG. Nie wiedziałam, że można je jeszcze kupić. Wycieram usta, zastanawiając się, co znaczy „T". Nie jestem w stanie na niego spojrzeć, tak strasznie mi wstyd. Chcę, aby połknęły mnie azalie na klombie. Chcę znaleźć się gdziekolwiek, wszędzie, byle nie tutaj.

José stoi w pobliżu wejścia do baru i nas obserwuje. Jęczę i chowam twarz w dłoniach. To musi być najgorsza chwila w moim życiu. Nadal kręci mi się w głowie, kiedy próbuję sobie przypomnieć gorszą. Może odrzucenie Christiana. Ale to teraz jest znacznie bardziej upokarzające. Zbieram się na odwagę i zerkam na niego. Spogląda na mnie z niezdradzającym niczego wyrazem twarzy. Odwracam się i patrzę na José, który wydaje się mocno zawstydzony i – podobnie jak ja – onieśmielony przez Greya. Piorunuję go wzrokiem. Mam parę słów do powiedzenia temu mojemu tak zwanemu przyjacielowi, ale żadne z nich nie nadaje się do powtórzenia w obecności pana prezesa Christiana Greya. Ana, kogo ty próbujesz oszukać, przecież dopiero co widział, jak puszczasz pawia na miejscową florę. Trudno to nazwać wytwornym zachowaniem.

– Ja... eee... zobaczymy się w środku – mamrocze José i znika za drzwiami, ale oboje go ignorujemy.

Zostaję sam na sam z Greyem. Kuźwa do kwadratu. Co powinnam powiedzieć? Przeprosić za tamten telefon?

– Przepraszam – bąkam, wpatrując się w chusteczkę, którą obracam w dłoniach. Materiał jest taki delikatny.

– Za co przepraszasz, Anastasio?

A więc, cholera, domaga się swego.

– Przede wszystkim za telefon, za wymiotowanie. Och, lista się ciągnie bez końca. – Czuję, że zaczynam się rumienić. Błagam, błagam, czy mogę natychmiast umrzeć?

– Wszyscy coś takiego przeżyliśmy, być może nie aż tak dramatycznie jak ty – mówi cierpko. – Trzeba znać swoje granice, Anastasio. Ja sam jestem zwolennikiem przesuwania granic, ale to akurat jest naprawdę nie do przyjęcia. Czy masz w zwyczaju tak właśnie się zachowywać?

W głowie mi się kręci od alkoholu i irytacji. A co to ma, do cholery, z nim wspólnego? Ja go tutaj nie zapraszałam. Wygląda to tak, jakby mężczyzna w średnim wieku ganił niesforne dziecko. Po trochu mam ochotę oświadczyć mu, że jeśli każdego wieczoru chcę się tak upić, to moja decyzja i jemu nic do tego – ale brakuje mi odwagi. Nie teraz, kiedy wymiotowałam na jego oczach. Czemu on nadal tu stoi?

– Nie – odpowiadam ze skruchą. – Jeszcze nigdy nie byłam pijana i nie zamierzam tego powtórzyć.

Nie rozumiem, co on tu robi. Zaczyna mi się robić słabo. Dostrzega to i chwyta mnie, chroniąc przed upadkiem. Trzyma mnie w ramionach, tuląc do piersi niczym małe dziecko.

– Zawiozę cię do domu – oznajmia.

– Muszę powiedzieć Kate. – Święty Barnabo, znowu w jego ramionach.

– Mój brat może jej powiedzieć.

– Co takiego?

– Mój brat Elliot rozmawia właśnie z panną Kavanagh.

– Och? – Nie rozumiem.

– Był ze mną, kiedy zadzwoniłaś.

– W Seattle? – Mam w głowie mętlik.

– Nie, mieszkam w Heathmanie.

Nadal? Dlaczego?

– Jak mnie znalazłeś?

– Namierzyłem twój telefon, Anastasio.

No a jakżeby inaczej. Jak to w ogóle możliwe? I czy to jest legalne? „Prześladowca" – szepcze do mnie podświadomość przez opary tequili, które nadal okupują mi mózg. Ale, jako że to on, nie przeszkadza mi to.

– Masz jakiś żakiet czy torebkę?

– Eee… tak, jedno i drugie. Christianie, proszę, muszę powiedzieć Kate. Będzie się martwić.

Zaciska usta w cienką linię i ciężko wzdycha.

– Skoro musisz.

Puszcza mnie, a potem bierze za rękę i prowadzi do baru. Czuję się słaba, nadal pijana, zażenowana, wykończona, upokorzona i – dziwna sprawa – niesamowicie podekscytowana. Grey trzyma mnie za rękę – dezorientujący wachlarz emocji. Przynajmniej tydzień zajmie mi ich rozpracowanie.

W środku jest głośno, tłoczno i włączono muzykę, więc na parkiecie zdążył się już zgromadzić spory tłum. Kate nie ma przy naszym stoliku, José także gdzieś zniknął. Osamotniony Levi ma żałosną minę.

– Gdzie Kate? – pytam go, próbując przekrzyczeć hałas. W głowie czuję dudnienie dopasowujące się rytmem do basów.

– Tańczy – odkrzykuje Levi.

Widać, że jest zły. Mierzy Christiana podejrzliwym wzrokiem. Wkładam czarną marynarkę i przeciągam przez głowę pasek torebki.

– Jest na parkiecie. – Dotykam ramienia Christiana i krzyczę mu to do ucha, muskając nosem jego włosy, czując czysty, świeży zapach. Ojej. Te wszystkie zakazane, nieznajome uczucia, którym odmawiałam wydostania się na powierzchnię, gonią teraz w amoku po moim wymęczonym ciele. Oblewam się rumieńcem, a gdzieś w głębi moje mięśnie rozkosznie się zaciskają.

Wywraca oczami, bierze mnie znowu za rękę i prowadzi do baru. Natychmiast zostaje obsłużony, pan Kontroler Grey nie musi czekać. Czy jemu wszystko przychodzi tak łatwo? Nie słyszę, co zamawia. Po chwili wręcza mi dużą szklankę wody z lodem.

– Pij!

Poruszające się światła obracają się w rytm muzyki, oblewając dziwną kolorową poświatą wnętrze lokalu i jego klientelę. Są na przemian zielone, niebieskie, białe i demonicznie czerwone. Grey przygląda mi się uważnie. Biorę niepewny łyk.

– Do dna! – woła do mnie.

Jest taki apodyktyczny. Przeczesuje palcami swoje niesforne włosy. Wygląda na sfrustrowanego i zagnie-

wanego. Ma jakiś problem? Nie licząc niemądrej pijanej
dziewczyny, która dzwoni do niego w środku nocy i której
jego zdaniem potrzebny jest ratunek. No i okazuje się, że
rzeczywiście, trzeba ją uratować przed zalotami przyjaciela. A potem patrzeć, jak puszcza pawia za pawiem. „Och,
Ana… czy ty to kiedykolwiek przebijesz?" Moja podświadomość cmoka i piorunuje mnie wzrokiem. Chwieję się
lekko i on kładzie mi dłoń na ramieniu. Robię, co mi każe,
i wypijam całą wodę. Robi mi się niedobrze. Grey bierze
ode mnie szklankę i stawia ją na barze. Mętnie zauważam, w co jest ubrany: luźną koszulę z białego lnu, dżinsy,
czarne conversy i ciemną marynarkę w prążki. Kołnierzyk
koszuli jest rozpięty i widać kilka włosków. W swoim
przymuleniu stwierdzam, że wygląda bardzo apetycznie.

Znowu mnie bierze za rękę. Ożeż, prowadzi mnie na
parkiet. Cholera. Ja nie tańczę. Wyczuwa moją niechęć
i w kolorowym świetle dyskotekowych lamp widzę jego
rozbawiony, z lekka sardoniczny uśmiech. Pociąga mnie
mocno za rękę i znowu jestem w jego ramionach. Zaczyna się poruszać, a ja razem z nim. O rany, ależ on tańczy.
I nie mogę uwierzyć, że za nim nadążam. Może dlatego,
że jestem pijana. Przyciska mnie mocno do siebie i jestem
pewna, że gdyby mnie nie trzymał, tobym się przewróci-
ła. W głowie pojawia mi się ostrzeżenie mamy: „Nie ufaj
mężczyźnie, który umie tańczyć".

Prowadzi nas przez tłum tancerzy na drugi koniec
parkietu i teraz znajdujemy się obok Kate i Elliota, brata
Christiana. Muzyka głośno dudni, także w mojej głowie.
A niech mnie! Kate działa. Tańczy, jakby jutra nie było,
a robi tak tylko wtedy, kiedy ktoś jej się podoba. Naprawdę podoba. To oznacza, że jutro rano śniadanie zjemy we
troje. Kate!

Christian nachyla się i krzyczy coś Elliotowi do ucha.
Nie słyszę co. Elliot jest wysoki, szeroki w barach, ma ja-

sne kręcone włosy i jasne oczy błyszczące szelmowsko. W tym pulsującym świetle nie potrafię określić ich koloru. Elliot uśmiecha się szeroko i bierze Kate w ramiona, a ona w ogóle nie protestuje... Kate! Pomimo stanu upojenia alkoholowego doznaję szoku. Przecież dopiero co go poznała. Kiwa głową na to, co mówi Elliot, uśmiecha się do mnie i macha. Christian w ekspresowym tempie wyprowadza nas z parkietu.

Ale nie udało mi się z nią porozmawiać. Wszystko w porządku? Doskonale wiem, w jakim kierunku to wszystko zmierza. Muszę wygłosić jej wykład na temat bezpiecznego seksu. Mam nadzieję, że zapoznała się z treścią plakatów wiszących na drzwiach toalet. Myśli przetaczają mi się przez głowę, walcząc z pijackim zamroczeniem. Tak tu ciepło, tak głośno, tak kolorowo – zbyt jaskrawo. Głowa zaczyna mi wirować, o nie... i mam wrażenie, jakby ku mojej twarzy zbliżała się podłoga. Ostatnie, co słyszę, nim odpływam w ramionach Christiana Greya, to jego przekleństwo.

– Kurwa!

ROZDZIAŁ PIĄTY

Jest bardzo cicho. Panuje półmrok. W tym łóżku jest mi ciepło i wygodnie. Hmm... Otwieram oczy i przez chwilę spokojnie przypatruję się nieznajomemu otoczeniu. Nie mam pojęcia, gdzie się znajduję. Wezgłowie za mną ma kształt olbrzymiego słońca. Wydaje się dziwnie znajome. Pokój jest przestronny i cały w brązie, złocie i beżu. Już go kiedyś widziałam. Gdzie? Przytępiony mózg walczy o odzyskanie wspomnień. Jasna cholera. Jestem w hotelu Heathman... w apartamencie. W podobnym pokoju byłam razem z Kate. Ten wydaje się większy. O w mordę. Jestem w apartamencie Christiana Greya. Jak się tutaj znalazłam?

Powoli wracają fragmenty wydarzeń minionej nocy. Picie – o nie! – telefon – o nie! – wymioty – o nie! José i Christian. O nie! Wzdrygam się w duchu. Nie pamiętam, jak się tu dostałam. Mam na sobie T-shirt, stanik i figi. Skarpetek nie. Ani dżinsów. Jasny gwint.

Zerkam na stolik nocny. I widzę szklankę soku pomarańczowego oraz dwie tabletki. Advil. Może i lubi sprawować kontrolę, ale myśli o wszystkim. Siadam i łykam tabletki. Prawdę mówiąc, wcale nie czuję się aż tak źle, prawdopodobnie lepiej, niż na to zasługuję. Sok smakuje niebiańsko. Gasi pragnienie i odświeża. Nic nie pomaga na suchość w ustach tak jak sok ze świeżo wyciśniętych pomarańczy.

Rozlega się pukanie do drzwi. Serce podchodzi mi do gardła i nie jestem w stanie wydobyć z siebie głosu. Ale i tak otwiera drzwi i wchodzi do środka.

O niech mnie, był na siłowni. Ma na sobie szare spodnie od dresu i szarą koszulkę, która jest ciemna od potu, podobnie jak jego włosy. Pot Christiana Greya, jakoś dziwne mi się to wydaje. Biorę głęboki oddech i zamykam oczy. Czuję się jak dwulatka, jeśli zamknę oczy, to mnie tu nie będzie.

– Dzień dobry, Anastasio. Jak się czujesz?

O nie.

– Lepiej, niż na to zasługuję – mamroczę.

Zerkam na niego. Kładzie na krześle dużą reklamówkę i chwyta za końce ręcznika, który ma przewieszony przez szyję. Patrzy na mnie, a ja jak zawsze nie mam pojęcia, o czym myśli. Świetnie potrafi ukrywać myśli i uczucia.

– Jak się tutaj znalazłam? – Głos mam cichy i zduszony.

Podchodzi i siada na skraju łóżka. Znajduje się na tyle blisko, że mogę go dotknąć, mogę poczuć. O rety... pot, żel pod prysznic i Christian to odurzająca mieszanka, o wiele lepsza od margarity, a coś już na ten temat wiem.

– Kiedy odpadłaś, nie chciałem narażać skórzanej tapicerki w moim samochodzie i odwozić cię do domu. Przywiozłem cię więc tutaj – wyjaśnia niespiesznie.

– Położyłeś mnie do łóżka?

– Tak. – Minę ma niewzruszoną.

– Wymiotowałam jeszcze? – pytam cicho.

– Nie.

– Rozebrałeś mnie? – szepczę.

– Tak. – Unosi brew na widok moich rumieńców.

– My nie... – Czuję suchość w ustach i nie jestem w stanie dokończyć zdania. Wpatruję się w swoje dłonie.

– Anastasio, byłaś w stanie śpiączki. Nekrofilia mnie nie pociąga. Lubię, kiedy moje kobiety czują i odbierają bodźce – stwierdza sucho.

– Strasznie cię przepraszam.

Jego usta wykrzywiają się w cierpkim uśmiechu.

– To był bardzo zabawny wieczór. Nieprędko go zapomnę.

Ja też nie. Chwileczkę, on się ze mnie śmieje, drań jeden. Nie prosiłam go o ratunek. A teraz to ja się czuję jak jakiś czarny charakter.

– Nie musiałeś mnie wcale namierzać tym swoim bondowskim sprzętem, który produkujesz – warczę. W jego oczach dostrzegam zdziwienie i chyba lekką urazę.

– Po pierwsze, urządzenia do namierzania telefonów komórkowych są dostępne w Internecie. Po drugie, moja firma nie inwestuje ani nie wytwarza żadnych urządzeń inwigilujących, a po trzecie, gdybym po ciebie nie przyjechał, najpewniej obudziłabyś się w łóżku tego fotografa, a o ile pamiętam, nieszczególnie cię zachwycały jego zaloty – oświadcza lodowatym tonem.

Zaloty! Zerkam na Christiana, on zaś piorunuje mnie wzrokiem. Próbuję przygryźć wargę, ale nie jestem w stanie powstrzymać śmiechu.

– Ze stron jakiej średniowiecznej kroniki uciekłeś? – chichoczę. – Mówisz jak nadworny rycerz.

Jego nastrój ulega zmianie. Wzrok mu łagodnieje, a na pięknie wykrojonych ustach dostrzegam cień uśmiechu.

– Nie wydaje mi się, Anastasio. Ewentualnie mroczny rycerz. – Uśmiech ma sardoniczny i kręci głową. – Jadłaś coś wczoraj wieczorem? – Ton ma oskarżycielski.

Kręcę głową. Jakie wykroczenie teraz popełniłam? Zaciska zęby, ale wyraz twarzy ma obojętny. – Musisz jeść. Dlatego właśnie tak się pochorowałaś. Naprawdę, Anastasio, to zasada numer jeden podczas picia. – Przeczesuje palcami włosy i wiem, że to oznaka irytacji.

– Dalej będziesz dawał mi burę?

– A to właśnie robię?

– Tak mi się wydaje.

– Masz szczęście, że robię tylko to.

– Jak to?

– Cóż, gdybyś była moja, to po takim numerze, jaki wycięłaś wczoraj, przez tydzień nie byłabyś w stanie siedzieć. Nic nie zjadłaś, upiłaś się, naraziłaś się na niebezpieczeństwo. – Zamyka oczy i wzdryga się lekko. Kiedy je otwiera, patrzy na mnie gniewnie. – Wolę nie myśleć, co ci się mogło stać.

Patrzę na niego wilkiem. O co mu chodzi? Co się przejmuje? Gdybym była jego… cóż, ale nie jestem. Choć możliwe, że część mnie by tego chciała. Ta myśl przedziera się przez irytację wywołaną jego arbitralnymi słowami. Rumienię się zawstydzona niesfornością mojej podświadomości – na myśl, że mogłabym być jego, tańczy sobie wesoło w czerwonej spódnicy hula.

– Nic by mi się nie stało. Byłam z Kate.

– I fotografem? – warczy.

Hmm… młody José. W którymś momencie będę się z nim musiała rozmówić.

– Trochę go poniosło – wzruszam ramionami.

– Cóż, kiedy następnym razem go poniesie, może ktoś powinien nauczyć go dobrych manier.

– Ale z ciebie zwolennik surowej dyscypliny – syczę.

– Och, Anastasio, zdecydowany zwolennik. Nawet nie masz pojęcia, jak zdecydowany. – Mruży oczy, a potem uśmiecha się szelmowsko. To rozbrajające. W jednej chwili jestem skonsternowana i zła, w drugiej wpatruję się w ten oszałamiający uśmiech. O rety… Patrzę jak urzeczona, ponieważ Christian tak rzadko się uśmiecha. – Idę wziąć prysznic. Chyba że ty chcesz pierwsza? – Przechyla głowę, nadal się uśmiechając. Serce mi przyspiesza, a rdzeń przedłużony zapomina o wysyłaniu sygnałów o konieczności oddychania. Uśmiech Christiana staje się jeszcze szerszy. Wyciąga rękę i przesuwa kciukiem po moim policzku i dolnej wardze. – Oddychaj, Anastasio – szepcze, po czym wstaje. – Śniadanie za piętnaście minut. Pewnie umierasz z głodu. – Po tych słowach udaje się do łazienki i zamyka za sobą drzwi.

Wypuszczam wstrzymywane powietrze. Dlaczego on jest tak cholernie przystojny? W tej właśnie chwili mam ochotę iść i dołączyć do niego pod prysznicem. Jeszcze nigdy czegoś takiego nie czułam. Moje hormony szaleją. Swędzi mnie skóra w miejscach, których dotykał jego kciuk. Chyba się zaraz zacznę zwijać z palącego, dojmującego... bólu. Nie rozumiem tej reakcji. Hmm... Pożądanie. To właśnie jest pożądanie.

Kładę głowę z powrotem na miękkich poduszkach z pierza. „Gdybyś była moja". O rety – co bym zrobiła, aby być jego? To jedyny mężczyzna, na którego widok krew szybciej mi krąży. Ale jest także trudny, skomplikowany i dezorientujący. W jednej chwili mnie odtrąca, w następnej przysyła książki za czternaście tysięcy dolarów, a jeszcze później namierza mnie jak jakiś prześladowca. Tyle że spędziłam noc w jego apartamencie i czuję się bezpieczna. Chroniona. Troszczy się o mnie na tyle, aby się zjawić i uratować przed jakimś mylnie pojętym niebezpieczeństwem. To nie mroczny rycerz, ale biały rycerz w lśniącej zbroi, klasyczny bohater romantyczny, sir Gawain lub Lancelot.

Wyskakuję z łóżka i gorączkowo zaczynam szukać dżinsów. Tymczasem on wychodzi z łazienki mokry jeszcze po prysznicu i nieogolony, z ręcznikiem na biodrach. Dziwi się, że już wstałam.

– Jeśli szukasz spodni, to oddałem je do pralni. – Oczy ma barwy obsydianu. – Były brudne od wymiocin.

– Och. – Pąsowieję. Dlaczego on mnie tak zawsze zaskakuje?

– Wysłałem Taylora po drugą parę i jakieś buty. Są w torbie na krześle.

Czyste ubrania. Cóż za nieoczekiwany bonus.

– Eee... wezmę prysznic – mamroczę. – Dzięki.

Co jeszcze mogę powiedzieć? Chwytam torbę i pędzę do łazienki, daleko od niepokojącej bliskości nagiego Christiana. Dawid Michała Anioła wypada przy nim blado.

Łazienka jest pełna pary po jego kąpieli. Rozbieram się i szybko wchodzę do kabiny, pragnąc jak najszybciej poczuć na sobie oczyszczający strumień wody. Unoszę ku niemu twarz. Pragnę Christiana Greya. Bardzo. Oto stwierdzenie faktu. Po raz pierwszy w życiu mam ochotę iść z mężczyzną do łóżka. Pragnę poczuć na sobie jego dłonie i usta.

Powiedział, że lubi, jak jego kobiety czują. A więc pewnie nie żyje w celibacie. Ale nie próbował do mnie startować, tak jak Paul czy José. Nie rozumiem. Pragnie mnie? Nie pocałował mnie w zeszłym tygodniu. Jestem dla niego odpychająca? A jednak przywiózł mnie tutaj. Po prostu nie wiem, w co on pogrywa. Co sobie myśli? „Spędziłaś w jego łóżku całą noc, a on cię nawet nie dotknął, Ana. Dodaj dwa do dwóch". Moja podświadomość pokazuje swoją brzydką, drwiącą twarz. Ignoruję ją.

Woda jest ciepła i kojąca. Hmm... Mogłabym zostać pod tym prysznicem już na zawsze. Sięgam po żel. Pachnie nim. Rozkoszny zapach. Nacieram nim ciało, fantazjując na temat Christiana – że to on rozsmarowuje ten niebiańsko pachnący żel po moim ciele, piersiach, brzuchu, między udami. O rety. Serce mi znowu przyspiesza i to uczucie jest takie... takie fajne.

– Śniadanie. – Puka do drzwi, a ja aż podskakuję.

– Okej – dukam, brutalnie wyrwana z erotycznego snu na jawie.

Wychodzę z kabiny i sięgam po dwa ręczniki. Jednym owijam włosy, robiąc na głowie turban w stylu Carmen Mirandy. Pospiesznie się wycieram, ignorując przyjemny dotyk ręcznika ocierającego się o moją uwrażliwioną skórę.

Zaglądam do reklamówki. Taylor kupił mi nie tylko dżinsy i nowe conversy, ale także jasnoniebieską koszulę, skarpetki i bieliznę. O kurczę. Czysty stanik i figi – prawdę mówiąc to taki przyziemny, praktyczny opis do nich nie pasuje. To śliczna bielizna jakiejś europejskiej marki. Z jasnoniebieską koronką. Wow. Śliczna. I na dodatek pasuje jak ulał. No a jakżeby inaczej. Rumienię się na myśl o Taylorze kupującym to dla mnie w sklepie z bielizną. Zastanawiam się, jaki jest zakres jego obowiązków.

Szybko się ubieram. Reszta ciuchów też doskonale leży. Wycieram ręcznikiem włosy i desperacko próbuję nad nimi zapanować. Ale jak zwykle odmawiają współpracy i jedyne wyjście to związać je gumką. Poszukam jej w torebce. Biorę głęboki oddech. Pora na konfrontację z Panem Dezorientującym.

Z ulgą się przekonuję, że sypialnia jest pusta. Rozglądam się za torebką, ale nie widzę jej tutaj. Biorę kolejny głęboki oddech i wchodzę do salonu. Ależ jest duży. Znajduje się w nim obita pluszem kanapa z mnóstwem miękkich poduszek, ozdobna ława ze stosem dużych książek w błyszczących okładkach, miejsce do pracy z komputerem, a na ścianie olbrzymi telewizor plazmowy. Christian siedzi przy stole na drugim końcu pomieszczenia i czyta gazetę. Gazetę wielkości kortu do tenisa, co nie znaczy, abym w niego grała, ale parę razy kibicowałam Kate. Kate!

– Cholera, Kate – chrypię. Christian podnosi wzrok.

– Wie, że jesteś tutaj i że nic ci nie jest. Wysłałem esemesa Elliotowi – mówi z błyskiem humoru w oczach.

O nie. Przypomina mi się jej gorący taniec. Wszystkie opracowane do perfekcji ruchy wykorzystane jak nic w celu uwiedzenia brata Christiana! Co ona sobie teraz o mnie pomyśli? Jeszcze nigdy nie spędziłam u nikogo nocy. Nadal jest z Elliotem. Zrobiła to tylko dwa razy i za każdym razem musiałam przez tydzień po rozstaniu znosić widok tej koszmarnej piżamy. Pomyśli sobie, że ja też miałam przygodę na jedną noc.

Christian przygląda mi się władczo. Ma na sobie białą koszulę z rozpiętym kołnierzykiem i mankietami.

– Siadaj – wydaje polecenie, pokazując na miejsce przy stole. Podchodzę i siadam tam, gdzie mi kazał, naprzeciwko niego. Stół jest zastawiony jedzeniem.

– Nie wiedziałem, co lubisz, więc zamówiłem wszystkiego po trochu. – Posyła mi przepraszający uśmiech.

– To bardzo rozrzutne z twojej strony – mamroczę oszołomiona wyborem jedzenia, mimo że jestem głodna.

– Owszem – przyznaje.

Decyduję się na naleśniki, syrop klonowy i jajecznicę na bekonie. Christian próbuje ukryć uśmiech, wracając do swojego omletu z samych białek. Jedzenie jest przepyszne.

– Herbaty? – pyta.

– Poproszę.

Podaje mi mały dzbanek z gorącą wodą, a na spodeczku leży saszetka herbaty Twinings English Breakfast. O rany, pamięta, jaką herbatę lubię.

– Masz wilgotne włosy – gani mnie.

– Nie mogłam znaleźć suszarki – bąkam zawstydzona. Co nie znaczy, że próbowałam.

Zaciska usta w cienką linię, ale nic nie mówi.

– Dziękuję za zorganizowanie tych ubrań.

– Drobiazg, Anastasio. Do twarzy ci w tym kolorze.
Oblewam się rumieńcem i opuszczam wzrok na palce.
– Wiesz co, naprawdę powinnaś się nauczyć przyjmować komplementy. – W jego głosie pobrzmiewa krytyka.
– Powinnam ci zwrócić pieniądze za te rzeczy. – Rzuca mi takie spojrzenie, jakbym go właśnie obraziła, więc dodaję pospiesznie: – Dałeś mi już książki, których oczywiście nie mogę przyjąć. Ale te ubrania… pozwól mi, proszę, za nie zapłacić. – Uśmiecham się do niego niepewnie.
– Anastasio, uwierz mi, stać mnie na to.
– Nie w tym rzecz. Dlaczego miałbyś mi je kupować?
– Dlatego, że mogę. – W jego oczach błysnęło coś szelmowskiego.
– To, że możesz, nie oznacza od razu, że powinieneś – odpowiadam cicho, a on unosi brew i nagle mam wrażenie, że rozmawiamy o czymś innym, ale nie bardzo wiem o czym. Co mi przypomina… – Dlaczego mi przysłałeś te książki, Christianie? – Głos mam miękki.
Odkłada sztućce i przygląda mi się uważnie, a w jego szarych oczach płonie jakieś niezgłębione uczucie. Jasny gwint – w ustach mi zasycha.
– Cóż, kiedy o mało nie wpadłaś pod koła roweru i kiedy trzymałem cię, a ty na mnie patrzyłaś i mówiłaś bezgłośnie: „Pocałuj mnie, Christianie, pocałuj"… – milknie na chwilę i wzrusza ramionami. – Czułem, że jestem ci winien przeprosiny i ostrzeżenie. – Przeczesuje palcami włosy. – Anastasio, ja się nie bawię w serduszka i kwiatki, nie bawię się w ten cały romantyzm. Moje upodobania są dość osobliwe. Powinnaś trzymać się ode mnie z daleka. – Zamyka oczy, jakby się poddawał. – Masz jednak coś w sobie i nie potrafię o tobie zapomnieć. Ale tego to już się chyba domyśliłaś.

Mój apetyt znika. Nie potrafi zapomnieć!

– No to nie rób tego – mówię szeptem.

Otwiera szeroko oczy.

– Nie wiesz, co mówisz.

– Więc oświeć mnie.

Siedzimy, patrzymy na siebie i żadne z nas nie dotyka jedzenia.

– Nie żyjesz w celibacie, prawda? – wyduszam z siebie.

W szarych oczach tańczy rozbawienie.

– Nie, Anastasio. – Urywa, aby dotarła do mnie ta informacja, a moje policzki nabierają koloru purpury. Znowu nie działa mój filtr mowy. Nie mogę uwierzyć, że właśnie powiedziałam coś takiego. – Jakie masz plany na następne dni? – pyta niskim głosem.

– Dziś pracuję. Od południa. Która godzina? – Nagle wpadam w panikę.

– Dopiero po dziesiątej, masz mnóstwo czasu. A jutro? – Łokcie ma na stole, brodę opiera o długie, smukłe palce.

– Kate i ja zamierzamy zabrać się za pakowanie. W przyszły weekend przeprowadzamy się do Seattle, a przez cały tydzień pracuję u Claytona.

– Masz gdzie mieszkać w Seattle?

– Tak.

– Gdzie?

– Nie pamiętam, jaki to adres. W dzielnicy Pike Market.

– Niezbyt daleko ode mnie. – Uśmiecha się blado. – A w Seattle gdzie będziesz pracować?

O co chodzi z tymi wszystkimi pytaniami? Inkwizycja Christiana Greya jest niemal równie irytująca jak Inkwizycja Katherine Kavanagh.

– Ubiegam się w paru miejscach o staż. Na razie czekam.

– Złożyłaś podanie także w moje firmie, tak jak ci sugerowałem?

Oblewam się rumieńcem. Oczywiście, że nie.

– Eee... nie.

– A co ci się nie podoba w mojej firmie?

– W twojej firmie czy u ciebie? – uśmiecham się kpiąco.

– Czy pani ze mnie drwi, panno Steele? – Przechyla głowę i wydaje mi się, że go rozbawiłam, ale pewności nie mam. Rumienię się i opuszczam wzrok na niedokończone śniadanie. Nie potrafię mu patrzeć w oczy, kiedy używa tego tonu. – Chciałbym przygryźć tę wargę – szepcze ponuro.

O rety. W ogóle nie jestem świadoma tego, że zagryzam dolną wargę. Otwieram usta, jednocześnie wciągając powietrze i przełykając ślinę. Jeszcze nikt mi nigdy nie powiedział czegoś tak seksownego. Serce wali mi jak młotem i chyba dyszę. Jezu, cała jestem drżąca i wilgotna, a jeszcze mnie nawet nie dotknął. Poprawiam się na krześle i patrzę mu prosto w oczy.

– Więc czemu tego nie robisz? – pytam cicho.

– Dlatego, że nie zamierzam cię dotykać, Anastasio, a przynajmniej do czasu, dopóki nie będę miał na to twojej pisemnej zgody. – Przez jego twarz przemyka cień uśmiechu.

Że co?

– Co to ma znaczyć?

– Dokładnie to, co mówię. – Wzdycha i kręci głową rozbawiony, ale także zirytowany. – Muszę ci coś pokazać, Anastasio. O której wieczorem kończysz pracę?

– Koło ósmej.

– Cóż, moglibyśmy wybrać się dzisiaj albo w następną sobotę do Seattle i zjeść kolację u mnie. Wtedy zapoznam cię ze wszystkimi faktami. Wybór należy do ciebie.

– Dlaczego teraz nie możesz mi powiedzieć? – W moim głosie słychać rozdrażnienie.

– Dlatego, że miło mi się je śniadanie w twoim towarzystwie. Kiedy już się wszystkiego dowiesz, najpewniej
nie będziesz chciała mnie więcej widzieć.

O kuźwa. Co to oznacza? Wysyła małe dzieci jako
niewolników do jakiegoś zapomnianego przez Boga za-
kątka świata? Należy do jakiejś grupy przestępczej? To
by tłumaczyło, dlaczego jest taki bogaty. Jest fanatykiem
religijnym? Impotentem? To akurat na pewno nie, mógłby mi to udowodnić nawet i teraz. Rumienię się na myśl
o ewentualnych wytłumaczeniach. To mnie prowadzi
donikąd. Chciałabym jak najprędzej rozwiązać tę zagadkę. Jeśli to oznacza, że tajemnica Christiana Greya jest
na tyle potworna, że nie będę go już chciała znać, cóż,
poczuję wtedy ulgę. „Nie okłamuj się!" – wrzeszczy moja
podświadomość. – „Dasz drapaka tylko wtedy, jeśli się
okaże, że to coś naprawdę mocno paskudnego".

– Dziś wieczorem.

Unosi brew.

– Tak jak Ewie spieszno ci do zjedzenia jabłka z drze-
wa poznania dobra i zła – rzuca drwiąco.

– Czy pan ze mnie drwi, panie Grey? – pytam słodko. Pompatyczny dupek.

Mruży oczy i bierze do ręki swojego BlackBerry.
Wciska jeden z klawiszy.

– Taylor. Będzie mi potrzebny Charlie Tango.

Charlie Tango! Kto to taki?

– Z Portland powiedzmy o dwudziestej trzydzieści… Nie, ma czekać w Escali… Całą noc.

Całą noc!

– Tak. Jutro rano na telefon. Będę pilotował z Portland do Seattle.

Pilotował?

– W pogotowiu od dwudziestej drugiej trzydzieści. –
Odkłada telefon. Żadnego „proszę" ani „dziękuję".

– Ludzie zawsze robią to, co im każesz?

– Najczęściej tak, jeśli chcą zachować posadę – odpowiada ze śmiertelną powagą.

– A jeśli dla ciebie nie pracują?

– Och, potrafię być bardzo przekonujący, Anastasio. Powinnaś dokończyć śniadanie. A potem podrzucę cię do domu. O ósmej przyjadę po ciebie do Claytona. Polecimy do Seattle.

Mrugam szybko.

– Polecimy?

– Tak. Mam śmigłowiec.

Gapię się na niego. Mam drugą randkę z Christianem Tajemniczym Greyem. Od kawy do lotu śmigłowcem. Wow.

– Polecimy śmigłowcem do Seattle?

– Tak.

– Dlaczego?

Uśmiecha się złośliwie.

– Ponieważ mogę. Kończ śniadanie.

Jak mogę teraz jeść? Lecę do Seattle śmigłowcem z Christianem Greyem. A on chce przygryźć mi wargę…

– Jedz – mówi ostrzej. – Anastasio, nie lubię marnowania jedzenia… jedz.

– Nie zjem tego wszystkiego. – Wpatruję się w to, co zostało na stole.

– Zjedz to, co masz na talerzu. Gdybyś wczoraj porządnie się najadła, nie byłoby cię teraz tutaj i nie odkrywałbym tak szybko kart. – Usta ma zaciśnięte w cienką linię. Wygląda na zagniewanego.

Marszczę brwi i wracam do zimnego jedzenia.

„Zbyt jestem podekscytowana, aby jeść, Christianie. Nie rozumiesz tego?" – wyjaśnia moja podświadomość. Ale za duży ze mnie tchórz, aby wypowiedzieć te myśli na głos, zwłaszcza gdy on ma tak posępną minę. Hmm, jak mały chłopiec. Ta myśl jest nawet zabawna.

– Co cię tak śmieszy? – pyta. Kręcę głową, nie śmiejąc powiedzieć prawdy. Przełknąwszy ostatni kęs naleśnika, zerkam na niego. Mierzy mnie bacznym spojrzeniem. – Grzeczna dziewczynka – orzeka. – Zawiozę cię do domu, kiedy wysuszysz włosy. Nie chcę, żebyś się przeziębiła.

W jego słowach kryje się coś na kształt obietnicy. Co chce przez to powiedzieć? Wstaję od stołu, zastanawiając się przez chwilę, czy nie powinnam zapytać o pozwolenie. Przeganiam jednak tę myśl. Mogłabym tym ustanowić niebezpieczny precedens. Ruszam w stronę sypialni, ale po kilku krokach się zatrzymuję.

– A ty gdzie spałeś dzisiejszej nocy?

Nie widać żadnej pościeli ani koców, choć oczywiście mógł je już sprzątnąć.

– W swoim łóżku – odpowiada zwięźle. Spojrzenie ma znowu pozbawione emocji.

– Och.

– Owszem, dla mnie także była to nowość. – Uśmiecha się.

– Nieuprawianie seksu... – No i proszę, wypowiedziałam to słowo. I oczywiście oblewam się rumieńcem.

– Nie. – Kręci głową, marszcząc brwi, jakby przypomniało mu się coś nieprzyjemnego. – Spanie z kimś. – Bierze ze stołu gazetę i wraca do czytania.

O kurczę, co to ma znaczyć? Nigdy z nikim nie spał? Jest prawiczkiem? Jakoś w to wątpię. Stoję i wpatruję się w niego z niedowierzaniem. To najbardziej zadziwiający człowiek, jakiego miałam okazję poznać. I dociera do mnie, że spałam z Christianem Greyem. Och, ileż bym dała za to, aby być przytomną i patrzeć, jak on śpi. Widzieć go bezbronnego. Choć to akurat trudno mi sobie wyobrazić. Cóż, podobno wszystko wyjaśni się wieczorem.

W sypialni przekopuję się przez szuflady komody i znajduję suszarkę. Przeczesując włosy palcami, staram się je jak najlepiej wysuszyć. Następnie udaję się do łazienki. Chcę umyć zęby. Dostrzegam szczoteczkę Christiana. To byłoby tak, jakbym czuła go w swoich ustach. Hmm... Zerkając z miną winowajcy na drzwi, dotykam włosia szczoteczki. Jest wilgotne. Musiał już jej użyć. Biorę ją szybko, wyciskam na nią pastę i w ekspresowym tempie myję zęby. Ależ ze mnie niegrzeczna dziewczynka. I muszę przyznać, że to dość ekscytujące.

Do reklamówki, którą przyniósł Taylor, wkładam wczorajszy T-shirt oraz bieliznę, po czym wracam do salonu po torebkę i żakiet. Alleluja, w torebce znajduję gumkę. Christian przygląda się, jak związuję włosy w kucyk. Trudno wyczytać cokolwiek z jego twarzy. Czuję na sobie jego spojrzenie, gdy siadam i czekam, aż skończy. Właśnie z kimś rozmawia przez BlackBerry.

– Chcą, żeby były dwa?... Ile to będzie kosztować?... Okej, a co ze środkami bezpieczeństwa?... Przez Kanał Sueski?... I kiedy dotrą do Darfuru?... Okej, niech tak będzie. Informujcie mnie na bieżąco. – Rozłącza się. – Gotowa? – pyta.

Kiwam głową. Christian zakłada granatową marynarkę w prążki, bierze ze stołu kluczyki od samochodu i podchodzi do wyjścia.

– Proszę przodem, panno Steele. – Przytrzymuje dla mnie drzwi. Wygląda zarazem swobodnie i elegancko.

Stoję, odrobinę zbyt długo, upajając się jego widokiem. I pomyśleć, że spałam z nim zeszłej nocy, po tej całej tequili i wymiotach, a on nadal tu jest. Co więcej, chce mnie zabrać do Seattle. Dlaczego akurat mnie? Nie mieści mi się to w głowie. Wychodzę na korytarz, wspominając jego słowa: „Jest coś w tobie". Cóż, mam identyczne zdanie na pański temat, panie Grey, i dowiem się, co to takiego to „coś".

W milczeniu podążamy do windy. Gdy czekamy, rzucam mu spojrzenie spod rzęs, a on kątem oka zerka na mnie. Uśmiecham się, a jego usta lekko się wyginają.

Nadjeżdża winda i wsiadamy do niej. Jesteśmy sami. Nagle z jakiegoś niewytłumaczalnego powodu, możliwe, że przez to, iż znajdujemy się tak blisko siebie w zamkniętej przestrzeni, atmosfera ulega zmianie i naładowana jest elektrycznym, emocjonującym wyczekiwaniem. Oddycham szybciej. Christian odwraca głowę w moją stronę. Jego oczy są koloru grafitowego. Przygryzam wargę.

– Och, pieprzyć dokumenty – warczy.

Doskakuje do mnie, popycha na ścianę. Nim orientuję się, co się dzieje, biodrami przyciska mnie do ściany, obie moje dłonie trzymając w górze w żelaznym uścisku. O święty Barnabo. Drugą ręką pociąga za kucyk, zmuszając do uniesienia głowy, a sekundę później jego usta lądują na moich. To niemal boli. Wydaję cichy jęk, rozchylając wargi i dając zielone światło jego językowi. On to natychmiast wykorzystuje, wprawnie eksplorując wnętrze mych ust. Jeszcze nigdy się tak nie całowałam. Mój język niepewnie dołącza do tego powolnego erotycznego tańca, opierającego się na dotyku i odczuwaniu. Christian ujmuje moją brodę i przytrzymuje głowę na miejscu. Jestem bezradna, ręce mam unieruchomione, głowę także, a ostatecznie ucieczkę wykluczają jego napierające biodra. Czuję na brzuchu nabrzmiałą erekcję. O rety... On mnie pragnie. Christian Grey, grecki bóg, pragnie mnie, a ja pragnę jego, tutaj... teraz, w windzie.

– Jesteś... taka... słodka – mruczy.

Kabina staje, drzwi się otwierają i Christian natychmiast się ode mnie odsuwa. Trzej biznesmeni w eleganckich garniturach wchodzą do środka, uśmiechając się pod nosem. Serce wali mi jak młotem i czuję się, jakbym właśnie przebiegła maraton. Mam ochotę pochylić się i oprzeć dłonie na udach... ale to jest zbyt oczywiste.

Rzucam spojrzenie Christianowi. Wydaje się tak spokojny i opanowany, jakby rozwiązywał krzyżówkę w „Seattle Times". To takie niesprawiedliwe. Czy moja obecność w ogóle na niego nie działa? Zerka na mnie kątem oka i cicho wypuszcza powietrze z płuc. Och, a jednak działa. Moja maleńka wewnętrzna bogini kołysze się w powolnej, zwycięskiej sambie. Biznesmeni wysiadają na pierwszym piętrze. Zostało nam więc jeszcze jedno.

– Umyłaś zęby – mówi, patrząc na mnie.

– Pożyczyłam twoją szczoteczkę – odpowiadam bez tchu.

Usta wygina w półuśmiechu.

– Och, Anastasio Steele, i co ja mam z tobą począć?

Drzwi rozsuwają się na parterze. Christian bierze mnie za rękę i pociąga za sobą.

– Ach, te windy – mruczy pod nosem, przechodząc przez hol.

Z trudem dotrzymuję mu kroku, bo straciłam przytomność w windzie numer trzy w hotelu Heathman i już jej nie odzyskałam.

ROZDZIAŁ SZÓSTY

Christian otwiera przede mną drzwi czarnego audi. Ani słowem nie wspomniał na temat wybuchu namiętności w windzie. Ja powinnam to zrobić? Powinnyśmy o tym porozmawiać czy udawać, że do niczego nie doszło? Mój pierwszy prawdziwy, pozbawiony wszelkich zahamowań pocałunek. Gdy mijają kolejne sekundy, zaczynam mu dopisywać mityczną, arturiańską legendę i status zaginionego miasta Atlantyda. Nigdy się nie zdarzył. Może wszystko sobie wymyśliłam. Nie. Dotykam nabrzmiałych ust. Jestem teraz zupełnie inną kobietą. Rozpaczliwie pragnę tego mężczyzny, a on pragnął mnie.

Rzucam mu spojrzenie z ukosa. Grzeczny i chłodny, czyli zwyczajny Grey.

Mam w głowie mętlik.

Przekręca kluczyk w stacyjce i wyjeżdża z miejsca parkingowego. Włącza odtwarzacz MP3. Wnętrze samochodu wypełniają słodkie, niemal magiczne głosy dwóch kobiet. Ojej… W moich wszystkich zmysłach panuje chaos, więc ta muzyka działa na mnie podwójnie. Sprawia, że wzdłuż kręgosłupa przebiegają rozkoszne dreszcze. Christian wyjeżdża na Park Avenue. Prowadzi ze swobodną i leniwą pewnością siebie.

– Czego słuchamy?

– To *Flower Duet* Delibesa, z opery *Lakmé*. Podoba ci się?

– Christianie, to jest cudowne.

– Prawda? – Uśmiecha się szeroko. I przez chwilę wygląda na swój wiek: młodo, beztrosko i oszałamiająco przystojnie. Czy to klucz do niego? Muzyka? Siedzę i słucham anielskich głosów, drażniących się ze mną i uwodzących.

– Mogę posłuchać jeszcze raz?

– Naturalnie.

Christian wciska guzik i muzyka zaczyna mnie pieścić od nowa, delikatnie, powoli i słodko.

– Lubisz muzykę klasyczną? – pytam w nadziei, że uda mi się zdobyć jakąś informację dotyczą jego upodobań.

– Mój gust muzyczny jest eklektyczny, Anastasio, lubię wszystko od Thomasa Tallisa po Kings of Leon. Wszystko zależy od nastroju. A twoje upodobania?

– Tak samo. Choć przyznaję, że nie wiem, kim jest Thomas Tallis.

Odwraca się i obrzuca mnie szybkim spojrzeniem, a potem uwagę skupia ponownie na drodze.

– Puszczę ci go pewnego dnia. To brytyjski kompozytor z szesnastego wieku. Kościelna muzyka chóralna. – Christian uśmiecha się szeroko. – Brzmi to bardzo ezoterycznie, wiem, ale jest także magiczne, Anastasio.

Znowu naciska jakiś guzik i rozbrzmiewa utwór Kings of Leon. Hmm… to akurat znam. *Sex on Fire*. Pasuje jak ulał. Muzykę przerywa rozlegający się w głośnikach dźwięk telefonu. Christian tym razem wciska guzik przy kierownicy.

– Grey – warczy. Ależ on jest szorstki.

– Panie Grey, z tej strony Welch. Mam informacje, których pan potrzebuje. – Z głośników dochodzi chrapliwy, bezcielesny głos.

– Dobrze. Prześlij mi je mejlem. Coś jeszcze?

– Nie, proszę pana.

Sięga do przycisku i w samochodzie ponownie roz-
brzmiewa muzyka. Żadnego „dziękuję"czy „do widzenia".
Cieszę się, że ani przez chwilę nie rozważałam propozy-
cji podjęcia pracy u niego. Wzdrygam się na samą myśl.
W stosunku do pracowników jest zbyt zimny i oschły.
I znowu dźwięk telefonu.

– Grey.

– NDA jest już w pańskiej skrzynce mejlowej, panie
Grey. – Tym razem głos kobiecy.

– Dobrze. To wszystko, Andrea.

– Miłego dnia, proszę pana.

Christian rozłącza się przyciskiem przy kierownicy. Muzyka gra bardzo krótko, gdyż znowu przerywa ją
telefon. Kuźwa, czy tak wygląda jego życie? Nieustające
telefony?

– Grey – warkot.

– Cześć, Christian, zaliczyłeś wczoraj laskę?

– Witaj, Elliot. Mam włączony zestaw głośnomówią-
cy i nie jestem w samochodzie sam. – Christian wzdycha.

– Kto jest z tobą?

Przewraca oczami.

– Anastasia Steele.

– Cześć, Ana!

Ana!

– Witaj, Elliot.

– Dużo o tobie słyszałem.

Christian marszczy brwi.

– Nie wierz w ani jedno słowo Kate.

Elliot wybucha śmiechem.

– Właśnie podrzucam Anastasię do domu. – Christian wymawia znacząco moje imię. – Mam cię zabrać?

– Pewnie.

– No to na razie. – Rozłącza się i wraca muzyka.

– Dlaczego się upierasz, aby nazywać mnie Anastasią?

– Ponieważ tak masz na imię.

– Wolę Anę.

– Czyżby? – rzuca.

Docieramy do mojego mieszkania. Jazda nie trwała długo.

– Anastasio – zaczyna. Rzucam mu gniewne spojrzenie, które on ignoruje. – To, co się wydarzyło w windzie, więcej się nie powtórzy. No, chyba że dokonamy tego z premedytacją.

Zatrzymuje się przed domem. Poniewczasie dociera do mnie, że nie zapytał o adres, a jednak go zna. No ale przecież przysłał mi książki, oczywiście, że zna mój adres. Każdy zdolny, posiadający śmigłowiec i urządzenia do śledzenia sygnału z telefonu komórkowego prześladowca by go znał.

Dlaczego nie chce mnie znowu pocałować? Na tę myśl robię nadąsaną minę. Nie rozumiem. Powinien mieć na nazwisko Zagadka, a nie Grey. Wysiada z samochodu, z niewymuszonym wdziękiem przechodzi na moją stronę i otwiera przede mną drzwi, dżentelmen jak zawsze – z wyjątkiem może tych rzadkich, cennych chwil w windach. Rumienię się na wspomnienie dotyku jego ust. W mojej głowie pojawia się myśl, że nie mogłam go wtedy dotknąć. Pragnęłam zanurzyć palce w tych jego dekadenckich, potarganych włosach, ale nie byłam w stanie ruszyć dłońmi. Strasznie mnie to teraz frustruje.

– Podobało mi się to, co się wydarzyło w windzie – mruczę pod nosem, wysiadając z auta. Nie jestem pewna, ale chyba słyszę, jak wciąga powietrze. Postanawiam to jednak zignorować i ruszam w stronę schodów.

Kate i Elliot siedzą przy stole. Książki za czternaście tysięcy dolarów zdążyły zniknąć. Dzięki Bogu. Mam względem nich pewne plany. Kate ma na twarzy absurdalny, zupełnie u niej obcy, szeroki uśmiech. Christian

wchodzi za mną do salonu i niezależnie od swego uśmiechu w stylu „całą noc świetnie się bawiłam" Kate mierzy
go podejrzliwym spojrzeniem.

– Cześć, Ana. – Wstaje, aby mnie przytulić, a potem
odsuwa się na długość ramienia i przygląda mi się uważnie. Marszczy brwi i odwraca się w stronę Christiana.

– Dzień dobry, Christianie – mówi. W jej głosie można
wyczuć nutkę wrogości.

– Panno Kavanagh – odpowiada sztywno i formalnie.

– Christian, ona ma na imię Kate – wtrąca burkliwie
Elliot.

– Kate. – Christian kiwa uprzejmie głową, po czym
piorunuje brata wzrokiem.

Elliot także wstaje, aby mnie uścisnąć.

– Cześć, Ana – uśmiecha się. W niebieskich oczach
migoczą iskierki i natychmiast wzbudza moją sympatię.
W ogóle nie jest podobny do Christiana, no ale przecież
nie są rodzonymi braćmi.

– Cześć, Elliot. – Też się do niego uśmiecham. Mam
świadomość, że przygryzam wargę.

– Elliot, na nas już pora – stwierdza grzecznie Christian.

– Jasne. – Odwraca się do Kate, bierze ją w ramiona
i obdarza długim, namiętnym pocałunkiem.

Jezu… wstydu nie mają? Zażenowana wbijam wzrok
w stopy. Zerkam ukradkiem na Christiana i widzę, że
przygląda mi się z napięciem. Mrużę oczy. Dlaczego ty
mnie nie możesz tak pocałować? Elliot nie przerywa pocałunku. W dramatycznym geście przechyla Kate tak, że
jej włosy dotykają podłogi.

– Na razie, mała. – Uśmiecha się szeroko.

Kate cała się rozpływa. Jeszcze nigdy jej takiej nie
widziałam – na myśl przychodzą mi określenia „nadobna"
i „uległa". Uległa Kate, to ci dopiero, ten Elliot musi być

naprawdę niezły. Christian przewraca oczami i przygląda mi się z nieodgadnionym wyrazem twarzy. Możliwe, że jest lekko rozbawiony. Zakłada mi za ucho pasmo włosów, któremu udało się wydostać z kucyka. Bezwiednie przechylam głowę, aby być bliżej jego palców. Jego spojrzenie łagodnieje. Przesuwa kciukiem po mojej dolnej wardze. Krew we mnie wrze. Po chwili, zbyt szybko, zabiera dłoń.

– Na razie, mała – mruczy, a ja muszę się roześmiać, gdyż to zupełnie nie w jego stylu. Ale choć wiem, że tylko sobie żartuje, coś we mnie mięknie. – Przyjadę po ciebie o ósmej.

Otwiera drzwi i wychodzi, a w ślad za nim Elliot, który w progu odwraca się jeszcze i posyła Kate buziaka. Czuję nieprzyjemne ukłucie zazdrości.

– No więc zrobiliście to? – pyta Kate, gdy patrzymy, jak wsiadają do samochodu i odjeżdżają. Słychać, że zżera ją ciekawość.

– Nie – warczę z irytacją, mając nadzieję, że powstrzymam tym całą lawinę pytań. Wracamy do mieszkania. – Ale wy owszem. – Nie potrafię ukryć zazdrości. Kate zawsze się udaje omotać mężczyzn. Jest śliczna, seksowna, zabawna, bezpośrednia... Całkowite przeciwieństwo mnie. Ale uśmiech, którym obdarza mnie w odpowiedzi, jest zaraźliwy.

– I wieczorem znowu się spotykamy. – Klaszcze w dłonie i podskakuje jak mała dziewczynka. Nie jest w stanie pohamować ekscytacji i radości, a ja cieszę się razem z nią. Szczęśliwa Kate... wygląda na to, że będzie ciekawie.

– Christian zabiera mnie wieczorem do Seattle.

– Seattle?

– Tak.

– Może wtedy to zrobicie?

– Och, mam nadzieję.

– Podoba ci się, co?

– Tak.

– Na tyle, aby...?

– Tak.

Unosi brwi.

– A niech mnie. Ana Steele w końcu traci głowę dla faceta. Christiana Greya, seksownego miliardera.

– Jasne, chodzi mi tylko o kasę. – Parskam śmiechem, a po chwili obie zaczynamy chichotać.

– To nowa bluzka? – pyta, a ja zaznajamiam ją ze wszystkimi wydarzeniami minionej nocy.

– Pocałował cię już? – pyta, parząc kawę.

Oblewam się rumieńcem.

– Raz.

– Raz! – powtarza drwiąco.

Zawstydzona kiwam głową.

– Jest bardzo skryty.

Kate marszczy brwi.

– To dziwne.

– Dziwne to chyba za mało powiedziane – burczę pod nosem.

– Musimy się po prostu postarać, aby wieczorem nie był w stanie ci się oprzeć – oświadcza z determinacją.

O nie... Jak nic będzie to czasochłonne, upokarzające i bolesne.

– Za godzinę muszę być w pracy.

– Godzina mi wystarczy. Idziemy. – Kate bierze mnie za rękę i ciągnie do swojej sypialni.

Dzisiejsza zmiana u Claytona mocno mi się dłuży, mimo że ruch mamy spory. Rozpoczął się letni sezon, więc po zamknięciu sklepu przez dwie godziny muszę wykładać towar na półki. To praca niewymagająca myślenia, dzięki czemu mogę się skupić na czymś innym. Przez cały dzień nie miałam okazji, aby spokojnie się skoncentrować.

Zgodnie z niestrudzonymi i, prawdę mówiąc, natarczywymi instrukcjami Kate, nogi i ręce mam idealnie ogolone, brwi wyregulowane i generalnie cała jestem wymuskana. Nie było to przyjemne, o nie, ale Kate mnie zapewnia, że tego właśnie oczekują współcześni mężczyźni. Czego jeszcze będzie oczekiwał? Muszę przekonać Kate, że tego właśnie pragnę. Z jakiegoś dziwnego powodu nie ufa Christianowi, może dlatego, że jest taki sztywny i formalny. Obiecałam wysłać jej esemesa, kiedy dotrę do Seattle. Nie powiedziałam jej o śmigłowcu, niepotrzebnie by się denerwowała.

No i jeszcze kwestia José. Mam od niego trzy wiadomości i siedem nieodebranych połączeń. Dwa razy dzwonił także do domu. Kate wymijająco odpowiedziała na jego pytania dotyczące miejsca mojego pobytu. Na pewno wie, że mnie kryje, gdyż Kate normalnie nie bawi się w zbywanie. Ale uznałam, że niech się podenerwuje. Nadal jestem na niego strasznie zła.

Christian wspominał o jakichś dokumentach i nie wiem, czy żartował, czy rzeczywiście będę musiała coś podpisać. Zgadywanie jest takie frustrujące. A jakby tego było mało, ledwie hamuję podniecenie i zdenerwowanie. To już dziś! Czy jestem na to gotowa? Moja wewnętrzna bogini piorunuje mnie wzrokiem, tupiąc niecierpliwie małą nóżką. Ona gotowa jest już od wielu lat i może pójść z Christianem Greyem na całość, ale ja nadal nie rozumiem, co on we mnie widzi... w nijakiej Anie Steele – to się nie trzyma kupy.

Oczywiście jest punktualny; czeka na mnie, kiedy wychodzę od Claytona. Wysiada z audi, otwiera przede mną drzwi i uśmiecha się ciepło.

– Dobry wieczór, panno Steele – wita się.

– Panie Grey. – Obdarzam go uprzejmym skinieniem i siadam na tylnej kanapie. Miejsce kierowcy zajmuje Taylor.

– Witaj, Taylorze – mówię.

– Dobry wieczór, panno Steele – odpowiada tonem uprzejmym i profesjonalnym.

Christian siada obok mnie i lekko ściska mi dłoń. Dotyk ten czuję natychmiast w całym ciele.

– Jak było w pracy? – pyta.

– Długo – odpowiadam. Głos mam schrypnięty, głęboki i przepełniony pragnieniem.

– Ja też miałem długi dzień. – Jego ton jest poważny.

– Co robiłeś?

– Byłem z Elliotem na pieszej wycieczce. – Jego kciuk gładzi moje knykcie, tam i z powrotem, a ja oddycham coraz szybciej. Jak on to robi? Dotyka drobnego fragmentu mego ciała, a we mnie buzują hormony.

Szybko dojeżdżamy na miejsce. Zastanawiam się, gdzie czeka ten legendarny śmigłowiec. Znajdujemy się na terenie mocno zabudowanym, a nawet ja wiem, że do startu i lądowania śmigłowcom potrzebna jest przestrzeń. Taylor zatrzymuje się na parkingu, wysiada i otwiera przede mną drzwi. Christian po chwili staje przy mnie i ponownie bierze za rękę.

– Gotowa? – pyta. Kiwam głową i chcę dodać, że na wszystko, ale zbyt jestem zdenerwowana i podekscytowana. Słowa nie chcą mi przejść przez gardło. – Taylorze. – Kiwa głową kierowcy i wchodzimy do budynku, a tam od razu kierujemy się w stronę wind.

Winda! Na nowo atakuje mnie wspomnienie naszego porannego pocałunku. Cały dzień myślałam tylko o nim. Śniąc na jawie za kasą u Claytona. Pan Clayton dwukrotnie musiał mnie zawołać, aby sprowadzić mnie na ziemię. Stwierdzić, że byłam nieobecna duchem, to niedopowie-

dzenie roku. Christian zerka na mnie, a na jego ustach
błąka się uśmiech. Ha! Myśli o tym samym co ja.

– To tylko trzy piętra – rzuca. W jego szarych oczach
tańczy rozbawienie. Jak nic ma zdolności telepatyczne.
Przyprawia mnie to o gęsią skórę.

Gdy wchodzimy do windy, minę próbuję mieć obojętną. Drzwi zasuwają się i proszę bardzo, przeskakują między nami dziwne prądy, które mnie zniewalają. Zamykam
oczy, na próżno starając się ignorować to odczucie. Christian mocniej ściska mi dłoń i pięć sekund później drzwi
rozsuwają się na dachu budynku. I oto on, biały helikopter
z niebieskim logo firmy i napisem: GREY ENTERPRISES
HOLDING INC. To, co zrobimy, z całą pewnością podchodzi pod niewłaściwe użycie sprzętu służbowego.

Prowadzi mnie do niewielkiego kantorku, gdzie za
biurkiem siedzi starszy pan.

– Oto plan lotu, panie Grey. Wszystko sprawdzone.
Jest gotowy i czeka na pana. Możecie lecieć.

– Dziękuję, Joe. – Christian uśmiecha się ciepło do
mężczyzny.

Och. A więc ktoś zasługuje na uprzejme traktowanie.
Być może nie jest jego pracownikiem. Patrzę na starszego
pana ze zdziwieniem.

– Chodźmy – mówi Christian i ruszamy w stronę
śmigłowca. Jest o wiele większy, niż sądziłam. Spodziewałam się wersji dla dwóch osób, ale ten ma co najmniej
siedem miejsc. Christian otwiera drzwi i kieruje mnie na
jedno z miejsc z przodu. – Siadaj i niczego nie dotykaj –
poleca, podążając za mną.

Zatrzaskuje drzwi. Cieszę się, że lądowisko jest pod-
świetlone, w przeciwnym razie nic bym nie widziała w tej
małej kabinie. Siadam na wskazanym miejscu, a Christian kuca obok, aby zapiąć mi pasy. Są czteropunktowe
i wszystkie łączą się w jednej klamrze. Napina górne pasy,

aż ledwie mogę się ruszyć. Znajduje się tak blisko mnie
i tak bardzo skupiony jest na tym, co robi. Gdybym tylko mogła się nachylić, nos zanurzyłabym w jego włosach.
Nieziemsko pachnie czystością i świeżością, ale jestem
skutecznie unieruchomiona. Unosi głowę i uśmiecha się,
jakby go cieszył jakiś tajemny żart, a w szarych oczach
widać żar. Jest tak irytująco blisko. Wstrzymuję oddech,
gdy pociąga za jeden z górnych pasów.

– Jesteś bezpieczna, nie uciekniesz – szepcze. Oczy
mu płoną. – Oddychaj, Anastasio – dodaje miękko. Wyciąga rękę i gładzi mnie po policzku, przesuwając smukłe
palce do brody, którą ujmuje kciukiem i palcem wskazującym. Pochyla się, by złożyć na moich ustach szybki,
niewinny pocałunek. A ja przeżywam szok i wszystko się
we mnie skręca z powodu tego podniecającego, niespo-
dziewanego dotyku warg.

– Podobają mi się te pasy – szepcze.

Słucham?

Siada obok i zapina swoje, po czym rozpoczyna prze-
ciągającą się procedurę sprawdzania wskaźników, włącza-
nia części przycisków i guzików z oszałamiającej ilości,
która znajduje się przede mną. Migają lampki i cały panel
sterowniczy się podświetla.

– Załóż je – mówi, pokazując na wiszące przede mną
słuchawki. Wykonuję polecenie i wtedy uruchamia się
wirnik. Hałas jest ogłuszający. On także zakłada słuchawki i dalej włącza różne przyciski. – Sprawdzam wszystko
przed startem. – W moich słuchawkach rozbrzmiewa
głos Christiana.

Odwracam się w jego stronę i uśmiecham szeroko.

– Wiesz przynajmniej, co robisz? – pytam.

On także odwraca się i uśmiecha.

– Od czterech lat mam licencję pilota, Anastasio,
jesteś ze mną bezpieczna. – Obdarza mnie drapieżnym

uśmiechem. – No, przynajmniej dopóki znajdujemy się w powietrzu – dodaje i mruga do mnie.

Mruga… Christian!

– Gotowa?

Kiwam. Oczy mam jak pięć złotych.

– Okej, wieża. PDX, tu Charlie Tango Golf – Golf Echo Hotel, gotowy do startu. Proszę o potwierdzenie, odbiór.

– Charlie Tango, masz zgodę. Pułap czternaście tysięcy, kierunek zero jeden zero, odbiór.

– Wieża Roger, Charlie Tango startuje, bez odbioru. No to lecimy – dodaje pod moim adresem i śmigłowiec powoli unosi się w powietrze.

Portland znika pod nami, gdy wzbijamy się w przestrzeń powietrzną USA, choć mój żołądek pozostaje w Oregonie. O kurczę! Światła oddalają się, a po chwili już tylko migają. To jak patrzenie z wnętrza okrągłego akwarium. Kiedy wznosimy się wyżej, w sumie nie ma już co oglądać. Dookoła czerń, drogi nie oświetla nawet księżyc. On widzi, dokąd lecimy?

– Dziwne wrażenie, no nie? – rozlega się w moich uszach głos Christiana.

– Skąd wiesz, że lecimy we właściwym kierunku?

– Stąd. – Pokazuje mi jeden ze wskaźników. Elektroniczny kompas. – To Eurocopter EC135. Jeden z najbezpieczniejszych w swojej klasie. Jest przystosowany do nocnych lotów. – Zerka na mnie i uśmiecha się szeroko. – Na dachu budynku, w którym mieszkam, znajduje się lądowisko. Tam właśnie lecimy.

Oczywiście, że jego dom wyposażony jest w lądowisko dla śmigłowców. Między nami nie ma żadnego porównania. Jego twarz delikatnie oświetlają lampki z panelu sterowniczego. Wyraźnie skoncentrowany, nie odrywa wzroku od wskaźników i przycisków. Przyglądam mu się

spod opuszczonych rzęs. Ma piękny profil. Prosty nos,
mocno zarysowana żuchwa – chciałabym przesunąć po niej
językiem. Nie ogolił się i cień zarostu czyni tę myśl jeszcze
bardziej kuszącą. Hmm… chciałabym poczuć tę szorstkość
pod językiem, palcami, ocierającą się o moją twarz.

– W nocy leci się na ślepo. Trzeba zaufać oprzyrzą-
dowaniu – przerywa moją erotyczną zadumę.

– Jak długo potrwa lot? – pytam bez tchu. Wcale nie
myślałam o seksie, o nie, ani przez chwilę.

– Niecałą godzinę, wiatr nam sprzyja.

Hmm, w niecałą godzinę do Seattle… Nieźle, nic
dziwnego, że korzystamy ze śmigłowca.

Niecała godzina dzieli mnie od wielkiego obnażenia.
Zaciskają się wszystkie mięśnie w moim brzuchu. Zżera
mnie trema. Kurka wodna, co on dla mnie przygotował?

– Wszystko w porządku, Anastasio?

– Tak – odpowiadam krótko. Denerwuję się.

Christian chyba się uśmiecha, ale trudno mieć pewność w tych ciemnościach. Wciska kolejny guzik.

– PDX, tu Charlie Tango, pułap czternaście tysięcy,
odbiór. – Wymienia informacje z wieżą kontroli lotów.
W moich uszach brzmi to bardzo profesjonalnie. Chyba przenosimy się z przestrzeni powietrznej Portland do
międzynarodowego lotniska w Seattle. – Zrozumiałem,
Sea-Tac, bez odbioru. Popatrz tam. – Pokazuje na małe
światełko w oddali. – To Seattle.

– Zawsze w ten sposób próbujesz zaimponować kobietom? Chodź, przelecimy się moim śmigłowcem? – pytam, autentycznie zaciekawiona.

– Nigdy nie latałem w towarzystwie dziewczyny,
Anastasio. To dla mnie kolejny pierwszy raz. – Jego głos
jest cichy i poważny.

Och, nie spodziewałam się takiej odpowiedzi. Kolejny pierwszy raz? Och, chodzi mu o spanie?

– Zaimponowałem ci?

– Jestem pełna podziwu, Christianie.

Uśmiecha się.

– Podziwu? – I przez krótką chwilę znowu jest dwudziestosiedmiolatkiem.

Kiwam głową.

– Jesteś taki... kompetentny.

– Dziękuję, panno Steele – odpowiada uprzejmie. Wydaje mi się, że jest zadowolony, ale nie mam pewności.

Przez jakiś czas w milczeniu przemierzamy ciemność. Jasny punkt, czyli Seattle, powoli staje się coraz większy.

– Wieża Sea-Tac do Charlie Tango. Plan lotu do Escali zatwierdzony. Proszę kontynuować. I pozostać w gotowości. Odbiór.

– Tu Charlie Tango, zrozumiałem, Sea-Tac. Pozostaję w gotowości, bez odbioru.

– Widać, że to lubisz – mruczę.

– Co? – Zerka w moją stronę. W tym bladym świetle wygląda zagadkowo.

– Latanie – odpowiadam.

– Wymaga to kontroli i koncentracji... jak mógłbym tego nie lubić? Choć moim faworytem jest gliding.

– Gliding?

– Tak. Dla laików szybownictwo. Szybowce i śmigłowce, latam jednym i drugim.

– Och. – Drogie hobby. Pamiętam, jak mówiłam mu o tym, co lubię ja. Czytanie i chodzenie do kina. Czuję się strasznie zagubiona.

– Charlie Tango, odezwij się, odbiór.

Moją zadumę przerywa bezcielesny głos kontrolera lotów. Christian odpowiada. Pewny siebie i panujący nad sytuacją.

Seattle się zbliża. Jesteśmy już na przedmieściach. Rany! Wygląda to niesamowicie. Seattle nocą, z góry...

– Nieźle, prawda? – pyta cicho Christian.

Kiwam entuzjastycznie głową. Mam przed sobą widok z innego świata, nierzeczywisty, odnoszę wrażenie, że znajduję się na jakimś gigantycznym planie filmowym; być może na planie ulubionego filmu José, *Łowcy androidów*. Dopada mnie wspomnienie próby pocałunku. Nie oddzwaniając, postępuję chyba ciut okrutnie. No, ale może przecież zaczekać do jutra.

– Za kilka minut będziemy na miejscu – mruczy Christian.

Nagle w uszach dudni mi krew, serce bije jak młotem i czuję przypływ adrenaliny. Znowu zaczyna rozmawiać z wieżą kontroli lotów, ale ja już nie słucham. O rety... Chyba zaraz zemdleję. Moje przeznaczenie jest w jego rękach.

Przelatujemy teraz między budynkami i przed nami widzę wysoki wieżowiec z lądowiskiem na dachu. U szczytu budynku widnieje biały napis „Escala". Jesteśmy coraz bliżej, staje się coraz większy... jak mój niepokój. Boże, mam nadzieję, że go nie zawiodę. Szkoda, że nie posłuchałam Kate i nie pożyczyłam od niej jakiejś sukienki, no ale lubię swoje czarne dżinsy, a do nich założyłam koszulę w kolorze mięty i czarną marynarkę przyjaciółki. Prezentuję się całkiem elegancko. Coraz mocniej ściskam brzeg fotela. „Dam radę. Dam radę". Powtarzam tę mantrę, gdy zajmujemy pozycję nad wieżowcem.

Śmigłowiec zwalnia i zawisa w powietrzu, po czym Christian sadza go na lądowisku. Serce mam w gardle. Nie potrafię zdecydować, czy to z powodu nerwowego wyczekiwania, ulgi, że dotarliśmy cali i zdrowi, czy strachu, że nie dam rady. Christian przekręca kluczyk i wirnik powoli cichnie, aż jedynym dźwiękiem, jaki słyszę, jest mój nierówny oddech. Zdejmuje słuchawki, po czym wyciąga rękę i zdejmuje także moje.

– Jesteśmy na miejscu – mówi łagodnie.

Jego twarz częściowo kryje się w cieniu, a częściowo oświetlają ją światła lądowiska. Mroczny rycerz i jasny rycerz, ta metafora pasuje do Christiana. Wygląda na mocno zmęczonego. Odpina pasy i sięga, aby odpiąć moje. Nasze twarze dzielą zaledwie centymetry.

– Nie musisz robić niczego, na co nie masz ochoty. Wiesz o tym, prawda? – W jego głosie słyszę powagę, desperację, w oczach widzę żar. Bierze mnie tym z zaskoczenia.

– Nigdy bym nie zrobiła niczego, czego bym nie chciała, Christianie. – Tyle że wcale nie jestem tego pewna, ponieważ w chwili, gdy wypowiadam te słowa, dla mężczyzny siedzącego obok zrobiłabym prawdopodobnie wszystko. Ale odnoszą odpowiedni skutek.

Przez chwilę przygląda mi się nieufnie, a potem, choć taki wysoki, z gracją przedostaje do drzwi śmigłowca i otwiera je. Wyskakuje i czeka, aż zrobię to samo, a kiedy stoję już na lądowisku, bierze mnie za rękę. Na dachu budynku jest bardzo wietrznie i denerwuję się faktem, że stoję na otwartej przestrzeni na wysokości co najmniej trzydziestu pięter. Christian obejmuje mnie w talii i przyciąga do siebie.

– Chodź! – woła, przekrzykując wiatr. Prowadzi mnie do windy, wystukuje kod na klawiaturze, po czym rozsuwają się drzwi kabiny. Jej wnętrze jest ciepłe i wyłożone lustrami. Gdziekolwiek spojrzę, widzę Christiana i cudowne jest to, że obok niego wszędzie jestem ja. Wystukuje kolejny ciąg liczb, po czym drzwi się zamykają, a winda rusza w dół.

Chwilę później znajdujemy się w urządzonym na biało foyer. Pośrodku stoi okrągły stół z ciemnego drewna, a na nim niewiarygodnie wielki bukiet białych kwiatów. Na ścianach wiszą obrazy, dosłownie wszędzie. Christian otwiera dwuskrzydłowe drzwi i biały wystrój ciągnie się przez szeroki korytarz aż do okazałego pomieszczenia. To główna część mieszkalna, o podwójnej wysokości. Powiedzieć o niej olbrzymia to stanowczo za mało. Ściana na samym końcu jest przeszklona i prowadzi na balkon z panoramą Seattle.

Po prawej stronie znajduje się imponująca sofa w kształcie litery U – spokojnie pomieściłaby dziesięć osób. Naprzeciwko niej widać supernowoczesny kominek ze stali nierdzewnej, a może i z platyny, nie znam się na tym. Płonie w nim łagodny ogień. Na lewo, przy drzwiach, widzę aneks kuchenny. Cały biały z blatami z ciemnego drewna i dużym barem śniadaniowym dla sześciu osób.

Niedaleko aneksu kuchennego, przed szklaną ścianą, stoi stół w otoczeniu szesnastu krzeseł. A w rogu pyszni się wielki czarny fortepian. O tak... pewnie także gra na fortepianie. Na wszystkich ścianach wiszą obrazy w różnych kształtach i rozmiarach. Prawdę mówiąc, ten apartament wygląda bardziej jak galeria niż prawdziwe mieszkanie.

– Chcesz zdjąć żakiet? – pyta Christian. Kręcę głową. Jeszcze się nie rozgrzałam. – Napijesz się czegoś? – Mrugam powiekami. Po wczorajszej nocy! Próbuje być zabawny? Przez chwilę zastanawiam się, czy nie poprosić o margaritę, ale nie mam odwagi. – Ja się napiję białego wina, chcesz mi towarzyszyć?

– Tak, chętnie – odpowiadam cicho.

Stoję w tym wielkim pomieszczeniu i czuję się wyobcowana. Podchodzę do szklanej ściany i dostrzegam, że dolna połowa składa się w harmonijkę, otwierając drogę na balkon. Poniżej widać rozświetlone Seattle. Wracam do aneksu kuchennego – zajmuje mi to kilka sekund, sporo metrów dzieli go od szklanej ściany – gdzie Christian otwiera butelkę wina. Zdążył już zdjąć marynarkę.

– Pouilly Fumé może być?

– Nie znam się na winach, Christianie. Niewątpliwie będzie dobre. – Mój głos jest cichy i pełen wahania. Szybko bije mi serce. Mam ochotę uciec. Widać tu wielkie pieniądze. Poważne pieniądze w stylu Billa Gatesa. Co ja tu robię? Doskonale wiesz, co tu robisz, prycha moja podświadomość. Tak, pragnę się znaleźć w łóżku Christiana Greya.

– Proszę. – Podaje mi kieliszek wina. Nawet kieliszki emanują bogactwem… są ciężkie, nowoczesne, kryształowe. Upijam łyk; wino okazuje się lekkie, rześkie i przepyszne. – Jesteś bardzo cicha i nawet się nie rumienisz. Prawdę mówiąc, to takiej bladej cię jeszcze nie widziałem, Anastasio – mruczy. – Jesteś głodna?

Kręcę głową. Nie na jedzenie mam ochotę.

– Duże mieszkanie – mówię.

– Duże?

– Duże.

– Jest duże – przyznaje, a w jego oczach błyszczy rozbawienie.

Biorę kolejny łyk wina.

– Grasz? – pytam, ruchem brody wskazując fortepian.

– Tak.

– Dobrze?

– Tak.

– No a jakżeby inaczej. Jest coś, czego nie potrafisz robić dobrze?

– Tak… kilka rzeczy. – On także bierze łyk wina. Nie spuszcza ze mnie wzroku. Czuję na sobie jego spojrzenie, kiedy odwracam się i rozglądam po olbrzymim wnętrzu. „Pokój" to nie jest właściwe określenie. – Chcesz usiąść?

Kiwam głową, a Christian bierze mnie za rękę i prowadzi do wielkiej białej sofy. Gdy siadam, uderza mnie świadomość, że czuję się jak Tessa Durbeyfield oglądająca nowy dom, należący do cieszącego się złą sławą Aleca d'Urberville'a. Na tę myśl się uśmiecham.

– Co cię tak bawi? – Siada obok mnie i odwraca się w moją stronę. Opiera głowę o prawą dłoń, a łokieć kładzie na oparciu sofy.

– Dlaczego podarowałeś mi akurat *Tessę d'Urberville*? – pytam.

Christian przygląda mi się przez chwilę. Chyba go zaskoczyłam tym pytaniem.

– Cóż, mówiłaś, że lubisz Thomasa Hardy'ego.

– To jedyny powód? – Nawet ja słyszę rozczarowanie w swoim głosie. Jego usta zaciskają się w cienką linię.

– Wydało mi się to odpowiednie. Mógłbym idealizować cię niemożliwie jak Angel Clare albo poniżać jak Alec d'Urberville – szepcze, a szare oczy ma ciemne i niebezpieczne.

– Jeśli tylko taki mam wybór, poproszę o poniżenie – też szepczę, wpatrując się w niego. Moja podświadomość patrzy na mnie z podziwem. Christian wciąga głośno powietrze.

– Anastasio, przestań, proszę, przygryzać wargę. To mocno rozpraszające. Nie wiesz, co mówisz.

– Dlatego właśnie tu jestem.

Marszczy brwi.

– Tak. Wybaczysz mi na chwilę? – Znika w szerokich drzwiach na drugim końcu pomieszczenia. Po minucie czy dwóch wraca z jakimiś dokumentami. – To oświadczenie o zachowaniu poufności. – Wzrusza ramionami i ma na tyle przyzwoitości, aby wyglądać na nieco zakłopotanego. – Mój prawnik na to nalega. – Wręcza mi je. Jestem zdeprymowana. – Skoro wybierasz opcję drugą, poniżenie, będziesz musiała to podpisać.

– A jeśli nie chcę niczego podpisywać?

– Wtedy będzie idealizm Angela Clare, no, przynajmniej przez większą część książki.

– Co oznacza to oświadczenie?

– Oznacza, że nie możesz ujawniać niczego na nasz temat. Niczego i nikomu.

Wpatruję się w niego z niedowierzaniem. A niech mnie. Jest źle, naprawdę źle, a teraz moja ciekawość została jeszcze bardziej rozbudzona.

– W porządku. Podpiszę.

Podaje mi pióro.

– Nie zamierzasz tego nawet przeczytać?

– Nie.

Marszczy brwi.

– Anastasio, zawsze należy czytać wszystko, co się podpisuje – upomina mnie.

– Christianie, wiesz, że i tak z nikim bym o nas nie rozmawiała. Nawet z Kate. Bez znaczenia jest więc fakt, czy podpiszę to oświadczenie, czy nie. Skoro tak wiele to znaczy dla ciebie, czy też twojego prawnika... z którym ty w sposób oczywisty rozmawiasz, w takim razie dobrze. Podpiszę.

Patrzy na mnie, po czym kiwa ponuro głową.

– Celna uwaga, panno Steele.

Składam podpis w wykropkowanej części obu egzemplarzy i jeden oddaję jemu. Drugi składam, chowam do torebki i upijam spory łyk wina. Wcale nie czuję się taka odważna, jak by się mogło wydawać.

– To oznacza, że dzisiaj będziesz się ze mną kochał?

– Cholera. Czy ja to naprawdę powiedziałam? Jego usta otwierają się lekko, ale szybko odzyskuje równowagę.

– Nie, Anastasio. Po pierwsze, ja się nie kocham. Ja się pieprzę... ostro. Po drugie, jest znacznie więcej dokumentów do podpisania, a po trzecie, nie wiesz jeszcze, na co się piszesz. Możliwe, że uciekniesz, gdzie pieprz rośnie. Chodź, chcę ci pokazać swój pokój zabaw.

Otwieram szeroko buzię. Pieprzy się ostro! Cholera, to brzmi tak… podniecająco. Ale dlaczego mamy oglądać pokój zabaw?

– Chcesz pograć na Xboksie? – pytam.

Śmieje się głośno.

– Nie, Anastasio, żadnego Xboxa ani Playstation. Chodź.

Wstaje i wyciąga rękę. Pozwalam się prowadzić z powrotem na korytarz. Na prawo od dwuskrzydłowych drzwi, którymi weszliśmy, znajdują się inne drzwi, wiodące na klatkę schodową. Wchodzimy na piętro i skręcamy w prawo. Christian wyjmuje z kieszeni klucz i otwiera kolejne drzwi.

– W każdej chwili możesz odejść. Śmigłowiec w dowolnym momencie może cię zabrać tam, gdzie chcesz, możesz spędzić tu noc i wrócić do domu rano. Decyzja należy wyłącznie do ciebie.

– Po prostu otwórz te cholerne drzwi.

Tak właśnie robi i odsuwa się na bok, aby mnie wpuścić. Zerkam na niego raz jeszcze. Tak bardzo chcę się przekonać, co się tam kryje. Biorę głęboki oddech i przekraczam próg.

I czuję się tak, jakbym cofnęła się do szesnastego wieku i czasów hiszpańskiej inkwizycji.

Cholera jasna.

ROZDZIAŁ SIÓDMY

Pierwsze, co zwraca moją uwagę, to zapach: skóra, drewno, środek do polerowania o delikatnie wyczuwalnej nucie cytrusowej. Bardzo przyjemny. Światło jest stonowane, subtelne. Prawdę mówiąc, nie widzę jego źródła; ukryte jest gdzieś pod gzymsem wokół ścian, roztaczając nastrojową poświatę. Ściany i sufit są w odcieniu bordowym, co sprawia, że spore pomieszczenie wydaje się bardziej przytulne, a podłogę pokrywa stary lakierowany parkiet. Na ścianie naprzeciwko drzwi widzę duży drewniany krzyż, przymocowany na kształt litery X. Wykonano go z lakierowanego mahoniu, a na każdym końcu znajdują się kajdanki. Pod sufitem podwieszono wielką żelazną kratę o wymiarach co najmniej metr na półtora, a z niej zwisają najprzeróżniejsze sznury, łańcuchy i błyszczące kajdany. Na ścianie obok drzwi przymocowano dwa długie, lakierowane, misternie rzeźbione kawałki drewna, trochę przypominające szczeble balustrady, ale dłuższe, a na nich zawieszono zaskakującą kolekcję rózg, pejczy, szpicrut i śmiesznych kijków z piórami.

W pobliżu drzwi stoi pokaźnych rozmiarów mahoniowa komoda z mnóstwem szuflad wyglądających tak, jakby przechowywano w nich eksponaty w starym muzeum. Przez chwilę się zastanawiam, co rzeczywiście się w nich kryje. A chcę to w ogóle wiedzieć? W kącie na końcu pomieszczenia stoi ławka obita czerwonobrunat-

ną skórą, a na ścianie obok przymocowano drewniany
błyszczący wieszak, który wygląda jak uchwyt na kije do
bilardu. Po dokładniejszych oględzinach stwierdzam, że
zamiast kijów znajdują się tam laski o różnej długości
i średnicy. W przeciwległym kącie stoi solidny, niemal
dwumetrowy stół – lakierowane drewno plus rzeźbione
nogi – a pod nim dwa taborety.

Ale to łóżko jest elementem dominującym w tym
pomieszczeniu. Olbrzymi, ozdobnie rzeźbiony mebel
w stylu rokoko, z czterema kolumienkami. Wygląda mi
to na koniec dziewiętnastego wieku. Pod baldachimem
dostrzegam kolejne połyskujące łańcuchy i kajdanki. Na
łóżku nie ma pościeli... jedynie materac obity czerwoną
skórą i kilka poduszek z czerwonej satyny.

W nogach łóżka, w odległości zaledwie pół metra
stoi duża kanapa w kolorze ciemnobrunatnym: dokładnie na środku pomieszczenia, przodem do łóżka. Dziwne
ustawienie, kanapa naprzeciwko łóżka...? I uśmiecham
się do siebie – akurat kanapę uznałam za dziwną, gdy
tymczasem to właśnie ona jest tutaj najzwyczajniejszym
elementem wyposażenia. Unoszę głowę i przyglądam się
sufitowi. W różnych odległościach przytwierdzono do
niego karabińczyki. Ciekawe po co. W sumie dziwne,
ale to całe drewno, ciemne ściany, nastrojowe oświetlenie
i ciemnobrunatna skóra czynią to pomieszczenie delikatnym i romantycznym... Wiem, że prawda jest zgoła inna,
ale taki jest właśnie romantyzm w stylu Christiana.

Odwracam się i widzę, że uważnie mnie obserwuje,
tak jak się zresztą spodziewałam. Z jego twarzy nie da
się wyczytać zupełnie nic. Wchodzę do środka, a on za
mną. Zaintrygowało mnie to coś z piórkami. Dotykam
z wahaniem. Jest wykonane z zamszu i wygląda jak mały
bicz, ale jest bardziej gęsty, a na końcach przymocowano
maleńkie plastikowe koraliki.

– To pejcz. – Głos Christiana jest cichy i miękki.

Pejcz... hmm. Chyba jestem zaszokowana. Moja podświadomość dała drapaka, sparaliżowało ją albo po prostu wyzionęła ducha. Ja też jestem jak sparaliżowana. Jestem w stanie obserwować i chłonąć nowe informacje, ale nie mówić, co w związku z tym czuję. Jak się powinno zareagować na wieść, że twój potencjalny kochanek to pokręcony sadysta lub masochista? Strach... tak... to uczucie jest chyba nadrzędne. Teraz je rozpoznaję. I dziwne, ale nie strach przed nim – nie sądzę, aby zrobił mi krzywdę, no, przynajmniej nie bez mojej zgody. Tyle pytań przebiega mi przez głowę. Dlaczego? Jak? Kiedy? Jak często? Kto? Podchodzę do łóżka i przesuwam dłonią po jednej z ozdobnie rzeźbionych kolumienek. Jest solidna i niezwykle piękna.

– Powiedz coś – nakazuje Christian. Głos ma łagodny, ale to tylko pozory.

– Ty robisz to ludziom czy oni tobie?

Kąciki jego ust unoszą się. Jest albo rozbawiony, albo czuje ulgę.

– Ludziom? – Kilka razy mruga powiekami, jakby się zastanawiał nad odpowiedzią. – Robię to kobietom, które mają na to ochotę.

Nie rozumiem.

– Skoro masz ochotniczki, to dlaczego przyprowadziłeś tutaj mnie?

– Ponieważ chcę robić to z tobą. Bardzo chcę.

– Och – gwałtownie łapię powietrze. Dlaczego?

Niespiesznie przechodzę na koniec pomieszczenia i klepię wysoką ławkę, po czym przesuwam dłonią po skórzanym siedzisku. On lubi robić kobietom krzywdę. Ta myśl jest mocno przygnębiająca.

– Jesteś sadystą?

– Jestem Panem. – Szare oczy płoną.

– A co to znaczy? – pytam szeptem.

– To znaczy, że chcę, abyś dobrowolnie mi się poddawała.

Marszczę brwi, próbując przyswoić jego słowa.

– A po cóż miałabym to robić?

– Aby mnie zadowolić – szepcze, przechylając głowę. Przez jego twarz przemyka cień uśmiechu.

Zadowolić go! Chce, abym go zadowoliła! Zadowoliła Christiana Greya. I w tym momencie dociera do mnie, że owszem, dokładnie na to mam ochotę. Pragnę, aby był ze mnie zadowolony. To jak objawienie.

– Upraszczając, chcę, abyś sprawiała mi przyjemność – mówi miękko. Głos ma hipnotyzujący.

– A w jaki sposób? – W ustach czuję suchość i żałuję, że nie wypiłam więcej wina. Okej, rozumiem kwestię zadowalania, ale zastanawia mnie ta cała otoczka rodem z elżbietańskiego buduaru. Czy rzeczywiście chcę poznać odpowiedź?

– Mam pewne zasady i chcę, abyś ich przestrzegała, dla swojego dobra i mojej przyjemności. Jeśli będziesz postępować zgodnie z tymi zasadami, spotka cię nagroda. Jeśli nie, będę cię musiał ukarać – szepcze.

Zerkam na stojak z laskami.

– A gdzie w tym miejsce tego wszystkiego? – Zataczam ręką szeroki łuk.

– To część pakietu motywującego. Zarówno nagroda, jak i kara.

– Masz więc frajdę z nakłaniania mnie do robienia tego, co mi każesz.

– Chodzi o zdobycie twojego zaufania i szacunku, tak żebyś mi na to pozwoliła. Twoja uległość sprawi mi wiele przyjemności i radości. Im większa twoja uległość, tym większa moja radość; to bardzo proste równanie.

– Okej, a co z tego mam ja?

Wzrusza ramionami i minę ma niemal skruszoną.

– Mnie – odpowiada z prostotą.

O rany. Christian wpatruje się we mnie, przeczesując palcami włosy.

– Niczego nie dajesz po sobie poznać, Anastasio – mówi z rozdrażnieniem. – Zejdźmy na dół, gdzie łatwiej mi będzie się skoncentrować. Twoja obecność tutaj mocno mnie rozprasza.

Wyciąga do mnie rękę, a ja waham się, czy ją ująć.

Kate mówiła, że jest niebezpieczny, i miała rację. Skąd wiedziała? Jest niebezpieczny dla mego zdrowia, ponieważ wiem, że się zgodzę. A część mnie tego nie chce. Część mnie ma ochotę uciec z krzykiem z tego pokoju i wszystkiego, co sobą reprezentuje. Zupełnie się w tym wszystkim gubię.

– Nie zrobię ci krzywdy, Anastasio. – Jego szare oczy patrzą na mnie badawczo i wiem, że mówi prawdę. Ujmuję jego dłoń i wyprowadza mnie na korytarz. – Coś ci pokażę. – Nie kierujemy się ku schodom, lecz na prawo od „pokoju zabaw", jak go nazywa. Mijamy kilkoro drzwi, aż docieramy do sam koniec korytarza. I wchodzimy do sypialni z dużym podwójnym łóżkiem, całej w bieli… Wszystko jest białe: meble, ściany, pościel. Jest tu sterylnie i zimno, ale przeszklona ściana zapewnia spektakularny widok na Seattle.

– To będzie twój pokój. Możesz go umeblować, jak tylko masz ochotę, mieć w nim, co tylko chcesz.

– Mój pokój? Oczekujesz ode mnie, że się tu wprowadzę? – Nie potrafię ukryć przerażenia w głosie.

– Nie na stałe. Powiedzmy, że od piątkowego wieczoru do niedzieli. Musimy o tym porozmawiać, uzgodnić wszystko. Jeśli oczywiście tego chcesz – dodaje cicho i z wahaniem.

– Będę tu spać?

– Tak.

– Nie z tobą.

– Nie. Już ci mówiłem. Nie sypiam z nikim z wyjątkiem ciebie, kiedy jesteś w stanie upojenia alkoholowego.

– W jego spojrzeniu widać reprymendę.

Zaciskam usta w cienką linię. Z tym akurat nie potrafię się pogodzić. Miły, troskliwy Christian, który trzyma mnie, gdy puszczam pawia w azalie, i ten potwór, który ma specjalny pokój z pejczami i łańcuchami.

– Gdzie więc śpisz?

– Mój pokój jest na dole. Chodź, na pewno jesteś głodna.

– Dziwne, ale wygląda na to, że straciłam apetyt – mówię z rozdrażnieniem.

– Musisz jeść, Anastasio – upomina mnie i biorąc za rękę, prowadzi z powrotem na dół.

Gdy wracamy do niewiarygodnie wielkiego pomieszczenia, ogarnia mnie strach. Stoję na skraju przepaści i muszę zdecydować, czy skoczę, czy nie.

– Mam świadomość, że prowadzę cię mroczną ścieżką, Anastasio, i dlatego naprawdę chcę, abyś to wszystko przemyślała. Na pewno masz jakieś pytania – mówi, wchodząc do części kuchennej. Puszcza moją dłoń.

Owszem, mam. Ale od czego zacząć?

– Podpisałaś oświadczenie o zachowaniu poufności, możesz zapytać mnie, o co tylko chcesz, a ja udzielę ci odpowiedzi.

Staję przy barze śniadaniowym i obserwuję go, jak otwiera lodówkę i wyjmuje deskę z różnymi serami oraz duże kiście zielonych i czerwonych winogron. Stawia deskę na blacie i zabiera się za krojenie bagietki.

– Siadaj. – Pokazuje na jeden ze stołków barowych, a ja spełniam jego polecenie. Jeśli mam zamiar w to wejść, będę się musiała przyzwyczaić. Dociera do mnie, że Christian próbuje mną dyrygować od samego początku naszej znajomości.

– Wspomniałeś coś o dokumentach.

– Tak.

– Jakie dokumenty masz na myśli?

– Cóż, nie licząc NDA*, jest jeszcze umowa określająca, co będziemy robić, a czego nie. Muszę znać twoje granice, a ty moje. To umowa konsensualna, Anastasio.

– A jeśli nie będę chciała jej podpisać?

– Nic się wtedy nie stanie – odpowiada ostrożnie.

– Ale nie będą nas łączyć żadne relacje?

– Nie.

– Dlaczego?

– To jedyna relacja, jaka mnie interesuje.

– Dlaczego?

Wzrusza ramionami.

– Taki już jestem.

– Co do tego doprowadziło?

– A czemu ktoś jest taki, jaki jest? Trudno odpowiedzieć na to pytanie. Dlaczego niektórzy lubią ser, a inni go nie znoszą? Ty lubisz? Pani Jones, moja gospodyni, zostawiła nam go na kolację. – Wyjmuje z szafki duże białe talerze i jeden stawia przede mną.

Rozmowa zeszła na ser… Jasny gwint.

– Jakich zasad muszę przestrzegać?

– Wszystkie zostały spisane. Przejrzymy je, jak już zjemy.

Jedzenie. Jak mogę teraz jeść?

– Naprawdę nie jestem głodna – szepczę.

– Zjesz coś – mówi dobitnie. Dominujący Christian, wszystko staje się jasne. – Masz ochotę na jeszcze jeden kieliszek wina?

---

* Non-Disclosure Agreement – umowa/oświadczenie o zachowaniu poufności.

– Tak, poproszę.

Nalewa wino, a potem siada obok mnie. Upijam szybki łyk.

– Smacznego, Anastasio.

Odrywam kilka winogron. To jakoś przełknę. Christian mruży oczy.

– Długo już taki jesteś? – pytam.

– Tak.

– Łatwo znaleźć kobiety, które chcą robić coś takiego?

Unosi brew.

– Zdziwiłabyś się – rzuca sucho.

– W takim razie dlaczego ja? Naprawdę tego nie rozumiem.

– Anastasio, już ci mówiłem. Jest coś w tobie. Nie umiem zostawić cię w spokoju. – Uśmiecha się ironicznie. – Jestem jak ćma, która leci do ognia. – Jego głos staje się bardziej głęboki. – Bardzo cię pragnę, zwłaszcza teraz, kiedy znowu przygryzasz wargę. – Bierze głęboki oddech i przełyka ślinę.

Mój żołądek fika koziołka – on mnie pragnie… w pokręcony sposób, zgoda, ale ten piękny, dziwny, perwersyjny mężczyzna pragnie właśnie mnie.

– Myślę, że to ja jestem ćmą – burczę. I to ja się sparzę. Jestem pewna.

– Jedz!

– Nie. Jeszcze niczego nie podpisałam, więc na razie będę robić to, na co mam ochotę, jeśli ci to nie przeszkadza.

Spojrzenie mu łagodnieje, a na twarzy pojawia się uśmiech.

– Jak sobie pani życzy, panno Steele.

– Ile kobiet? – Zżera mnie ciekawość.

– Piętnaście.

Och… Sądziłam, że więcej.

– Przez długi okres?

– Niektóre tak.

– Zrobiłeś kiedyś którejś krzywdę?

– Tak.

O kuźwa.

– Poważną?

– Nie.

– A mi zrobisz?

– To znaczy?

– Fizycznie, czy skrzywdzisz mnie fizycznie?

– Ukarzę cię, kiedy zajdzie taka potrzeba, i wtedy będziesz czuć ból.

Chyba robi mi się słabo. Pociągam kolejny łyk wina. Alkohol – on mi doda odwagi.

– A ciebie ktoś kiedyś zbił? – pytam.

– Tak.

Och… A to niespodzianka. Nim zadam kolejne pytanie, Christian przerywa tok moich myśli.

– Omówmy to w moim gabinecie. Chcę ci coś pokazać.

Trudno mi to wszystko ogarnąć. Niemądrze sądziłam, że spędzę w łóżku tego mężczyzny noc pełną niebywałej namiętności, a tymczasem negocjujemy warunki dziwacznego układu.

Udaję się za nim do gabinetu, przestronnego pomieszczenia z kolejnym oknem od sufitu do podłogi, wychodzącym na balkon. Christian siada za biurkiem, gestem pokazuje, abym siadła na skórzanym krześle naprzeciwko, i wręcza mi jakiś dokument.

– To są zasady. Mogą podlegać modyfikacjom. Stanowią część umowy. Przeczytaj je, a potem porozmawiamy.

ZASADY

Posłuszeństwo:

Uległa będzie wypełniać wszystkie wydawane przez Pana polecenia bezzwłocznie i bez zastrzeżeń. Uległa wyrazi zgodę na każdą czynność seksualną, którą Pan uzna za odpowiednią i przyjemną, z wyjątkiem czynności wymienionych w granicach bezwzględnych (Załącznik nr 2). Uczyni to z ochotą i bez wahania.

Sen:

Uległa ma obowiązek spać minimum siedem godzin podczas tych nocy, których nie spędza w towarzystwie Pana.

Jedzenie:

Uległa będzie spożywać regularne posiłki w celach zdrowotnych i dla zachowania dobrego samopoczucia z zalecanej listy pokarmów (Załącznik nr 4). Uległa nie będzie podjadać między posiłkami; wyjątek stanowią owoce.

Ubiór:

W czasie obowiązywania niniejszej Umowy Uległa będzie nosić wyłącznie te stroje, które zostały zaakceptowane przez Pana. Pan ustanowi w tym celu specjalny budżet, z którego Uległa będzie korzystać. Doraźnie Pan będzie towarzyszył Uległej podczas robienia zakupów. Jeśli Pan wyrazi taką wolę, Uległa będzie w okresie obowiązywania Umowy nosić ozdoby i dodatki wymagane przez Pana, w jego obecności bądź w innym czasie, jaki Pan uzna za stosowny.

Aktywność fizyczna:

Pan zapewni Uległej usługi trenera osobistego cztery razy w tygodniu po sześćdziesiąt minut – godziny do ustalenia między trenerem a Uległą. Trener będzie zdawał Panu relację z postępów czynionych przez Uległą.

Higiena osobista / dbanie o urodę:
Uległa będzie przez cały czas czysta i ogolona i/lub wydepilowana woskiem. Uległa będzie korzystać z usług
salonu piękności wybranego przez Pana. Częstotliwość takich wizyt oraz rodzaj zabiegów ustala Pan.

Bezpieczeństwo:
Uległa nie będzie nadużywać alkoholu, palić, zażywać narkotyków ani narażać się na niepotrzebne niebezpieczeństwo.

Zachowanie:
Uległa nie będzie nawiązywać relacji seksualnych
z nikim poza Panem. Uległa będzie prowadzić się
skromnie, w sposób godny szacunku. Musi mieć
świadomość, iż jej zachowanie w bezpośredni sposób odbija się na Panu. Zostanie pociągnięta do odpowiedzialności za wszelkie występki, wykroczenia
i niewłaściwe zachowanie, jakich się dopuści, nie
przebywając w towarzystwie Pana.

**Niedotrzymanie któregoś z warunków wymienio-
nych powyżej będzie skutkować natychmiastowym wymierzeniem kary, której charakter zostanie
określony przez Pana.**

O cholera.

– Granice bezwzględne? – pytam.

– Tak. Czego nie zrobisz ty, czego nie zrobię ja, musimy to określić w naszej umowie.

– Nie jestem pewna w kwestii przyjmowania pieniędzy na ubrania. Wydaje mi się to niewłaściwe. – Zażenowana poprawiam się na krześle, a przez moją głowę
przemyka słowo „dziwka".

– Chcę nie szczędzić ci pieniędzy, pozwól, abym ci
kupił jakieś stroje. Możliwe, że będziesz mi towarzyszyć

podczas różnych wyjść i chcę, abyś dobrze wtedy wyglądała. Jestem przekonany, że twoja pensja, kiedy już znajdziesz pracę, nie wystarczy na tego rodzaju stroje, w jakich chciałbym cię widzieć.

– Nie muszę ich nosić, kiedy nie jestem z tobą?

– Nie.

– W porządku. – Potraktuję je jako uniform. – Nie chcę ćwiczyć cztery razy w tygodniu.

– Anastasio, musisz być gibka, silna i wysportowana. Zaufaj mi, przydadzą ci się te ćwiczenia.

– Ale nie cztery razy w tygodniu. Co powiesz na trzy?

– Chcę cztery razy.

– Sądziłam, że to negocjacje?

Zaciska usta.

– Okej, panno Steele, kolejna celna uwaga. Co powiesz na trzy razy w tygodniu po godzinie i raz w tygodniu pół godziny?

– Trzy dni, trzy godziny. Mam przeczucie, że kiedy tu będę, już ty mi zapewnisz odpowiednią porcję ćwiczeń.

Uśmiecha się szelmowsko i mam wrażenie, że w jego spojrzeniu pojawia się ulga.

– Owszem. No dobrze, zgadzam się. Jesteś pewna, że nie chcesz odbyć stażu w mojej firmie? Niezła z ciebie negocjatorka.

– Nie sądzę, aby to był dobry pomysł. – Przebiegam wzrokiem po zasadach. Woskowanie! Woskowanie czego? Wszystkiego? Uuu.

– No dobrze, granice. Oto moje. – Wręcza mi kolejną kartkę.

Granice bezwzględne
Żadnych czynów z udziałem ognia
Żadnych czynów z udziałem oddawania moczu, defekacji ani ich produktów

Żadnych czynów z udziałem igieł, noży czy krwi
Żadnych czynów z udziałem narzędzi ginekologicznych
Żadnych czynów z udziałem dzieci bądź zwierząt
Żadnych czynów, które pozostawią na skórze trwałe ślady
Żadnych czynów wiążących się z kontrolą oddechu

Uch. On to musi wszystko spisać! Oczywiście – to się wydaje bardzo rozsądne i szczerze mówiąc, niezbędne... Chyba nikt zdrowy psychicznie nie miałby ochoty na te wszystkie rzeczy? Mimo wszystko robi mi się niedobrze.

– Chciałabyś coś dodać? – pyta grzecznie Christian.

Kuźwa. Nie mam pojęcia. Kompletnie mnie zatkało. Patrzy na mnie i marszczy brwi.

– Jest coś, czego nie zrobisz?

– Nie wiem.

– Jak to nie wiesz?

Wiercę się na krześle i przygryzam wargę.

– Nigdy nic takiego nie robiłam.

– Cóż, a kiedy uprawiałaś seks, spotkałaś się z czymś, na co nie miałaś ochoty?

Po raz pierwszy od naprawdę dawna oblewam się rumieńcem.

– Możesz mi powiedzieć, Anastasio. Musimy być wobec siebie szczerzy, inaczej to się nie uda.

Wbijam wzrok w splecione dłonie.

– Mów.

– Cóż... jeszcze nigdy nie uprawiałam seksu, więc nie wiem – odpowiadam cicho. Zerkam na niego. Wpatruje się we mnie znieruchomiały i pobladły.

– Nigdy? – pyta szeptem. Kręcę głową. – Jesteś dziewicą? – pyta zduszonym głosem. Kiwam głową, ponownie się rumieniąc. Christian zamyka oczy i wygląda tak, jakby liczył do dziesięciu. Kiedy je otwiera, piorunuje mnie wzrokiem. – Czemu mi tego, kurwa, nie powiedziałaś? – warczy.

ROZDZIAŁ ÓSMY

Christian przeczesuje włosy palcami obu dłoni i w tę i z powrotem przemierza gabinet. Obie dłonie oznaczają podwójną irytację. Jego zwykle żelazne opanowanie lekko się zachwiało.

– Nie rozumiem, dlaczego mi nie powiedziałaś – gani mnie.

– Do tej pory ten temat nie wypłynął. Nie mam w zwyczaju ujawniać swojej seksualnej przeszłości każdej nowo poznanej osobie. Chodzi o to, że prawie się nie znamy. – Wpatruję się w swoje dłonie. Dlaczego czuję się winna? Dlaczego on tak się wścieka? Zerkam na niego.

– No cóż, ty wiesz teraz o mnie znacznie więcej – rzuca, zaciskając usta. – Wiedziałem, że jesteś niedoświadczona, ale żeby dziewica! – Wymawia to słowo, jakby było naprawdę sprośne. – Do diabła, Ana, właśnie ci pokazałem… – warczy. – Niech Bóg mi wybaczy. Czy ktoś cię wcześniej całował, poza mną?

– Oczywiście. – Staram się wyglądać na jak najbardziej urażoną. No dobra, może dwa razy.

– Żaden przystojny młodzieniec nie zwalił cię z nóg? Po prostu nie rozumiem. Masz dwadzieścia jeden lat, prawie dwadzieścia dwa. Jesteś piękna. – Znów przeczesuje włosy.

Piękna. Rumienię się z zadowolenia. Christian Grey uważa, że jestem piękna. Splatam palce i wpatruję się w nie intensywnie, starając się ukryć niemądry uśmiech.

„Może jest krótkowidzem" – moja podświadomość wystawiła swą somnambuliczną głowę. Gdzie się podziewała, kiedy jej potrzebowałam?

– I poważnie rozważasz, co chcę zrobić, gdy tymczasem nie masz żadnego doświadczenia. – Ściąga brwi tak bardzo, że się stykają. – Jak udało ci się uniknąć seksu? Powiedz mi, proszę.

Wzruszam ramionami.

– Nikt do tej pory, no wiesz… – Nie zabrał się do tego, dopiero ty. A ty okazujesz się być jakimś potworem. – Dlaczego jesteś na mnie taki zły? – szepczę.

– Nie jestem zły na ciebie, jestem zły na siebie. Po prostu zakładałem… – wzdycha. Przygląda mi się przenikliwie i potrząsa głową. – Chcesz już iść? – pyta łagodniej.

– Nie, chyba że ty chcesz, żebym poszła – szepczę. O nie… Nie chcę iść.

– Oczywiście, że nie. Cieszę się, że tu jesteś. – Mówiąc to, marszczy brwi, a potem spogląda na zegarek. – Późno już. – Odwraca się, aby spojrzeć na mnie. – Przygryzasz wargę. – Głos ma zachrypnięty i przygląda mi się badawczo.

– Przepraszam.

– Nie przepraszaj. Po prostu sam chciałbym ją ugryźć. I to mocno.

Łapię powietrze… Jak on może mówić coś takiego i uważać, że mnie to nie poruszy?

– Chodź – mruczy.

– Co?

– Zaraz naprawimy tę sytuację.

– Co masz na myśli? Jaką sytuację?

– Twoją sytuację, Ana. Będę się z tobą kochać, teraz.

– O! – Grunt usuwa mi się spod nóg. Wstrzymuję oddech.

– To znaczy jeśli chcesz. Wolę nie przeciągać struny.

– Sądziłam, że ty się nie kochasz. Sądziłam, że ostro się pieprzysz. – Przełykam ślinę, czując, że nagle zaschło mi w gardle.

Posyła mi szelmowskie spojrzenie, którego skutki czuję aż tam, na dole.

– Mogę zrobić wyjątek albo połączyć jedno z drugim, zobaczymy. Naprawdę chcę się z tobą kochać. Proszę, pójdź ze mną do łóżka. Chcę, żeby nasz układ wypalił, ale musisz wiedzieć, w co się pakujesz. Możemy zacząć twoje szkolenie już dziś, od podstaw. To nie znaczy, że stałem się nagle słodki i romantyczny, to środek do celu, ale takiego, którego chcę, i mam nadzieję, ty też go chcesz. – Jego szare spojrzenie jest intensywne.

Czerwienię się… O rany… Marzenia się spełniają.

– Ale nie zrobiłam wszystkich wymaganych rzeczy z twojej listy zasad. – Mój głos brzmi chropawo, niepewnie.

– Zapomnij o zasadach. Dziś wieczorem zapomnij o wszystkich szczegółach. Pragnę cię. Pragnę od chwili, gdy wpadłaś do mojego gabinetu i wiem, że ty też mnie pragniesz. Inaczej nie siedziałabyś tutaj spokojnie, omawiając kary i granice bezwzględne. Proszę, Ana, spędź ze mną tę noc. – Wyciąga rękę, jego oczy są jasne, rozpalone… podniecone, a ja podaję mu swoją dłoń. Podnosi mnie i bierze w ramiona, czuję jego smukłe ciało przy swoim, zaskoczona tym nagłym manewrem. Gładzi mnie palcem po karku, owija mój kucyk wokół nadgarstka i lekko pociąga, więc muszę podnieść na niego wzrok.

– Jaka z ciebie dzielna młoda kobieta – szepcze. – Podziwiam cię. – Jego słowa działają jak ładunek wybuchowy i moja krew wrze. Pochyla się i delikatnie całuje mnie w usta, ssąc dolną wargę. – Chcę gryźć tę wargę – mruczy w moje usta i ostrożnie przygryza je zębami. Jęczę, a on się uśmiecha. – Proszę, Ana, pozwól mi się z tobą kochać.

– Dobrze – szepczę, ponieważ po to tu jestem.

Uśmiecha się triumfalnie, puszcza mnie i chwyciwszy za rękę, prowadzi przez apartament.

Sypialnia jest naprawdę duża. Sięgające do sufitu okna wychodzą na rozświetlone, zabudowane wieżowcami Seattle. Ściany są białe, a meble bladoniebieskie. Ogromne, ultranowoczesne łoże wykonano z surowego, szarego drewna, wyglądającego jak drewno wyrzucone przez fale, z czterema kolumnami, ale bez baldachimu. Powyżej na ścianie wisi przepiękny obraz przedstawiający morze.

Trzęsę się jak liść. To jest to. Nareszcie, po tylu latach zrobię to. Zrobię to z samym Christianem Greyem. Oddycham płytko i nie mogę oderwać od niego wzroku. Zdejmuje zegarek, by położyć go na komodzie z tego samego drewna, co łóżko, potem marynarkę, którą wiesza na krześle. Pozostaje w białej lnianej koszuli i dżinsach. Jest zabójczo przystojny. Ciemnomiedziane włosy ma w nieładzie, koszula zwisa luźno, a oczy patrzą zuchwale. Ściąga swoje conversy, a potem zdejmuje skarpetki. Stopy Christiana Greya… O rany… Co jest w tych nagich stopach? Odwracając się, spogląda na mnie z łagodnym wyrazem twarzy.

– Podejrzewam, że nie bierzesz tabletek.

Co?! Do diabła!

– Tak myślałem. – Otwiera górną szufladę komody i wyjmuje paczkę prezerwatyw. Patrzy na mnie uważnie.
– Chcesz, żeby opuścić rolety?

– Wszystko mi jedno – szepczę. – Myślałam, że nie pozwalasz nikomu spać w swoim łóżku.

– Kto mówi, że będziemy spać? – mruczy łagodnie.

– Och. – Jasny gwint.

Podchodzi do mnie powoli. Pewny siebie, seksowny, z płonącymi oczami, a moje serce zaczyna łomotać. Krew szybciej krąży w całym ciele. Podniecenie, gęste i gorące, wlewa się do mojego podbrzusza. Christian staje naprzeciw mnie i patrzy mi w oczy. Jest tak nieziemsko seksowny.

– Zdejmijmy ten żakiet, dobrze? – mówi miękko, ujmując klapy i delikatnie zsuwając materiał z moich ramion. Kładzie żakiet na krześle. – Zdajesz sobie sprawę z tego, jak bardzo cię pragnę, Ano Steele? – szepcze. Oddycham płytko i nierówno. Nie mogę oderwać od niego wzroku. Podnosi dłoń i delikatnie przesuwa palcem po moim policzku. – Zdajesz sobie sprawę z tego, co z tobą zrobię? – dodaje, głaszcząc moją brodę.

Mięśnie w najgłębszej, najciemniejszej części mnie kurczą się w cudowny sposób. Ból jest tak słodki i ostry, że chcę zamknąć oczy, ale jestem zahipnotyzowana spojrzeniem jego szarych oczu, wpatrujących się płomiennie w moje. Pochyla się i całuje mnie. Jego usta są pożądliwe i powolne, dopasowują się do moich. Zaczyna mi rozpinać koszulę, składając delikatne jak piórko pocałunki na mojej brodzie i w kącikach ust. Powoli zdejmuje ją ze mnie i opuszcza na podłogę. Odsuwa się i przygląda mi się uważnie. Mam na sobie bladoniebieski, koronkowy, idealnie dopasowany stanik. Dzięki Bogu.

– Och, Ano – wzdycha. – Masz taką piękną skórę, jasną i nieskazitelną. Pragnę całować każdy jej milimetr.

Rumienię się. O rany… Dlaczego powiedział, że nie może się kochać? Zrobię wszystko, czego sobie życzy. Chwyta gumkę do włosów, ściąga ją i wzdycha, widząc, jak moje włosy kaskadą spływają na ramiona.

– Lubię brunetki – mruczy i zanurza obie dłonie we włosach, chwytając moją głowę z obu stron. Jego pocałunek jest pożądliwy, język i wargi zachęcające. Jęczę, a mój język nieśmiało dotyka jego. Oplata mnie ramionami i przyciąga do siebie, ściskając mocno. Jedną rękę nadal trzyma w moich włosach, podczas gdy druga wędruje w dół kręgosłupa do mojej talii i niżej, do pupy. Ściska delikatnie moje pośladki. Przysuwa mnie do swoich bioder, a ja czuję jego erekcję, leniwie na mnie napierającą.

Znów jęczę w jego usta. Ledwie powstrzymuję rozpustne odczucia, a może to hormony szaleją w moim ciele. Tak bardzo go pragnę. Chwytam go za ramię i czuję twardy biceps. Niepewnie podnoszę ręce do jego twarzy i wsuwam palce we włosy. O święty Barnabo. Są takie miękkie i niesforne. Pociągam za nie lekko, a on jęczy. Popycha mnie lekko w stronę łóżka, aż czuję je za kolanami. Myślałam, że pchnie mnie na nie, ale tego nie robi. Wypuszcza mnie z objęć i nagle pada na kolana. Oburącz chwyta moje biodra, zatacza językiem kółka wokół pępka, a potem przygryza lekko skórę, posuwając się w stronę kości biodrowej, przez brzuch, aż do drugiego biodra.

– Ach – jęczę.

Widzieć go na kolanach przede mną, czuć jego usta na skórze, to takie nieoczekiwane i… podniecające. Moje dłonie pozostają w jego włosach, ciągnę za nie lekko i próbuję uciszyć zbyt głośny oddech. Christian rzuca mi spojrzenie spod niewiarygodnie długich rzęs, a jego oczy mają odcień rozpalonej, przydymionej szarości. Sięga do góry i rozpina guzik w moich dżinsach, by po chwili leniwie rozsunąć zamek. Nie spuszcza wzroku z moich oczu, jego ręce podążają w kierunku talii, muskając skórę, a potem przesuwają się do tyłu. Zsuwają się powoli po pośladkach aż do ud, zdejmując ze mnie dżinsy. Nie jestem w stanie odwrócić wzroku. Zatrzymuje się i oblizuje wargi, nie przerywając kontaktu wzrokowego. Pochyla się, przesuwając nosem po wzgórku między moimi udami. Czuję go. Tam.

– Pięknie pachniesz – mruczy i zamyka oczy z wyrazem czystej przyjemności na twarzy, a ja prawie dostaję konwulsji. Ściąga kołdrę z łóżka i popycha mnie lekko, tak że ląduję na materacu.

Nadal klęcząc, chwyta mnie za stopę i rozwiązuje sznurówkę, po czym zdejmuje but razem ze skarpetką. Opieram się na łokciach, aby widzieć, co robi. Dyszę... spragniona. Podnosi moją stopę za piętę i paznokciem kciuka przesuwa po podbiciu. To prawie bolesne, ale czuję, jak ten ruch odbija się echem w moim kroczu. Nie spuszczając ze mnie wzroku, ponownie przesuwa po podbiciu, tym razem językiem, a potem zębami. Cholera. Jakim cudem czuję to Tam?! Padam na materac, jęcząc. Słyszę cichy śmiech.

– Och, Ana, co ja mogę z tobą zrobić – szepcze. Zdejmuje mi drugi but i skarpetkę, potem wstaje i ściąga moje dżinsy. Leżę na jego łóżku w samej bieliźnie, a on wpatruje się we mnie z góry. – Jesteś bardzo piękna, Anastasio Steele. Nie mogę się doczekać, kiedy znajdę się w tobie.

Jasny gwint! Co za słowa! Jest taki uwodzicielski. Zapiera mi dech.

– Pokaż mi, jak sprawiasz sobie przyjemność.

Że co? Marszczę brwi.

– Nie wstydź się, Ano, pokaż mi – szepcze.

Potrząsam głową.

– Nie wiem, o co ci chodzi. – Mam zachrypnięty głos. Z trudem go rozpoznaję, tak zmieniło go pożądanie.

– Jak doprowadzasz się do orgazmu? Chcę to zobaczyć.

– Nie robię tego – mamroczę.

Unosi brwi, przez chwilę zadziwiony, a jego oczy ciemnieją. Potrząsa głową z niedowierzaniem.

– Cóż, musimy zobaczyć, co da się z tym zrobić. – Jego głos jest miękki, wyzywający, jak cudowna, zmysłowa groźba. Rozpina guziki swoich dżinsów i powoli je zsuwa, cały czas wpatrując się w moje oczy. Pochyla się nade mną i chwytając za kostki, szybko rozsuwa mi nogi

i wpełza na łóżko pomiędzy nie. Wisi nade mną, a ja wiję
się z pożądania. – Nie ruszaj się – mruczy i pochylając się,
całuje wewnętrzną część mojego uda i dalej w górę, aż do
cienkiego, koronkowego materiału majtek.

Och. Nie jestem w stanie się nie ruszać. Jak mogę
leżeć spokojnie? Wiercę się pod nim.

– Będziemy musieli popracować nad unieruchomie-
niem cię, mała. – Pocałunkami podąża w górę mojego
brzucha i zanurza język w pępku. A po chwili rusza dalej.
Moja skóra płonie. Czerwienię się, za gorąco, za zimno,
i wbijam paznokcie w prześcieradło. Christian kładzie się
obok mnie, dłonią sunie w górę od mojego biodra do talii
i w końcu do piersi. Spogląda na mnie z nieokreślonym
wyrazem twarzy i delikatnie ujmuje jedną pierś.

– Idealnie pasujesz do mojej dłoni, Anastasio – mruczy, zanurzając palec wskazujący w miseczce stanika. Delikatnie pociąga koronkę w dół, uwalniając pierś, ale fiszbi-
na i materiał miseczki podciągają ją z powrotem do góry.
Jego palec przesuwa się do drugiej piersi i powtarza proces.
Sutki mi twardnieją pod jego gorącym spojrzeniem.

– Bardzo ładnie – szepcze z aprobatą.

Delikatnie dmucha na jedną pierś, podczas gdy jego
dłoń podąża do drugiej, a kciuk wolno roluje czubek sutka, wydłużając go. Jęczę, czując słodkie doznanie, rozle-
wające się do samego krocza. Jestem taka wilgotna. Och,
proszę, błagam w myślach, a moje palce mocniej zaciskają
się na prześcieradle. Jego usta zamykają się na moim drugim sutku. Prawie skręca mnie z rozkoszy.

– Zobaczmy, czy uda nam się doprowadzić cię do
orgazmu w ten sposób – szepcze, kontynuując powolne,
zmysłowe natarcie. Czuję na sutkach cudowny efekt działania sprawnych palców i ust, zapalający każde zakończenie nerwowe tak, że całe moje ciało śpiewa w słodkiej
udręce.

– Och… proszę – odchylam głowę, jęcząc głośno i czując, jak sztywnieją mi nogi.

Wielkie nieba, co się ze mną dzieje?

– Dalej, maleńka – mruczy. Jego zęby zaciskają się na mojej brodawce, kciuk i palec wskazujący ciągną mocno, a ja rozpadam się w jego rękach na tysiące kawałków, z udręczonym ciałem, targanym konwulsjami. Całuje mnie mocno, jego język w moich ustach pochłania mój krzyk.

O rany. To było nadzwyczajne. Teraz już wiem, o co tyle szumu. Christian spogląda na mnie z zadowoloną miną, podczas gdy na mojej twarzy niewątpliwie malują się jedynie wdzięczność i zachwyt.

– Jesteś bardzo wrażliwa – szepcze. – Będziesz musiała nauczyć się to kontrolować, a uczenie cię będzie świetną zabawą. – Znów mnie całuje.

Nadal mam nierówny oddech, dochodząc do siebie po orgazmie. Jego ręce przesuwają się na biodra, a potem palec wślizguje się pod cieniutką koronkę majteczek i powoli zatacza kółka wokół mnie – Tam. Na chwilę zamyka oczy, a jego oddech staje się nierówny.

– Jesteś tak cudownie wilgotna. Boże, pragnę cię. – Wsuwa we mnie palec, a ja wydaję okrzyk, gdy robi to ponownie, raz za razem. Masuje dłonią moją łechtaczkę, a ja znowu krzyczę. Wchodzi we mnie palcem coraz mocniej i mocniej. Jęczę z rozkoszy.

Nagle siada wyprostowany, ściąga moje majtki i rzuca na podłogę. Gdy zdejmuje bokserki, jego erekcja wyskakuje na wolność. Rany Julek… Sięga do nocnego stolika i chwyta foliową paczuszkę, a potem wchodzi między moje uda, rozsuwając je jeszcze szerzej. Klęczy, zakładając prezerwatywę na pokaźnych rozmiarów męskość. Och nie… Czy to…? Jak?

– Nie martw się – szepcze, patrząc mi w oczy. – Ty też się rozciągniesz. – Pochyla się, trzymając ręce po obu stronach mojej głowy, tak że wisi nade mną, wpatrując się w moje oczy. Dopiero teraz zauważam, że nadal ma na sobie koszulę. – Naprawdę chcesz to zrobić? – pyta miękko.

– Proszę. – W moim głosie słychać błaganie.

– Podnieś kolana – każe mi łagodnie, a ja od razu spełniam polecenie. – Teraz będę cię pieprzył, panno Steele – mruczy, ustawiając czubek penisa u wrót mej kobiecości. – Ostro – dodaje i wchodzi we mnie z impetem.

– Aaa! – krzyczę, czując w głębi ciała dziwne ukłucie, kiedy przedziera się przez moje dziewictwo.

Nieruchomieje, patrząc na mnie oczami rozświetlonymi ekstatycznym triumfem. Ma rozchylone usta i ciężko oddycha.

– Jesteś taka ciasna. W porządku?

Kiwam głową z szeroko otwartymi oczami i dłońmi na jego ramionach. Czuję się taka pełna. Pozostaje w bezruchu, dzięki czemu mogę oswoić natarczywą, wypełniającą obecność jego męskości w moim ciele.

– Teraz będę się poruszał, mała – szepcze po chwili.

Och.

Wycofuje się niezwykle powoli. Zamyka oczy, wydaje jęk i wbija się we mnie ponownie.

Znowu krzyczę, a on się zatrzymuje.

– Jeszcze? – szepcze chrapliwie.

– Tak – odpowiadam cicho. Robi to ponownie. I jeszcze raz.

Jęczę, a moje ciało go przyjmuje... Och, chcę tego.

– Jeszcze?

– Tak. – To brzmi jak błaganie.

Więc porusza się, ale tym razem nie przestaje. Opiera się na łokciach, więc czuję teraz na sobie jego ciężar. Najpierw rusza się powoli, wchodząc i wychodząc. Gdy zaczynam się przyzwyczajać do tego dziwnego uczucia, moje biodra nieśmiało wychodzą mu na spotkanie. Przyspiesza. Jęczę, a on wbija się we mnie, nabierając tempa, w bezlitosnym, niesłabnącym rytmie, który podchwytuję, wysuwając biodra ku jego pchnięciom. Chwyta w dłonie moją głowę i mocno całuje, a jego zęby znów przygryzają mi dolną wargę. Czuję, że coś we mnie narasta, jak przedtem. Zaczynam sztywnieć, przyjmując kolejne pchnięcia. Moje ciało drży, wygina się, pokrywając potem. O niebiosa… Nie wiedziałam, że tak będzie… nie miałam pojęcia, że to się okaże takie wspaniałe. Moje myśli znikają i pozostaje tylko doznanie… tylko on… tylko ja… och, proszę… Sztywnieję.

– Dojdź dla mnie, Ana – szepcze Christian niemal bez tchu, a ja, słysząc jego słowa, rozpadam się, eksploduję pod nim w orgazmie i rozsypuję się na milion kawałków. Gdy dochodzi, wykrzykuje moje imię, pchając mocno, by chwilę później znieruchomieć i wlać siebie we mnie.

Wciąż dyszę, próbując spowolnić oddech i łomoczące serce, a w moich myślach panuje rozpustny zamęt. Rany… to było niesamowite. Otwieram oczy. On opiera czoło na moim; ma zamknięte oczy i nierówny oddech. Podnosi powieki i patrzy na mnie łagodnie. Nadal jest we mnie. Pochylając się, delikatnie składa pocałunek na moim czole i powoli się wysuwa.

– Uuu. – Wzdrygam się na to nieznane odczucie.

– Sprawiłem ci ból? – pyta Christian, leżąc obok, wsparty na łokciu. Zakłada niesforny kosmyk włosów za moje ucho. A ja muszę się uśmiechnąć. Szeroko.

– Ty mnie pytasz, czy zadałeś mi ból?

– Wiem, co to ironia – uśmiecha się sardonicznie.

– Poważnie, wszystko okej? – Jego spojrzenie jest intensywne, dociekliwe, wręcz wymagające.

Wyciągam się obok niego, bez czucia w kończynach, z kośćmi jak z waty, ale zrelaksowana, głęboko zrelaksowana. Uśmiecham się do niego. Nie mogę przestać się uśmiechać. Teraz wiem, o co tyle szumu. Dwa orgazmy… rozpadanie się na kawałki, jak program wirowania w pralce, rety. Nie miałam pojęcia, do czego zdolne jest moje ciało, że może tak mocno się zacisnąć i rozluźnić tak nagle, tak przyjemnie. To była rozkosz nie do opisania.

– Przygryzasz wargę, ale mi nie odpowiedziałaś. – Marszczy brwi. Szelmowsko się uśmiecham. Wygląda wspaniale ze zmierzwionymi włosami, płonącymi zmrużonymi, szarymi oczami i poważną pochmurną miną.

– Chcę to zrobić jeszcze raz – szepczę. Przez chwilę wydaje mi się, że widzę przelotny wyraz ulgi na jego twarzy, zanim opada kurtyna i patrzy na mnie spod przymkniętych powiek.

– Czyżby, panno Steele? – Pochyla się i całuje mnie bardzo delikatnie w kącik ust. – Taka z ciebie wymagająca istotka? Połóż się na brzuchu. – Mrugam, patrząc na niego, a potem się przekręcam. Rozpina mi stanik i gładzi ręką moje plecy aż do pośladków. – Naprawdę masz niezwykle piękną skórę – mruczy. Przechyla się tak, że jedną nogę wsuwa między moje i leży częściowo na moich plecach. Czuję, jak guziki koszuli wbijają mi się w skórę, kiedy odgarnia mi włosy z twarzy i całuje w nagie ramię.

– Dlaczego masz na sobie koszulę? – pytam. Zamiera. W ułamku sekundy zrzuca koszulę i znów kładzie się na mnie. Czuję jego ciepłą skórę na mojej. Hmmm… boskie uczucie. Jego włoski łaskoczą mnie w plecy.

– Więc chcesz, żebym cię znów przeleciał? – szepcze mi do ucha i zaczyna obsypywać pocałunkami okolice ucha i szyję.

Jego dłonie posuwają się w dół, gładząc moją talię, biodro i po udzie aż do kolana. Podciąga je wyżej… przestaję oddychać… O matko, co on ma zamiar zrobić? Przesuwa się między moje nogi, przylegając do pleców, a jego ręka wędruje w górę uda aż do pośladka. Pieści go powoli, po czym wsuwa palec między moje nogi.

– Wezmę cię od tyłu, Anastasio – mruczy, a drugą ręką chwyta moje włosy na karku i lekko pociąga, przytrzymując mnie. Nie mogę poruszyć głową. Leżę pod nim przygwożdżona, bezsilna. – Jesteś moja – szepcze. – Tylko moja. Nie zapominaj o tym. – Jego głos jest odurzający, słowa upojne, uwodzicielskie. Czuję na udzie jego rosnącą erekcję.

Jego długie palce sięgają pode mnie i delikatnie, kolistymi ruchami masują łechtaczkę. Czuję gorący oddech na twarzy.

– Bosko pachniesz. – Wtula nos w miejsce za moim uchem. Jego dłoń masuje mnie niestrudzenie. Moje biodra bezwiednie zaczynają zataczać kręgi, podążając za jego dłonią. Oszałamiająca rozkosz uderza do mojej krwi jak adrenalina.

– Nie ruszaj się. – Głos ma łagodny, ale stanowczy. Powoli wsuwa we mnie kciuk, obracając go i pocierając przednią ścianę pochwy. Efekt jest powalający: cała energia koncentruje się na tym jednym, maleńkim fragmencie mojego ciała. Jęczę.

– Podoba ci się? – pyta cicho, przygryzając brzeg mojego ucha. Zaczyna powoli zginać kciuk, do środka, na zewnątrz, do środka, na zewnątrz, a pozostałe palce nadal zataczają koła.

Zamykam oczy, starając się kontrolować oddech i chłonąć rozproszone, chaotyczne doznania wywołane ruchami jego palców, a ogień przeszywa moje ciało. Jęczę znowu.

– Tak szybko robisz się wilgotna. Jesteś taka wrażliwa. Och, Anastasio, podoba mi się to. Bardzo – szepcze. Chcę usztywnić nogi, ale nie mogę się poruszyć. Przytrzymuje mnie pod sobą, utrzymując stały, powolny, rotacyjny rytm. To jest absolutnie cudowne. Z moich ust wydobywają się kolejne jęki. Christian nagle nieruchomieje.

– Otwórz usta – rozkazuje i wtyka w nie swój kciuk. Otwieram szeroko oczy, mrugając w popłochu. – Sprawdź, jak smakujesz – szepcze mi do ucha. – Ssij, mała. – Kciuk napiera na mój język, a ja obejmuję go wargami i ssę jak szalona. Czuję słony posmak z metaliczną nutą krwi. A niech to. To jest niewłaściwe, ale do diabła, jakże podniecające.

– Chcę cię pieprzyć w usta, Anastasio, i wkrótce to zrobię. – Jego głos jest zachrypły, a oddech jeszcze bardziej nierówny.

Pieprzyć mnie w usta! Jęczę i gryzę jego kciuk. Wstrzymuje oddech i pociąga mnie mocniej za włosy, aż do bólu, więc puszczam go.

– Niegrzeczna, słodka dziewczynka – szepcze i sięga do stolika nocnego po foliową paczuszkę. – Nie ruszaj się – rozkazuje i puszcza moje włosy.

Rozrywa folię, a ja ciężko dyszę i krew śpiewa w moich żyłach. To oczekiwanie jest rozkoszne. Pochyla się, opierając ciężar na mnie i chwyta za włosy, unieruchamiając mi głowę. Nie mogę się poruszyć. Zniewala mnie tak kusząco, a sam, opanowany, gotów jest posiąść mnie jeszcze raz.

– Tym razem zrobimy to naprawdę, powoli, Anastasio.

I niespiesznie zagłębia się we mnie, powoli, powoli, aż do końca. Rozciągający, wypełniający, nieustępliwy. Jęczę głośno. Tym razem czuję go głębiej. Znów wydaję jęk, a on celowo zatacza biodrami koło i wycofuje się, odczekuje chwilę i jeszcze raz we mnie wchodzi. Powtarza ten ruch raz za razem. To mnie doprowadza do obłędu; te drażniące, celowo powolne pchnięcia i przerywane uczucie pełni są przejmujące.

– Dobrze mi w tobie – jęczy Christian, a moje wnętrze zaczyna drżeć. On się wycofuje i czeka. – Och nie, maleńka, jeszcze nie – mruczy, a kiedy dreszcze ustają, zaczyna cały cudowny proces od nowa.

– Och, proszę. – Nie wiem, czy zdołam wytrzymać dłużej. Moje ciało jest tak naprężone, spragnione ulgi.

– Chcę, żebyś była obolała – mruczy i kontynuuje te słodkie tortury, w tył i w przód. – Jutro, za każdym razem, gdy się poruszysz, masz pamiętać, że tu byłem. Tylko ja. Jesteś moja.

– Proszę, Christian – szepczę.

– Czego chcesz, Anastasio? Powiedz mi. – Jęczę głośno. Wysuwa się i powoli wchodzi we mnie, znów zataczając koła biodrami. – Powiedz mi – szepcze.

– Ciebie, proszę.

Nieznacznie zwiększa tempo, a jego oddech staje się bardziej nieregularny. Moje wnętrze zaczyna drżeć, a Christian przyspiesza.

– Jesteś. Taka. Słodka – mruczy między pchnięciami.

– Tak. Bardzo. Cię. Pragnę.

Jęczę.

– Jesteś. Moja. Dojdź dla mnie, mała.

Jego słowa to moja zguba, przywodząca mnie nad skraj przepaści. Moje ciało oplata się w konwulsjach wokół niego i dochodzę, głośno krzycząc w materac zniekształconą wersję jego imienia. Christian wykonuje jeszcze dwa ostre pchnięcia i zamiera, z ulgą oddając się fali rozkoszy. Pada na mnie, chowając twarz w moich włosach.

– Cholera. Ana – dyszy.

Natychmiast wysuwa się ze mnie i przetacza na swoją część łóżka. Podciągam kolana do piersi, całkowicie wyczerpana, i od razu odpływam lub zapadam w sen.

GDY SIĘ BUDZĘ, NADAL jest ciemno. Nie mam pojęcia, jak długo spałam. Przeciągam się pod kołdrą i czuję się obolała, cudownie obolała. Christiana nigdzie nie widać. Siadam, wpatrując się w rozciągający się za oknem miejski pejzaż. Na wieżowcach widać mniej świateł, a na wschodzie majaczy poranek. Słyszę muzykę. Melodyjny dźwięk fortepianu, smutny, słodki lament. Wydaje mi się, że to Bach, ale nie jestem pewna.

Owijam się kołdrą i cicho idę korytarzem do tego wielkiego pokoju. Christian siedzi przy fortepianie, całkowicie zapamiętany w grze. Wydaje się smutny i opuszczony, jak jego muzyka. Gra fantastycznie. Oczarowana, słucham oparta o ścianę przy wejściu. Jest znakomitym muzykiem. Siedzi nagi, z ciałem skąpanym w ciepłym świetle lampy stojącej obok instrumentu. Gdy reszta pokoju tonie w mroku, wygląda, jakby był w swojej własnej, odizolowanej plamie światła, nietykalny... samotny, jak w bańce.

Podchodzę cicho do niego, zwabiona przepiękną, melancholijną melodią. Niczym zahipnotyzowana patrzę na jego długie zwinne palce, które delikatnie odnajdują i przyciskają klawisze. Niedawno te same palce umiejętnie dotykały i pieściły moje ciało. Na samo wspomnienie łapię oddech i czerwienię się, zaciskając uda. Spogląda na mnie świetlistymi, niezgłębionymi, szarymi oczami z nieodgadnionym wyrazem twarzy.

– Przepraszam – szepczę. – Nie chciałam ci przeszkadzać.

Lekki grymas przebiega po jego twarzy.

– Oczywiście powinienem powiedzieć ci to samo – mruczy. Przerywa grę i kładzie dłonie na kolanach.

Teraz zauważam, że ma na sobie dół od piżamy. Przeczesuje włosy palcami i wstaje. Spodnie zwisają mu z bioder w taki sposób... ojej. Czuję suchość w ustach, gdy Christian obchodzi fortepian i zbliża się do mnie. Ma szerokie ramiona, wąskie biodra, a gdy idzie, widać pracę mięśni jego brzucha. Wygląda nieziemsko.

– Powinnaś być w łóżku – upomina mnie.

– Piękna melodia. Bach?

– Transkrypcja Bacha, ale oryginalnie to koncert na obój Alessandra Marcellego.

– To było przepiękne, ale bardzo smutne, takie melancholijne.

Jego usta drgają w półuśmiechu.

– Do łóżka – zarządza. – Rano będziesz wykończona.

– Obudziłam się, a ciebie nie było.

– Trudno mi spać i nie jestem przyzwyczajony do spania z kimś w jednym łóżku – mówi cicho. Nie potrafię odgadnąć, w jakim jest nastroju. Wydaje się lekko przygnębiony, ale w ciemności ciężko to ocenić. Może to z powodu wymowy utworu, który grał. Otacza mnie ramieniem i łagodnie prowadzi z powrotem do sypialni.

– Od jak dawna grasz?

– Od szóstego roku życia.

– Och. – Christian jako sześcioletni chłopiec... Oczami wyobraźni widzę ślicznego małego chłopca o miedzianych włosach i szarych oczach, a moje serce topnieje; rozczochrany dzieciak, który lubi niemożliwie smutną muzykę.

– Jak się czujesz? – pyta po powrocie do sypialni. Zapala boczne światło.

– Dobrze.

W tym samym momencie oboje patrzymy na łóżko. Na prześcieradle widać krew – dowód utraty dziewictwa. Czerwienię się zawstydzona i owijam ciaśniej kołdrą.

– Cóż, to dopiero da pani Jones do myślenia – mruczy Christian, stając naprzeciw mnie. Ujmuje moją brodę i odchyla głowę do tyłu, wpatrując się we mnie. Jego spojrzenie pali moją twarz. Dociera do mnie, że dotąd nie widziałam jego nagiego torsu. Bezwiednie wyciągam dłoń, by przebiec palcami po lekkim zaroście. Natychmiast odsuwa się ode mnie.

– Wracaj do łóżka – mówi ostro. – Położę się z tobą.
– Jego głos mięknie. Opuszczam rękę i marszczę czoło. Chyba nigdy nie dotknęłam jego klatki piersiowej. Otwiera komodę, wyjmuje T-shirt i szybko go zakłada. – Do łóżka – rozkazuje ponownie. Wypełniam jego polecenie, starając się nie myśleć o krwi. Kładzie się obok mnie i przyciąga do siebie, obejmując tak, że jestem od niego odwrócona. Delikatnie całuje moje włosy i głęboko wciąga powietrze. – Śpij, słodka Anastasio – mruczy.

Zamykam oczy, ale nie potrafię się wyzbyć uczucia melancholii. Nie wiem, czy to z powodu granego przez niego utworu, czy jego zachowania. Christian Grey ma swoje smutne oblicze.

ROZDZIAŁ DZIEWIĄTY

Ś wiatło wypełnia pokój, sprowadzając mnie z głębokiego snu na jawę. Przeciągam się i otwieram oczy. Jest piękny majowy poranek, Seattle leży u moich stóp. O rety, cóż za widok. Obok mnie Christian Grey smacznie śpi. O rety, cóż za widok. Dziwię się, że nadal jest w łóżku. Leży zwrócony w moją stronę i mam niepowtarzalną okazję, aby mu się przyjrzeć. Jego piękna twarz wygląda młodziej, zrelaksowana we śnie. Kształtne, wydęte usta rozchyliły się lekko, lśniące, czyste włosy są w cudownym nieładzie. Czy ktoś tak piękny może być przyzwoity? Przypominam sobie pokój na piętrze… raczej nie. Potrząsam głową, mam tyle do przemyślenia. Kusi mnie, aby wyciągnąć rękę i go dotknąć. Podobnie jak małe dziecko, jest słodki, gdy śpi. Nie muszę się martwić o to, co mówię, co on mówi ani o jego plany, szczególnie plany w stosunku do mnie.

Mogłabym patrzeć na niego cały dzień, ale wzywa mnie potrzeba. Wysuwając się z łóżka, znajduję jego białą koszulę i zarzucam na siebie. Otwieram drzwi, myśląc, że prowadzą do łazienki, ale znajduję się w przestronnej garderobie wielkości mojej sypialni. Całe rzędy drogich garniturów, koszul, butów i krawatów. Jak można potrzebować aż tylu ubrań? Cmokam z niezadowoleniem. W zasadzie ta garderoba mogłaby rywalizować z szafą Kate. Kate! Och, nie. Nie myślałam o niej cały wieczór. Miałam do niej napisać. A niech to. Będę miała kłopoty. Przez chwilę zastanawiam się, jak jej idzie z Elliotem.

Gdy wracam do sypialni, Christian nadal śpi. Sprawdzam drugie drzwi. Łazienka, i to większa niż moja sypialnia. Po co jednemu człowiekowi tyle miejsca? Dwie umywalki, stwierdzam z ironią. Zważywszy na to, że z nikim nie sypia, jedna jest pewnie nieużywana.

Wpatruję się w swoje odbicie w gigantycznym lustrze nad umywalką. Czy wyglądam inaczej? Bo tak się czuję. Jestem trochę obolała, szczerze mówiąc, a moje mięśnie... Rany, jakbym nigdy w życiu nie ćwiczyła. „Bo nie ćwiczysz". Moja podświadomość się obudziła. Patrzy na mnie z wydętymi wargami i tupie nogą. „A więc się z nim przespałaś, oddałaś mu dziewictwo, facetowi, który cię nie kocha. Właściwie ma wobec ciebie dziwne zamiary, chce z ciebie zrobić jakąś perwersyjną seksualną niewolnicę. ZWARIOWAŁAŚ?!" – krzyczy na mnie.

Krzywię się, patrząc w lustro. Będę musiała to wszystko przetrawić. Szczerze, chcę zakochać się w facecie, który jest więcej niż piękny, bogatszy niż Krezus i czeka na mnie w Czerwonym Pokoju Bólu. Wzdrygam się, oszołomiona i zdezorientowana. Moje włosy jak zwykle odmawiają posłuszeństwa. Fryzura „po seksie" niezbyt mi pasuje. Próbuję przywołać je do porządku palcami, ale ponoszę sromotną klęskę i poddaję się. Może znajdę w torebce jakieś gumki.

Umieram z głodu. Wracam do sypialni. Śpiący królewicz nie obudził się jeszcze, więc zostawiam go i udaję się do kuchni.

Och, nie... Kate. Zostawiłam torebkę w gabinecie Christiana. Znajduję ją i sięgam po telefon. Trzy wiadomości.

Wszystko okej, Ana?
Gdzie jesteś, Ana?
Cholera, Ana!

Dzwonię do Kate. Nie odbiera, więc zostawiam jej potulną wiadomość, że żyję i nie uległam Sinobrodemu, no, nie w taki sposób, o który musiałaby się martwić – a może jednak uległam. Och, to wszystko jest takie pogmatwane. Muszę spróbować skategoryzować i zanalizować swoje uczucia do Christiana Greya. To zadanie niemożliwe. Zrezygnowana potrząsam głową. Potrzebuję czasu na osobności, aby pomyśleć, z dala od tego miejsca.

Znajduję w torebce dwie gumki i szybko związuję włosy w dwa kucyki. Tak! Im bardziej dziewczęco wyglądam, tym mniej, może, grozi mi ze strony Sinobrodego. Wyjmuję z torebki iPoda i podłączam słuchawki. Nie ma jak gotowanie przy muzyce. Wsuwam go do kieszeni na piersi w koszuli Christiana, podkręcam dźwięk i zaczynam tańczyć.

Rany Julek, ależ jestem głodna.

Jego kuchnia mnie onieśmiela. Jest tak stylowa i nowoczesna, i żadna z szafek nie ma uchwytu. Potrzebuję kilku sekund, żeby wydedukować, że muszę nacisnąć drzwiczki, aby się otworzyły. Może powinnam przygotować Christianowi śniadanie. Poprzedniego dnia jadł omlet... Hmm, wczoraj w Heathmanie. Rany, tyle się od tamtej pory wydarzyło. Sprawdzam lodówkę, w której jest mnóstwo jajek, i dochodzę do wniosku, że mam ochotę na naleśniki i bekon. Tańcząc po kuchni, zabieram się do robienia ciasta.

Dobrze się czymś zająć. To daje trochę czasu na myślenie, ale niezbyt głębokie. Podkręcona na cały regulator muzyka też pozwala uciszyć poważne refleksje. Przyszłam tutaj spędzić noc w łóżku Christiana Greya i udało mi się, chociaż nie pozwala on nikomu spać w swoim łóżku. Uśmiecham się; misja zakończona sukcesem. Wielkim sukcesem. Uśmiecham się szerzej. Przeogromnym. Jestem rozkojarzona przez wspomnienia ostatniej nocy.

Jego słowa, jego ciało, kochanie się ze mną… Zamykam oczy, moje ciało wibruje na samo wspomnienie, a mięśnie głęboko w podbrzuszu słodko się kurczą. Podświadomość rzuca mi gniewne spojrzenie. „Pieprzenie, a nie kochanie!" – krzyczy na mnie jak harpia. Ignoruję ją, ale w głębi duszy wiem, że ma rację. Potrząsam głową, aby się skoncentrować na wykonywanym zadaniu.

Kuchenka jest supernowoczesna, ale w końcu udaje mi się ją rozpracować. Zaczynam od bekonu. Amy Studt śpiewa mi do ucha o odmieńcach. Ta piosenka wiele dla mnie kiedyś znaczyła, bo sama jestem odmieńcem. Nigdy nigdzie nie pasowałam, a teraz… Otrzymałam niemoralną propozycję od samego Króla Odmieńców. Dlaczego jest właśnie taki? Geny czy wychowanie? Nigdy się wcześniej nad czymś takim nie zastanawiałam.

Kładę bekon pod grill, a kiedy się opieka, roztrzepuję kilka jajek. Odwracam się i widzę Christiana siedzącego na jednym ze stołków przy barze śniadaniowym, z głową podpartą na ułożonych w wieżyczkę dłoniach. Ma na sobie koszulkę, w której spał. Fryzura „po seksie" bardzo, ale to bardzo mu pasuje, podobnie jak stylowy, poranny zarost. Wygląda na rozbawionego i zaskoczonego. Zastygam, rumienię się, po czym zbieram się w sobie i wyjmuję słuchawki z uszu. Na jego widok nogi mi miękną.

– Dzień dobry, panno Steele. Jest pani dziś rano niezwykle ożywiona – mówi bez emocji.

– Dobrze spałam – jąkam w odpowiedzi, a on próbuje ukryć uśmiech.

– Ciekawe dlaczego. – Marszczy czoło. – Ja też, kiedy wróciłem do łóżka.

– Jesteś głodny?

– Bardzo – mówi, patrząc przenikliwie, i chyba nie ma na myśli jedzenia.

– Naleśniki, bekon i jajka?

– Brzmi kusząco.

– Nie wiem, gdzie trzymasz podkładki pod talerze.

– Wzruszam ramionami, za wszelką cenę starając się nie wyglądać na zdenerwowaną.

– Zajmę się tym. Ty gotuj. Czy mam włączyć jakąś muzykę, żebyś mogła kontynuować swój... eee... taniec?

Opuszczam wzrok na dłonie, czując, że robię się purpurowa.

– Proszę, nie przerywaj z mojego powodu. To bardzo zabawne. – W jego głosie pobrzmiewa wesołość.

Wydymam wargi. Zabawne, tak? Moja podświadomość śmieje się ze mnie w dwójnasób. Odwracam się i dalej ubijam jajka, prawdopodobnie trochę za mocno. Chwilę później on staje przy mnie. Delikatnie ciągnie mnie za kucyk.

– Bardzo mi się podobają – szepcze. – Ale cię nie ochronią.

Hmm. Sinobrody.

– Jakie lubisz jajka? – pytam sucho. Uśmiecha się.

– Dobrze roztrzepane i ubite – uśmiecha się ironicznie.

Wracam do swojego zadania, starając się ukryć uśmiech. Nie umiem się na niego gniewać. Zwłaszcza kiedy jest tak wyjątkowo wesoły. Otwiera szufladę, wyciąga szaro-czarne podkładki i kładzie na barze. Wylewam jajka na patelnię, wyjmuję bekon, odwracam i wkładam z powrotem pod grill.

Gdy znów się odwracam, na blacie stoi już sok pomarańczowy, a Christian parzy kawę.

– Chcesz herbatę?

– Tak, poproszę, jeśli masz.

Znajduję dwa talerze i kładę je na podgrzewaczu w kuchence. On sięga do szafki i wyciąga herbatę Twinings English Breakfast. Wydymam wargi.

– To było z góry przesądzone, prawda?

– Czyżby? Chyba jeszcze nic nie ustaliliśmy, panno Steele.

Co ma na myśli? Nasze negocjacje? Nasz, eee… związek… czy cokolwiek to jest? Wciąż jest taki tajemniczy. Nakładam śniadanie na podgrzane talerze i stawiam je na podkładkach. Zaglądam do lodówki i znajduję syrop klonowy.

Patrzę na Christiana, a on czeka, aż usiądę.

– Panno Steele. – Odsuwa jeden ze stołków barowych.

– Panie Grey – kiwam głową. Wdrapuję się na stołek i siadając, lekko się krzywię.

– Bardzo jesteś obolała? – pyta, siadając. Oczy ma pociemniałe.

Czerwienię się. Dlaczego zadaje tak osobiste pytania?

– Cóż, szczerze mówiąc, nie mam porównania – rzucam. – Czyżbyś chciał mi przekazać wyrazy współczucia? – pytam słodko. Wydaje mi się, że próbuje stłumić uśmiech, ale nie jestem pewna.

– Nie. Zastanawiam się, czy powinniśmy kontynuować twoje podstawowe szkolenie.

– Och. – Wpatruję się w niego oniemiała, nagle brakuje mi tchu, a wszystko w środku mnie się ściska. Och… jak miło. Tłumię jęk.

– Jedz, Anastasio. – Mój apetyt znów stanął pod znakiem zapytania… więcej… więcej seksu… tak, poproszę.

– Nawiasem mówiąc, to jest pyszne. – Uśmiecha się do mnie szeroko.

Ja z kolei prawie nie czuję smaku. Podstawowe szkolenie! Chcę cię pieprzyć w usta. Czy to część podstawowego szkolenia?

– Przestań przygryzać wargę. To mnie rozprasza, a ponieważ wiem, że nie masz na sobie nic pod moją koszulą, rozprasza mnie jeszcze bardziej – warczy.

Zanurzam torebkę herbaty w małym czajniczku, który przyniósł Christian. Mam w głowie zamęt.

– Jaki zakres podstawowego szkolenia miałeś na myśli? – pytam nieco zbyt wysokim głosem, demaskując swoje wysiłki, aby sprawiać wrażenie jak najbardziej naturalnej, spokojnej i absolutnie niezainteresowanej, gdy tymczasem hormony sieją spustoszenie w moim organizmie.

– Cóż, ponieważ jesteś obolała, pomyślałem, że zostaniemy przy umiejętnościach oralnych.

Krztuszę się herbatą i wpatruję się w niego z szeroko otwartymi ustami. Klepie mnie delikatnie po plecach i podaje sok pomarańczowy. Zupełnie nie wiem, co ma na myśli.

– O ile chcesz zostać, oczywiście – dodaje. Patrzę na niego, starając się odzyskać równowagę. Nic nie mogę wyczytać z jego wyrazu twarzy. To takie frustrujące.

– Chciałabym dzisiaj zostać. Jeśli ci to odpowiada. Jutro muszę pracować.

– O której musisz być w pracy?

– O dziewiątej.

– Zawiozę cię jutro do pracy na dziewiątą.

Marszczę czoło. Czyżby chciał, żebym została na kolejną noc?

– Dziś wieczorem muszę podjechać do domu. Potrzebuję czystych ubrań.

– Znajdziemy ci coś tutaj.

Nie mam pieniędzy na nowe ubrania. Podnosi dłoń i chwyta mnie za brodę, pociągając ją i uwalniając wargę z uścisku moich zębów. Nawet nie zdawałam sobie sprawy, że ją przygryzam.

– O co chodzi? – pyta.

– Muszę być dziś wieczorem w domu.

Usta ma zaciśnięte w wąską linię.

– W porządku – zgadza się. – A teraz zjedz śniadanie.

W mojej głowie i żołądku panuje mętlik. Apetyt zniknął. Patrzę na niedojedzone śniadanie. Po prostu nie jestem głodna.

– Jedz, Anastasio. Wczoraj wieczorem nic nie jadłaś.

– Naprawdę nie jestem głodna – szepczę.

Mruży oczy.

– Naprawdę chcę, żebyś dokończyła śniadanie.

– O co ci chodzi z tym jedzeniem? – wyrywa mi się. Jego brwi się stykają.

– Mówiłem ci, że nie lubię marnować jedzenia. Jedz – rzuca. Jego oczy są ciemne, zbolałe.

A niech to. O co w tym wszystkim chodzi? Podnoszę widelec i jem powoli, próbując przeżuwać. Muszę pamiętać, żeby nie nakładać sobie tyle na talerz, skoro jest taki dziwny w kwestii jedzenia. Wyraz jego twarzy łagodnieje. Zauważam, że zmywa swój talerz. Czeka, aż skończę, i to samo robi z moim.

– Ty gotowałaś, ja zmywam.

– Bardzo demokratycznie.

– Tak. – Marszczy brwi. – Zupełnie nie w moim stylu. Kiedy skończę, weźmiemy kąpiel.

– Och, okej. – Ojejku… Wolałabym wziąć prysznic. Telefon mi dzwoni, przerywając moją zadumę. To Kate.

– Cześć. – Odchodzę w kierunku szklanych drzwi balkonowych, z dala od niego.

– Ana, dlaczego nie napisałaś nic wczoraj wieczorem? – Jest zła.

– Przepraszam, porwał mnie wir wydarzeń.

– Wszystko w porządku?

– Tak, w porządku.

– Zrobiłaś to? – Próbuje zdobyć informacje. Przewracam oczami, słysząc oczekiwanie w jej głosie.

– Kate, nie chcę rozmawiać przez telefon. – Christian mi się przygląda.

– Zrobiłaś… Wiem to.

Niby skąd? Blefuje, a ja nie mogę o tym rozmawiać. Podpisałam tę cholerną umowę.

– Kate, proszę.

– Jak było? Wszystko w porządku?

– Już mówiłam, że tak.

– Był delikatny?

– Kate, proszę! – Nie mogę ukryć irytacji.

– Ana, nie ukrywaj niczego przede mną. Czekałam na ten dzień prawie cztery lata.

– Zobaczymy się wieczorem. – Rozłączam się.

To będzie trudne do pogodzenia. Ona jest taka nieustępliwa i chce wiedzieć wszystko ze szczegółami, a ja nie mogę jej powiedzieć, ponieważ podpisałam… Jak to się nazywa? Umowę o zachowaniu poufności. Zacznie panikować i będzie miała rację. Potrzebuję planu. Wracam, by zobaczyć, jak Christian z wdziękiem porusza się po swojej kuchni.

– Ta umowa… to obejmuje wszystko? – zaczynam ostrożnie.

– Dlaczego pytasz? – Odwraca się i patrzy na mnie, odkładając herbatę. Czerwienię się.

– Cóż, mam kilka pytań, no wiesz, o seks. – Przyglądam się swoim dłoniom. – I chciałabym zapytać Kate.

– Możesz zapytać mnie.

– Christian, z całym szacunkiem… – Mój głos cichnie. Nie mogę zapytać jego. Dostanę w odpowiedzi skrzywiony, perwersyjny jak diabli, wypaczony pogląd na seks. Potrzebuję bezstronnej opinii. – Chodzi o sprawy techniczne. Nie wspomnę o Czerwonym Pokoju Bólu.

Unosi brwi.

– Czerwony Pokój Bólu? Tu chodzi głównie o przyjemność, Anastasio. Uwierz mi – mówi. – A poza tym – jego ton staje się ostrzejszy – twoja współlokatorka i mój brat zamienili się w bestię o podwójnym grzbiecie*. Wolałbym, żebyś tego nie robiła.

– Czy twoja rodzina wie o twoich... eee... upodobaniach?

– Nie. To nie ich sprawa. – Niespiesznie podchodzi, aż staje naprzeciw mnie. – Co chcesz wiedzieć? – pyta i przesuwa palcami po moim policzku aż do brody, odchylając moją głowę do tyłu tak, aby spojrzeć mi prosto w oczy.

W środku aż mnie skręca. Nie potrafię okłamać tego człowieka.

– Nic konkretnego w tej chwili – szepczę.

– Cóż, możemy zacząć od tego: jak ci było ostatniej nocy? – W jego oczach płonie ciekawość. O rety.

– Dobrze – mamroczę.

Jego usta lekko się unoszą.

– Mnie też – mruczy. – Nigdy dotąd nie uprawiałem waniliowego seksu. Dużo przemawia na jego korzyść. Ale może dlatego, że robiłem to z tobą. – Gładzi kciukiem moją dolną wargę.

Gwałtownie wciągam powietrze. Waniliowy seks?

– Chodź, weźmiemy kąpiel. – Pochyla się i całuje mnie. Moje serce podskakuje, a uczucie podniecenia spływa w dół... aż Tam.

WANNA JEST Z BIAŁEGO kamienia, głęboka, owalna i bardzo dizajnerska. Christian pochyla się i napełnia ją wodą z kranu wystającego z wyłożonej kafelkami ściany. Wlewa

---

*   „Make the beast with two backs" – w slangu brytyjskim określenie stosunku płciowego. Po raz pierwszy w języku angielskim sformułowania tego użył w roku 1603 Szekspir w tragedii *Otello*, natomiast francuskie tłumaczenie wyrażenia „la bête à deux dos" pochodzi z 1532 roku z utworu *Gargantua i Pantagruel* François Rabelais'go.

do wody jakiś olejek, wyglądający na drogi. Pieni się, wydzielając słodki, zmysłowy zapach jaśminu. Christian stoi i przygląda mi się pociemniałymi oczami, potem zdejmuje T-shirt i rzuca go na podłogę.

– Panno Steele. – Podaje mi rękę.

Stoję w progu z szeroko otwartymi oczami i splecionymi dłońmi. Robię krok w przód, ukradkiem podziwiając jego sylwetkę. Jest taki apetyczny. Moja podświadomość zatacza się i mdleje. Biorę go za rękę, a on każe mi wejść do wanny, chociaż nadal mam na sobie jego koszulę. Robię, co chce. Będę musiała się do tego przyzwyczaić, jeśli mam zamiar skorzystać z jego szokującej propozycji... jeśli! Woda jest kusząco gorąca.

– Odwróć się przodem do mnie. – Robię, co mi każe. Wbija we mnie gorące spojrzenie. – Wiem, że ta warga jest pyszna, mogę to potwierdzić, ale czy możesz przestać ją przygryzać? – mówi przez zaciśnięte zęby. – Kiedy to robisz, mam ochotę cię przelecieć, a ty jesteś obolała, okej?

Zaszokowana łapię oddech, automatycznie uwalniając wargę.

– Tak – dodaje wyzywająco. – Zrozumiałaś. – Wpatruje się we mnie. Gorączkowo kiwam głową. Nie miałam pojęcia, że mogę tak na niego działać. – Dobrze. – Wyjmuje mojego iPoda z kieszeni na piersi i kładzie koło umywalki. – Woda i iPody, niezbyt mądre połączenie – burczy. Sięga w dół, łapie skraj koszuli, zdejmuje mi ją przez głowę i rzuca na podłogę.

Ponownie wstaje, aby mi się przyjrzeć. O święty Barnabo, jestem zupełnie naga. Oblewam się purpurą i opuszczam wzrok na dłonie. Za wszelką cenę pragnę zniknąć w gorącej wodzie i pianie, ale wiem, że on nie będzie tego chciał.

– Hej – przywołuje mnie. Zerkam na niego, a on patrzy z przechyloną głową. – Anastasio, jesteś bardzo

piękną kobietą. Nie zwieszaj głowy, jakbyś była zawstydzona. Nie masz się czego wstydzić, a stać tutaj i patrzeć
na ciebie to prawdziwa przyjemność. – Ujmuje moją
brodę i podnosi tak, bym spojrzała mu w oczy. Są łagodne i ciepłe. O rety. Jest tak blisko. Mogłabym wyciągnąć
rękę i go dotknąć.

– Możesz teraz usiąść.

Zatrzymuje moje rozbiegane myśli, a ja opuszczam
się do ciepłej, zapraszającej wody. Uuu, szczypie. To mnie
zaskakuje, ale ponieważ pachnie niebiańsko, początkowy
piekący ból szybko ustępuje. Kładę się i na chwilę zamykam oczy, odprężając się w kojącym cieple. Gdy je otwieram, Christian na mnie patrzy.

– Może do mnie dołączysz? – proponuję odważnie
lekko chropawym głosem.

– Chyba tak zrobię. Posuń się.

Pozbywa się spodni od piżamy i wchodzi do wanny
za mną. Poziom wody się podnosi, a on siada i przyciąga
mnie do klatki piersiowej. Kładzie długie nogi na moich,
zgina kolana tak, że nasze kostki się spotykają, i przesuwa
stopy na zewnątrz, rozsuwając moje nogi. Zaskoczona,
robię gwałtowny wdech. Zanurza nos w moich włosach
i głęboko wciąga powietrze.

– Pachniesz tak pięknie, Anastasio.

Dreszcz przebiega całe moje ciało. Siedzę naga
w wannie z Christianem Greyem. I on także jest nagi.
Gdyby wczoraj, kiedy się obudziłam w jego hotelowym
apartamencie, ktoś mi powiedział, że będę to robić, nie
uwierzyłabym.

Z wbudowanej w ścianę półeczki obok wanny bierze
butelkę żelu i wyciska trochę na dłoń. Pociera je, wytwarza-
jąc delikatną pianę i kładzie ręce na mojej szyi, wcierając żel
w kark i ramiona, masując intensywnie długimi, mocnymi
palcami. Jęczę. To przyjemne czuć na sobie jego dłonie.

– Podoba ci się? – Słyszę, że się uśmiecha.

– Uhm.

Opuszcza dłonie na moje ramiona i myje mnie delikatnie pod pachami. Cieszę się, że Kate namówiła mnie, żeby się ogolić. Jego dłonie ześlizgują się na piersi, a ja wciągam głośno powietrze, gdy oplata je palcami i zaczyna lekko ugniatać. Moje ciało instynktownie się wygina, wciskając piersi w jego dłonie. Sutki są wrażliwe, bardzo wrażliwe. Z pewnością dlatego, że niezbyt delikatnie potraktowano je zeszłej nocy. Nie czeka długo i zsuwa dłonie na brzuch, a potem jeszcze niżej. Mój oddech przyspiesza, a serce bije jak szalone. Jego rosnąca erekcja napiera na moje plecy. To takie podniecające wiedzieć, że to moje ciało tak na niego działa. „Ha... A nie twój umysł" – szydzi moja podświadomość. Oddalam tę nieprzyjemną myśl.

Christian sięga po myjkę, gdy tymczasem ja dyszę obok niego spragniona, przepełniona pożądaniem.

Moje ręce spoczywają na jego silnych, umięśnionych udach. Wycisnąwszy kolejną porcję żelu, pochyla się i myje mnie między nogami. Wstrzymuję oddech. Jego palce umiejętnie stymulują mnie przez materiał, czuję się bosko, a moje biodra zaczynają poruszać się w swoim własnym rytmie, przyciskając do jego dłoni. Pochłonięta przez to doznanie, odchylam głowę i jęczę z rozkoszy. Napięcie we mnie rośnie powoli, nieubłaganie... O rany.

– Poczuj to, mała – Christian szepcze mi do ucha i delikatnie je przygryza. – Poczuj to dla mnie.

Jego nogi przyciskają moje do ścian wanny i trzymają mnie jak więźnia, umożliwiając mu dostęp do najintymniejszej części mojego ciała.

– Och... proszę – szepczę. Próbuję wyprostować nogi, gdy moje ciało się napręża. Poddaję się temu mężczyźnie, a on nie pozwala mi się ruszyć.

– Myślę, że jesteś już wystarczająco czysta – mruczy i nieruchomieje.

Co? Nie! Nie! Nie! Mój oddech jest nierówny.

– Dlaczego przestałeś? – dyszę.

– Ponieważ mam w stosunku do ciebie inne plany, Anastasio.

– Co… o rety… ale… ja właśnie… to nie w porządku.

– Odwróć się. Ja też chcę zostać umyty – szepcze.

Och! Odwracam się twarzą do niego i jestem zaskoczona widząc, że trzyma członek mocno w dłoni. Otwieram usta ze zdziwienia.

– Chcę, żebyś się dobrze zaznajomiła z moją ulubioną i najcenniejszą częścią ciała. Jestem do niej bardzo przywiązany.

Jest taki duży i nabrzmiały. Wystaje ponad poziom wody, która pluska wokół jego bioder. Spoglądam na Christiana i staję oko w oko z jego diabelskim uśmieszkiem. Bawi go moje zdumienie. Zdaję sobie sprawę z tego, że się gapię. Przełykam ślinę. To było we mnie! Niemożliwe. Chce, żebym go dotknęła. Hmm… Dobra, niech będzie.

Uśmiecham się do niego i sięgam po żel, wyciskając trochę na dłoń. Robię to, co on, zacierając dłonie, aż wytworzy się piana. Nie spuszczam z niego wzroku. Usta mam rozchylone, aby łatwiej mi było oddychać… Specjalnie lekko przygryzam dolną wargę, a potem przesuwam po niej językiem. Jego oczy są poważne, ciemne i otwierają się szerzej, gdy muskam wargę językiem. Sięgam i oplatam go dłonią, naśladując jego chwyt. Na sekundę zamyka oczy. O kurczę… Jest twardszy, niż się spodziewałam. Ściskam, a on kładzie swą dłoń na mojej.

– Tak – szepcze i porusza dłonią w górę i w dół, mocno ściskając moje palce, które go oplatają. Znów zamyka oczy i słyszę, że oddech uwiązł mu w gardle. Gdy je otwiera, jego wzrok ma kolor płomiennej, stopniałej szarości. – Właśnie tak, maleńka.

Puszcza moją rękę, pozwalając, bym kontynuowała sama, i zamyka oczy, gdy przesuwam dłoń w górę i w dół. Wysuwa nieznacznie biodra w moim kierunku i odruchowo chwytam go mocniej. Niski jęk wydobywa się z jego gardła. Pieprzyć mnie w usta… hmm. Pamiętam jak wsunął mi kciuk do ust i kazał ssać, mocno. Zaczyna oddychać coraz szybciej i lekko rozchyla wargi. Jego oczy pozostają zamknięte, a ja pochylam się i obejmuję jego męskość ustami i nieśmiało zaczynam ssać, muskając koniuszek językiem.

– Ooch… Ana. – Otwiera gwałtownie oczy, a ja ssę mocniej.

Hmm… Jest jednocześnie miękki i twardy, jak stal owinięta aksamitem, i zadziwiająco smaczny: słonawy i delikatny.

– Chryste – jęczy i znów zamyka oczy.

Pochylając się jeszcze bardziej, wkładam go do ust. Znów słyszę jęk. Ha! Moja wewnętrzna bogini jest podekscytowana. Umiem to robić. Umiem pieprzyć go ustami. Ponownie owijam język wokół główki, a on unosi biodra. Oczy ma teraz otwarte. Zaciska zęby, ponownie się wyginając, a ja wkładam go głębiej do ust, wspierając się na jego udach. Czuję, jak napina mięśnie nóg. Chwyta moje kucyki i teraz naprawdę zaczyna się poruszać.

– Och… mała… to wspaniałe – mruczy. Ssę mocniej, oplatając język wokół żołędzi. Osłaniając zęby wargami, zaciskam usta. Nad sobą słyszę syknięcie, a zaraz po nim jęk.

– Jezu. Jak daleko się posuniesz? – szepcze.

Hmm… Wciągam go głębiej do ust, aż czuję w gardle, i znów wypuszczam. Mój język zawija się wokół żołędzi. To mój własny lód o smaku Christiana Greya. Ssę mocniej i mocniej, wkładając go głębiej i głębiej, i owijam językiem raz za razem. Hmm… Nie miałam pojęcia, że sprawianie przyjemności może być tak podniecające; patrzę, jak wije się delikatnie w zmysłowym pragnieniu. Moja wewnętrzna bogini tańczy właśnie merengue z dodatkowymi krokami salsy.

– Anastasio, zaraz dojdę w twoich ustach – ostrzega, dysząc. – Jeśli tego nie chcesz, przerwij. – Znów wygina biodra, jego oczy są szeroko otwarte, uważne i pełne bezwstydnej żądzy. Pragnie mnie. Moich ust… O matko.

A niech to. Jego dłonie naprawdę mocno chwytają moje włosy. Mogę to zrobić. Pcham jeszcze mocniej i w momencie niezwykłej pewności odsłaniam zęby. To doprowadza go do ostateczności. Krzyczy i zastyga, a ja czuję ciepły, słonawy płyn spływający mi do gardła. Połykam go szybko. Uch… nie jestem do tego stuprocentowo przekonana. Ale jeden rzut oka i świadomość, że on rozpada się na kawałki dzięki mnie, i już się nie przejmuję. Opieram się i patrzę na niego, a w kącikach moich ust czai się triumfalny uśmiech. Christian oddycha nierówno. Otwiera oczy i wpatruje się we mnie.

– Nie masz odruchu wymiotnego? – pyta zaszokowany. – Chryste, Ana… to było… dobre, naprawdę dobre, choć niespodziewane. – Marszczy brwi. – Wiesz, nie przestajesz mnie zadziwiać.

Uśmiecham się i celowo przygryzam wargę. Patrzy na mnie podejrzliwie.

– Robiłaś to już wcześniej?

– Nie. – I nie potrafię ukryć dumy.

– To dobrze – mówi z zadowoleniem i chyba również z ulgą. – Kolejny pierwszy raz, panno Steele. – Patrzy na mnie badawczo. – Dostajesz szóstkę z umiejętności oralnych. Chodź do łóżka, jestem ci winien orgazm.

Orgazm! Kolejny!

Szybko wychodzi z wanny, pozwalając mi pierwszy raz obejrzeć bosko zbudowanego Adonisa, to znaczy Christiana Greya, w pełnej krasie. Moja wewnętrzna bogini przestała tańczyć i również się wpatruje z otwartymi ustami, lekko się śliniąc. Jego erekcja lekko przygasła, lecz nadal robi wrażenie… o rany. Owija mały ręcznik wokół bioder, zasłaniając to, co najważniejsze, i trzyma większy, miękki biały ręcznik dla mnie. Wychodząc z wanny, wspieram się na podanej mi ręce. Christian owija mnie ręcznikiem, przyciąga do siebie i mocno całuje, wsuwając język do ust. Chcę go objąć… dotknąć, ale ręce mam uwięzione przez ręcznik. Przechyla moją głowę, penetrując językiem usta, a ja zaczynam podejrzewać, że być może wyraża w ten sposób swoją wdzięczność za mojego pierwszego loda. O rany!

Odsuwa się, trzymając ręce po obu stronach mojej twarzy, wpatrując mi się intensywnie w oczy. Wydaje się zagubiony.

– Zgódź się – szepcze z zapałem.

Marszczę czoło, gdyż nie rozumiem.

– Na co?

– Na nasz układ. Na zostanie moją. Proszę, Ana – szepcze, błagalnie podkreślając moje imię. Znów mnie całuje, słodko, namiętnie, a potem odsuwa się i patrzy, lekko mrugając. Bierze mnie za rękę i prowadzi z powrotem do sypialni, a ponieważ nogi się pode mną uginają, posłusznie idę za nim. Zdumiona. On naprawdę tego chce.

W sypialni wpatruje się we mnie, gdy stoimy obok łóżka.

– Ufasz mi? – pyta nagle. Kiwam głową, patrząc szeroko otwartymi oczami, i nagle zdaję sobie sprawę, że to prawda. Ufam mu. Co on ma zamiar mi zrobić? Przeszywa mnie niemal elektryczny dreszcz.

– Grzeczna dziewczynka – mruczy, gładząc moją dolną wargę. Oddala się do garderoby i wraca ze srebrno- -szarym jedwabnym krawatem. – Złóż ręce przed sobą – rozkazuje, zdejmując ze mnie ręcznik i rzucając go na podłogę.

Robię, co każe, a on związuje moje nadgarstki, mocno zaciskając krawat. Jego oczy rozświetla dzikie podniecenie. Pociąga za węzeł. Solidny. Musiał być niezłym harcerzem, skoro nauczył się takich węzłów. Co teraz? Mój puls przyspiesza stukrotnie, a serce wali jak oszalałe. Muska dłonią moje kucyki.

– Wyglądasz w nich tak młodo.

Instynktownie cofam się, aż czuję łóżko za kolanami. Zrzuca swój ręcznik, ale nie mogę oderwać wzroku od jego oczu, pełnych pożądania.

– Och, Anastasio, co ja z tobą zrobię? – szepcze i opuszcza mnie na łóżko, a potem kładzie się koło mnie i unosi moje ręce za głowę. – Trzymaj ręce w górze, nie ruszaj nimi, rozumiesz? – Jego oczy wwiercają się w moje, a mnie intensywność doznań zapiera dech w piersiach. Tego faceta nie chciałabym zdenerwować… nigdy.

– Odpowiedz – mówi łagodnym głosem.

– Nie ruszę rękami. – Ledwie łapię oddech.

– Grzeczna dziewczynka – mruczy i rozmyślnie powoli oblizuje usta. Hipnotyzuje mnie widok jego języka prześlizgujacego się po górnej wardze. Christian patrzy mi prosto w oczy, obserwuje, ocenia. Pochyla się i składa na moich ustach szybki pocałunek. – Wycałuję cię całą, panno Steele – mówi miękko, chwytając w dłoń moją brodę i unosząc tak, by mieć dostęp do szyi. Jego usta przesuwają się po niej, całując, ssąc i podgryzając aż do małego zagłębienia u jej podstawy. Moje ciało staje na baczność… każdy jego fragment. Niedawne doświadczenie w wannie niezwykle uwrażliwiło moją skórę. Podgrzana krew zbiera się w dole brzucha, pomiędzy nogami, dokładnie Tam. Wydaję jęk.

Chcę go dotknąć. Poruszam rękami i dość niezdarnie, zważywszy na to, że jestem skrępowana, dotykam jego włosów. Przestaje mnie całować i patrzy na mnie uważnie, potrząsając głową i cmokając z dezaprobatą. Sięga po moje ręce i układa je ponownie nad moją głową.

– Nie ruszaj rękami, bo będziemy musieli zaczynać wszystko od początku – gani mnie lekko. Och, jak on się ze mną drażni.

– Chcę cię dotknąć. – Mój głos jest chropawy, pozbawiony kontroli.

– Wiem – szepcze. – Trzymaj ręce nad głową – rozkazuje zdecydowanym głosem.

Ponownie chwyta moją brodę i zaczyna całować szyję, tak jak przedtem. Och... to takie frustrujące. Przesuwa dłonie w dół mojego ciała, wokół piersi i dociera ustami do zagłębienia u podstawy szyi. Wierci w nim czubkiem nosa, a potem zaczyna bardzo powolną podróż ustami, zmierzając na południe, podążając szlakiem swych rąk, w dół mostka aż do piersi. Każdą z nich osobno całuje i przygryza, a sutki delikatnie ssie. O niebiosa. Moje biodra same zaczynają falować w rytm jego ust, a ja desperacko staram się pamiętać, by trzymać ręce nad głową.

– Nie ruszaj się – rzuca ostrzegawczo. Czuję jego ciepły oddech na skórze. Dotarłszy do mojego pępka, zanurza w nim język, a potem delikatnie gryzie mój brzuch. Wyginam się w łuk. – Hmm. Jesteś taka słodka, panno Steele. – Jego nos ślizga się pomiędzy moim podbrzuszem a linią włosów łonowych. Podgryza mnie lekko i drażni językiem. Gwałtownie siadając, klęka przy moich stopach i chwytając obie kostki naraz, rozsuwa mi nogi.

A niech mnie. Chwyta moją lewą stopę, zgina kolano i podnosi stopę do ust. Śledząc moją reakcję, czule całuje każdy palec, a potem gryzie lekko w opuszki. Dochodząc do małego palca, gryzie mocniej. Wiję się, skomląc. Przesuwa językiem po podbiciu, a ja nie mogę już na niego patrzeć. To zbyt erotyczne. Zaraz eksploduję. Zaciskam oczy i staram się przyjąć i znieść każde doznanie, które wywołuje. Całuje kostkę i wyżej, wzdłuż łydki, do kolana, zatrzymując się tuż nad nim. Wówczas przechodzi do prawej stopy, powtarzając cały uwodzicielski, oszałamiający proces.

– Och… proszę – jęczę, gdy gryzie mały palec, a doznanie rezonuje głęboko w mym podbrzuszu.

– Wszystko, co dobre, panno Steele – szepcze.

Tym razem nie zatrzymuje się na kolanie, lecz kontynuuje trasę wzdłuż wewnętrznej strony uda i rozsuwając mi nogi. Wiem, co teraz zrobi i część mnie chce go odepchnąć, ponieważ jestem zawstydzona, zażenowana. Będzie mnie całował Tam! Wiem to. A część mnie upaja się słodkim oczekiwaniem. Christian wraca do drugiego kolana i obsypuje je pocałunkami, posuwając się w górę, całując, liżąc, ssąc i już jest między nogami, muskając moją kobiecość nosem, bardzo czule, bardzo delikatnie. Wiję się… o rany.

Nieruchomieje i czeka, aż się uspokoję. Więc się uspokajam i spoglądam na niego z otwartymi ustami, a moje serce chce wyskoczyć z piersi.

– Czy wiesz, jak odurzająco pachniesz, panno Steele? – mruczy i nadal patrząc mi w oczy, wsuwa nos w moje włosy łonowe i mocno się zaciąga.

Robię się purpurowa, czując, że mdleję i zamykam oczy. Nie mogę patrzeć, jak to robi!

Dmucha delikatnie na moją kobiecość. O cholera…

– Podobają mi się. – Lekko ciągnie za włoski. – Może je zostawimy.

– Och… proszę.

– Hmm… Lubię, gdy mnie błagasz, Anastasio.

Jęczę.

– Wet za wet nie jest w moim stylu, panno Steele
– szepcze, dmuchając delikatnie. – Ale zadowoliłaś mnie
dzisiaj, więc zostaniesz nagrodzona. – Przy tych słowach
szelmowsko się uśmiecha.

Gdy moje ciało śpiewa na dźwięk jego słów, jego język zaczyna zataczać kręgi wokół mojej łechtaczki, a ręce
przytrzymują uda.

– Aaa! – jęczę, a moje ciało wygina się i wpada
w konwulsje.

Kręci językiem raz za razem, przedłużając torturę.
Tracę wszelkie poczucie siebie, każdy atom mojego istnienia całkowicie koncentruje się na tej małej, potężnej
elektrowni w zwieńczeniu ud. Moje nogi sztywnieją, a on
wkłada we mnie palec. Słyszę jego warczący jęk.

– Och, maleńka, uwielbiam, że stajesz się dla mnie
taka wilgotna.

Zatacza palcem szerokie kręgi, poszerzając, rozciągając mnie, a jego język naśladuje te ruchy, wkoło i wkoło.
Jęczę. Tego już zbyt wiele... Moje ciało błaga o ulgę i nie
jestem w stanie się tego wyprzeć. Odpuszczam, tracąc
świadomość tego, co się dzieje, gdy orgazm porywa mnie
i ściska w środku raz za razem. Jasna cholera! Krzyczę,
a świat zapada się i znika z pola widzenia, gdy siła orgazmu unicestwia wszystko.

Dyszę i ledwie słyszę dźwięk rozrywanej folii. Christian bardzo powoli wchodzi we mnie i zaczyna się poruszać. O rety. Odczucie jest jednocześnie bolesne i słodkie,
gwałtowne i delikatne.

– Jak ci jest?

– W porządku, dobrze – szepczę.

I wtedy naprawdę zaczyna się poruszać, szybko, mocno i gwałtownie, wchodząc we mnie raz za razem, nieustępliwie, pchając i pchając, aż znów staję na krawędzi.

– Dojdź dla mnie, mała. – Jego głos jest szorstki, ostry, surowy dla ucha. Eksploduję wokół niego, gdy rytmicznie we mnie wchodzi.

– Cholerne dzięki – szepcze, po czym ostatni raz pcha mocno i dochodzi, wydając jęk i przywierając do mnie. Potem zamiera, a jego ciało sztywnieje.

Opada na mnie, a ja czuję, jak cały jego ciężar wgniata mnie w materac. Zakładam związane ręce wokół jego szyi i przytulam, jak umiem najlepiej. W tym momencie wiem, że zrobiłabym wszystko dla tego człowieka. Cała jestem jego. Te cuda, które mi pokazał, to więcej, niż mogłabym sobie wyobrazić. A on chce posunąć się dalej, jeszcze dalej, do miejsca, którego w swej niewinności nawet sobie nie wyobrażam. Och… co robić?

Opiera się na łokciach i patrzy na mnie intensywnie swymi szarymi oczami.

– Widzisz, jak nam dobrze razem – mruczy. – Jeśli mi się oddasz, może być jeszcze lepiej. Wierz mi, Anastasio, mogę zabrać cię do miejsc, o których istnieniu nie masz nawet pojęcia.

Jego słowa to echo moich myśli. Pociera mnie nosem. Nadal kręci mi się w głowie od tej niezwykłej, cielesnej reakcji na jego bliskość i patrzę na niego oniemiała, starając się pozbierać myśli.

Nagle oboje zdajemy sobie sprawę z głosów dochodzących z korytarza za drzwiami sypialni. Chwilę mi zajmuje zrozumienie tego, co słyszę.

– Ale jeśli jest w łóżku, to musi być chory. Nigdy nie leży w łóżku o tej porze. Christian nie ma w zwyczaju długo spać.

– Pani Grey, proszę.

– Taylor! Nie utrzymasz mnie z dala od mojego syna.

– Pani Grey, on nie jest sam.

– Jak to: nie jest sam?

– Ktoś jest u niego.

– Och… – Nawet ja słyszę nutkę niedowierzania w jej głosie.

Christian mruga szybko, wpatrując się we mnie oczami otwartymi szeroko w rozbawionym przerażeniu.

– Cholera! To moja matka.

ROZDZIAŁ DZIESIĄTY

Wychodzi ze mnie gwałtownie, a ja się krzywię. Siada na łóżku i wrzuca zużytą prezerwatywę do kosza.

– Chodź, musimy się ubrać. To znaczy jeśli chcesz poznać moją matkę. – Uśmiecha się szeroko, zeskakuje na podłogę i wciąga dżinsy. Bez bielizny! Próbuję wstać, ale nadal jestem związana.

– Christian, nie mogę się ruszyć.

Uśmiecha się jeszcze szerzej i pochyla się, by rozwiązać krawat. Faktura tkaniny odcisnęła się na moich nadgarstkach. To jest… seksowne. Wpatruje się we mnie rozbawiony, a w jego oczach tańczy radość. Szybko całuje mnie w czoło i uśmiecha się do mnie promiennie.

– Kolejny pierwszy raz – stwierdza, ale ja nie mam pojęcia, o czym mówi.

– Nie mam tu żadnych czystych ubrań. – Ogarnia mnie nagła panika i zdając sobie sprawę, czego właśnie doświadczyłam, czuję, że ta świadomość mnie przytłacza. Jego matka! Jasny gwint! Nie mam żadnych czystych ubrań, a ona praktycznie przyłapała nas na gorącym uczynku. – Może powinnam zostać tutaj?

– O nie. Możesz włożyć coś mojego. – Sam wrzucił na grzbiet białą koszulkę i przeczesał palcami fryzurę „po seksie". Pomimo przerażenia gubię wątek. Czy kiedykolwiek przyzwyczaję się do widoku tego pięknego mężczyzny? Jego uroda zwala z nóg.

– Anastasio, mogłabyś włożyć na siebie worek, a i tak wyglądałabyś przepięknie. Nie przejmuj się, proszę. Chciałbym, żebyś poznała moją matkę. Ubierz się. Ja pójdę na dół ją uspokoić. – Zaciska usta. – Oczekuję cię w pokoju za pięć minut, inaczej przyjdę i sam cię stąd wyciągnę, bez względu na to, jak będziesz ubrana. T-shirty są w komodzie, a koszule w szafie. Bierz, co chcesz! – Przez chwilę uważnie mi się przygląda, po czym wychodzi z pokoju.

A niech to. Matka Christiana. Tego nie było w negocjacjach. Może to spotkanie ułatwi nam dopięcie tej układanki. Może pozwoli mi zrozumieć, dlaczego Christian jest taki, jaki jest… Nagle czuję, że chcę ją poznać. Podnoszę z podłogi swoją koszulę i z radością stwierdzam, że przetrwała wczorajszą noc prawie bez zagnieceń. Znajduję pod łóżkiem niebieski stanik i szybko się ubieram. Jest jednak coś, czego nienawidzę: niemożność założenia czystych majtek. Szperam w komodzie Christiana i znajduję obcisłe bokserki. Zakładam obcisłą szarą bieliznę Calvina Kleina, wciągam swoje dżinsy i conversy.

Łapiąc w locie żakiet, wpadam do łazienki i patrzę na moje rozświetlone oczy, zaróżowioną twarz i włosy! Jasny gwint… Kucyki w stylu „po seksie" też mi nie pasują. Szukam w szafce szczotki i znajduję grzebień. Musi wystarczyć. Jedynym wyjściem jest kucyk. Rozpaczam nad swoim strojem. Może powinnam skorzystać z ubraniowej oferty Christiana. Moja podświadomość kpiąco wydyma wargi. Ignoruję ją. Szamocząc się z żakietem, cieszę się, że rękawy zakrywają znamienne ślady po krawacie. Rzucam ostatnie spojrzenie w lustro. To będzie musiało wystarczyć. Udaję się do salonu.

– A oto i ona. – Christian wstaje z sofy, na której zdążył się rozsiąść.

Na jego twarzy malują się ciepło i uznanie. Siedząca obok kobieta o piaskowych włosach odwraca się i posy-

ła mi szeroki, promienny uśmiech. Ona również wstaje.
Jest nienagannie ubrana w delikatną dzianinową sukienkę w wielbłądzim kolorze i dobrane kolorystycznie buty.
Wygląda zadbanie, elegancko i pięknie, a ja w środku
lekko zamieram, przypominając sobie, że sama wyglądam
jak nieboskie stworzenie.

– Mamo, to Anastasia Steele. Anastasio, to Grace
Trevelyan-Grey.

Dr Trevelyan-Grey wyciąga do mnie rękę. T... jak
Trevelyan?

– Miło panią poznać – mówi cicho. Jeśli się nie mylę,
w jej głosie słychać cień zdumienia i ulgi, a w piwnych
oczach dostrzegam ciepły blask. Ujmuję jej dłoń i po prostu muszę się uśmiechnąć, odwzajemniając życzliwość.

– Doktor Trevelyan-Grey – bąkam.

– Mów mi Grace. – Uśmiecha się, a Christian marszczy brwi. – Zwykle jestem doktor Trevelyan, a pani Grey
to moja teściowa. – Puszcza do mnie oko. – Więc jak się
poznaliście? – Spogląda pytająco na Christiana, nie kryjąc
ciekawości.

– Anastasia przeprowadzała ze mną wywiad dla gazety studenckiej WSU, ponieważ w tym tygodniu będę
tam wręczał dyplomy.

Kuźwa do kwadratu. Zupełnie o tym zapomniałam.

– A więc kończy pani studia? – pyta Grace.

– Tak.

Dzwoni moja komórka. Założę się, że to Kate.

– Przepraszam. – Telefon jest w kuchni. Odchodzę
i pochylam się nad barem śniadaniowym, nie sprawdzając
numeru.

– Kate.

– *Dios mio*! Ana! – Jasny gwint, to José. W jego głosie
słychać desperację. – Gdzie jesteś? Próbowałem się z tobą
skontaktować. Muszę się z tobą zobaczyć i przeprosić za

swoje piątkowe zachowanie. Dlaczego nie odbierasz moich telefonów?

– Słuchaj, José, to nie jest odpowiedni moment. – Zerkam z obawą na Christiana, który intensywnie się we mnie wpatruje, ze spokojem na twarzy szepcząc coś do swojej matki. Odwracam się do niego plecami.

– Gdzie jesteś? Kate odpowiada tak wymijająco – skomle.

– W Seattle.

– Co robisz w Seattle? Jesteś z nim?

– José, zadzwonię później. Nie mogę teraz z tobą rozmawiać. – Rozłączam się.

Wracam nonszalancko do Christiana i jego rozgadanej matki.

– ...i Elliot zadzwonił powiedzieć, że jesteś. Nie widziałam cię przez dwa tygodnie, kochany.

– Dzwonił, tak? – szemrze Christian, wpatrując się we mnie z nieodgadnionym wyrazem twarzy.

– Pomyślałam, że moglibyśmy zjeść razem lunch, ale widzę, że masz inne plany, a ja nie chcę burzyć ci dnia. – Podnosi długi kremowy płaszcz i odwraca się do Christiana, nadstawiając policzek. On całuje ją szybko, czule. Ona go nie dotyka.

– Muszę zawieźć Anastasię z powrotem do Portland.

– Oczywiście, kochanie. Anastasio, miło mi było cię poznać. Mam nadzieję, że się jeszcze zobaczymy. – Z błyskiem w oku wyciąga do mnie dłoń i żegnamy się.

Taylor pojawia się... skąd?

– Pani Grey? – pyta.

– Dziękuję, Taylor. – Wyprowadza ją przez dwuskrzydłowe drzwi do holu. Taylor był tu przez cały czas? Od jak dawna tu jest? Gdzie był do tej pory?

Christian rzuca mi gniewne spojrzenie.

– A więc fotograf dzwonił.

Cholera.

– Tak.

– Czego chciał?

– Tylko przeprosić, no wiesz, za piątek.

Christian mruży oczy.

– Rozumiem – mówi tylko.

Ponownie pojawia się Taylor.

– Panie Grey, jest problem z transportem do Darfuru.

– Charlie Tango z powrotem na Boeing Field?

– Tak, proszę pana.

Taylor kiwa głową w moją stronę.

– Panno Steele.

Uśmiecham się do niego nieśmiało, a on odwraca się i wychodzi.

– Czy on tu mieszka? Taylor?

– Tak – odpowiada Christian zdawkowo. O co mu chodzi?

Idzie do kuchni, sięga po BlackBerry i przegląda jakieś mejle, w każdym razie coś, co wygląda na mejle. Z zaciśniętymi ustami wykonuje telefon.

– Ros, co to za problem? – rzuca. Słucha, patrząc na mnie badawczo szarymi oczami, kiedy tak stoję pośrodku wielkiego pokoju, zastanawiając się, co ze sobą zrobić, czując się niezwykle niezręcznie i nie na miejscu. – Nie będę narażał żadnej z załóg. Nie, odwołaj... Zamiast tego zrzucimy z powietrza... Dobrze. – rozłącza się. Ciepło w jego oczach zniknęło. Wygląda złowrogo i po jednym zerknięciu na mnie udaje się do gabinetu i wraca chwilę później. – To jest kontrakt. Przeczytaj go i omówimy go w przyszły weekend. Sugeruję, żebyś poszperała trochę, żeby wiedzieć, z czym to się wiąże. – Tu robi pauzę. – To znaczy jeśli się zgodzisz, a ja mam wielką nadzieję, że tak. – Kiwa głową, a jego ton staje się łagodniejszy, zatroskany.

– Poszperać?

– Zdziwisz się, co można znaleźć w Internecie – wyjaśnia.

Internet! Nie mam dostępu do komputera, jedynie do laptopa Kate, a nie mogę użyć komputera u Claytona, na pewno nie do takiego „szperania".

– O co chodzi? – pyta, przechylając głowę.

– Nie mam komputera. Może Kate mi użyczy laptopa.

Podaje mi szarą kopertę.

– Na pewno mogę ci jakiś... eee... pożyczyć. Weź rzeczy, to zawiozę cię do Portland, a po drodze zjemy jakiś lunch. Muszę się przebrać.

– Tylko zadzwonię – mówię cicho. Chcę usłyszeć głos Kate. On marszczy brwi.

– Fotograf? – Ma zaciśnięte usta, a oczy mu płoną. – Nie lubię się dzielić, panno Steele. Pamiętaj o tym. – Jego cichy, chłodny ton brzmi ostrzegawczo i posyłając mi długie, chłodne spojrzenie, Christian wychodzi z pokoju.

Rany boskie. Chciałam tylko zadzwonić do Kate. Chcę za nim krzyknąć, ale jego nagła rezerwa mnie sparaliżowała. Co się stało z tym szczodrym, zrelaksowanym, uśmiechniętym człowiekiem, który kochał się ze mną niespełna pół godziny temu?

– GOTOWA? – PYTA CHRISTIAN I STAJEMY przed drzwiami do holu.

Kiwam niepewnie głową. Ponownie przyjął swoją chłodną, uprzejmą, spiętą postawę, jego maska powróciła i jest wyraźnie widoczna. Ma ze sobą skórzaną torbę na ramię. Po co mu ona? Może zostaje w Portland? I wtedy przypominam sobie o uroczystości zakończenia studiów. No tak... Będzie tam w czwartek. Włożył czarną skórzaną kurtkę. W tym stroju z pewnością nie wygląda na multimilionera, miliardera czy innego „era". Wygląda jak chłopak z szemranej dzielnicy, może niegrzeczny rockman albo model z wybiegu. Wzdycham, żałując, że nie mam choćby jednej dziesiątej jego pewności siebie. Jest taki spokojny i opanowany. Marszczę czoło na wspomnienie jego wybuchu w odniesieniu do José... No cóż, przynajmniej wygląda na spokojnego i opanowanego.

– A więc do jutra – rzuca Christian do Taylora, który w odpowiedzi kiwa głową.

– Tak, proszę pana. Który samochód pan bierze? Zerka na mnie.

– R8.

– Bezpiecznej podróży, panie Grey. Panno Steele. – Taylor patrzy na mnie uprzejmie, ale w jego oczach dostrzegam cień współczucia.

Niewątpliwie myśli, że uległam podejrzanym seksualnym zwyczajom pana Greya. Jeszcze nie, dopiero jego wyjątkowym zwyczajom, no chyba że dla wszystkich seks tak wygląda. Na myśl o tym marszczę czoło. Nie mam porównania, a nie mogę zapytać Kate. Tę kwestię będę musiała poruszyć z Christianem. To naturalne, że powinnam z kimś porozmawiać – a nie mogę porozmawiać z nim, skoro raz jest taki otwarty, a za chwilę zupełnie nieprzystępny.

Taylor otwiera nam drzwi i prowadzi na zewnątrz. Christian przywołuje windę.

– O co chodzi, Anastasio? – Skąd wie, że przetrawiam coś w myślach? Unosi moją brodę. – Przestań przygryzać wargę, inaczej przelecę cię w windzie bez względu na to, kto z nami wsiądzie.

Czerwienię się, ale dostrzegam uśmiech w kąciku jego ust, nareszcie jego humor wydaje się zmieniać.

– Christian, mam problem.

– Tak? – Poświęca mi uwagę bez reszty.

Przyjeżdża winda. Wsiadamy i Christian naciska przycisk oznaczony literką P.

– Więc tak. – Czerwienię się. Jak to powiedzieć? – Muszę porozmawiać z Kate. Mam tyle pytań na temat seksu, a ty jesteś taki zajęty. Jeśli chcesz, żebym robiła wszystkie te rzeczy, skąd mam wiedzieć... – Urywam, szukając odpowiednich słów. – Po prostu nie mam żadnego punktu odniesienia.

Przewraca oczami.

– Porozmawiaj z nią, jeśli musisz. – Chyba się zirytował. – Ale upewnij się, że nie wspomni o niczym Elliotowi.

Oburzam się, słysząc taką insynuację. Kate nie jest taka.

– Nie zrobiłaby tego, a ja nie powtórzyłabym tobie nic, co ona mówi o Elliocie. Gdyby mi, oczywiście, cokolwiek powiedziała – dodaję szybko.

– Cóż, różnica polega na tym, że ja o jego życiu seksualnym nie chcę nic wiedzieć. Elliot to ciekawski drań. Ale tylko o tym, co robiliśmy do tej pory – ostrzega. – Prawdopodobnie wyrwałaby mi jaja, gdyby wiedziała, co chcę z tobą zrobić – dodaje tak łagodnie, że nie jestem pewna, czy powinnam to słyszeć.

– W porządku. – Zgadzam się od razu, uśmiechając się do niego z ulgą. Wizja Kate z jajami Christiana nie wydaje mi się kusząca.

Lekko wykrzywia usta i potrząsa głową.

– Im szybciej będę miał twoje posłuszeństwo, tym lepiej, i skończymy wtedy z tym wszystkim – mruczy.

– Skończymy z czym?

– Z twoim sprzeciwianiem się mnie. – Chwyta mnie za brodę i składa na moich ustach delikatny, słodki pocałunek dokładnie w momencie, gdy drzwi windy się rozsuwają. Za rękę prowadzi mnie do podziemnego garażu.

Ja mu się sprzeciwiam... jak?

Obok windy widzę czarne audi z napędem na cztery koła, ale to stylowy, sportowy wóz wydaje dźwięk i mruga światłami, gdy Christian kieruje w jego stronę pilota. To jeden z tych samochodów, na których masce powinna leżeć długonoga blondynka przepasana jedynie szarfą.

– Ładny samochód – rzucam oschle.

Zerka na mnie i uśmiecha się szeroko.

– Wiem – odpowiada i na ułamek sekundy powraca słodki, młody, beztroski Christian. Robi mi się cieplej na sercu. Jest tak podekscytowany. Ach, chłopcy i ich zabawki. Przewracam oczami, ale nie potrafię powstrzymać uśmiechu. Otwiera przede mną drzwi, a ja wsiadam do środka. Uuu... jak nisko. Obchodzi samochód ze swobodnym wdziękiem i elegancko sadza swe długie ciało obok mnie. Jak on to robi?

– Jaki to samochód?

– Audi R8 Spyder. Jest piękny dzień, więc możemy opuścić dach. Tam jest bejsbolówka, a właściwie powinny być dwie. – Wskazuje na schowek. – I okulary przeciwsłoneczne, jeśli chcesz.

Przekręca kluczyk i słyszę warkot silnika. Christian kładzie torbę za naszymi siedzeniami, naciska przycisk i dach powoli się składa. Po jednym kliknięciu otacza nas głos Bruce'a Springsteena.

– Nie można nie kochać Bruce'a – szczerzy się do mnie, po czym wyjeżdża z miejsca parkingowego i w górę po rampie, gdzie zatrzymuje się przed szlabanem.

Wyjeżdżamy na ulice Seattle w jasny, majowy poranek. Sięgam do schowka i wyjmuję czapki. Mariners. Lubi baseball? Podaję mu czapkę, a on ją zakłada. Przekładam swój kucyk przez otwór z tyłu i opuszczam nisko daszek.

Ludzie gapią się na nas, gdy przejeżdżamy ulicami. Przez chwilę myślę, że na niego... A potem paranoiczna część mnie myśli, że na mnie, ponieważ wiedzą, co robiłam przez ostatnie dwanaście godzin, ale w końcu zdaję sobie sprawę, że patrzą na samochód. Christian chyba tego nie zauważa, pogrążony w myślach.

Ruch jest niewielki i wkrótce docieramy do autostrady I-5, prowadzącej na południe, a wiatr omiata nam głowy. Bruce śpiewa o rozpaleniu i podnieceniu. Jak trafnie! Czerwienię się, słuchając słów piosenki. Christian zerka na mnie. Ma na nosie ray-bany, więc nie mogę nic wyczytać z jego oczu. Jego usta drgają minimalnie. Kładzie rękę na moim kolanie, lekko je ściskając.

– Głodna?

No, na jedzenie akurat nie mam ochoty.

– Niespecjalnie.

Zaciska usta w cienką linię.

– Musisz jeść, Anastasio – beszta mnie. – Znam świetne miejsce niedaleko Olimpii. Tam się zatrzymamy. – Znów ściska moje kolano, a potem kładzie rękę z powrotem na kierownicy i dociska gaz. Wdusza mnie w fotel. Rany, ależ ten samochód sunie.

Restauracja jest mała i kameralna, właściwie to drewniana chata w środku lasu. Wystrój jest rustykalny: krzesła każde z innej parafii i stoły pokryte kraciastymi obrusami z polnymi kwiatami w wazonach. *Cuisine Sauvage** – głosi napis nad wejściem.

– Dawno tu nie byłem. Nie ma tu wielkiego wyboru, przyrządzają to, co złapali albo zebrali. – Unosi brwi, udając przerażenie, a ja muszę się zaśmiać. Kelnerka przyjmuje zamówienie na napoje. Czerwieni się, widząc Christiana. Unika kontaktu wzrokowego z nim, chowając się pod długą, jasną grzywką. Podoba jej się! Więc nie tylko mnie!

– Dwa kieliszki Pinot Grigio – mówi Christian tonem znawcy.

---

* *Cuisine sauvage* – po francusku „dzika kuchnia".

Wydymam wargi zirytowana.

– Co? – rzuca.

– Poproszę dietetyczną colę – szepczę.

Mruży szare oczy i potrząsa głową.

– Pinot Grigio, które tu podają, to dobre wino i będzie pasowało do posiłku, cokolwiek dostaniemy – tłumaczy cierpliwie.

– Cokolwiek dostaniemy?

– Tak. – Uśmiecha się, przechylając głowę, a mój żołądek wykonuje salto. Nie mogę nie odwzajemnić tak wspaniałego uśmiechu. – Spodobałaś się mojej matce – dorzuca chłodno.

– Naprawdę? – Czerwienię się pod wpływem jego słów.

– O tak. Zawsze myślała, że jestem gejem.

Otwieram usta ze zdziwienia i przypominam sobie to pytanie z wywiadu. Och, nie.

– Dlaczego myślała, że jesteś gejem? – pytam cicho.

– Ponieważ nigdy nie widziała mnie z dziewczyną.

– Och… z żadną z tych piętnastu?

Uśmiecha się.

– Zapamiętałaś. Nie, z żadną z piętnastu.

– Och.

– Wiesz, Anastasio, dla mnie to też był weekend pierwszych razów.

– Tak?

– Nigdy z nikim nie spałem, nigdy nie uprawiałem seksu w swoim łóżku, nigdy nie zabrałem dziewczyny do Charliego Tango, nigdy nie przedstawiłem kobiety mojej matce. Co ty ze mną robisz? – Jego oczy płoną, zaś intensywność ich spojrzenia zapiera mi dech w piersiach.

Kelnerka wraca z kieliszkami wina, a ja od razu upijam łyk. Czy on się otwiera, czy jedynie dzieli się zwykłym spostrzeżeniem?

– Naprawdę dobrze się bawiłam w ten weekend – mówię cicho.

– Przestań przygryzać tę wargę – warczy. – Ja też – dodaje.

– Co to jest waniliowy seks? – pytam, żeby tylko nie skupiać się na tym intensywnym, palącym, seksownym spojrzeniu, którym mnie obdarza. Śmieje się.

– Czysty seks, Anastasio. Żadnych zabawek ani dodatków. – Wzrusza ramionami. – No wiesz... a właściwie nie wiesz, ale to jest właśnie to.

– Och. – Myślałam, że nasz seks był czekoladowy z sosem karmelowym i wisienką na wierzchu. Ale co ja tam mogę wiedzieć.

Kelnerka przynosi nam zupę i oboje wpatrujemy się w nią podejrzliwie.

– Zupa z pokrzyw – informuje nas, po czym odwraca się gwałtownie i wraca do kuchni. Chyba nie podoba jej się, że Christian ją ignoruje. Niepewnie próbuję zupy. Jest pyszna. Dokładnie w tym samym momencie oboje z Christianem spoglądamy na siebie z ulgą. Chichoczę, a on przekrzywia głowę.

– To piękny dźwięk – mruczy.

– Dlaczego wcześniej nie uprawiałeś waniliowego seksu? Czy zawsze robiłeś... eee, to co robisz? – pytam zaintrygowana.

Wolno kiwa głową.

– Tak jakby – mówi ostrożnie. Przez chwilę marszczy brwi i zdaje się prowadzić jakąś wewnętrzną walkę. Wreszcie patrzy na mnie, podjąwszy decyzję. – Jedna z koleżanek mojej matki uwiodła mnie, gdy miałem piętnaście lat.

– Och. – Cholera, wcześnie!

– Miała bardzo szczególne upodobania. Byłem jej uległym przez sześć lat. – Wzrusza ramionami.

– Och. – To wyznanie mnie sparaliżowało.

– Tak więc wiem, z czym się to wiąże, Anastasio. –
W jego oczach maluje się zrozumienie.

Patrzę na niego, nie mogąc wydobyć z siebie głosu.
Nawet moja podświadomość milczy.

– Moje pierwsze spotkanie z seksem trudno uznać
za przeciętne.

Zwycięża ciekawość.

– Nie spotykałeś się z nikim w college'u?

– Nie. – Kręci głową, podkreślając to jedno słowo.

Na chwilę naszą rozmowę przerywa kelnerka, która
przyszła po talerze.

– Dlaczego? – pytam, kiedy zostajemy sami.

Christian uśmiecha się sardonicznie.

– Naprawdę chcesz wiedzieć?

– Tak.

– Nie miałem ochoty. Ona była wszystkim, czego
pragnąłem, czego potrzebowałem. Poza tym sprałaby
mnie za coś takiego na kwaśne jabłko. – Uśmiecha się
ciepło na to wspomnienie.

Ooch, to zdecydowanie zbyt dużo informacji – ale
chcę więcej.

– Skoro to była koleżanka twojej matki, ile miała
wtedy lat?

Uśmiecha się znacząco.

– Wystarczająco dużo, aby mieć więcej rozumu.

– Nadal się z nią spotykasz?

– Tak.

– Czy wy nadal… eee… – Oblewam się rumieńcem.

– Nie. – Kręci głową i obdarza mnie pobłażliwym
uśmiechem. – Przyjaźnimy się.

– Och. Twoja matka wie?

Jego spojrzenie mówi: zwariowałaś?

– Oczywiście, że nie.

Kelnerka wraca z sarniną, ale ja nie mam już apetytu. Cóż za rewelacja. Christian uległym... W mordę jeża. Pociągam spory łyk Pinot Grigio – oczywiście ma rację, wino jest przepyszne. Jezu, teraz to dopiero mam o czym myśleć. Potrzebuję czasu, aby to wszystko przetrawić, czasu na osobności, a nie kiedy rozprasza mnie jego obecność. To samiec alfa, niezwykle dominujący, a teraz do naszego równania dorzucił jeszcze to. Wie, co to znaczy uległość.

– Ale to nie był stały układ? – W głowie mam mętlik.

– Był, chociaż nie spotykaliśmy się codziennie. Było... trudno. W końcu chodziłem jeszcze do szkoły, a potem do college'u. Jedz, Anastasio.

– Naprawdę nie jestem głodna, Christianie. – Niedobrze mi od twoich rewelacji.

Zaciska usta.

– Jedz – rzuca cicho, zbyt cicho.

Patrzę na niego. W głosie tego mężczyzny, wykorzystywanego seksualnie w wieku młodzieńczym, słychać teraz groźbę.

– Za chwilkę – mamroczę.

On mruga kilka razy.

– W porządku – odpowiada i zabiera się za swoje danie.

Tak właśnie będzie, jeśli podpiszę umowę: nieustanne wydawanie poleceń. Marszczę brwi. Rzeczywiście tego chcę? Sięgam po sztućce i z wahaniem kroję kawałek mięsa. Jest bardzo smaczne.

– Czy tak będzie wyglądać nasz... eee... związek? – pytam szeptem. – Ciągłe rozkazy? – Nie jestem w stanie spojrzeć mu w oczy.

– Tak – odpowiada cicho.

– Rozumiem.

– Co więcej, będziesz tego chciała – dodaje.

Szczerze wątpię. Odkrawam kolejny kawałek sarniny i podnoszę widelec do ust.

– To ważny krok – mówię, a potem jem.

– Zgadza się. – Na chwilę zamyka oczy. Kiedy je otwiera, maluje się w nich powaga. – Anastasio, musisz postąpić tak, jak ci każe instynkt. Poszperaj w Internecie, przeczytaj umowę; chętnie omówię z tobą każdy jej aspekt. Gdybyś chciała porozmawiać przed piątkiem, będę w Portland. Zadzwoń do mnie, może uda nam się zjeść razem kolację, powiedzmy... w środę? Naprawdę chcę, aby to wypaliło. Prawda jest taka, że nigdy niczego nie pragnąłem aż tak bardzo.

W jego oczach widać szczerość i pragnienie. I tego właśnie nie potrafię zrozumieć. Dlaczego ja? Czemu nie jedna z tej piętnastki? O nie... Ja też stanę się numerem? Szesnastym z wielu?

– Co się stało z tamtymi piętnastoma? – wyrzucam z siebie.

Unosi ze zdziwieniem brwi, po czym zrezygnowany kręci głową.

– Różne rzeczy, ale sprowadza się to do... – urywa, jakby szukał w myślach odpowiedniego słowa. – ... niedopasowania. – Wzrusza ramionami.

– I uważasz, że ja będę do ciebie pasować?

– Tak.

– Więc nie spotykasz się już z żadną z nich?

– Nie, Anastasio. Jestem monogamistą.

Och... a to nowina.

– Rozumiem.

– Poszperaj w necie, Anastasio.

Odkładam sztućce. Więcej nie dam rady zjeść.

– To wszystko? Tyle tylko zamierzasz zjeść?

Kiwam głową. Christian robi gniewną minę, ale nic nie mówi. Oddycham z ulgą. Żołądek skręca mi się od tych wszystkich nowin, a od wina trochę kręci mi się w głowie. Patrzę, jak zjada swoją porcję. Ależ on ma apetyt. Sporo musi ćwiczyć, aby mieć taką fantastyczną sylwetkę. Oczami wyobraźni widzę, jak spodnie od piżamy zwisają mu z bioder. Strasznie mnie ta wizja rozprasza. Poprawiam się na krześle. Christian podnosi na mnie wzrok, a ja oblewam się rumieńcem.

– Oddałbym wszystko, aby się dowiedzieć, o czym teraz myślisz – mruczy.

Moje policzki robią się jeszcze bardziej czerwone, a on uśmiecha się szelmowsko.

– Cieszę się, że nie potrafisz czytać mi w myślach.

– W myślach nie, Anastasio, ale ciało... Cóż, udało mi się je poznać całkiem dobrze – mówi znacząco. Jak on to robi, że tak szybko przeskakuje z jednego nastroju w drugi? Jest taki zmienny... Trudno dotrzymać mu kroku.

Gestem przywołuje kelnerkę i prosi o rachunek. Uregulowawszy go, wstaje i wyciąga rękę.

– Chodź.

Prowadzi mnie do samochodu. Ten kontakt, ciało przy ciele, jest taki nieoczekiwany, taki normalny, pełen zażyłości. Jakoś trudno mi pogodzić zwyczajny, czuły gest z tym, co Christian chce robić w tamtym pokoju... Czerwonym Pokoju Bólu.

Milczymy w drodze z Olympii do Vancouver, każde zatopione w swoich myślach. Kiedy zatrzymujemy się pod moim mieszkaniem, jest już piąta. W oknach pali się światło, a więc Kate jest w domu. Na pewno się pakuje, chyba że towarzyszy jej jeszcze Elliot. Christian gasi silnik i dociera do mnie, że będę się musiała z nim rozstać.

– Masz ochotę wejść? – pytam. Nie chcę, aby odjeżdżał. Nie chcę się jeszcze rozstawać.

– Nie. Mam sporo pracy. – Patrzy na mnie z nieodgadnionym wyrazem twarzy.

A ja wbijam wzrok w splecione palce. Nagle robi mi się smutno. Christian mnie opuszcza. Ujmuje teraz moją dłoń i powoli unosi do ust, po czym czule całuje. To taki staromodny, słodki gest. Serce podchodzi mi do gardła.

– Dziękuję ci za ten weekend, Anastasio. Było… fantastycznie. Środa? Przyjadę po ciebie do pracy czy gdzie tylko chcesz, dobrze? – pyta miękko.

– Środa – odpowiadam szeptem.

Jeszcze jeden pocałunek w dłoń, którą następnie odkłada na moje kolana. Wysiada z samochodu, by otworzyć mi drzwi. Dlaczego nagle czuję się taka osamotniona? W gardle tworzy mi się gula. Nie mogę pozwolić, aby widział mnie w takim stanie. Z przyklejonym do twarzy uśmiechem wysiadam z auta i ruszam w stronę schodków, wiedząc, że muszę stanąć twarzą w twarz z Kate. Boję się tego. W połowie drogi odwracam się. Głowa do góry, Steele.

– Och… a tak przy okazji, mam na sobie twoją bieliznę. – Uśmiecham się i na potwierdzenie swoich słów pociągam za gumkę bokserek. Christianowi opada szczęka. Cóż za reakcja! Od razu poprawia mi się humor. Wolnym krokiem podchodzę do drzwi, choć w głębi duszy mam ochotę skakać i wyrzucać w górę zaciśniętą dłoń. TAK! Moja wewnętrzna bogini się raduje.

Kate w salonie pakuje właśnie książki do skrzynek.

– Wróciłaś. Gdzie Christian? Jak się czujesz?

Nie mam szans się nawet przywitać, a już niespokojnie podchodzi do mnie, chwyta za ramiona i lustruje moją twarz. Cholera… Muszę się teraz zmierzyć z nieustępliwością Kate, a przecież podpisałam dokument zakazujący mi rozmów. Czarno to widzę.

– No i jak było? Nie mogłam przestać o tobie myśleć, oczywiście jak Elliot już sobie poszedł. – Uśmiecha się figlarnie.

Ja też się uśmiecham, ale nagle czuję się onieśmielona. Policzki mi czerwienieją. To sprawy prywatne. Świadomość tego, co Christian ma do ukrycia. Ale muszę jej coś powiedzieć, cokolwiek, w przeciwnym razie nie da mi spokoju.

– Było dobrze, Kate. Chyba nawet bardzo – mówię cicho, starając się powstrzymać zdradliwy uśmiech.

– Chyba?

– Nie mam przecież porównania, prawda? – Wzruszam ramionami ze skruchą.

– Miałaś orgazm?

Ożeż ty. Jest taka bezpośrednia. Oblewam się krwistym rumieńcem.

– Tak – bąkam.

Kate pociąga mnie w stronę sofy i siadamy. Ujmuje moje dłonie.

– To fantastycznie. – Patrzy na mnie z niedowierzaniem. – To był twój pierwszy raz. Ten Christian naprawdę musi być dobry w te klocki.

Och, Kate, gdybyś tylko wiedziała.

– Mój pierwszy raz był okropny – kontynuuje, robiąc tragikomiczną minę.

– Och? – O tym akurat nigdy mi nie opowiadała.

– Tak, Steve Paton. Liceum, sportowiec idiota. – Wzdryga się. – Strasznie niedelikatny. A ja nie byłam gotowa. Oboje mieliśmy nieźle w czubie. No wiesz, typowa katastrofa nastolatków po szkolnym balu. Dopiero po kilku miesiącach zdecydowałam się spróbować jeszcze raz. Naturalnie nie z tym palantem. Byłam za młoda. Dobrze zrobiłaś, że zaczekałaś.

– Kate, to okropne.

– Aha, minął prawie rok, nim przeżyłam pierwszy orgazm podczas penetracji, a ty? Proszę bardzo… pierwszy raz?

Nieśmiało kiwam głową. Moja wewnętrzna bogini siedzi w pozycji kwiatu lotosu i uśmiecha się przebiegle, mocno z siebie zadowolona.

– Cieszę się, że straciłaś dziewictwo z kimś, kto odróżnia kciuk od łokcia. – Mruga do mnie. – No to kiedy znowu się spotykacie?

– W środę. Idziemy na kolację.

– Więc nadal ci się podoba?

– Tak. Ale nie wiem, co będzie z... przyszłością.

– Jak to?

– To skomplikowane, Kate. No wiesz, zamieszkujemy zupełnie różne światy. – Doskonała wymówka. Wiarygodna. Znacznie lepsza niż: „On ma Czerwony Pokój Bólu i chce ze mnie zrobić seksualną niewolnicę".

– Och, błagam, nie patrz na pieniądze, Ana. Elliot mówił, że jego brat nie ma w zwyczaju się z nikim spotykać.

– Naprawdę? – Głos mam wyższy o oktawę.

„To zbyt oczywiste, Steele!" – podświadomość piorunuje mnie wzrokiem i grozi chudym palcem, a następnie przekształca się w wagę sprawiedliwości, żeby mi przypomnieć, że Christian może mnie podać do sądu, jeśli zbyt wiele wyjawię. Ha... i co zrobi, zabierze mi wszystkie pieniądze? Muszę pamiętać, aby wpisać w Google „kary za niedotrzymanie warunków umowy o zachowaniu poufności", kiedy już będę szperać w necie w poszukiwaniu innych informacji. Zupełnie jakbym dostała pracę domową. Może będą i oceny. Rumienię się, przypominając sobie szóstkę za poranny eksperyment w wannie.

– Ana, o co chodzi?

– Przypomniało mi się po prostu coś, co powiedział Christian.

– Wyglądasz inaczej – mówi z czułością Kate.

– Czuję się inaczej. Jestem obolała – wyznaję.

– Obolała?

– Trochę? – Kolejny rumieniec.

– Ja też. Faceci – prycha z udawaną odrazą. – To zwierzęta.

Obie wybuchamy śmiechem.

– Boli cię? – wykrzykuję.

– Tak… zbyt częste użytkowanie.

Chichoczę.

– Opowiedz mi o zbyt często cię użytkującym Elliocie – mówię, kiedy przestaję się śmiać. Och, czuję się zrelaksowana po raz pierwszy, odkąd stałam w tamtej kolejce w barze… odkąd wykonałam telefon, który wszystko zmienił, odkąd przestałam podziwiać pana Greya z daleka. Szczęśliwe, nieskomplikowane czasy.

Kate się rumieni. A niech mnie. Katherine Agnes Kavanagh zamienia się w Anastasię Rose Steele. Patrzy na mnie rozanielonym wzrokiem. Nigdy dotąd nie widziałam u niej takiej reakcji na mężczyznę. Opada mi szczęka. Kim jesteś i co zrobiłeś z moją Kate?

– Och, Ana – zachłystuje się. – On jest taki… No w ogóle… A kiedy my… och… no naprawdę… – Fatalnie, nie potrafi sklecić jednego porządnego zdania.

– Chyba próbujesz mi powiedzieć, że go lubisz.

Kiwa głową, szczerząc się jak wariatka.

– I spotykam się z nim w sobotę. Pomoże nam w przeprowadzce. – Klaszcze w dłonie, zrywa się z sofy i tanecznym krokiem podchodzi do okna.

Przeprowadzka. Jasny gwint, zupełnie o niej zapomniałam.

– To miłe z jego strony – przyznaję. Będę go miała okazję lepiej poznać. Może dzięki niemu choć trochę zrozumiem jego dziwnego, niepokojącego brata.

– No więc co robiliście wczoraj wieczorem? – pytam.

Przechyla głowę i unosi brwi, posyłając mi spojrzenie w stylu „a jak myślisz, głupia?".

– Mniej więcej to, co wy, tyle że najpierw zjedliśmy kolację. – Uśmiecha się szeroko. – Naprawdę wszystko w porządku? Sprawiasz wrażenie przytłoczonej.

– Bo tak się czuję. Christian jest bardzo absorbujący.

– Taa, zdążyłam zauważyć. Ale był dla ciebie dobry?

– Tak – uspokajam ją. – Jestem głodna jak wilk, mam coś ugotować?

Kate kiwa głową i podnosi dwie kolejne książki do spakowania.

– Co chcesz zrobić z tymi książkami za czternaście patyków? – pyta.

– Zwrócić mu.

– Poważnie?

– Przesadził z tym prezentem. Nie mogę ich przyjąć, zwłaszcza teraz. – Uśmiecham się do Kate, a ona kiwa głową.

– Rozumiem. Przyszło do ciebie parę listów, no i wy-dzwania José. Chyba jest zdesperowany.

– Zadzwonię do niego – rzucam wymijająco. Jeśli powiem Kate o José, zrobi z niego kotlet mielony. Biorę ze stołu listy i otwieram je. – Hej, mam rozmowy w spra-wie stażu! Za tydzień w Seattle!

– W którym wydawnictwie?

– W obu!

– Mówiłam ci, że z twoją średnią wszystkie drzwi będą stały otworem, Ana.

Kate, naturalnie, załatwiła już sobie staż w „Seattle Times". Jej ojciec ma znajomego, który też ma znajo-mego.

– Co sądzi Elliot o twoim wyjeździe? – pytam.

Kate wchodzi do kuchni i po raz pierwszy tego wie-czoru wygląda na niepocieszoną.

– Rozumie to. Trochę nie mam ochoty jechać, ale perspektywa dwutygodniowego wygrzewania się w słońcu jest bardzo kusząca. Poza tym mama uważa, że to będą nasze ostatnie prawdziwe rodzinne wakacje, zanim Ethan i ja odpłyniemy do świata stałych posad i pensji.

Nigdy nie byłam za granicą. Kate całe dwa tygodnie spędzi razem z rodzicami i bratem na Barbadosie. W naszym nowym mieszkaniu zamieszkam na razie sama. Dziwnie będzie. Ethan przed rokiem ukończył studia i od tamtej pory podróżuje po świecie. Ciekawe, czy się z nim spotkam przed ich wyjazdem na wakacje. Jest przesympatyczny. Dzwoni telefon, wyrywając mnie z zadumy.

– To pewnie José.

Wzdycham. Wiem, że muszę z nim porozmawiać. Podnoszę słuchawkę.

– Cześć.

– Ana, wróciłaś! – woła z ulgą.

– Na to wygląda. – Mój głos przepełniony jest sarkazmem. Przewracam oczami.

Przez chwilę milczy.

– Możemy się spotkać? Przepraszam za piątkowy wieczór. Byłem pijany... a ty... no... Ana, proszę, wybacz mi.

– Oczywiście, że ci wybaczam, José. Po prostu więcej tego nie rób. Wiesz, że nie żywię wobec ciebie takich akurat uczuć.

Wzdycha ciężko i ze smutkiem.

– Wiem, Ana. Sądziłem, że jeśli cię pocałuję, to może twoje uczucia ulegną zmianie.

– José, bardzo cię kocham i jesteś dla mnie kimś naprawdę ważnym. Jesteś jak brat, którego nie mam. I to nie ulegnie zmianie. Wiesz o tym. – Strasznie mi przykro, że muszę go rozczarować, ale taka jest prawda.

– Więc teraz jesteś z nim? – W jego głosie słychać pogardę.

– José, nie jestem z nikim.

– Ale spędziłaś z nim noc.

– To nie twoja sprawa!

– Chodzi o pieniądze?

– José! Jak śmiesz?! – krzyczę zdumiona jego zuchwałością.

– Ana – jęczy i od razu mnie przeprasza. Nie jestem teraz w stanie radzić sobie z jego małostkową zazdrością. Wiem, że czuje się zraniony, ale mam wystarczająco dużo na głowie.

– Może pójdziemy jutro na kawę, co? Zadzwonię – mówię pojednawczo. To mój przyjaciel i bardzo go lubię. Ale w tej akurat chwili to wszystko nie jest mi potrzebne.

– No to do jutra. Zadzwonisz? – Nadzieja w jego głosie sprawia, że czuję ściskanie w sercu.

– Tak… dobranoc, José. – Rozłączam się, nie czekając na jego odpowiedź.

– A co to wszystko miało znaczyć? – pyta ostro Katherine, stojąc z rękami na biodrach. Wygląda jeszcze bardziej nieustępliwie niż zazwyczaj, więc uznaję, że najlepszą polityką będzie szczerość.

– W piątek się do mnie przystawiał.

– José? I na dodatek Christian Grey? Ana, twoje feromony szaleją. Co sobie ten głupiec myślał? – Kręci głową z niesmakiem i wraca do pakowania.

Trzy kwadranse później przerywamy pakowanie na rzecz specjalności lokalu, mojej lasagne. Kate otwiera butelkę wina, siadamy pośród kartonów i skrzynek, by jeść, pić tanie wino i oglądać badziewne programy w telewizji. Normalność. Tak mile widziana po czterdziestu ośmiu godzinach… szaleństwa. Jem spokojnie i nikt mnie do tego nie zmusza. Co on ma z tym jedzeniem? Kate sprząta po kolacji, a ja kończę w salonie pakowanie. Została nam sofa, telewizor i stół. Czego jeszcze możemy potrzebować? Tylko kuchni i naszych sypialni, a na ich spakowanie mamy resztę tygodnia.

Dzwoni telefon. To Elliot. Kate mruga do mnie i czmycha do swojego pokoju, jakby miała czternaście lat. Wiem, że powinna teraz pisać mowę pożegnalną, ale wygląda na to, że Elliot jest ważniejszy. Co ci Greyowie mają w sobie? Co sprawia, że są rozpraszający, nieokiełznani i nie można się im oprzeć? Upijam kolejny łyk wina.

Skaczę po kanałach telewizyjnych i w sumie mam świadomość, że tylko odwlekam to, co nieuchronne. Czerwoną dziurę w mojej torbie wypala ta umowa. Mam dość sił, aby ją dzisiaj przeczytać?

Chowam twarz w dłoniach. José i Christian, obaj czegoś ode mnie chcą. Z tym pierwszym łatwo sobie poradzę. Ale Christian... Christian to zupełnie inna sprawa. Po trochu mam ochotę uciec i się ukryć. I co mam zrobić? Oczami wyobraźni widzę te jego płonące szare oczy i mięśnie w moim ciele natychmiast się zaciskają. Wciągam gwałtownie powietrze. Nawet go tu nie ma, a ja się podniecam. To niemożliwe, aby chodziło tylko o seks, prawda? Przypomina mi się jego łagodne przekomarzanie się podczas śniadania, radość wywołana tym, że tak mi się podobał lot śmigłowcem, gra na fortepianie, ta słodka i jakże smutna muzyka.

To taka złożona postać. A teraz znam choć część powodów. Młody chłopak pozbawiony okresu dojrzewania, seksualnie wykorzystywany przez jakąś podłą Mrs Robinson... Nic dziwnego, że zachowuje się, jakby był starszy, niż jest. Serce przepełnia mi smutek na myśl o tym, przez co musiał przejść. Zbyt jestem naiwna, aby wiedzieć dokładnie przez co, ale zrobię research i trochę mnie oświeci. Tylko czy rzeczywiście chcę wiedzieć? Chcę wejść do jego świata, o którym nie wiem zupełnie nic?

Gdybym go nie poznała, pozostawałabym w błogiej nieświadomości. Moje myśli biegną ku zeszłej nocy i dzisiejszemu porankowi... i tym niezwykłym zmysłowym

doświadczeniom, które dane mi było przeżyć. Czy chcę
się z tym pożegnać? „Nie!" – krzyczy podświadomość...
Moja wewnętrzna bogini kiwa głową, wyjątkowo się z nią
zgadzając.

Kate wraca niespiesznie do salonu, uśmiechając się
od ucha do ucha. A może ona się zakochała? Gapię się
na nią z otwartymi ustami. Nigdy dotąd się tak nie zachowywała.

– Ana, idę do łóżka. Zmęczona jestem.

– Ja też, Kate.

Przytula mnie.

– Cieszę się, że wróciłaś w jednym kawałku. W Christianie jest coś takiego... – dodaje cicho, ze skruchą.

Obdarzam ją bladym uśmiechem, jednocześnie myśląc: skąd ona, do diaska, wie? To musi być ta intuicja,
dzięki której moja przyjaciółka zostanie świetnym dzien-
nikarzem.

Biorę torebkę i powolnym krokiem udaję się do sypialni. Jestem zmęczona naszymi wszystkimi cielesnymi
igraszkami i koszmarnym dylematem, z którym muszę
się zmierzyć. Siadam na łóżku i ostrożnie wyjmuję z torby szarą kopertę, a potem obracam ją w dłoniach. Czy
naprawdę chcę poznać zakres deprawacji Christiana?
To takie przytłaczające. Wzdycham głęboko i z sercem
w gardle rozrywam kopertę.

ROZDZIAŁ JEDENASTY

W kopercie jest kilka arkuszy. Z sercem walącym jak młotem wyjmuję je, sadowię się wygodnie na łóżku i zaczynam czytać.

UMOWA

Zawarta dnia .... 2011 r. („Data zawarcia umowy")

pomiędzy

PANEM CHRISTIANEM GREYEM, zamieszkałym pod adresem 301 Escala, Seattle, WA 98889 („Pan")

PANNĄ ANASTASIĄ STEELE, zamieszkałą pod adresem 1114 SW Green Street, Apartment 7, Haven Heights, Vancouver, WA 98888 („Uległa")

STRONY USTALAJĄ, CO NASTĘPUJE

1. Poniżej wymieniono warunki umowy pomiędzy Panem a Uległą.

WARUNKI PODSTAWOWE

2. Podstawowym celem niniejszej umowy jest pozwolenie Uległej na bezpieczną eksplorację jej zmysłowości i granic, z należytym szacunkiem w odniesieniu do jej potrzeb, granic i dobrego samopoczucia.

3. Pan i Uległa zgodnie oświadczają, że wszystko, co się wydarzy na mocy niniejszej umowy, zostanie do-

konane za przyzwoleniem drugiej strony, będzie mieć charakter poufny i podlegać będzie uzgodnionym ograniczeniom oraz procedurom bezpieczeństwa wyszczególnionym w umowie. Wszelkie dodatkowe granice i procedury bezpieczeństwa wymagają formy pisemnej.

4. Obie strony umowy zapewniają, iż nie są nosicielami żadnej przenoszonej drogą płciową, poważnej, zakaźnej czy zagrażającej życiu choroby, w szczególności HIV, opryszczki i zapalenia wątroby. Jeśli w okresie obowiązywania niniejszej umowy lub po jej przedłużeniu u jednej ze stron zostanie zdiagnozowana taka choroba, strona ta zobowiązuje się do niezwłocznego poinformowania o tym fakcie drugiej strony, nim dojdzie do kontaktu fizycznego między stronami.

5. Przestrzeganie powyższego (i wszystkich dodatkowych granic oraz procedur bezpieczeństwa ustalonych zgodnie z pkt. 3) stanowi podstawę niniejszej umowy. Każde naruszenie unieważnia umowę ze skutkiem natychmiastowym i obie strony zgadzają się ponieść pełną odpowiedzialność i konsekwencje takiego naruszenia.

6. Wszystkie punkty niniejszej umowy należy odczytywać i interpretować w świetle podstawowego celu i podstawowych zasad określonych w punktach 2–5.

ROLE

7. Pan jest odpowiedzialny za dobre samopoczucie i właściwe szkolenie, służenie radą i dyscyplinowanie Uległej. Ma obowiązek decydować o charakterze takiego szkolenia, służenia radą i dyscyplinowania oraz o porze i miejscu realizacji tegoż, stosownie do uzgodnionych zasad, granic i procedur bezpieczeń-

stwa określonych w niniejszej umowie bądź ustalonych dodatkowo na mocy punktu 3.

8. W przypadku gdy Pan nie będzie przestrzegał uzgodnionych zasad, granic i procedur bezpieczeństwa określonych w niniejszej umowie bądź ustalonych dodatkowo na mocy punktu 3, Uległa ma prawo do natychmiastowego wypowiedzenia niniejszej umowy i zaprzestania świadczenia usług względem Pana.

9. Zgodnie z tym zastrzeżeniem oraz z postanowieniami punktów 2–3 Uległa ma obowiązek służyć Panu i być mu posłuszną. Na mocy zasad, granic i procedur bezpieczeństwa określonych w niniejszej umowie bądź ustalonych dodatkowo na mocy punktu 3, Uległa zobowiązuje się – bez kwestionowania czy wahania – zaspokajać Pana w wymagany przez niego sposób i przyjmować – bez kwestionowania czy wahania – szkolenie, służenie radą i dyscyplinowanie, bez względu na formę.

WYPOWIEDZENIE UMOWY I OKRES OBOWIĄZYWANIA

10. Pan i Uległa zawierają niniejszą umowę w dniu określonym powyżej, mając pełną świadomość jej charakteru, i zobowiązują się przestrzegać jej wszystkich warunków.

11. Niniejsza umowa obowiązuje przez okres trzech miesięcy kalendarzowych od daty podpisania („Okres Obowiązywania Umowy"). Po wygaśnięciu Okresu Obowiązywania Umowy strony przedyskutują, czy niniejsza umowa i ustalenia, których dokonały na jej mocy, są satysfakcjonujące i czy spełnione zostały potrzeby obu stron. Każdej ze stron wolno zaproponować przedłużenie niniejszej umowy lub podtrzymanie ustaleń, których dokonano na mocy

przedstawionych w niej zasad. W przypadku braku zgody na takie przedłużenie niniejsza umowa ulega rozwiązaniu i obie strony mogą powrócić do swego życia sprzed umowy.

DOSTĘPNOŚĆ

12. Uległa zobowiązuje się do bycia dostępną dla Pana od piątkowego wieczoru do niedzielnego popołudnia każdego tygodnia w Okresie Obowiązywania Umowy; konkretne godziny określi Pan („Wyznaczony Czas"). Kolejne takie godziny strony mogą ustalać doraźnie wspólnie.

13. Pan zastrzega sobie prawo do odprawienia Uległej o dowolnej porze i z dowolnego powodu. Uległej wolno poprosić o zwolnienie o dowolnej porze, przy czym decyzję podejmuje Pan w zgodzie z prawami Uległej określonymi w punktach 2–5 oraz 8.

LOKALIZACJA

14. Uległa ma obowiązek być dostępną w Wyznaczonym Czasie i ustalonym dodatkowym czasie w miejscach określonych przez Pana. Pan zobowiązuje się pokryć wszelkie koszty poniesione przez Uległą, związane z dotarciem w wyznaczone miejsce.

POSTANOWIENIA DOTYCZĄCE USŁUG

15. Poniższe postanowienia dotyczące usług zostały omówione i uzgodnione i będą przestrzegane przez obie strony przez Okres Obowiązywania. Strony uznają, iż mogą zaistnieć pewne kwestie nieokreślone w niniejszej umowie czy postanowieniach dotyczących usług lub że pewne kwestie mogą wymagać renegocjacji. W takich okolicznościach można dopisać kolejne punkty w formie poprawek. Wszystkie takie poprawki muszą zostać uzgodnione i podpisane przez obie strony i będą podlegać podstawowym warunkom określonym w punktach 2–5.

PAN

15.1. Priorytetem Pana będzie zawsze zdrowie i bezpieczeństwo Uległej. Panu nie wolno wymagać od Uległej, prosić ani zezwalać na uczestniczenie wraz z Panem w czynnościach wyszczególnionych w Załączniku nr 2 lub w innych czynnościach, których jedna ze stron nie uważa za bezpieczne. Pan nie podejmie ani nie wyrazi zgody na podjęcie działania, które może doprowadzić do poważnych obrażeń bądź zagrożenia życia Uległej. Pozostałe podpunkty niniejszego punktu 15 należy odczytywać w zgodzie z tym zastrzeżeniem i kwestiami podstawowymi, określonymi w punktach 2–5.

15.2. Pan uznaje Uległą za swoją własność, którą w Okresie Obowiązywania ma prawo posiadać, kontrolować i dyscyplinować. Pan ma prawo wykorzystywać ciało Uległej w dowolnej chwili Wyznaczonego Czasu lub ustalonych dodatkowych godzinach w sposób, który uzna za stosowny, seksualny bądź jakikolwiek inny.

15.3. Pan ma obowiązek zapewnić Uległej każde niezbędne szkolenie oraz udzielić rad dotyczących tego, jak w odpowiedni sposób służyć Panu.

15.4. Pan ma obowiązek utrzymywać stałe i bezpieczne środowisko, w którym Uległa może spełniać obowiązki względem Pana.

15.5. Panu wolno dyscyplinować Uległą, aby mieć pewność, że Uległa w pełni zdaje sobie sprawę ze swojej służalczej roli względem Pana i aby zniechęcać do niedopuszczalnego zachowania. Panu wolno chłostać, dawać klapsy, smagać batem lub cieleśnie karać Uległą w sposób, jaki uzna za stosowny, dla celów dyscypliny, własnej przyjemności lub z innego powodu, którego nie ma obowiązku przedstawiać.

15.6. Podczas szkolenia i dyscyplinowania Pan ma obowiązek pilnować, aby na ciele Uległej nie pozostały żadne trwałe ślady i aby nie doszło do obrażeń wymagających pomocy lekarskiej.

15.7. Podczas szkolenia i dyscyplinowania Pan ma obowiązek pilnować, aby dyscyplinowanie i przedmioty wykorzystywane w celu dyscyplinowania były bezpieczne. Nie wolno mu ich używać tak, aby wyrządziły poważną krzywdę i nie wolno mu w żaden sposób przekraczać granic określonych w niniejszej umowie.

15.8. W przypadku choroby bądź uszkodzenia ciała Pan ma obowiązek zaopiekować się Uległą, dbając o jej zdrowie i bezpieczeństwo, sugerując i w razie potrzeby – jeśli Pan uzna to za konieczne – wzywając pomoc medyczną.

15.9. Pan ma obowiązek dbać o własne zdrowie i korzystać z pomocy medycznej w przypadku, gdy okaże się to niezbędne dla zachowania środowiska wolnego od ryzyka.

15.10. Panu nie wolno wypożyczać Uległej innemu Panu.

15.11. Panu w dowolnym momencie w trakcie Wyznaczonego Czasu bądź podczas uzgodnionych dodatkowych okazji wolno krępować, zakuwać w kajdanki lub związywać Uległą z dowolnego powodu i na długi okres czasu, mając należyty wzgląd na zdrowie i bezpieczeństwo Uległej.

15.12. Pan ma obowiązek dbać o to, aby sprzęt wykorzystywany w celach szkoleniowych bądź do dyscyplinowania był przez cały czas czysty, higieniczny i bezpieczny.

ULEGŁA

15.13. Uległa uznaje Pana za swego mistrza, w takim rozumieniu, że jest ona teraz własnością Pana, a Pan może się obchodzić z nią tak, jak tylko ma ochotę – ogólnie podczas Okresu Obowiązywania, ale w szczególności podczas Wyznaczonego Czasu bądź podczas uzgodnionych dodatkowych godzin.

15.14. Uległa ma obowiązek być posłuszna zasadom („Zasadom") wyszczególnionym w Załączniku nr 1 do niniejszej Umowy.

15.15. Uległa ma obowiązek służyć Panu w taki sposób, który Pan uzna za słuszny, i dążyć do zadowalania Pana najlepiej, jak potrafi.

15.16. Uległa ma obowiązek podejmowania wszelkich kroków niezbędnych do pozostania w dobrym zdrowiu i w razie potrzeby poszuka opieki medycznej lub poprosi o nią, na bieżąco informując Pana o wszystkich problemach zdrowotnych.

15.17. Uległa zdobędzie receptę na doustne środki antykoncepcyjne i dopilnuje przyjmowania ich w należyty sposób w celu zapobieżenia ciąży.

15.18. Uległej nie wolno kwestionować żadnych czynności dyscyplinujących uznanych przez Pana za konieczne i ma ona obowiązek pamiętać przez cały czas o swoim statusie i roli względem Pana.

15.19. Uległej nie wolno dotykać się ani zaspokajać seksualnie bez zgody Pana.

15.20. Uległa ma obowiązek brać udział w każdej czynności seksualnej, której Pan zażąda, bez wahania i zadawania pytań.

15.21. Uległa ma obowiązek przyjmować, bez wahania, pytań czy skarg, chłostanie, smaganie, dawanie klapsów lub inne sposoby dyscyplinowania, których zastosowanie Pan uzna za właściwe.

15.22. Uległej nie wolno patrzeć w oczy Pana z wyjątkiem przypadków, kiedy otrzyma takie polecenie. W obecności Pana Uległa ma obowiązek spuszczać wzrok i zachowywać się spokojnie i z szacunkiem.

15.23. Uległa ma obowiązek zachowywać się względem Pana z należytym szacunkiem i zwracać się do niego, używając wyłącznie określeń: „proszę pana", „panie Grey" lub innych, zaleconych przez Pana.

15.24. Uległej nie wolno dotykać Pana, chyba że Pan wyraźnie jej na to pozwoli.

CZYNNOŚCI

16. Uległej nie wolno brać udziału w czynnościach lub działaniach natury seksualnej, które jedna ze stron uważa za niebezpieczne bądź w czynnościach wyszczególnionych w Załączniku nr 2.

17. Pan i Uległa omówili czynności przedstawione w Załączniku nr 3 i zgodę na nie potwierdzili własnoręcznymi podpisami na Załączniku nr 3.

HASŁA BEZPIECZEŃSTWA

18. Pan i Uległa mają świadomość, iż Pan może zażądać od Uległej czegoś, czego Uległa nie jest w stanie spełnić bez ponoszenia fizycznej, umysłowej, emocjonalnej, duchowej czy innej szkody. W takich okolicznościach Uległej wolno wykorzystać hasło bezpieczeństwa („Hasło/a bezpieczeństwa"). W zależności od charakteru żądania będzie można użyć dwóch haseł bezpieczeństwa.

19. Hasło bezpieczeństwa „Żółte" zostanie użyte w celu zwrócenia uwagi Pana na fakt, iż Uległa znajduje się blisko granic wytrzymałości.

20. Hasło bezpieczeństwa „Czerwone" zostanie użyte w celu zwrócenia uwagi Pana na fakt, iż Uległa nie jest w stanie znieść dalszych żądań. W przypadku wypowiedzenia tego hasła Pan natychmiast zaprzestaje wykonywanych działań.

UWAGI KOŃCOWE

21. My, niżej podpisani, przeczytaliśmy i w pełni rozumiemy warunki niniejszej umowy. Z własnej

i nieprzymuszonej woli akceptujemy warunki niniejszej umowy, co poświadczamy własnoręcznymi podpisami.

Pan: Christian Grey
Data

Uległa: Anastasia Steele
Data

ZAŁĄCZNIK NR 1
ZASADY
Posłuszeństwo:
Uległa będzie wypełniać wszystkie wydawane przez Pana polecenia bezzwłocznie i bez zastrzeżeń. Uległa wyrazi zgodę na każdą czynność seksualną, którą Pan uzna za odpowiednią i przyjemną, z wyjątkiem czynności wymienionych w granicach bezwzględnych (Załącznik nr 2). Uczyni to z ochotą i bez wahania.
Sen:
Uległa ma obowiązek spać minimum siedem godzin podczas tych nocy, których nie spędza w towarzystwie Pana.
Jedzenie:
Uległa będzie spożywać regularne posiłki w celach zdrowotnych i dla zachowania dobrego samopoczucia z zalecanej listy pokarmów (Załącznik nr 4). Uległa nie będzie podjadać między posiłkami; wyjątek stanowią owoce.
Ubiór:
W czasie obowiązywania niniejszej Umowy Uległa będzie nosić wyłącznie te stroje, które zostały za-

akceptowane przez Pana. Pan ustanowi w tym celu specjalny budżet, z którego Uległa będzie korzystać. Doraźnie Pan będzie towarzyszył Uległej podczas robienia zakupów. Jeśli Pan wyrazi taką wolę, Uległa będzie w okresie obowiązywania Umowy nosić ozdoby i dodatki wymagane przez Pana, w jego obecności bądź w innym czasie, jaki Pan uzna za stosowny.

Aktywność fizyczna:
Pan zapewni Uległej usługi trenera osobistego cztery razy w tygodniu po sześćdziesiąt minut – w godzinach ustalonych między trenerem a Uległą. Trener będzie zdawał Panu relację z postępów czynionych przez Uległą.

Higiena osobista / dbanie o urodę:
Uległa będzie przez cały czas czysta i ogolona i/lub wydepilowana woskiem. Uległa będzie korzystać z usług salonu piękności wybranego przez Pana. Częstotliwość takich wizyt oraz rodzaj zabiegów ustala Pan.

Bezpieczeństwo:
Uległa nie będzie nadużywać alkoholu, palić, zażywać narkotyków ani narażać się na niepotrzebne niebezpieczeństwo.

Zachowanie:
Uległa nie będzie nawiązywać relacji seksualnych z nikim poza Panem. Uległa będzie prowadzić się skromnie, w sposób godny szacunku. Jej obowiązkiem jest świadomość, iż jej zachowanie w bezpośredni sposób odbija się na Panu. Zostanie pociągnięta do odpowiedzialności za wszelkie występki, wykroczenia i niewłaściwe zachowanie, których się dopuści, nie przebywając w towarzystwie Pana.

Niedotrzymanie któregoś z warunków wymienionych powyżej będzie skutkować natychmiastowym wymierzeniem kary, której charakter zostanie określony przez Pana.

ZAŁĄCZNIK NR 2

Granice bezwzględne

Żadnych czynów z udziałem ognia.

Żadnych czynów z udziałem oddawania moczu, defekacji ani ich produktów.

Żadnych czynów z udziałem igieł, noży czy krwi.

Żadnych czynów z udziałem narzędzi ginekologicznych.

Żadnych czynów z udziałem dzieci bądź zwierząt.

Żadnych czynów, które pozostawią na skórze trwałe ślady.

Żadnych czynów wiążących się z kontrolą oddechu.

Żadnych czynów wiążących się z bezpośrednim kontaktem ciała z prądem elektrycznym (zmiennym bądź stałym), ogniem lub płomieniem.

ZAŁĄCZNIK NR 3

Granice względne

Do przedyskutowania i uzgodnienia przez obie strony:

Które z następujących aktów seksualnych Uległa uznaje za dopuszczalne?

• Masturbacja
• Fellatio
• Cunnilingus
• Połykanie nasienia
• Stosunek dopochwowy
• Fisting dopochwowy
• Stosunek analny
• Fisting analny

Czy Uległa dopuszcza użycie zabawek erotycznych?
• Wibratory
• Sztuczne członki – dildo
• Zatyczki analne
• Inne zabawki dopochwowe / analne

Czy krępowanie jest dopuszczalne dla Uległej?
• Ręce z przodu
• Ręce z tyłu
• Kostki
• Kolana
• Łokcie
• Nadgarstki i kostki
• Rozpórki
• Przywiązywanie do mebli
• Zawiązywanie oczu
• Kneblowanie
• Krępowanie liną
• Krępowanie taśmą
• Krępowanie skórzanymi kajdankami
• Podwieszanie
• Krępowanie kajdankami / elementami metalowymi

Jak duży ból Uległa jest skłonna znieść? W skali od
1 do 5, gdzie 1 oznacza akceptację, a 5 dezaprobatę:

Które z poniższych typów bólu / kary / dyscyplino-
wania są dopuszczalne dla Uległej?
• Klapsy
• Bicie drewnianymi packami
• Biczowanie
• Bicie laską
• Gryzienie
• Klamerki na sutkach

• Klamerki na genitaliach
• Lód
• Gorący wosk
• Inne rodzaje / metody zadawania bólu

O kurwa. Nawet nie patrzę na listę pokarmów. Głośno przełykam ślinę i czując suchość w ustach, jeszcze raz czytam całość.

Pęka mi głowa. Jak ja mam się na to wszystko zgodzić? I rzekomo to ja mam mieć z tego korzyść: „[…] pozwolenie Uległej na bezpieczną eksplorację jej zmysłowości i granic". Och, litości! „Służyć i być we wszystkim posłuszną". We wszystkim! Kręcę głową z niedowierzaniem. Zaraz, zaraz, a czy przypadkiem w przysiędze małżeńskiej nie pojawia się to słowo? Posłuszeństwo? Deprymuje mnie to. Pary nadal tak mówią? Tylko trzy miesiące – dlatego właśnie miał tyle kobiet? Nie trzyma ich zbyt długo? A może one po trzech miesiącach mają dość? Każdy weekend? To za dużo. W ogóle nie będę widywać Kate ani znajomych z nowej pracy, zakładając oczywiście, że ją dostanę. Może jeden weekend w miesiącu powinnam mieć dla siebie. Może wtedy, kiedy mam okres – to się wydaje… praktyczne. Christian to mój pan! Wolno mu robić ze mną to, na co ma tylko ochotę! Cholera jasna.

Wzdrygam się na myśl o chłostaniu czy biczowaniu. Klapsy nie byłyby pewnie takie złe; niemniej jednak upokarzające. A krępowanie? Cóż, już raz związał mi dłonie. To było… hmm, podniecające, naprawdę podniecające, więc może to akurat nie byłoby takie złe. Nie wypożyczy mnie innemu Panu – niech mu to nawet nie przejdzie przez myśl. Coś takiego byłoby absolutnie niedopuszczalne. Czemu w ogóle zawracam sobie tym głowę?

Nie mogę patrzeć mu w oczy. A to ci dopiero. Jedyny sposób na poznanie jego myśli. Choć, jeśli mam być
szczera, kogo ja oszukuję? Nigdy nie wiem, o czym myśli,
ale lubię mu patrzeć w oczy. Ma piękne oczy – zniewalające, inteligentne, przepastne i mroczne od tajemnic.
Przypomina mi się jego płonące, przydymione spojrzenie
i zaciskam uda.

I nie wolno mi go dotykać. No, to mnie akurat nie
dziwi. I te wszystkie absurdalne zasady... Nie, nie, nie
mogę tego zrobić. Chowam twarz w dłoniach. Nie da
się być w takim związku. Muszę się przespać. Jestem
wykończona. Te wszystkie cielesne igraszki, które minionej doby stały się moim udziałem, okazały się, szczerze mówiąc, wyczerpujące. A psychicznie... o rany, za
dużo tego do ogarnięcia. Jak by to ujął José, prawdziwe
popieprzenie. Być może rano nie uznam tego za kiepski
żart.

Wstaję z łóżka i szybko się przebieram. Może powinnam pożyczyć od Kate piżamę z różowej flaneli. Potrzebuję czegoś milutkiego i dodającego otuchy. Ubrana
w T-shirt i spodenki udaję się do łazienki, gdzie myję
zęby.

Przeglądam się w lustrze. „Ty chyba nie rozważasz
tego na poważnie...". Moja podświadomość wyjątkowo
sprawia wrażenie rozsądnej i racjonalnej. Wewnętrzna
bogini podskakuje i klaszcze w dłonie jak pięciolatka.
„Proszę, zrób to... inaczej skończymy w towarzystwie
stada kotów i twoich powieści".

Jedyny mężczyzna, który mi się spodobał, musi wy-
stępować w pakiecie z cholerną umową, pejczem i całą
masą problemów. Cóż, przynajmniej w ten weekend dostałam to, czego chciałam. Moja wewnętrzna bogini przestaje skakać i na jej twarzy pojawia się pogodny uśmiech.
„O tak..." – mówi bezgłośnie, kiwając z zadowoleniem

głową. Oblewam się rumieńcem na wspomnienie jego dłoni i ust na mym ciele, jego ciała wewnątrz mojego. Zamykam oczy i czuję znajome rozkoszne zaciskanie mięśni, gdzieś głęboko, głęboko... Chcę zrobić to znowu. I znowu. Może gdybym się zgodziła tylko na seks... poszedłby na to? Podejrzewam, że nie.

Jestem uległa? Może taka się wydaję. Może odniósł mylne wrażenie podczas tamtego wywiadu. Jestem nieśmiała, owszem... ale uległa? Pozwalam Kate, aby mną rządziła – ale czy to to samo? No a te granice względne, Matko Boska. W głowie mi się to wszystko nie mieści, ale uspokajam się myślą, że to akurat podlega dyskusji.

Wracam do sypialni. Pomyślę o tym rano, kiedy trochę przejaśni mi się w głowie. Chowam te obraźliwe dokumenty do plecaka. Jutro... jutro będzie nowy dzień. Kładę się do łóżka, gaszę światło i leżę, wpatrując się w sufit. Och, żałuję, że w ogóle go poznałam. Moja wewnętrzna bogini kręci głową. Obie wiemy, że to kłamstwo. Jeszcze nigdy nie czułam się tak pełna życia jak teraz.

Zamykam oczy i odpływam w mocny sen, przez który przewijają się łóżka z czterema kolumienkami i kajdanami oraz przepastne szare oczy.

NAZAJUTRZ BUDZI MNIE KATE.

– Ana, wołam cię i wołam. Śpisz jak zabita.

Otwieram niechętnie oczy. Moja współlokatorka nie tylko już wstała, ale i zdążyła pobiegać. Zerkam na budzik. Ósma rano. O święty Barnabo, spałam bite dziewięć godzin.

– Co się stało? – mamroczę sennie.

– Przyszedł jakiś facet z przesyłką dla ciebie. Musisz podpisać.

– Ale co?

– Wstawaj. To coś dużego. Wygląda interesująco.

Przeskakuje z podekscytowaniem z nogi na nogę,
a potem wybiega do salonu. Gramolę się z łóżka i sięgam po wiszący na drzwiach szlafrok. W salonie czeka
na mnie elegancki młody człowiek z włosami zebranymi
w kucyk. W objęciach piastuje spore pudło.

– Dzień dobry – bąkam.

– Zaparzę ci herbatę. – Kate wycofuje się do kuchni.

– Panna Steele?

I już wiem, od kogo jest ta paczka.

– Tak – odpowiadam ostrożnie.

– Mam dla pani przesyłkę, ale muszę to rozpakować
i zademonstrować działanie.

– Naprawdę? O tej porze?

– Ja tylko wypełniam polecenia, proszę pani. – Obdarza mnie czarującym, zawodowym uśmiechem.

Czy on właśnie nazwał mnie panią? Postarzałam
się przez noc o dziesięć lat? Jeśli tak, to przez tę umowę.
Krzywię się z odrazą.

– Okej, co to takiego?

– MacBook Pro.

– No a jakżeby inaczej. – Przewracam oczami.

– Ten model nie jest jeszcze dostępny w sklepach,
proszę pani; to zupełna nowość firmy Apple.

Czemu mnie to nie dziwi? Wzdycham głośno.

– Proszę go rozstawić na stole, dobrze?

Udaję się do kuchni, do Kate.

– Co to jest? – pyta z ciekawością. Oczy jej błyszczą
i widać, że też dobrze spała tej nocy.

– Laptop od Christiana.

– Dlaczego przysłał ci laptop? Przecież wiesz, że
możesz korzystać z mojego. – Marszczy brwi.

Nie w takich celach.

– Och, tylko mi go pożycza. Chciał wypróbować ten
model.

Wymówka mało przekonująca, ale Kate połyka haczyk. O matko, udało mi się nabrać Katherine Kavanagh. Pierwszy raz. Podaje mi kubek z herbatą.

Laptop jest srebrny, błyszczący i naprawdę śliczny. Ma bardzo duży ekran. Christian Grey lubi życie w wielkiej skali – myślę o jego salonie i całym apartamencie.

– Ma najnowszy system operacyjny i pełną gamę programów, do tego twardy dysk o pojemności półtora terabajta, ma więc pani mnóstwo miejsca. No i jeszcze trzydzieści dwa giga RAM-u. Do czego będzie go pani wykorzystywać?

– Eee… do pisania mejli.

– Mejli! – zachłystuje się.

– I może do surfowania po necie? – Wzruszam przepraszająco ramionami.

Wzdycha.

– Cóż, jest tu łącze bezprzewodowe, i skonfigurowałem już pani konto. To cacko jest gotowe do działania, praktycznie w każdym miejscu na Ziemi. – Patrzy tęsknie na laptop.

– Moje konto?

– Pani nowy adres mejlowy.

Mam adres mejlowy?

Pokazuje na ikonkę na ekranie i dalej do mnie mówi, ale jego słowa zamieniają się w biały szum. Nie mam pojęcia, o czym mówi i jeśli mam być szczera, w ogóle mnie to nie interesuje. Powiedz mi tylko, jak się to włącza i wyłącza, do reszty dojdę sama. W końcu od czterech lat korzystam z laptopa Kate.

Moja przyjaciółka na widok laptopa gwiżdże z uznaniem.

– Sprzęt nowej generacji. – Unosi brwi. – Większość kobiet dostaje kwiaty, ewentualnie biżuterię – mówi znacząco, próbując ukryć uśmiech.

Jakoś nie jestem w stanie zachować powagi. Obie zaczynamy chichotać, a pan od komputera patrzy na nas
speszony. Kończy i prosi mnie o podpis na kwicie.

Gdy Kate odprowadza go do drzwi, ja siadam z kub-
kiem herbaty i otwieram program pocztowy. I oto czeka na
mnie mejl od Christiana. Serce podchodzi mi do gardła.
Mam mejla od Christiana Greya! Otwieram go nerwowo.

Nadawca: Christian Grey
Temat: Twój nowy komputer
Data: 22 maja 2011, 23:15
Adresat: Anastasia Steele

Droga panno Steele,

Ufam, że dobrze spałaś. Mam nadzieję, że odpowiednio wykorzystasz ten laptop, tak jak rozmawialiśmy.

Czekam z niecierpliwością na środową kolację.

Gdybyś miała taką potrzebę, chętnie do tego czasu
odpowiem e-mailowo na wszelkie pytania.

Christian Grey
Prezes, Grey Enterprises Holdings, Inc.

Klikam: „odpowiedz".

Nadawca: Anastasia Steele
Temat: Twój nowy komputer (pożyczony)

Data: 23 maja 2011, 8:20
Adresat: Christian Grey

Spałam bardzo dobrze, dziękuję – z jakiegoś dziwnego powodu – Panu.
Rozumiem, że ten komputer został mi wypożyczony, zatem nie jest mój.

Ana

Niemal natychmiast otrzymuję odpowiedź.

Nadawca: Christian Grey
Temat: Twój nowy komputer (pożyczony)
Data: 23 maja 2011, 8:22
Adresat: Anastasia Steele

Komputer został wypożyczony. Na czas nieokreślony, panno Steele.
Z Twojego tonu wnoszę, że przeczytałaś otrzymane ode mnie dokumenty.

Masz w związku z tym jakieś pytania?

Christian Grey
Prezes, Grey Enterprises Holdings, Inc.

To silniejsze ode mnie – uśmiecham się.

Nadawca: Anastasia Steele
Temat: Dociekliwość
Data: 23 maja 2011, 8:25
Adresat: Christian Grey

Mam wiele pytań, ale raczej się nie nadają do takiego sposobu komunikacji, poza tym niektórzy z nas muszą pracować zarobkowo.

Nie chcę ani nie potrzebuję komputera na czas nieokreślony.

Miłego dnia, proszę Pana.

Ana.

Odpowiedź pojawia się natychmiast. Uśmiecham się.

Nadawca: Christian Grey
Temat: Twój nowy komputer (a jednak pożyczony)
Data: 23 maja 2011, 8:26
Adresat: Anastasia Steele

Na razie, mała.
PS. Ja też pracuję zarobkowo.

Christian Grey
Prezes, Grey Enterprises Holdings, Inc.

Zamykam komputer, szczerząc się jak idiotka. Jak mam się oprzeć wesołemu Christianowi? Spóźnię się do pracy. Cóż, to mój ostatni tydzień – państwo Claytonowie dadzą mi pewnie trochę luzu. Pędzę pod prysznic, ciągle mimowolnie uśmiechnięta. Przysłał mi mejl! Zachowuję się jak małe, niepoważne dziecko. Znika niepokój związany z umową. Myjąc włosy, zastanawiam się, o co mogłabym go spytać w mejlu. Na pewno lepiej coś takiego omówić twarzą w twarz. A gdyby ktoś włamał mu się do skrzynki? Rumienię się na samą myśl o czymś takim. Szybko się ubieram, szybko żegnam z Kate i pędzę rozpocząć ostatni tydzień pracy u Claytona.

O JEDENASTEJ DZWONI JOSÉ.

– Hej, to jak będzie z kawą? – Mówi jak dawny José. José przyjaciel, a nie… jak nazwał go Christian? Zalotnik. Uch.

– Jasne. Jestem w pracy. Możesz tu podjechać, powiedzmy o dwunastej?

– No to do zobaczenia.

Rozłącza się, a ja wracam do wykładania pędzli na półki i do myślenia o Christianie Greyu oraz jego umowie.

José jest punktualny. Wpada do sklepu jak rozbrykany ciemnooki szczeniak.

– Ana. – Obdarza mnie tym swoim latynoskim uśmiechem, a ja nie potrafię się na niego gniewać.

– Cześć, José. – Ściskam go na powitanie. – Umieram z głodu. Powiem tylko pani Clayton, że wychodzę na lunch.

Gdy idziemy spacerkiem do pobliskiej kafejki, wsuwam mu rękę pod ramię. Jestem taka wdzięczna za jego… normalność. Ktoś, kogo znam i rozumiem.

– Hej, Ana – bąka. – Naprawdę mi wybaczyłaś?

– José, wiesz, że nie potrafię długo się na ciebie gniewać.

Uśmiecha się szeroko.

NIE MOGĘ SIĘ DOCZEKAĆ powrotu do domu i wymieniania mejli z Christianem. No i może zacznę ten swój internetowy research. Kate gdzieś wyszła, więc włączam nowy laptop i uruchamiam program pocztowy. No i proszę, w skrzynce czeka wiadomość od Christiana. Z radości aż podskakuję na krześle.

Nadawca: Christian Grey
Temat: Praca zarobkowa
Data: 23 maja 2011, 17:24
Adresat: Anastasia Steele

Szanowna Panno Steele,

Mam nadzieję, że dzień w pracy upłynął Pani przyjemnie.

Christian Grey
Prezes, Grey Enterprises Holdings, Inc.

Klikam: „odpowiedz".

Nadawca: Anastasia Steele
Temat: Praca zarobkowa
Data: 23 maja 2011, 17:48
Adresat: Christian Grey

Tak, proszę Pana… dzień w pracy upłynął mi bardzo przyjemnie.
Dziękuję.

Ana.

Nadawca: Christian Grey
Temat: Bierz się do pracy!
Data: 23 maja 2011, 17:50
Adresat: Anastasia Steele

Panno Steele,

Niezwykle się cieszę, że miała Pani przyjemny dzień.

Pisząc mejle, nie zajmujesz się szukaniem informacji w sieci.

Christian Grey
Prezes, Grey Enterprises Holdings, Inc.

Nadawca: Anastasia Steele
Temat: Niedogodność
Data: 23 maja 2011, 17:53
Adresat: Christian Grey

Panie Grey, proszę przestać przysyłać mi mejle, abym mogła się zabrać za zadanie domowe. Chciałabym dostać drugą szóstkę.

Ana

Śmieję się w kułak.

Nadawca: Christian Grey
Temat: Niecierpliwość
Data: 23 maja 2011, 17:55
Adresat: Anastasia Steele

Panno Steele,

Proszę przestać pisać mejle do mnie – i brać się za
odrabianie pracy domowej.

Chciałbym dać drugą szóstkę.

Pierwszą otrzymała Pani naprawdę zasłużenie. ;)

Christian Grey
Prezes, Grey Enterprises Holdings, Inc.

Christian Grey właśnie mi przysłał emotikona
z przymrużonym okiem... O rety. Odpalam Google.

Nadawca: Anastasia Steele
Temat: Szukanie informacji w Internecie
Data: 23 maja 2011, 17:59
Adresat: Christian Grey

Panie Grey,

poproszę o sugestie, od czego mam zacząć?

Ana

Nadawca: Christian Grey
Temat: Szukanie informacji w Internecie
Data: 23 maja 2011, 18:02
Adresat: Anastasia Steele

Panno Steele,

Zawsze zaczynaj od Wikipedii.

Koniec z mejlami, chyba że masz jakieś pytania.

Zrozumiano?

Christian Grey
Prezes, Grey Enterprises Holdings, Inc.

Nadawca: Anastasia Steele
Temat: Apodyktyczny!
Data: 23 maja 2011, 18:04
Adresat: Christian Grey

Tak jest... proszę Pana.
Bardzo Pan apodyktyczny.

Ana

Nadawca: Christian Grey
Temat: Sprawujący kontrolę
Data: 23 maja 2011, 18:06
Adresat: Anastasia Steele

Anastasio, nie masz pojęcia jak bardzo.
No, może już żywisz pewne podejrzenia.

Do roboty.

Christian Grey
Prezes, Grey Enterprises Holdings, Inc.

Sprawdzam w Wikipedii słowo „Uległa".

Pół godziny później mam lekkie mdłości i szczerze mówiąc – jestem zaszokowana. Czy naprawdę chcę o tym wszystkim wiedzieć? Jezu, to właśnie Christian wyprawia w Czerwonym Pokoju Bólu? Siedzę, wpatrując się w ekran, a jakaś część mojej istoty, ta bardzo wilgotna i integralna część, z którą zaznajomiłam się dopiero niedawno, jest mocno podniecona. O rany, niektóre z tych rzeczy są niezłe. Ale czy dla mnie? Jasna cholera... czy potrafiłabym to robić? Potrzebuję przestrzeni. Muszę to wszystko przemyśleć.

ROZDZIAŁ DWUNASTY

Po raz pierwszy w życiu dobrowolnie idę pobiegać. Zakładam paskudne, w ogóle nieużywane adidasy, spodnie od dresu i T-shirt. Włosy związuję w dwa kucyki, rumieniąc się na wspomnienia, które przywołują. Zabieram także iPoda. Nie jestem w stanie dłużej siedzieć przed cudem techniki i dowiadywać się kolejnych niepokojących rzeczy. Muszę się pozbyć nadmiaru osłabiającej energii. Szczerze mówiąc, jestem w takim nastroju, że mogłabym pobiec do hotelu Heathman i zażądać od tego despoty seksu. Ale to osiem kilometrów, a nie sądzę, bym dała radę przebiec choćby dwa. Niewykluczone poza tym, że despota by mi odmówił, a takiego upokorzenia bym nie zniosła.

Kiedy zamykam za sobą drzwi, Kate właśnie wysiada z samochodu. Na mój widok z wrażenia prawie upuszcza torby z zakupami. Ana Steele w adidasach. Macham jej i nie zatrzymuję się, żeby nie wzięła mnie w krzyżowy ogień pytań. Muszę pobyć sama. Do uszu ryczy mi Snow Patrol. Oddalam się w kierunku niebieskawozielonego zmierzchu.

Biegnę przez park. I co ja mam zrobić? Pragnę go, ale czy na jego zasadach? Po prostu nie wiem. Może powinnam ponegocjować. Punkt po punkcie przeanalizować tę absurdalną umowę i zdecydować, co jest dopuszczalne, a co nie. Dzięki researchowi wiem, że pod względem prawnym umowa jest nieważna. Christian na pewno to wie. Tak sobie myślę, że to po prostu określenie kryteriów i granic relacji. Umowa pokazuje, czego się mogę po nim spodziewać i czego on oczekuje ode mnie – całkowitej uległości. Jestem gotowa mu ją dać? Czy w ogóle jestem do tego zdolna?

Dręczy mnie jedno pytanie – dlaczego Christian jest właśnie taki? Dlatego, że został uwiedziony w tak młodym wieku? Po prostu nie wiem. Nadal stanowi dla mnie zagadkę.

Zatrzymuję się przy wysokim świerku, opieram dłonie o kolana i oddycham głęboko, wciągając do płuc życiodajny tlen. Och, to takie oczyszczające. Czuję, jak moje postanowienie się umacnia. Tak. Muszę mu powiedzieć, co wchodzi w grę, a co nie. Muszę przesłać mu mejlem swoje przemyślenia, a w środę będziemy je mogli przedyskutować. Biorę głęboki, oczyszczający oddech, następnie wracam truchtem do mieszkania.

Kate była na zakupach ciuchowych przed wyjazdem na Barbados. Głównie bikini i dobrane do nich sarongi. We wszystkich będzie wyglądać fantastycznie, ale i tak każe mi siąść i wydawać opinie, gdy przymierza każdy po kolei. Ile razy można mówić: „Wyglądasz bosko, Kate"? Ma szczupłą figurę z krągłościami w odpowiednich miejscach. Wiem, że nie robi tego celowo, ale zabieram swój żałosny, spocony tyłek do sypialni pod pretekstem pakowania. Przy niej tak bardzo sobie uświadamiam własne niedoskonałości. Zabieram ze sobą srebrny cud techniki i stawiam na biurku. Piszę mejl do Christiana.

Nadawca: Anastasia Steele
Temat: Zaszokowana studentka
Data: 23 maja 2011, 20:33
Adresat: Christian Grey

Okej, dość już widziałam.

Miło było Cię poznać.

Ana.

Klikam „wyślij", śmiejąc się z tego żarciku. A on uzna go za zabawny? Cholera, pewnie nie. Christian Grey nie słynie z poczucia humoru. Ale ja wiem, że je ma, miałam okazję się o tym przekonać. Może posunęłam się za daleko. Czekam na odpowiedź.

Czekam… i czekam. Zerkam na budzik. Minęło dziesięć minut.

Aby zagłuszyć rosnący niepokój, zabieram się za to, czym wyłgałam się od prezentacji Kate – za pakowanie. Zaczynam od książek. Mija dziewiąta i nic. Może gdzieś wyszedł. Krzywię się z rozdrażnieniem i wkładam do uszu słuchawki. Słuchając Snow Patrol, siedzę przy biurku, ponownie czytam umowę i dopisuję swoje uwagi.

Nie wiem, dlaczego unoszę głowę, być może dostrzegam kątem oka jakiś ruch, nie mam pojęcia, ale kiedy to robię, okazuje się, że Christian stoi w drzwiach mojej sypialni, przyglądając mi się uważnie. Ma na sobie szare spodnie i białą koszulę. Obraca w palcach kluczyki do samochodu. Wyciągam słuchawki i zamieram. Kurwa!

– Dobry wieczór, Anastasio. – Głos ma spokojny, a z jego twarzy nic się nie da wyczytać. Nie jestem w stanie wydusić z siebie ani słowa. Cholera, że też Kate musiała tak go wpuścić bez ostrzeżenia. Dociera do mnie, że nadal mam na sobie spodnie od dresu, jestem nieumyta, kleiąca się, no a on wygląda jak zawsze olśniewająco. – Uznałem, że twój mejl wymaga osobistej odpowiedzi – wyjaśnia sucho.

Otwieram usta, a potem je zamykam. Nawet przez ułamek sekundy nie spodziewałam się, że Christian rzuci wszystko i się tu zjawi.

– Mogę usiąść? – pyta. W jego oczach tańczą iskierki rozbawienia. Dzięki Bogu, może jednak uznał mój mejl za zabawny?

Kiwam głową. Nadal nie mogę wydobyć z siebie głosu. Christian Grey siedzi właśnie na moim łóżku.

– Zastanawiałem się, jak wygląda twoja sypialnia – mówi.

Rozglądam się, obmyślając drogę ucieczki. Kiepska sprawa – mam do wyboru drzwi albo okno. Mój pokój jest funkcjonalny, ale przytulny: meble z białej wikliny i białe podwójne łóżko z kutego żelaza, zaścielone patchworkową narzutą zrobioną przez mamę, która jakiś czas temu przechodziła etap fascynacji ludowością. Ściany są jasnoniebiesko-kremowe.

– Bardzo tu pogodnie i spokojnie – stwierdza.

Nie w tej chwili... Nie, kiedy ty tu jesteś. W końcu rdzeń przedłużony przypomina sobie, do czego służy mowa.

– Skąd...?

Uśmiecha się do mnie.

– Mieszkam nadal w Heathmanie.

To akurat wiem.

– Napijesz się czegoś? – Uprzejmość wygrywa z tym, co naprawdę chciałabym powiedzieć.

– Nie, Anastasio, dziękuję. – Obdarza mnie olśniewającym uśmiechem, lekko przekrzywiając głowę. – A więc „miło" było mnie poznać?

O w mordę, czyżbym go uraziła? Wlepiam wzrok w dłonie. Jak ja się teraz z tego wyplączę? Jeśli mu powiem, że to był żart, raczej nie zrobi to na nim najlepszego wrażenia.

– Sądziłam, że mi odpowiesz mejlowo. – Głos mam cichy, żałosny.

– Celowo przygryzasz dolną wargę? – pyta głucho.
Mrugam powiekami i uwalniam wargę.

– Robiłam to bezwiednie – bąkam.

Serce wali mi jak młotem. Czuję między nami przyciąganie, ten rozkoszny prąd wypełniający przestrzeń wy-
ładowaniami. Christian siedzi tak blisko mnie, oczy ma
niemal grafitowe, łokcie opiera na kolanach. Przechyla się
i powoli zdejmuje mi gumkę z jednego kucyka, uwalniając włosy. Oddech mam płytki i nie jestem w stanie się
ruszyć. Obserwuję zahipnotyzowana, jak jego dłoń biegnie do drugiego kucyka, pociąga za gumkę, następnie
przeczesuje palcami włosy.

– A więc postanowiłaś poćwiczyć. – Głos ma miękki
i melodyjny. Delikatnie zakłada mi włosy za ucho. – Dlaczego, Anastasio? – Palce zataczają powolne kółka, a po chwili
delikatnie, rytmicznie pociągają za ucho. To takie zmysłowe.

– Potrzebowałam czasu, aby pomyśleć – szepczę.
Czuję się jak krążąca wokół ognia ćma… a on doskonale
wie, co mi robi.

– Pomyśleć o czym, Anastasio?

– O tobie.

– I doszłaś do wniosku, że miło było mnie poznać?
Masz na myśli poznanie w znaczeniu biblijnym?

O cholera. Oblewam się rumieńcem.

– Nie sądziłam, że znasz Biblię.

– Uczęszczałem do szkoły niedzielnej, Anastasio.
Dużo się tam nauczyłem.

– Nie przypominam sobie, aby w Biblii była mowa
o klamerkach na sutki. Być może ciebie uczono z jakiegoś
nowoczesnego tłumaczenia.

Usta wygina w półuśmiechu, a ja wpatruję się w nie
jak zahipnotyzowana.

– Cóż, pomyślałem sobie, że powinienem przyjechać
i przypomnieć ci, jak „miło" było mnie poznać.

O kuźwa. Wpatruję się w niego z otwartymi ustami. Jego palce przesuwają się z ucha do brody.

– Co ty na to, panno Steele?

Jego spojrzenie wwierca się we mnie, rzucając mi wyzwanie. Usta ma rozchylone – czeka, gotowy do ataku. W głębi mego brzucha wybucha niegasnące pożądanie. Wykonuję ruch wyprzedzający i sama rzucam się na niego. I nie mam pojęcia, jak do tego dochodzi, ale sekundę później leżę na łóżku z rękami przygwożdżonymi nad głową. Wolną ręką Christian przytrzymuje mi twarz, a jego usta szukają moich.

Jego język wdziera się do środka, władczy i nieustępliwy, a ja upajam się jego siłą. Czuję go wzdłuż całego ciała. Pragnie mnie, właśnie mnie. Nie Kate w skąpym bikini, nie jednej z piętnastu, nie występnej Mrs Robinson. Mnie. Ten piękny mężczyzna pragnie mnie. Moja wewnętrzna bogini tak promienieje, że zdołałaby oświetlić całe Portland. Christian przerywa pocałunek. Otwieram oczy i widzę, że wpatruje się we mnie.

– Ufasz mi? – pyta bez tchu.

Kiwam głową. Oczy mam szeroko otwarte, serce obija mi się o żebra, w uszach czuję dudnienie krwi.

Z kieszeni spodni wyjmuje srebrzystoszary jedwabny krawat… TEN krawat, który pozostawia na mojej skórze odbicie splotu. Porusza się bardzo szybko, siadając na mnie okrakiem i krępując nadgarstki, ale tym razem drugi koniec krawata przywiązuje do jednego ze szczebli w moim białym łóżku. Sprawdza, czy węzeł jest wystarczająco mocny. Nigdzie się nie wybieram. Jestem przywiązana, w sensie dosłownym, do łóżka, i niesamowicie mnie to podnieca.

Zsuwa się ze mnie i staje obok łóżka. Patrzy na mnie oczami pociemniałymi z pożądania. W jego spojrzeniu triumf miesza się z uczuciem ulgi.

– Tak lepiej – mruczy i uśmiecha się szelmowsko.
Schyla się i zaczyna rozwiązywać sznurówkę jednego adi-
dasa. O nie... nie... moje stopy. Nie. Niedawno biegałam.
– Nie – protestuję, próbując go odepchnąć.
Przerywa to, co robi.
– Jeśli będziesz się rzucać, nogi też ci skrępuję. Jeśli zaczniesz głośno protestować, Anastasio, zaknebluję
cię. Bądź cicho, Katherine nasłuchuje pewnie teraz pod
drzwiami.
Zaknebluje mnie! Kate! Nieruchomieję.
Zdejmuje mi buty i skarpetki, a potem sprawnie zsuwa ze mnie spodnie. Och – jaką założyłam dziś bieliznę?
Unosi mnie, wyciąga spode mnie narzutę i kołdrę i kładzie z powrotem, tym razem na samym prześcieradle.
– No dobrze. – Powoli oblizuje usta. – Przygryzasz
wargę, Anastasio. Wiesz, jak to na mnie działa. – Ostrze-
gawczym gestem przesuwa palcem wskazującym po moich ustach.
O rany. Ledwie jestem w stanie się opanować, leżąc
bezradnie i patrząc, jak Christian porusza się z gracją po
moim pokoju. To uderzający do głowy afrodyzjak. Powoli, niemal leniwie, zdejmuje buty i skarpetki, rozpina
spodnie i ściąga przez głowę koszulę.
– Myślę, że za dużo widziałaś. – Chichocze przebiegle. Ponownie siada na mnie okrakiem, podciąga T-shirt,
ale go ze mnie nie zdejmuje, czego się spodziewam, lecz
zwija go aż do szyi, a potem zakłada mi na głowę, tak że
on widzi moje usta i nos, ale oczy mam zasłonięte.
– Mhm – mruczy z zadowoleniem. – Robi się coraz
przyjemniej. Idę po coś do picia.
Nachyla się nade mną, całuje czule, a potem wstaje z łóżka. Słyszę ciche skrzypnięcie otwieranych drzwi.
Coś do picia. Gdzie? Tutaj? Do Portland? Do Seattle?
Wytężam słuch. Słyszę jakieś głosy i wiem, że rozmawia

z Kate – o nie… jest praktycznie nagi. Co ona powie?
Słyszę jakieś stuknięcie. Co to? Wraca, ponowne skrzypnięcie drzwi, odgłos kroków i stukających o szkło kostek
lodu. Co to za drink? Christian zamyka drzwi i zdejmuje
spodnie. Opadają na podłogę i wiem, że jest nagi. Ponownie siada na mnie.

– Chce ci się pić, Anastasio? – pyta lekko żartobliwie.

– Tak. – Dyszę, ponieważ nagle zaschło mi w gardle.
Słyszę stukające o siebie kostki lodu, a potem on się pochyla i mnie całuje, wlewając do ust pyszny chłodny płyn.
Białe wino. To takie niespodziewane, takie palące, mimo
że zarówno płyn, jak i usta Christiana są chłodne.

– Jeszcze? – pyta szeptem.

Kiwam głową. Wino smakuje niebiańsko, ponieważ
wcześniej było w jego ustach. Po chwili do moich wlewają
się kolejne krople… o matko.

– Tylko się nie zapędźmy. Wiemy, że masz bardzo
słabą głowę, Anastasio.

Nie mogę się powstrzymać. Uśmiecham się szeroko, a on nachyla się i częstuje kolejnym łykiem. Zmienia
pozycję i leży teraz obok mnie, napierając nabrzmiałym
członkiem na moje biodro. Och, tak bardzo pragnę poczuć go w sobie.

– Czy tak jest „miło”? – pyta. Słyszę w jego głosie
nutkę groźby.

Sztywnieję. Ponownie nachyla się nade mną, całuje
i razem z winem wpuszcza do ust kawałek lodu. Powoli,
niespiesznie obsypuje chłodnymi pocałunkami moją szyję, schodząc w dół do piersi, a stamtąd do brzucha. Do
pępka wrzuca kostkę lodu w towarzystwie schłodzonego
wina. Robi mi się gorąco w podbrzuszu. O rany!

– A teraz leż nieruchomo – szepcze. – Jeśli się ru-
szysz, Anastasio, wylejesz wino na łóżko.

Odruchowo wyginam biodra.

– O nie. Jeśli rozlejesz wino, ukarzę cię, panno Steele.
Jęczę i rozpaczliwie walczę z pragnieniem uniesienia
bioder. O nie… błagam.

Jednym palcem odciąga po kolei miseczki stanika,
uwalniając moje piersi. Chłodnymi ustami całuje najpierw jeden sutek, potem drugi. Walczę ze swym ciałem,
które próbuje wygiąć się w łuk.

– A to jest „miłe"? – pyta, dmuchając na jeden sutek.
Słyszę kolejne stuknięcie kostek lodu, a potem czuję
go wokół prawego sutka, gdy tymczasem lewy pozostaje
w jego ustach. Jęczę, z całych sił starając się nie ruszać. To
słodka, przejmująca tortura.

– Jeśli rozlejesz wino, nie pozwolę ci dojść.
– Och… proszę… Christianie… proszę pana… błagam.
Doprowadza mnie do szaleństwa. Słyszę, jak się
uśmiecha.

Lód w moim pępku topi się. Jestem gorąca – gorąca,
mokra i spragniona. Pragnę go w sobie, natychmiast.

Chłodnymi palcami gładzi leniwie mój brzuch. Skórę mam tak wrażliwą, że automatycznie unoszę biodra
i ogrzany płyn wycieka z pępka na brzuch. Christian szybko
zaczyna go zlizywać, całując mnie, lekko podgryzając, ssąc.

– Och, Anastasio, poruszyłaś się. I co ja mam teraz
zrobić?

Głośno dyszę. Koncentruję się jedynie na jego głosie
i dotyku. Cała reszta jest nierzeczywista. Nic innego się
nie liczy, nic innego nie jestem w stanie rejestrować. Jego
palce wślizgują się pod materiał majtek. Słyszę, jak wciąga powietrze.

– Och, mała – mruczy i wsuwa we mnie dwa palce.
Wydaję głośny jęk.

– Tak szybko na mnie gotowa – mówi. Drażniąco
powoli porusza palcami, wsuwa i wysuwa, a ja napieram
na niego, unosząc biodra.

– Zachłanna z ciebie dziewczyna – beszta mnie łagodnie. Jego kciuk zatacza kółka wokół łechtaczki, by po
chwili dotrzeć na miejsce.

Jęczę, wyginając ciało pod jego wprawnymi palcami.
Christian wyciąga rękę i ściąga mi T-shirt przez głowę, abym mogła go widzieć. Mrugam w bladym świetle
lampki. Tak bardzo pragnę go dotknąć.

– Chcę cię dotknąć – dyszę.

– Wiem – mruczy. Nachyla się i całuje mnie, a jego
palce dalej poruszają się rytmicznie wewnątrz mnie, kciuk
masuje i uciska. Drugą dłoń zanurza w mych włosach
i unieruchamia głowę. Jego język naśladuje ruchy palców.
Nogi zaczynają mi sztywnieć, gdy napieram na jego dłoń.
Christian cofa rękę, cofając mnie znad krawędzi przepa
ści. Robi to jeszcze raz, i jeszcze. To takie frustrujące…
Och, błagam, Christianie – wołam w myślach.

– To twoja kara, tak blisko, a jednocześnie tak daleko.
Czy to jest „miłe"? – szepcze mi do ucha.

Jęczę cichutko, wyczerpana tą słodką torturą. Jestem
bezsilna, uwięziona w erotycznych męczarniach.

– Proszę – jęczę i w końcu robi mu się mnie żal.

– Jak mam cię przelecieć, Anastasio?

Och… ciało zaczyna mi drżeć. Christian nieruchomieje.

– Proszę.

– Czego pragniesz, Anastasio?

– Ciebie… teraz!

– Mam cię przelecieć tak, a może tak, a może tak?
Wybór jest nieograniczony – dyszy mi do ust. Cofa rękę
i sięga na stolik po foliową paczuszkę. Klęka między moimi nogami i bardzo powoli ściąga mi majteczki, wpatrując się we mnie płonącym wzrokiem. Zakłada prezerwatywę. Patrzę jak urzeczona. – A to jest „miłe"? – pyta,
stymulując się.

– To miał być żart – szepczę. Proszę, przeleć mnie, Christianie.

Unosi brwi, przesuwając dłonią w górę i w dół swej imponującej męskości.

– Żart? – Głos ma niebezpiecznie łagodny.

– Tak. Błagam, Christianie.

– Śmiejesz się teraz?

– Nie – miauczę.

Jestem kłębkiem seksualnego napięcia i pragnienia. Przez chwilę przygląda mi się, badając siłę mojego pragnienia, następnie chwyta mnie i szybko obraca na brzuch. Bierze mnie tym z zaskoczenia, gdyż ręce mam związane i muszę się wesprzeć na łokciach. Popycha mi kolana do góry, tak że pupę mam teraz w powietrzu, i daje mocnego klapsa. Nim zdążę zareagować, wchodzi we mnie. Wydaję okrzyk – wywołany klapsem i jego nagłym wejściem, i natychmiast dochodzę, jeszcze i jeszcze, rozpadając się pod nim na kawałki, gdy tymczasem on dalej rozkosznie wbija się we mnie. Nie przestaje. Już po mnie. Nie dam rady... a on wchodzi we mnie i wchodzi... i wtedy znowu to się zaczyna... chyba nie... nie...

– No dalej, Anastasio, jeszcze raz – warczy przez zaciśnięte zęby i to niewiarygodne, ale moje ciało reaguje na to polecenie, zaciskając się wokół niego, gdy od nowa szczytuję, wołając jego imię. Znowu rozpadam się na maleńkie kawałki, a Christian nieruchomieje, w końcu odpuszczając, w milczeniu przeżywając rozkosz. Pada na mnie, ciężko dysząc.

– A to było „miłe"? – pyta przez zaciśnięte zęby.

O rety.

Dyszę wykończona i z zamkniętymi oczami, gdy tymczasem on powoli zsuwa się ze mnie. Wstaje i od razu się ubiera. A potem wraca na łóżko, delikatnie rozwią-

zuje krawat i ściąga mój T-shirt. Rozcieram nadgarstki,
uśmiechając się na widok odciśniętego na nich splotu.
Poprawiam stanik, gdy Christian naciąga na mnie kołdrę i narzutę. Wpatruję się w niego w oszołomieniu, a on
uśmiecha się z wyższością.

– To było naprawdę miłe – szepczę, uśmiechając się
z fałszywą skromnością.

– No i znowu używasz tego słowa.

– Nie lubisz go?

– Nie. W ogóle mi ono nie odpowiada.

– Och, sama nie wiem… Wygląda na to, że ma na
ciebie dobroczynny wpływ.

– Dobroczynny wpływ, tak? Dlaczego tak bardzo ra-
nisz moje ego, panno Steele?

– Uważam, że twoje ego ma się całkiem dobrze. –
Ale nawet gdy wypowiadam te słowa, nie jestem do nich
przekonana. Coś nieuchwytnego przebiega mi przez głowę, jakaś przelotna myśl, ale ucieka, nim udaje mi się ją
rozpoznać.

– Tak myślisz? – Głos ma miękki. Leży obok mnie
ubrany, z głową wspartą na łokciu, a ja mam na sobie jedynie stanik.

– Dlaczego nie lubisz, gdy cię ktoś dotyka?

– Nie lubię i już. – Przechyla się i całuje w czoło. –
Więc ten twój mejl był tylko żartem, tak?

Uśmiecham się ze skruchą i wzruszam ramionami.

– Rozumiem. A więc bierzesz pod uwagę moją propozycję?

– Twoją niemoralną propozycję… Owszem. Chcę
jednak omówić kilka kwestii.

Uśmiecha się do mnie, jakby z ulgą.

– Rozczarowałbym się, gdyby było inaczej.

– Zamierzałam wysłać ci to w mejlu, ale można powiedzieć, że mi przerwałeś.

– Stosunek przerywany.

– Widzisz, wiedziałam, że gdzieś tam skrywa się w tobie poczucie humoru – uśmiecham się.

– Nie wszystko jest zabawne, Anastasio. Sądziłem, że mówisz „nie", że nie będzie żadnej dyskusji.

– Tego jeszcze nie wiem. Nie podjęłam decyzji. Będziesz zakładał mi obrożę?

Unosi brwi.

– Widzę, że się przygotowałaś. Nie wiem, Anastasio. Jeszcze nigdy tego nie robiłem.

Och, powinno mnie to dziwić? Tak mało wiem na ten temat...

– A tobie ktoś ją zakładał? – pytam szeptem.

– Tak.

– Pani Robinson?

– Pani Robinson! – Śmieje się głośno i wygląda przy tym tak młodo i beztrosko, że jego śmiech robi się zaraźliwy. – Powiem jej, że tak ją nazwałaś; będzie zachwycona.

– Nadal regularnie się kontaktujecie? – Jestem zaszokowana i nie potrafię tego ukryć.

– Tak. – Poważnieje.

Och... gdzieś w głębi duszy czuję chorobliwą zazdrość – jestem poruszona głębią tego uczucia.

– Rozumiem. – Głos mam zduszony. – Jest więc ktoś, z kim omawiasz swoje niekonwencjonalne życie, ale nie ze mną.

Marszczy brwi.

– Ja tak tego nie postrzegam. Pani Robinson stanowiła część tego życia. Mówiłem ci, teraz się przyjaźnimy. Gdybyś chciała, mogę cię przedstawić którejś z moich dawnych uległych. Mogłabyś z nią porozmawiać.

Że co? Czy on celowo próbuje mnie zdenerwować?

– Tobie wydaje się to zabawne?

– Nie, Anastasio. – Zdeprymowany potrząsa głową.

– Nie, sama się tym zajmę, wielkie dzięki – warczę, podciągając kołdrę pod brodę.

Patrzy na mnie zaskoczony.

– Anastasio, ja... – Brak mu słów. Pierwszy taki przypadek. – Nie miałem zamiaru cię obrazić.

– Nie jestem obrażona, ale zbulwersowana.

– Zbulwersowana?

– Nie mam ochoty rozmawiać z żadną z twoich byłych dziewczyn... niewolnic... uległych... jak tam je nazywasz.

– Anastasio Steele, czy ty jesteś zazdrosna?

Robię się purpurowa na twarzy.

– Zostaniesz na noc?

– Rano mam spotkanie w Heathmanie. Poza tym już ci mówiłem, że nie sypiam z dziewczynami, niewolnicami, uległymi ani z nikim. Ostatni weekend stanowił wyjątek. To się więcej nie powtórzy. – W jego niskim, chrypliwym głosie słyszę zdecydowanie.

Wydymam usta.

– Cóż, ja jestem zmęczona.

– Wyrzucasz mnie? – Unosi brwi, rozbawiony i lekko skonsternowany.

– Tak.

– No to mamy kolejny pierwszy raz. – Mierzy mnie uważnym spojrzeniem. – A więc teraz nie chcesz porozmawiać? O tej umowie?

– Nie – odpowiadam z rozdrażnieniem.

– Boże, chętnie spuściłbym ci porządne lanie. Poczułabyś się znacznie lepiej, no i ja także.

– Nie wolno ci tak mówić... Jeszcze niczego nie podpisałam.

– Można sobie pomarzyć, no nie, Anastasio? – Nachyla się nade mną i bierze pod brodę. – Środa? – mruczy, a potem całuje mnie lekko w usta.

– Środa – potwierdzam. – Odprowadzę cię. Potrzebuję chwili, okej? – Siadam i sięgam po T-shirt. Christian niechętnie wstaje z łóżka. – Podaj mi, proszę, spodnie.

Podnosi je z podłogi i podaje.

– Tak jest, psze pani. – Bez powodzenia próbuje ukryć uśmiech.

Wciągając spodnie dresowe, mrużę oczy. Włosy mam w nieładzie i wiem, że po jego wyjściu będę musiała stawić czoło Inkwizycji Katherine Kavanagh. Podnoszę gumkę do włosów, podchodzę do drzwi, otwieram je i wyglądam. Kate nie ma w salonie. Chyba rozmawia u siebie przez telefon. Za mną wychodzi Christian. Podczas tej krótkiej trasy od sypialni do drzwi wejściowych moje myśli i uczucia ulegają transformacji. Nie jestem już na niego zła i nagle robię się nieznośnie nieśmiała. Nie chcę, aby wychodził. Po raz pierwszy żałuję, że nie jest „normalny" – pragnę normalnego związku, niewymagającego dziesięciostronicowej umowy, pejcza i karabińczyków pod sufitem pokoju zabaw.

Otwieram mu drzwi i wbijam wzrok w dłonie. Po raz pierwszy uprawiałam seks na własnym terenie, w dodatku nie byle jaki seks. Ale teraz czuję się jak pojemnik – puste naczynie, które on napełnia, jeśli ma taki kaprys. Moja podświadomość kręci głową. „Miałaś ochotę biec do Heathmana po seks – otrzymałaś go przesyłką kurierską". Krzyżuje ręce na piersi i stuka z rozdrażnieniem stopą. Christian staje w drzwiach, ujmuje moją brodę i zmusza, abym na niego spojrzała. Marszczy czoło.

– Wszystko dobrze? – pyta czule, przesuwając delikatnie kciukiem po mojej wardze.

– Tak – odpowiadam, choć wcale nie mam takiej pewności. Wiem, że jeśli wejdę w ten układ, będę cierpieć. Christian nie potrafi ani nie chce zaoferować mi więcej… a ja pragnę więcej. Znacznie więcej. Ukłucie zazdrości, które czułam zaledwie parę chwil temu, mówi mi, że żywię do niego większe uczucie, niż jestem to skłonna przyznać.

– Środa – potwierdza, a potem nachyla się i całuje mnie delikatnie. Coś się zmienia; jego usta stają się coraz bardziej niecierpliwe, dłoń przesuwa się z brody na bok głowy, drugi bok trzyma druga. Oddech mu przyspiesza. Pogłębia pocałunek, wtapiając się we mnie. Kładę mu ręce na ramionach. Mam ochotę przeczesać palcami jego włosy, ale wiem, że jemu by się to nie spodobało. Opiera się czołem o moje czoło. Oczy ma zamknięte, głos pełen napięcia.

– Anastasio – szepcze. – Co ty mi robisz?

– O to samo mogłabym spytać ciebie – odszeptuję.

Bierze głęboki oddech, całuje mnie w czoło i odchodzi. Zdecydowanym krokiem idzie w stronę zaparkowanego przed domem samochodu i przeczesuje dłonią włosy. Otwierając drzwi, podnosi wzrok i uśmiecha się zniewalająco. Uśmiech, który posyłam mu w odpowiedzi, jest blady i po raz kolejny przypomina mi się Ikar szybujący zbyt blisko słońca. Zamykam drzwi, gdy wsiada do samochodu. Strasznie chce mi się płakać; moje serce obejmuje w posiadanie smutna i samotna melancholia. Wracam do sypialni, zamykam za sobą drzwi i opieram się o nie, próbując rozgryźć własne uczucia. Nie potrafię. Osuwam się na podłogę i chowam twarz w dłoniach. Po policzkach zaczynają mi płynąć łzy.

Kate puka cicho.

– Ana? – pyta łagodnie. Otwieram drzwi. Jej wystarcza jedno spojrzenie i przytula mnie do siebie. – Co się stało? Co zrobił ci ten odrażający, przystojny drań?

– Och, Kate, nic, czego bym nie chciała.

Pociąga mnie za sobą na łóżko i obie na nim siadamy.

– Masz koszmarne włosy „po seksie".

Mimowolnie się śmieję.

– Za to seks miałam fajny.

Kate uśmiecha się.

– Tak już lepiej. Co się dzieje? Ty przecież nigdy nie płaczesz. – Bierze ze stolika szczotkę, siada za mną i zaczyna powoli rozczesywać mi włosy.

– Po prostu nie sądzę, aby nasz związek miał jakąkolwiek przyszłość. – Wpatruję się w palce.

– No ale przecież mówiłaś, że spotykacie się w środę?

– Zgadza się. Taki był plan.

– No więc czemu zjawił się tu dzisiaj?

– Wysłałam mu mejl.

– Prosząc, aby wpadł?

– Nie, mówiąc, że nie chcę go więcej widzieć.

– A on się zjawia? Ana, to genialne.

– Prawdę mówiąc, to był żart.

– Och. Teraz to już nic nie rozumiem.

Cierpliwie wyjaśniam znaczenie mojego mejla, bez ujawniania zbyt wielu szczegółów.

– Więc sądziłaś, że odpowie ci mejlowo?

– Tak.

– A tymczasem on się zjawił osobiście.

– Tak.

– Wygląda na to, że mocno się w tobie zadurzył.

Marszczę brwi. Christian się we mnie zadurzył? Akurat. Szuka po prostu nowej zabawki – wygodnej nowej zabawki, którą może zabrać do łóżka i wyprawiać z nią różne bezeceństwa. Serce ściska mi się boleśnie. Taka jest prawda.

– Przyszedł, żeby mnie przelecieć, to wszystko.

Na twarzy Kate maluje się szok. Nie sądziłam, że kiedykolwiek uda mi się do tego doprowadzić. Wzruszam przepraszająco ramionami.

– Wykorzystuje seks jako broń.

– Seksem zmusza cię do posłuszeństwa? – Kręci z dezaprobatą głową. Mrugam szybko powiekami i czuję, że na moje policzki wypełza krwisty rumieniec. Och... bingo, Katherine Kavanagh, laureatko Pulitzera. – Ana, ja tego nie rozumiem, przecież mu pozwoliłaś się z tobą kochać?

– Nie, Kate, my się nie kochamy, według terminologii Christiana my się pieprzymy. On się nie bawi w kochanie.

– Wiedziałam, że jest w nim coś dziwacznego. Ma problem z zaangażowaniem się.

Kiwam głową, tak jakbym się z nią zgadzała. A w duchu płaczę rzewnymi łzami. Och, Kate... Chciałabym móc powiedzieć ci wszystko o tym dziwnym, smutnym, perwersyjnym facecie, a wtedy ty kazałabyś mi o nim zapomnieć. Powstrzymałabyś mnie przed zrobieniem czegoś głupiego.

– Chyba mnie to wszystko trochę przytłoczyło – mamroczę. Niedomówienie roku.

Nie chcę rozmawiać już o Christianie, pytam ją więc o Elliota. Zachowanie Katherine ulega zmianie, gdy tylko wypowiadam jego imię. Cała się rozpromienia.

– Zjawi się tu w sobotę rano, aby pomóc w przeprowadzce.

Czuję znajome ukłucie zazdrości. Kate znalazła sobie normalnego mężczyznę i wygląda na niesamowicie szczęśliwą.

Odwracam się i ściskam ją.

– Och, zapomniałam ci powiedzieć. Dzwonił twój tata, gdy ty byłaś... eee... zajęta. Podobno Bob doznał jakiegoś urazu, więc nie przyjadą z mamą na uroczystość wręczania dyplomów. Ale twój tato w czwartek przyjedzie. Masz do niego zadzwonić.

– Och... mama do mnie nie dzwoniła. Z Bobem wszystko w porządku?

– Tak. Zadzwoń do niej rano. Teraz jest już późno.

– Dzięki, Kate. Już mi lepiej. Do Raya też zadzwonię rano. Teraz chyba pójdę spać.

Uśmiecha się, ale w kącikach oczu widzę niepokój.

Po jej wyjściu siadam i jeszcze raz czytam umowę, robiąc przy tym notatki. Kiedy kończę, odpalam laptop, gotowa do napisania mejla.

W skrzynce czeka wiadomość od Christiana.

Nadawca: Christian Grey
Temat: Dzisiejszy wieczór
Data: 23 maja 2011, 23:16
Adresat: Anastasia Steele

Panno Steele,

Czekam z niecierpliwością na uwagi dotyczące umowy.

A tymczasem śpij dobrze, mała.

Christian Grey
Prezes, Grey Enterprises Holdings, Inc.

Nadawca: Anastasia Steele
Temat: Uwagi
Data: 24 maja 2011, 00:02
Adresat: Christian Grey

Szanowny Panie Grey,

Oto lista moich uwag. Czekam z niecierpliwością na środową kolację, podczas której dokładniej je omówimy.

Cyfry odnoszą się do punktów umowy:
2. Nie jestem pewna, czy to wyłącznie dla MOJE-GO dobra – tzn. eksplorowanie MOJEJ zmysłowości i granic. Jestem przekonana, że w tym celu nie potrzebowałabym dziesięciostronicowej umowy! To wszystko jest dla TWOJEGO dobra.

4. Jak wiesz, jesteś moim jedynym partnerem seksualnym. Nie biorę narkotyków i nie miałam żadnych transfuzji. Prawdopodobnie jestem bezpieczna. No a co z Tobą?

8. Mogę rozwiązać umowę w dowolnym momencie, jeśli uznam, że nie trzymasz się wyznaczonych granic. Okej – to mi się podoba.

9. Być Ci we wszystkim posłuszną? Bez wahania przyjmować dyscyplinowanie? Musimy o tym porozmawiać.

11. Miesięczny okres próbny. Nie trzymiesięczny.

12. Nie mogę Ci poświęcić wszystkich weekendów. Mam własne życie albo będę je mieć. Co powiesz na trzy w miesiącu?

15.2. Wykorzystywanie mojego ciała w sposób seksualny i inny – zdefiniuj, proszę, słowo „inny".

15.5. Ten cały punkt z dyscyplinowaniem. Nie jestem pewna, czy chcę być chłostana, smagana czy karana cieleśnie. Wiem, że to byłoby naruszenie punktów 2–5. No i jeszcze „z jakiegokolwiek innego powodu". To podłe i już – a mówiłeś mi, że nie jesteś sadystą.

15.10. Jakby wypożyczenie mnie komuś innemu w ogóle wchodziło w grę. Ale się cieszę, że mam to czarno na białym.

15.14. Zasady. Więcej na ten temat później.

15.19. Dotykanie samej siebie bez Twojego pozwolenia. O co ci chodzi? Przecież wiesz, że tego nie robię.

15.21. Dyscyplina – patrz punkt 15.5.

15.22. Nie mogę Ci patrzeć w oczy? Dlaczego?

15.24. Czemu nie wolno mi Cię dotykać?

Zasady:

Sen – zgadzam się na sześć godzin.

Jedzenie – nie będę jeść tego, co jest na liście. Albo jedzenie, albo ja – mówię poważnie.

Ubrania – dopóki muszę nosić twoje ubrania tylko, kiedy jestem z Tobą… okej.

Ćwiczenia – zgodziliśmy się na trzy godziny, a tu
nadal są cztery.

Granice względne:
Czy możemy przeanalizować wszystko po kolei?
Żadnego fistingu. Co to jest podwieszanie? Kla-
merki na genitalia – chyba żartujesz.

Gdzie i o której godzinie spotykamy się w środę?
Pracuję tego dnia do piątej.

Dobranoc,

Ana

Nadawca: Christian Grey
Temat: Uwagi
Data: 24 maja 2011, 00:07
Adresat: Anastasia Steele

Panno Steele,

To długa lista. Dlaczego jeszcze nie śpisz?

Christian Grey
Prezes, Grey Enterprises Holdings, Inc.

Nadawca: Anastasia Steele
Temat: Ślęczę po nocach
Data: 24 maja 2011, 00:10
Adresat: Christian Grey

Proszę pana,

Proszę pamiętać, że przeglądałam właśnie umowę, kiedy zjawił się u mnie pewien lubiący rządzić innymi mężczyzna, przerwał mi i zabrał mnie do łóżka.

Dobranoc.

Ana

Nadawca: Christian Grey
Temat: Przestań ślęczeć po nocach
Data: 24 maja 2011, 00:12
Adresat: Anastasia Steele

IDŹ SPAĆ, ANASTASIO.

Christian Grey
Prezes, Grey Enterprises Holdings, Inc.

Och… wersaliki! Wyłączam komputer. Jak to możliwe, że mnie onieśmiela, choć dzieli nas kilka kilometrów? Kręcę głową. Z nadal ciężkim sercem kładę się do łóżka i natychmiast zapadam w głęboki, lecz niespokojny sen.

ROZDZIAŁ TRZYNASTY

N azajutrz po powrocie z pracy dzwonię do mamy. U Claytona dzień minął względnie spokojnie, przez co miałam zdecydowanie za dużo czasu na myślenie. Denerwuję się swoją jutrzejszą rozgrywką z Panem Kontrolerem. Martwię się też trochę, czy aby nie mam nieco zbyt negatywnego nastawienia do tej umowy. Może on to wszystko odwoła.

Mama emanuje wręcz skruchą, strasznie żałując, że nie dotrze na uroczystość wręczania dyplomów. Bob naderwał jakieś wiązadło, co oznacza, że kuśtyka na jednej nodze. Jest równie podatny na wypadki jak ja. Wyzdrowieje, ale to znaczy, że musi się oszczędzać, a mama musi go teraz doglądać.

– Ana, skarbie, tak bardzo mi przykro – jęczy mama do telefonu.

– Mamo, w porządku. Przyjedzie Ray.

– Kochanie, chyba jesteś markotna, coś się stało?

– Nie, mamo. – Och, gdybyś tylko wiedziała. Poznałam pewnego nieprzyzwoicie bogatego faceta, a teraz on chce mnie wplątać w jakiś dziwny, perwersyjny układ, w którym nie mam nic do powiedzenia.

– Poznałaś kogoś?

– Nie, mamo. – Za żadne skarby jej tego nie powiem.

– Cóż, kochanie, będę o tobie myśleć w czwartek. Kocham cię… wiesz o tym, skarbie?

Zamykam oczy. Dzięki jej słowom robi mi się w środku ciepło.

– Ja ciebie też kocham, mamo. Pozdrów Boba, mam
nadzieję, że szybko wyzdrowieje.

– Dobrze, skarbie. Pa.

– Pa.

Chodzę po pokoju z telefonem w dłoni. Od niechcenia
włączam niedobre urządzenie i odpalam program pocztowy. Czeka na mnie mejl od Christiana, wysłany późną
nocą albo wczesnym rankiem, zależnie od punktu widzenia. Serce natychmiast mi przyspiesza i słyszę w uszach
dudnienie krwi. Jasny gwint… a może powiedział, że nie,
że to koniec, może odwołał kolację. Ta myśl jest taka bolesna. Odsuwam ją szybko i otwieram wiadomość.

Nadawca: Christian Grey
Temat: Twoje uwagi
Data: 24 maja 2011, 01:27
Adresat: Anastasia Steele

Droga Panno Steele,

Po dokładnym przeczytaniu Twoich uwag chciałbym, jeśli pozwolisz, zwrócić Twoją uwagę na definicję słów „uległość" i „uległy".

1. uległość
rz. ż V, blm
skłonność do ustępstw wobec kogoś lub czegoś,
pokorne godzenie się z zaistniałym stanem rzeczy
synonimy: posłuszeństwo, poddaństwo
antonimy: nieposłuszeństwo, nieuległość

2. uległy
przym.

taki, który pozwala sobą kierować, poddaje się pokornie czyjejś woli, posłuszny komuś; będący wyrazem uległości
synonimy: posłuszny, poddany
antonimy: nieustępliwy, nieposłuszny

Proszę, miej to na uwadze podczas naszego środowego spotkania.

Christian Grey
Prezes, Grey Enterprises Holdings, Inc.

Pierwsze, co czuję, to ulga. Chce porozmawiać o moich uwagach i chce się jutro spotkać. Po krótkim zastanowieniu odpisuję.

Nadawca: Anastasia Steele
Temat: Moje uwagi… A co z Twoimi uwagami?
Data: 24 maja 2011, 18:29
Adresat: Christian Grey

Proszę Pana,

Proszę zwrócić uwagę na synonim „poddanie" oraz „poddany". Z całym szacunkiem chciałabym zwrócić Pańską uwagę na fakt, że jest on nieco anachroniczny. Sporo się zmieniło od czasów feudalnych.

Jeśli mogę, to chciałbym także przedstawić pewną definicję, którą proszę mieć na uwadze podczas naszego spotkania:

kompromis

rz. m IV, D. –u

1. ugoda między ludźmi, organizacjami, instytucjami lub państwami, osiągnięta dzięki wzajemnym ustępstwom: *Po kilku dniach negocjacji obydwie partie doszły do kompromisu i we wtorek podpisano umowę koalicyjną.*

2. odstępstwo od wyznawanych zasad ze względu na oczekiwane korzyści: *Większość kolegów uznała kompromis moralny, którego wymagała praca w tej redakcji, za niemożliwy do przyjęcia. łac.* compromissum 'coś wzajemnie obiecanego'.

Ana

Nadawca: Christian Grey
Temat: A co z moimi uwagami?
Data: 24 maja 2011, 18:32
Adresat: Anastasia Steele

Celna uwaga, jak zawsze, Panno Steele. Jutro o 7:00 przyjadę po Ciebie do Waszego mieszkania.

Christian Grey
Prezes, Grey Enterprises Holdings, Inc.

Nadawca: Anastasia Steele
Temat: 2011 – kobiety mają prawo jazdy
Data: 24 maja 2011, 18:40
Adresat: Christian Grey

Proszę Pana,

Mam samochód. Mam prawo jazdy.

Wolałabym się spotkać w jakimś innym miejscu.

Gdzie się spotkamy?

W Twoim hotelu o 7:00?

Ana •

Nadawca: Christian Grey
Temat: Uparte młode kobiety
Data: 24 maja 2011, 18:43
Adresat: Anastasia Steele

Droga Panno Steele,

Odsyłam Panią do mejla z 24 maja 2011 wysłanego
o godz. 1:27 i zawartych w nim definicji.

Myślisz, że kiedykolwiek będziesz w stanie robić to,
co Ci się każe?

Christian Grey
Prezes, Grey Enterprises Holdings, Inc.

Nadawca: Anastasia Steele
Temat: Nieustępliwi mężczyźni
Data: 24 maja 2011, 18:49
Adresat: Christian Grey

Panie Grey,

Chciałabym przyjechać swoim samochodem.

Proszę.

Ana.

Nadawca: Christian Grey
Temat: Zirytowani mężczyźni
Data: 24 maja 2011, 18:52
Adresat: Anastasia Steele

W porządku.
W moim hotelu o 7:00.

Spotkamy się w Marble Barze.

Christian Grey
Prezes, Grey Enterprises Holdings, Inc.

Nawet w mejlu potrafi być zrzędliwy. Czy on nie rozumie, że może będę musiała szybko uciec? Co prawda
mojego garbusa ciężko uznać za szybki środek lokomo-
cji... no ale jednak – potrzebny mi własny środek trans-
portu.

Nadawca: Anastasia Steele
Temat: Nie aż tacy nieustępliwi mężczyźni
Data: 24 maja 2011, 18:55
Adresat: Christian Grey

Dziękuję.

Ana x

Nadawca: Christian Grey
Temat: Irytujące kobiety
Data: 24 maja 2011, 18:59
Adresat: Anastasia Steele

Proszę.

Christian Grey
Prezes, Grey Enterprises Holdings, Inc.

Dzwonię do Raya, który zaraz ma zacząć oglądać mecz Soundersów z jakąś drużyną piłkarską z Salt Lake City, więc nasza rozmowa jest na szczęście krótka. Przyjedzie w czwartek na rozdanie dyplomów. Potem chce mnie zabrać na obiad. Podczas rozmowy z Rayem robi mi się ciepło na sercu, a w gardle formuje się wielka gula. To mój constans podczas tych wszystkich romantycznych uniesień mamy. Łączy nas szczególna więź, którą bardzo cenię. Choć to mój ojczym, zawsze traktował mnie jak rodzone dziecko, i nie mogę się doczekać naszego spotkania. Tak długo się nie widzieliśmy. Jego spokój i hart ducha – tego mi teraz trzeba i za tym właśnie tęsknię.

Kate i ja koncentrujemy się na pakowaniu, przy okazji opróżniając butelkę taniego czerwonego wina. Kiedy wreszcie kładę się spać, spakowawszy prawie wszystko z sypialni, jestem spokojniejsza. Wysiłek fizyczny dobrze mi zrobił i czuję przyjemne zmęczenie. Wślizguję się pod kołdrę i w mgnieniu oka zasypiam.

* * *

Paul przyjechał z Princeton na krótkie wakacje przed przeprowadzką do Nowego Jorku, gdzie rozpocznie staż w instytucji finansowej. Przez cały dzień chodzi za mną, prosząc o spotkanie. Strasznie mnie to irytuje.

– Paul, po raz setny ci mówię, że mam wieczorem randkę.

– Wcale nie masz, mówisz tak tylko, żeby się mnie pozbyć. Zawsze tak robisz.

Tak… można by pomyśleć, że w końcu załapie, o co mi chodzi.

– Zawsze uważałam, że umawianie się z bratem szefa to kiepski pomysł.

– Pracujesz tu tylko do piątku. Jutro masz wolne.

– A w sobotę będę już w Seattle, a ty niedługo jedziesz do Nowego Jorku. Będziemy tak daleko od siebie, że dalej się nie da. Poza tym naprawdę wieczorem mam randkę.

– Z José?

– Nie.

– No to z kim?

– Paul… och – wzdycham z rozdrażnieniem. Tak łatwo nie odpuści. – Z Christianem Greyem. – Nawet nie kryję irytacji. Ale udaje się. Paulowi opada szczęka i patrzy na mnie oniemiały. Hmm, już na dźwięk jego nazwiska ludzie zapominają języka w gębie.

– Masz randkę z Christianem Greyem? – pyta wreszcie, kiedy mija szok. W jego głosie słychać niedowierzanie.

– Tak.

– Rozumiem.

Wygląda na przybitego, wręcz ogłuszonego i trochę mam mu za złe, że tak go to dziwi. Moja wewnętrzna bogini także. Pokazuje mu środkowy palec.

A potem Paul mnie ignoruje. Równo o piątej wychodzę.

Kate pożyczyła mi dwie sukienki i dwie pary butów – na dzisiejszy wieczór i na jutrzejszą uroczystość. Chciałabym bardziej ekscytować się ciuchami, ale to naprawdę nie moja bajka. A co nią jest, Anastasio? Prześladuje mnie pytanie, zadane mi niedawno przez Christiana. Potrząsam głową i decyduję się na obcisłą suknię w kolorze śliwkowym. Jest skromna i poważna – w końcu będę negocjować umowę.

Biorę prysznic, golę nogi i pachy, myję włosy, a potem przez pół godziny je suszę, tak że opadają miękkimi falami na plecy i piersi. Jedną stronę podpinam grzebykiem, aby odsunąć je z twarzy. Maluję rzęsy, a na usta nakładam odrobinę błyszczyku. Rzadko się maluję – makijaż mnie onieśmiela. Żadna z moich bohaterek literackich nie miała do czynienia z akcesoriami do makijażu, w przeciwnym wypadku niewykluczone, że wiedziałabym więcej na ich temat. Stopy wsuwam w śliwkowe szpilki, pasujące kolorem do sukienki, i o szóstej trzydzieści jestem gotowa.

– No i? – pytam Kate.

Uśmiecha się szeroko.

– Ależ się wystroiłaś. – Kiwa z uznaniem głową. – Gorąca laska z ciebie.

– Gorąca! Miało być skromnie i poważnie.

– To też, ale przede wszystkim gorąca. W tej sukience naprawdę świetnie wyglądasz, a kolor pasuje ci do cery. Ależ opina ci ciało. – Uśmiecha się znacząco.

– Kate! – besztam ją.

– Mówię, jak jest, Ana. Całość wygląda świetnie. Będzie ci jadł z ręki.

Usta zaciskam w cienką linię. Och, ty zupełnie nic nie rozumiesz.

– Życz mi powodzenia.

– Potrzebujesz tego na randkę? – Marszczy z konsternacją brwi.

– Tak.

– Cóż, wobec tego powodzenia. – Ściska mnie, a potem wychodzę.

Muszę prowadzić na bosaka. Wanda, mój garbus, nie jest przystosowana do kierowcy w szpilkach. Dokładnie o szóstej pięćdziesiąt osiem podjeżdżam pod Heathmana i wręczam kluczyki parkingowemu. Patrzy pytająco na mojego garbusa, ale go ignoruję. Biorę głęboki oddech, zbieram się w sobie i wchodzę do hotelu.

Christian opiera się swobodnie o bar, popijając białe wino. Tradycyjnie ma na sobie białą koszulę, a do tego czarne dżinsy, czarny krawat i czarną marynarkę. Włosy ma potargane jak zawsze. Wzdycham. Przez kilka sekund stoję w progu baru, patrząc na niego, ciesząc oczy widokiem. Rzuca nerwowe – tak mi się wydaje – spojrzenie w stronę wejścia i na mój widok nieruchomieje. Kilka razy mruga powiekami, następnie na jego twarzy pojawia się leniwy, seksowny uśmiech, na którego widok robi mi się gorąco. Mocno się koncentrując na tym, aby nie przygryzać wargi, ruszam w jego stronę świadoma tego, że ja, Anastasia Steele, Miss Gracji, mam na nogach szpilki. Christian wychodzi mi na spotkanie.

– Wyglądasz oszałamiająco – mruczy, po czym nachyla się i całuje mnie w policzek. – Sukienka, panno Steele. To mi się podoba. – Ujmuje moje ramię i prowadzi do usytuowanego w kącie boksu, po czym gestem przywołuje kelnera.

– Czego się napijesz?

Siadając, uśmiecham się chytrze pod nosem. Cóż, przynajmniej mnie o to pyta.

– Poproszę o to samo, co ty. – Widzicie! Potrafię być grzeczna i dobrze się zachowywać. Z rozbawieniem zamawia jeszcze jeden kieliszek Sancerre i siada naprzeciwko mnie.

– Mają tu znakomicie zaopatrzoną piwniczkę – stwierdza. Opiera łokcie na blacie i splata palce na wysokości ust. W jego oczach błyszczą jakieś nieodgadnione uczucia. I oto jest… ten znajomy prąd, który biegnie od niego, docierając do mego wnętrza. Wiercę się zażenowana jego bacznym spojrzeniem. Serce wali mi jak młotem. Muszę zachować spokój.

– Denerwujesz się? – pyta miękko.

– Tak.

Nachyla się ku mnie.

– Ja też – szepcze konspiracyjnie.

Podnoszę na niego wzrok. On? Zdenerwowany? Nigdy. Mrugam, a on uśmiecha się do mnie uroczo. Pojawia się kelner z winem dla mnie, małą miseczką mieszanki orzechów i drugą z oliwkami.

– No więc jak to zrobimy? – pytam. – Omówimy po kolei moje uwagi?

– Niecierpliwa jak zawsze, panno Steele.

– No, mogłam zapytać, co sądzisz na temat dzisiejszej pogody.

Uśmiecha się i sięga po oliwkę. Wsuwa ją do ust, a moje spojrzenie błądzi po tych ustach, które dotykały mego ciała… wszystkich jego części. Oblewam się rumieńcem.

– Uważam, że dzisiejsza pogoda była wyjątkowo przeciętna. – Uśmiecha się drwiąco.

– Czy pan sobie ze mnie drwi, panie Grey?

– Owszem, panno Steele.

– Wiesz, że ta umowa w sensie prawnym jest nieważna?

– W pełni jestem tego świadomy, panno Steele.

– Zamierzałeś mi o tym w ogóle powiedzieć?

Marszczy brwi.

– Sądzisz, że zmusiłbym cię do podpisania czegoś, na co nie masz ochoty, a potem bym udawał, że zgodnie z prawem należysz do mnie?

– No… tak.

– Nie masz o mnie zbyt dobrego zdania, prawda?

– Nie odpowiedziałeś na moje pytanie.

– Anastasio, to nie ma znaczenia, czy umowa jest nieważna, czy nie. Reprezentuje układ, który chciałbym z tobą stworzyć; czego chciałbym od ciebie i czego ty możesz oczekiwać ode mnie. Jeśli ci się to nie podoba, nie podpisuj. Jeśli podpiszesz, a potem uznasz, że ci się nie podoba, w umowie jest aż nadto punktów, które umożliwią ci odejście. Nawet gdyby była prawnie wiążąca, czy naprawdę uważasz, że ciągałbym cię po sądach, gdybyś zdecydowała się uciec?

Upijam spory łyk wina. Moja podświadomość stuka mnie mocno w ramię. „Nie pij za dużo".

– Takie relacje opierają się na szczerości i zaufaniu – kontynuuje. – Jeśli mi nie ufasz w kwestii tego, jak daleko jestem w stanie się posunąć, jak daleko jestem cię w stanie zabrać, jeśli nie potrafisz być ze mną szczera, wtedy to się nie uda.

O rany, a więc się zaczyna. Jak daleko jest mnie w stanie zabrać. Kuźwa. Co to znaczy?

– To całkiem proste, Anastasio. Ufasz mi czy nie? – Jego oczy płoną.

– Czy podobne rozmowy odbywałeś z… eee… piętnastką?

– Nie.

– Dlaczego?

– Bo wszystkie były doświadczonymi uległymi. Wiedziały, czego chcą w relacji ze mną i czego generalnie od nich oczekuję. W ich przypadku trzeba było jedynie uzgodnić granice względne i tego typu szczegóły.

– Macie jakiś swój sklep? Globalną sieć?

Śmieje się.

– Niezupełnie.

– W takim razie jak to działa?

– O tym właśnie chcesz rozmawiać? A może przejdziemy do sedna sprawy? Do twoich uwag?

Przełykam ślinę. Czy mu ufam? Do tego się właśnie
wszystko sprowadza? Do zaufania? No ale to powinno
przecież obowiązywać obie strony. Pamiętam, jak się zirytował, kiedy zadzwoniłam do José.

– Jesteś głodna? – pyta, odrywając mnie od rozwa-
żań.

O nie... jedzenie.

– Nie.

– Jadłaś coś dzisiaj?

Piorunuję go wzrokiem. Uczciwość... Kuźwa, moja
odpowiedź mu się nie spodoba.

– Nie – mówię cicho.

Mruży oczy.

– Musisz jeść, Anastasio. Możemy zjeść tutaj albo
w moim apartamencie. Jak wolisz?

– Myślę, że powinniśmy pozostać w miejscu publicz-
nym, na neutralnym gruncie.

Uśmiecha się sardonicznie.

– Naprawdę sądzisz, że to by mnie powstrzymało? –
W jego głosie pobrzmiewa zmysłowa groźba.

Otwieram szeroko oczy i ponownie przełykam ślinę.

– Mam taką nadzieję.

– Chodź, zarezerwowałem nam prywatną salę jadal-
ną. Nie miejsce publiczne. – Uśmiecha się do mnie enigmatycznie i wstaje, wyciągając do mnie rękę. – Zabierz
swój kieliszek – dodaje.

Podaję mu dłoń i staję obok niego. Christian puszcza
mnie i ujmuje za łokieć. Prowadzi mnie przez bar, a potem po schodach na półpiętro. Podchodzi do nas mężczyzna w liberii Heathmana.

– Panie Grey, tędy, proszę.

Idziemy za nim przez część z pluszowymi kanapami do ustronnej sali jadalnej. Tylko jeden stolik. Pomieszczenie jest nieduże, ale urządzone z przepychem. Pod połyskującym żyrandolem ustawiono stolik z kryształowymi kieliszkami, srebrnymi sztućcami i bukietem białych róż. Ten wyłożony drewnem pokój ma swój finezyjny urok. Kelner odsuwa dla mnie krzesło i siadam. Kładzie mi na kolanach serwetkę. Christian siada naprzeciwko mnie. Zerkam na niego.

– Nie przygryzaj wargi – mówi szeptem.

Marszczę brwi. Cholera. Nawet nie wiem, że to robię.

– Złożyłem już zamówienie. Mam nadzieję, że nie masz nic przeciwko.

Szczerze mówiąc, czuję ulgę. Nie jestem pewna, czy potrafię podejmować kolejne decyzje.

– Nie, oczywiście.

– Miło wiedzieć, że potrafisz być zgodna. No dobrze, na czym stanęliśmy?

– Na sednie sprawy. – Upijam kolejny łyk wina. Naprawdę jest przepyszne. Christian Grey dobrze wybiera wino. Przypomina mi się ostatni łyk, jaki od niego otrzymałam, w moim łóżku. Rumienię się na to wspomnienie.

– Tak, twoje uwagi. – Sięga do wewnętrznej kieszeni marynarki i wyjmuje złożoną kartkę. Mój mejl. – Punkt 2. Zgoda. Korzyść jest obopólna. Zmienię to.

Mrugam. A niech mnie... będziemy to omawiać punkt po punkcie. Jakoś opuszcza mnie odwaga. Christian wydaje się taki poważny. Posiłkuję się jeszcze jednym łykiem wina.

– Moje zdrowie seksualne – kontynuuje. – Cóż, wszystkie moje poprzednie partnerki miały robione badania krwi, ja też robię je regularnie co sześć miesięcy. Wszystkie wyniki mam w porządku. Nigdy nie brałem narkotyków. Jeśli mam być szczery, to jestem ich zaciekłym przeciwnikiem. Moja polityka to zero tolerancji dla narkotyków i wśród pracowników przeprowadzam wyrywkowe testy na ich obecność.

O matko… to dopiero szczyt kontroli. Mrugam zaszokowana.

– Nigdy nie miałem transfuzji krwi. Czy taka odpowiedź ci wystarcza?

Kiwam głową.

– Następny punkt. Już wcześniej o tym wspomniałem. Możesz odejść w każdej chwili, Anastasio. Nie powstrzymam cię. Jeśli jednak odejdziesz, to będzie koniec. Tak żebyś miała tego świadomość.

– Okej – mówię cicho. Jeśli odejdę, to będzie koniec. Ta myśl jest zaskakująco bolesna.

Pojawia się kelner z pierwszym daniem. Jak ja mam teraz jeść? O święty Barnabo, zamówił ostrygi na lodzie.

– Mam nadzieję, że lubisz ostrygi – mówi miękko Christian.

– Nigdy ich nie jadłam. – Nigdy.

– Naprawdę? Cóż. – Sięga po jedną. – Musisz tylko przechylić i przełknąć. Myślę, że sobie poradzisz. – Wpatruje się we mnie i wiem, do czego nawiązuje. Robię się szkarłatna na twarzy. Uśmiecha się szeroko, wyciska na swoją ostrygę nieco cytryny, a potem podnosi ją do ust. – Mhm, pyszna. Smakuje morzem. – Uśmiecha się. – Śmiało – zachęca.

– Więc tego się nie żuje?

– Nie, Anastasio. – W jego oczach błyska rozbawienie. Wygląda wtedy tak młodo.

Przygryzam wargę i wyraz jego twarzy natychmiast ulega zmianie. Patrzy na mnie surowo. Biorę do ręki moją pierwszą w życiu ostrygę. Okej… wyciskam na nią cytrynę, podnoszę do ust i przechylam. Ześlizguje mi się do gardła, morska woda, sól, cierpkość cytryny… och. Oblizuję wargi. Christian przygląda mi się uważnie.

– No i?

– Zjem więcej – odpowiadam sucho.

– Grzeczna dziewczynka – mówi z dumą.

– Wybrałeś je celowo? To słynny afrodyzjak?

– Nie, to była pierwsza pozycja w menu. Z tobą nie potrzebuję afrodyzjaków. Myślę, że to wiesz i myślę, że ty na mnie reagujesz tak samo – odpowiada z prostotą. – No więc na czym skończyliśmy? – Zerka na mój mejl, a ja sięgam po kolejną ostrygę.

On reaguje tak samo. Mam na niego wpływ... o kurczę.

– Posłuszeństwo we wszystkich kwestiach. Tak, chcę, aby tak było. Potrzebuję tego. Potraktuj to jak odgrywanie roli, Anastasio.

– Ale martwię się tym, że zrobisz mi krzywdę.

– Jaką krzywdę?

– Fizyczną. – I duchową.

– Naprawdę sądzisz, że to zrobię? Przekroczę granice, które jesteś w stanie znieść?

– Mówiłeś, że zrobiłeś w przeszłości komuś krzywdę.

– Owszem. To było dawno temu.

– Co jej zrobiłeś?

– Podwiesiłem ją pod sufitem w moim pokoju zabaw. Właściwie to jedno z twoich pytań. Podwieszanie, po to właśnie są te wszystkie karabińczyki. Do sznurów. Jeden ze sznurów przywiązałem zbyt mocno.

Unoszę rękę, błagając, aby przestał.

– Nie muszę wiedzieć więcej. Więc nie będziesz mnie podwieszał?

– Nie, jeśli naprawdę tego nie chcesz. Może to być twoja granica bezwzględna.

– Okej.

– No więc posłuszeństwo, sądzisz, że dasz radę?

Wpatruje się we mnie intensywnie. Mijają sekundy.

– Mogłabym spróbować – szepczę.

– Świetnie. – Uśmiecha się. – Teraz okres obowiązywania. Jeden miesiąc zamiast trzech to naprawdę mało, zwłaszcza że jeden weekend w miesiącu chcesz spędzać osobno. Nie sądzę, abym wytrzymał bez ciebie tak długo. Teraz też nie potrafię. – Milknie.

Nie może beze mnie wytrzymać? Że niby co?

– Co powiesz na to: jeden dzień w jeden weekend w miesiącu masz dla siebie, ale tego tygodnia dajesz mi jedną noc w środku tygodnia?

– W porządku.

– I proszę, spróbujmy przez trzy miesiące. Jeśli ci się nie spodoba, zawsze będziesz mogła odejść.

– Trzy miesiące? – Czuję się, jakbym miała pójść do więzienia. Biorę kolejny łyk wina i częstuję się ostrygą. Myślę, że mogłabym je polubić.

– Kwestia własności, cóż, to jedynie terminologia, ściśle związana z główną zasadą posłuszeństwa. Służy temu, abyś się odpowiednio nastawiła, abyś zrozumiała, o co mi chodzi. I chcę, żebyś wiedziała, że kiedy przekroczysz mój próg jako uległa, zrobię z tobą, co tylko będę chciał. Musisz to ochoczo przyjmować. Dlatego właśnie musisz mi ufać. Będę się z tobą pieprzył, kiedy będę chciał, jak będę chciał i gdzie będę chciał. Będę cię dyscyplinował, ponieważ ty będziesz niegrzeczna. Będę cię szkolił i uczył sprawiania mi przyjemności. Ale wiem, że to dla ciebie nowość. Na początku nie będziemy się spieszyć i będę ci pomagał. Będziemy realizować różne scenariusze. Chcę, abyś mi ufała, ale wiem, że muszę zasłużyć na twoje zaufanie i tak właśnie zrobię.

Mówi to tak żarliwie i hipnotyzująco. Widać, że to jego obsesja, że on taki właśnie jest… Nie mogę oderwać od niego wzroku. On naprawdę bardzo, ale to bardzo tego pragnie. Milknie i patrzy na mnie.

– Nadal tu jesteś? – pyta ciepłym, uwodzicielskim szeptem. Pociąga łyk wina, nie odrywając wzroku od mojej twarzy.

W drzwiach pojawia się kelner i Christian ledwie zauważalnie kiwa głową, pozwalając mu sprzątnąć ze stołu.

– Chciałabyś jeszcze wina?

– Prowadzę.

– Wobec tego woda?

Kiwam głową.

– Gazowana czy niegazowana?

– Gazowana.

Kelner wychodzi.

– Jesteś bardzo milcząca – stwierdza Christian.

– Za to ty wielomówny.

Uśmiecha się.

– Dyscyplina. Jest bardzo cienka granica między przyjemnością a bólem, Anastasio. To dwie strony tej samej monety, jedna nie istnieje bez drugiej. Mogę ci pokazać, jak przyjemny potrafi być ból. Teraz mi nie wierzysz, ale o to właśnie mi chodzi, gdy mówię o zaufaniu. Będziesz czuć ból, ale nie taki, którego nie jesteś w stanie znieść. No i znowu pojawia się kwestia zaufania. Ufasz mi, Ana?

Ana!

– Ufam. – Moja odpowiedź jest spontaniczna, niepoprzedzona myśleniem... ponieważ to prawda – rzeczywiście mu ufam.

– No to świetnie. – Widać, że mu ulżyło. – Reszta to tylko szczegóły.

– Ważne szczegóły.

– Okej, omówmy je.

W głowie mi się kręci od jego słów. Powinnam była zabrać dyktafon Kate, aby później wszystko odsłuchać. Tyle informacji, tak wiele do przeanalizowania. Zjawia się kelner z daniem głównym: dorsz, szparagi i tłuczone ziemniaki z sosem holenderskim. Jeszcze nigdy nie miałam tak nikłej ochoty na jedzenie.

– Mam nadzieję, że lubisz ryby – mówi grzecznie Christian.

Zaczynam grzebać widelcem w talerzu i wypijam spory łyk wody. Ach, jaka szkoda, że to nie wino.

– Zasady. Porozmawiajmy o nich. Jedzenie zupełnie odpada?

– Tak.

– A mogę ująć to tak, że będziesz jeść przynajmniej trzy posiłki dziennie?

– Nie. – W tym przypadku się nie ugnę. Nikt mi nie będzie dyktował, co mam jeść. Jak się pieprzyć, zgoda, ale jedzenie… nie ma mowy.

Zaciska usta.

– Muszę wiedzieć, że nie jesteś głodna.

Marszczę brwi. Dlaczego?

– Będziesz mi musiał zaufać.

Przygląda mi się przez chwilę i w końcu daje za wygraną.

– Bingo, panno Steele – mówi cicho. – Odpuszczam jedzenie i sen.

– Dlaczego nie mogę na ciebie patrzeć?

– Tak już jest w układzie Pan/Uległa. Przyzwyczaisz się.

Czy rzeczywiście?

– Dlaczego nie mogę cię dotykać?

– Bo nie.

Zaciska usta w wąską linię.

– Z powodu pani Robinson?

Patrzy na mnie dziwnie.

– Skąd ci to przyszło do głowy? – Po chwili zaczyna rozumieć. – Sądzisz, że mam po niej uraz?

Kiwam głową.

– Nie, Anastasio. To nie ona jest powodem. Poza tym pani Robinson nie pozwoliłaby mi na coś takiego.

Och… ale ja muszę. Wydymam wargi.

– Więc nie ma to nic wspólnego z nią.

– Nie. I nie chcę także, abyś sama się dotykała.

Słucham? Ach tak, ten punkt o zakazie masturbacji.

– A tak z ciekawości… dlaczego?

– Ponieważ chcę twojej całej przyjemności. – Głos ma zachrypły, lecz pełen determinacji.

Och… na to nie mam żadnej odpowiedzi. Z jednej strony zachowuje się w stylu „Chcę przygryźć tę wargę", z drugiej jest taki egoistyczny. Marszczę brwi i wkładam do ust kęs dorsza, próbując ocenić, na jakie Christian poszedł ustępstwa. Jedzenie, sen. Nie zamierza się spieszyć, a nie omówiliśmy jeszcze granic względnych. Ale nie jestem pewna, czy potrafię to zrobić przy jedzeniu.

– Masz o czym myśleć, prawda?

– Tak.

– Chcesz porozmawiać także o granicach względnych?

– Nie przy jedzeniu.

Uśmiecha się.

– Wrażliwy żołądek?

– Coś w tym rodzaju.

– Niewiele zjadłaś.

– Wystarczająco.

– Trzy ostrygi, cztery kęsy dorsza, jeden szparag, zero ziemniaków, orzeszków, oliwek, a przez cały dzień nie jadłaś. Powiedziałaś, że mogę ci ufać.

Jezu. Wszystko notował.

– Christian, proszę, nie każdego dnia odbywam tego typu rozmowy.

– Musisz być sprawna i zdrowa, Anastasio.

– Wiem.

– A w tej właśnie chwili mam ochotę zedrzeć z ciebie tę sukienkę.

Przełykam ślinę. Zedrzeć ze mnie sukienkę Kate. Czuję ucisk w żołądku. Mięśnie, z którymi coraz lepiej się znam. Ale nie mogę na to pozwolić. Jego największa broń, znowu użyta przeciwko mnie. Jest świetny, jeśli chodzi o seks – nawet ja do tego doszłam.

– Nie sądzę, aby to był dobry pomysł – mówię cicho.

– Nie zjedliśmy deseru.

– Masz ochotę na deser? – prycha.

– Tak.

– Ty mogłabyś być deserem – mruczy sugestywnie.

– Chyba nie jestem wystarczająco słodka.

– Anastasio, jesteś rozkosznie słodka. Ja to wiem.

– Christian. Używasz seksu jako broni. To naprawdę nie fair – szepczę, wpatrując się w dłonie. A potem podnoszę wzrok i patrzę mu prosto w oczy. Unosi zaskoczony brwi. Widzę, że przetrawia moje słowa. Z namysłem gładzi się po brodzie.

– Masz rację. Tak robię. Używam tego, co znam, Anastasio. Nie zmienia to faktu, że bardzo cię pragnę. Tutaj. Teraz.

Jak może mnie uwieść wyłącznie głosem? Oddycham z trudem, a w żyłach krąży mi gorąca krew.

– Chciałbym czegoś spróbować – wyrzuca z siebie.

Marszczę brwi. Dopiero co dał mi tyle do przemyślenia, a teraz jeszcze coś.

– Gdybyś była moją uległą, nie musiałbym o tym myśleć. Byłoby łatwo. – Głos ma miękki, uwodzicielski. – Te wszystkie decyzje, w ogóle byś ich nie musiała podejmować. Pytania w stylu: czy to właściwe? Powinno wydarzyć się tutaj? Może wydarzyć się teraz? Nie musiałabyś zawracać sobie głowy takimi szczegółami. Ja bym to robił, twój Pan. I wiem, że pragniesz mnie teraz, Anastasio.

Skąd to wie?

– Wiem, ponieważ…

O kuźwa, odpowiada na pytanie, które zadałam w myślach. Na domiar wszystkiego jest jasnowidzem?

– …zdradza cię twoje ciało. Zaciskasz uda, jesteś zarumieniona i masz przyspieszony oddech.

Okej, tego już za wiele.

– Skąd wiesz o moich udach? – W moim głosie słychać niedowierzanie. Są przecież schowane pod stołem.

– Poczułem, że obrus się rusza, no i zaryzykowałem, opierając się na latach doświadczenia. Mam rację, prawda?

Rumienię się i wbijam wzrok w dłonie. To mi właśnie przeszkadza w tej grze w uwodzenie. To on zna i rozumie zasady. Ja jestem zbyt naiwna i niedoświadczona. Moim jedynym przykładem jest Kate, a ona nie daje facetom wciskać sobie kitu. Pozostałe moje wzorce są fikcyjne: Elizabeth Bennet byłaby oburzona, Jane Eyre przerażona, a Tessa by uległa, tak jak ja.

– Nie skończyłam jeszcze dorsza.

– Wolisz zimnego dorsza ode mnie?

Unoszę głowę i widzę, że w jego oczach połyskuje roztopione srebro.

– Sądziłam, że lubisz, jak wszystko zjadam.

– W tym momencie, panno Steele, gówno mnie obchodzi twoje jedzenie.

– Christian. Nie grasz fair.

– Wiem. Mam tak od zawsze.

Moja wewnętrzna bogini marszczy brwi. „Potrafisz to zrobić” – nakłania mnie. – „Ograć tego boga seksu w jego własnej grze". Potrafię? Okej. Co mam zrobić? Niedoświadczenie to kamień u mojej szyi. Nabijając na widelec kawałek szparaga, patrzę na Christiana i przygryzam wargę. Następnie bardzo powoli wsuwam koniuszek zimnego szparaga do ust i ssę.

Oczy Christiana minimalnie się rozszerzają, ale i tak to zauważam.

– Anastasio. Co ty robisz?

Odgryzam końcówkę.

– Jem szparaga.

Christian poprawia się na krześle.

– Myślę, że się ze mną bawisz, panno Steele.

Udaję niewiniątko.

– Ja tylko kończę posiłek, panie Grey.

W tej właśnie chwili kelner puka do drzwi i nie czekając na zaproszenie, wchodzi. Patrzy na Christiana, który marszczy brwi, ale po chwili kiwa głową, więc kelner zabiera nasze talerze. Czar pryska. A mnie wraca rozsądek. Muszę jechać. Jeśli zostanę, nasze spotkanie skończy się w wiadomy sposób, a po takiej rozmowie potrzebne mi pewne granice. Choć moje ciało pragnie jego dotyku, rozum się buntuje. Potrzebny mi dystans, abym mogła przemyśleć to, o czym rozmawialiśmy. Nadal nie podjęłam decyzji, a jego urok i sprawność seksualna wcale mi tego nie ułatwiają.

– Masz ochotę na deser? – pyta grzecznie Christian. Spojrzenie nadal ma gorące.

– Nie, dziękuję. Chyba powinnam się zbierać. – Wpatruję się w dłonie.

– Zbierać? – Nie potrafi ukryć zaskoczenia.

Kelner wychodzi pospiesznie.

– Tak. – To właściwa decyzja. Jeśli tu zostanę, w tym pokoju razem z nim, przeleci mnie. Wstaję zdecydowanie. – Oboje nas jutro czeka uroczystość wręczania dyplomów.

Christian automatycznie wstaje, jak zawsze dżentelmen.

– Nie chcę, żebyś jechała.

– Proszę… muszę.

– Dlaczego?

– Ponieważ muszę przemyśleć tak wiele spraw... i potrzebny mi dystans.

– Mógłbym cię zmusić, żebyś została.

– Wiem, ale nie chcę, abyś to robił.

Przeczesuje palcami włosy i przygląda mi się uważnie.

– Wiesz, kiedy wpadłaś do gabinetu, aby przeprowadzić ze mną wywiad, niemal jedyne, co mówiłaś to „tak, proszę pana" i „nie, proszę pana". Pomyślałem, że jesteś urodzoną uległą. Ale jeśli mam być szczery, Anastasio, nie jestem pewny, czy w tym twoim apetycznym ciele drzemie choć odrobina uległości. – Przysuwa się powoli w moją stronę.

– Możliwe, że masz rację – odpowiadam bez tchu.

– Chcę otrzymać szansę zbadania, czy tak jest rzeczywiście – mruczy, patrząc na mnie. Unosi rękę i przesuwa kciukiem po mojej dolnej wardze. – Nie potrafię inaczej, Anastasio. Taki już jestem.

– Wiem.

Nachyla się, aby mnie pocałować, ale zatrzymuje się, nim jego usta stykają się z moimi. Spojrzeniem szuka moich oczu, pragnąc, pytając o pozwolenie. Wysuwam usta i całuje mnie, a ponieważ nie wiem, czy jeszcze kiedyś to zrobi, wkładam w to całą siebie – palce wplatam w jego włosy, przyciągając go do siebie, otwieram usta, językiem szukam jego języka. Christian pogłębia pocałunek, reagując na moją żarliwość. Dłoń przesuwa w dół moich pleców i przyciska mnie mocno do swego ciała.

– Nie namówię cię, abyś została? – pyta pomiędzy pocałunkami.

– Nie.

– Spędź ze mną noc.

– Bez dotykania? Nie.

Jęczy.

– Jesteś niemożliwa. – Odsuwa się i patrzy na mnie.
– Dlaczego mam wrażenie, że się ze mną żegnasz?
– Dlatego, że właśnie wychodzę.
– Nie to mam na myśli i doskonale o tym wiesz.
– Christianie, muszę wszystko przemyśleć. Nie wiem, czy potrafię być w takim związku, jakiego pragniesz.

Zamyka oczy i opiera czoło o moje, a nasze oddechy się uspokajają. Po chwili całuje mnie w czoło, robi głęboki wdech, następnie mnie puszcza i cofa się kilka kroków.

– Jak sobie pani życzy, panno Steele – mówi spokojnie. – Odprowadzę cię do holu.

Wyciąga rękę. Schylam się, podnoszę torebkę i podaję mu dłoń. Cholera jasna, możliwe, że to koniec. Potulnie schodzę za nim ze schodów. Swędzi mnie skóra, w uszach dudni krew. To może być nasze pożegnanie, jeśli nie zdecyduję się przyjąć jego propozycji. Serce ściska mi się boleśnie.

– Masz bilet parkingowy?

Sięgam do torebki, podaję mu go, a on z kolei wręcza bilet odźwiernemu. Zerkam na niego, gdy tak stoimy i czekamy.

– Dziękuję za kolację – bąkam.

– Jak zawsze cała przyjemność po mojej stronie, panno Steele – odpowiada grzecznie, choć widać, że pogrążony jest we własnych myślach.

Gdy podnoszę na niego wzrok, utrwalam w pamięci jego piękny profil. Dręczy mnie bolesna świadomość, że mogę go już więcej nie zobaczyć. Christian odwraca się nagle i wbija we mnie świdrujący wzrok.

– W weekend przeprowadzasz się do Seattle. Jeśli podejmiesz właściwą decyzję, to możemy spotkać się w sobotę? – W jego głosie słychać wahanie.

– Zobaczymy. Może.

Przez chwilę na jego twarzy widać ulgę, ale zaraz potem marszczy brwi.

– Zrobiło się chłodno, nie masz żakietu?

– Nie.

Kręci z irytacją głową i zdejmuje marynarkę.

– Proszę. Nie chcę, żebyś się przeziębiła.

Mrugam powiekami, gdy przytrzymuje ją dla mnie. A kiedy wyciągam ręce do tyłu, przypomina mi się, jak podczas naszego pierwszego spotkania pomógł mi założyć płaszcz – i jak zareagowało na to moje ciało. Marynarka jest ciepła, za duża i pachnie nim... przepysznie.

Przed hotelem zatrzymuje się mój samochód. Christianowi opada szczęka.

– Będziesz jechać tym czymś? – Jest zbulwersowany. Bierze mnie za rękę i wyprowadza na zewnątrz. Chłopak parkingowy wyskakuje z auta i wręcza mi kluczyki, a Christian spokojnie daje mu napiwek.

– Czy to jest sprawne? – Patrzy na mnie groźnie.

– Tak.

– Da radę dowieźć cię do Seattle?

– Owszem.

– Bezpiecznie?

– Tak – warczę z rozdrażnieniem. – Zgoda, Wanda jest stara. Ale jest moja i w pełni sprawna. Kupił mi ją ojczym.

– Och, Anastasio, myślę, że przydałoby ci się coś lepszego.

– Co masz przez to na myśli? – Już rozumiem. – Nie kupisz mi samochodu.

Patrzy na mnie spode łba.

– Zobaczymy – mówi sucho.

Krzywi się, gdy otwiera przede mną drzwi i pomaga wsiąść. Zdejmuję buty i opuszczam szybę. Christian przygląda mi się z nieodgadnionym wyrazem twarzy.

– Jedź bezpiecznie – mówi cicho.

– Do widzenia, Christianie. – Głos mam nabrzmiały niechcianymi łzami. Jezu, nie będę płakać. Posyłam mu blady uśmiech.

Gdy odjeżdżam, czuję ściskanie w piersi, a z moich oczu zaczynają płynąć łzy. Naprawdę nie rozumiem, dlaczego płaczę. Wszystko mi wyjaśnił. Postawił sprawę jasno. Pragnie mnie, ale prawda jest taka, że potrzebuję czegoś więcej. Chcę, żeby pragnął mnie tak, jak ja jego, a w głębi duszy wiem, że to niemożliwe. Jestem tym wszystkim przytłoczona.

Nawet nie mam pojęcia, jak go zaklasyfikować. Czy jeśli się zgodzę... to będzie moim chłopakiem? Czy będę go mogła przedstawić znajomym? Chodzić z nim do barów, kina, na kręgle? Prawda jest taka, że nie wydaje mi się. Nie pozwoli mi się dotknąć i nie pozwoli mi ze sobą spać. Wiem, że dotąd tego nie miałam, ale chcę mieć w przyszłości. Przyszłości, która nijak ma się do jego wyobrażeń.

Jeśli natomiast się zgodzę, a za trzy miesiące on powie „nie", powie, że ma dość prób przekształcenia mnie w kogoś, kim nie jestem? Jak się wtedy będę czuć? Zainwestuję emocjonalnie trzy miesiące, robiąc różne rzeczy, choć wcale nie mam pewności, czy ich pragnę. I jeśli wtedy on powie „nie", koniec umowy, jak sobie poradzę z jego odrzuceniem? Być może najlepiej dać sobie spokój od razu i wyjść z tego względnie obronną ręką.

Ale myśl, że miałabym się z nim więcej nie spotkać, jest koszmarna. Jak to możliwe, że tak szybko zagościł na stałe w moich myślach? Nie może chodzić wyłącznie o seks... prawda? Ocieram łzy wierzchem dłoni. Nie mam ochoty analizować uczuć, które do niego żywię. Przeraża mnie to, co mogłabym odkryć. I co ja mam teraz zrobić?

Podjeżdżam pod nasze mieszkanie. W oknach ciemno. Kate musiała gdzieś wyjść. Czuję ulgę. Nie chcę, by znowu przyłapała mnie na płaczu. Gdy się rozbieram, uruchamiam to podłe urządzenie, no i się okazuje, że w skrzynce czeka wiadomość od Christiana.

Nadawca: Christian Grey
Temat: Dzisiejszy wieczór
Data: 25 maja 2011, 22:01
Adresat: Anastasia Steele

Nie rozumiem, dlaczego dziś uciekłaś. Mam szczerą nadzieję, że udzieliłem satysfakcjonujących odpowiedzi na wszystkie Twoje pytania. Wiem, że masz teraz o czym myśleć i żywię gorącą nadzieję, że poważnie się zastanowisz nad moją propozycją. Naprawdę chcę, aby to się udało. I w ogóle nie będziemy się spieszyć.
Zaufaj mi.

Christian Grey
Prezes, Grey Enterprises Holdings, Inc.

Jego mejl sprawia, że płacz przeradza się w szloch. Nie jestem fuzją, nie jestem nabytkiem. A czytając tę wiadomość, takie właśnie można odnieść wrażenie. Nie odpisuję. Nie wiem po prostu, co mam mu powiedzieć. Wkładam piżamę i otulając się jego marynarką, wchodzę pod kołdrę. Gdy leżę, wpatrując się w ciemności, myślę o tych wszystkich razach, kiedy mnie ostrzegał, abym trzymała się od niego z daleka.

Anastasio, powinnaś się trzymać ode mnie z daleka. Nie jestem mężczyzną dla ciebie.

Nie bawię się w dziewczyny.

Nie jestem romantykiem.
Nie kocham się.
Tyle tylko wiem.

I gdy szlocham cicho w poduszkę, chwytam się tego ostatniego zdania. Ja też tylko tyle wiem. Być może razem jesteśmy w stanie dowiedzieć się więcej.

ROZDZIAŁ CZTERNASTY

Christian stoi nade mną ze skórzaną szpicrutą w dłoni. Ma na sobie stare, spłowiałe, podarte levisy i nic poza tym. Wpatruje się we mnie, powoli uderzając szpicrutą o dłoń. Uśmiecha się triumfująco. Nie jestem w stanie się ruszyć. Naga leżę przykuta kajdankami do dużego łoża z czterema kolumienkami. Christian wyciąga rękę i końcem szpicruty przesuwa od mojego czoła przez nos, tak że czuję zapach skóry, a potem po rozchylonych ustach. Wsuwa końcówkę do mych ust, abym posmakowała gładkiej skóry.

– Ssij – mówi. Głos ma cichy. Moje usta posłusznie zamykają na szpicrucie. – Wystarczy – słyszę.

Dyszę, gdy wyciąga szpicrutę z mych ust, przesuwa nią po brodzie, szyi, wzdłuż mostka, między piersiami i jeszcze niżej, aż do pępka. Głośno oddycham, wiercę się, pociągam za kajdanki, które wbijają mi się w nadgarstki i kostki. Zatacza końcówką kręgi wokół pępka, po czym kontynuuje drogę w dół, przez włosy łonowe aż do łechtaczki. Uderza w słodkie sedno mojej kobiecości, a ja szczytuję, krzycząc głośno.

Budzę się, walcząc o oddech. Cała jestem spocona i jeszcze drżę po orgazmie. O matko. Jestem kompletnie zdezorientowana. Co to, u licha, było? Jestem w swoim pokoju sama. Jak? Dlaczego? Siadam wyprostowana, zaszokowana… o rety. Jest już ranek. Zerkam na budzik – ósma. Chowam twarz w dłoniach. Nie wiedziałam, że potrafię

śnić o seksie. To przez coś, co zjadłam? Może to te ostrygi
i internetowe poszukiwania skrzyknęły się i doprowadziły
do mojego pierwszego takiego snu. To zdumiewające. Nie
miałam pojęcia, że potrafię szczytować przez sen.

Kiedy chwiejnym krokiem wchodzę do kuchni, Kate
już się w niej krząta.

– Ana, wszystko w porządku? Dziwnie wyglądasz.
Czy to marynarka Christiana?

– W porządku. – Cholera, powinnam była przejrzeć
się w lustrze. Unikam jej świdrujących zielonych oczu.
Jeszcze nie doszłam do siebie po tym porannym wyda-
rzeniu. – Tak, to marynarka Christiana.

Marszczy brwi.

– Spałaś?

– Niezbyt dobrze.

Sięgam po czajnik. Muszę się napić herbaty.

– Jak kolacja?

A więc zaczyna się.

– Jedliśmy ostrygi. A po nich dorsza, można więc
rzec, że to był rybny wieczór.

– Fuj… nie znoszę ostryg, zresztą nie interesuje mnie
jedzenie. Jak tam Christian? O czym rozmawialiście?

– Był bardzo troskliwy. – Milknę. Co mogę powiedzieć? Nie ma HIV, uwielbia odgrywanie ról, chce, żebym
mu była we wszystkim posłuszna, zrobił jednej kobiecie
krzywdę, podwieszając ją pod sufitem w swoim pokoju
zabaw, i chciał mnie zerżnąć w prywatnej sali jadalnej.
Czy to byłoby dobre streszczenie? Desperacko próbuję
przypomnieć sobie coś, o czym mogłabym porozmawiać
z Kate. – Nie akceptuje Wandy.

– A kto akceptuje, Ana? Też mi nowina. Co się tak
krygujesz? Mów, dziewczyno.

– Och, Kate, poruszaliśmy wiele tematów. Strasznie
mnie męczy z jedzeniem. Aha, spodobała mu się twoja

sukienka. – Woda zdążyła się zagotować, więc zalewam wrzątkiem saszetkę z herbatą. – Też się napijesz? Chcesz, żebym wysłuchała twojej dzisiejszej mowy?

– O tak. Wczoraj wieczorem pracowałam nad nią u Becki. Pójdę po nią. I owszem, napiję się herbaty. – Kate wybiega z kuchni.

Uff, Katherine Kavanagh odpuściła. Przekrawam bajgla i wrzucam do tostera. Rumienię się, przypominając sobie swój wyrazisty sen. Co to, do diaska, miało być?

Wczoraj wieczorem miałam problem z zaśnięciem. Przez głowę przelatywały mi rozmaite opcje. Teraz mam w niej mętlik. Pomysł Christiana na związek przypomina raczej ofertę pracy. Są ustalone godziny i opis obowiązków. Nie tak wyobrażałam sobie swój pierwszy romans – no ale, naturalnie, Christian nie bawi się w romanse. Jeśli mu powiem, że chcę czegoś więcej, może powiedzieć: nie… A to mnie martwi najbardziej, ponieważ nie chcę go stracić. Tylko że nie jestem pewna, czy się nadaję do bycia uległą – tak naprawdę to zniechęcają mnie te laski i pejcze. Jestem tchórzem i zrobię naprawdę dużo, byle uniknąć bólu. Myślę o swoim śnie… Czy tak właśnie by było? Moja wewnętrzna bogini podskakuje, wymachując pomponami, i krzyczy: „Tak!".

Do kuchni wraca Kate, niosąc laptopa. Koncentruję się na bajglu i słucham cierpliwie, jak czyta swoją mowę na zakończenie studiów.

KIEDY PRZYJEŻDŻA RAY, JESTEM już gotowa. Otwieram drzwi i oto stoi na progu w tym swoim niedopasowanym garniturze. Zalewa mnie ciepła fala wdzięczności i miłości do tego nieskomplikowanego człowieka. Zarzucam mu ramiona na szyję w niezwykłym jak na mnie geście okazania uczuć. Zaskakuję go tym.

– Hej, Annie, ja też się cieszę, że cię widzę – mruczy, ściskając mnie. Cofa się, kładzie mi ręce na ramionach i uważnie lustruje spojrzeniem. Marszczy brwi. – Wszystko dobrze, mała?

– Pewnie, tato. Czy dziewczynie nie wolno się ucieszyć na widok staruszka?

Uśmiecha się i wchodzi za mną do salonu.

– Dobrze wyglądasz – mówi.

– To sukienka Kate. – Obrzucam spojrzeniem wiązaną na szyi sukienkę z szarego szyfonu.

Ray marszczy brwi.

– A gdzie jest Kate?

– Pojechała do kampusu. Wygłasza mowę, więc musi być tam wcześniej.

– My też już jedziemy?

– Tato, mamy jeszcze pół godziny. Napijesz się herbaty? I możesz mi opowiedzieć, co słychać u wszystkich w Montesano. Spokojną miałeś podróż?

RAY ZAJEŻDŻA SAMOCHODEM NA parking w kampusie. Dołączamy do rzeki ludzi w czarno-czerwonych togach, kierujących się w stronę auli.

– Powodzenia, Annie. Wyglądasz na bardzo zdenerwowaną. Coś cię jeszcze czeka?

Kuźwa. Że też akurat dzisiaj Ray postanowił być spostrzegawczy.

– Nie, tato. Ale to ważny dzień. – I zobaczę Christiana.

– Tak, moja córeczka kończy studia. Jestem z ciebie dumny, Annie.

– Dzięki, tato. – Och, kocham tego człowieka.

Aula jest pełna ludzi. Ray poszedł poszukać miejsca w części dla rodziców i gości, tymczasem ja udaję się do części dla absolwentów. Mam na sobie czarną togę oraz czarny biret i dzięki nim czuję się chroniona, anonimowa. Na podium jeszcze nikogo nie ma, ale ja i tak się denerwuję. Serce wali mi jak młotem, oddech się rwie. On tu gdzieś jest. Ciekawe, czy Kate z nim teraz rozmawia, zasypując gradem pytań. Przeciskam się na swoje miejsce obok studentów, których nazwiska także się zaczynają na literę S. Siedzę w drugim rzędzie, co mi zapewnia jeszcze większą anonimowość. Oglądam się i dostrzegam Raya wysoko na trybunach. Macham do niego. Z zażenowaniem odmachuje. Siedzę i czekam.

Aula szybko się zapełnia, a szum podekscytowanych głosów przybiera na sile. Za sąsiadki mam dwie obce mi dziewczyny z innych wydziałów. Widać, że się przyjaźnią i rozmawiają ze sobą z podnieceniem.

Punktualnie o jedenastej na podium wchodzi rektor, za nim trzech jego zastępców, a potem profesorowie, wszyscy w uroczystych czarno-czerwonych togach. Wstajemy i klaszczemy. Część profesorów kiwa głową i macha nam, inni wyglądają na znudzonych. Profesor Collins, mój promotor i ulubiony wykładowca, wygląda, jakby dopiero wstał z łóżka, czyli tak jak zawsze. Ostatni na podium zjawiają się Kate i Christian. On wyróżnia się w szytym na miarę szarym garniturze, a sztuczne światło podkreśla miedziane refleksy w jego włosach. Wygląda tak poważnie i dostojnie. Gdy siada, rozpina jednorzędową marynarkę i dostrzegam krawat. O w mordę... ten krawat! Bezwiednie pocieram nadgarstki. Nie jestem w stanie oderwać od niego wzroku. Założył ten krawat, z całą pewnością celowo. Zaciskam usta w cienką linię. Wszyscy siadają i oklaski cichną.

– Popatrz tylko na niego! – syczy entuzjastycznie do swojej przyjaciółki jedna z siedzących obok mnie dziewczyn.

– Niezły jest.

Sztywnieję. Na pewno nie chodzi im o profesora Collinsa.

– To musi być Christian Grey.

– Jest wolny?

Zjeżam się.

– Chyba nie – burczę.

– Och. – Obie dziewczyny patrzą na mnie zdziwione.

– Podobno jest gejem – dodaję.

– Jaka szkoda – jęczy jedna.

Gdy rektor wstaje i rozpoczyna swoją przemowę, patrzę, jak Christian przeczesuje wzrokiem audytorium. Opuszczam się na krześle i garbię, starając się nie rzucać w oczy. Zupełnie mi się to nie udaje i kilka sekund później nasze spojrzenia się krzyżują. Wpatruje się we mnie z nieprzeniknionym wyrazem twarzy. Poprawiam się na krześle zahipnotyzowana jego spojrzeniem i na policzki wypełza mi powoli rumieniec. Przypomina mi się mój sen i mięśnie w podbrzuszu zaciskają się rozkosznie. Wciągam gwałtownie powietrze. Przez twarz Christiana przebiega cień uśmiechu, lecz zaraz znika. Na chwilę zamyka oczy, a kiedy je otwiera, z jego twarzy znowu nie da się nic wyczytać. Spogląda teraz przed siebie, skupiając się na wiszącym nad wejściem emblematem WSU. Więcej już na mnie nie spogląda. Rektor dalej nawija, a Christian twardo patrzy przed siebie.

Dlaczego nie chce spojrzeć na mnie? Czyżby zmienił zdanie? Zalewa mnie fala niepokoju. Czyżby wczorajsze odejście dla niego także było końcem? Znudziło mu się czekać, aż podejmę decyzję. O nie, możliwe, że to schrzaniłam. Przypomina mi się jego wczorajszy mejl. Może jest zły, że nic nie odpisałam.

Nagle rozlegają się głośne oklaski. Podium obejmuje w posiadanie panna Katherine Kavanagh. Rektor siada, a Kate odrzuca do tyłu śliczne długie włosy, a potem rozkłada na mównicy swoje notatki. Nie spieszy się, ani trochę jej nie onieśmiela tysiąc patrzących na nią osób. Uśmiecha się, omiata spojrzeniem urzeczony tłum i rozpoczyna elokwentną mowę. Jest spokojna i zabawna; dziewczęta siedzące obok mnie wybuchają śmiechem od razu przy pierwszym żarcie. Och, Katherine Kavanagh, dobra jesteś. W tej chwili czuję się taka z niej dumna, że wszystkie myśli na temat Christiana spycham na bok. Chociaż znam już tę mowę, słucham uważnie. Temat przewodni to „Co po studiach?". No właśnie, co. Christian patrzy na Kate, unosząc brwi – myślę, że ze zdziwieniem. Tak, to właśnie Kate mogła z nim wtedy przeprowadzić ten wywiad. I to Kate mógłby składać teraz niemoralne propozycje. Piękna Kate i piękny Christian, razem. A ja mogłabym być jak te dwie dziewczyny obok, podziwiające go z daleka. Wiem, że Kate by na niego nie poleciała. Co o nim powiedziała? Że przyprawia ją o gęsią skórkę. Na myśl o konfrontacji Kate i Christiana wiercę się niespokojnie na krześle. Muszę przyznać, że nie wiem, na które z nich bym postawiła.

Kate teatralnie kończy przemowę i wszyscy wstają, klaszcząc i wydając okrzyki. To jej pierwsze owacje na stojąco. Uśmiecham się do niej promiennie, a ona odpowiada równie szerokim uśmiechem. Dobra robota, Kate. Siada, audytorium także, a rektor podnosi się z krzesła i przedstawia Christiana... O kuźwa, Christian także wygłosi mowę. Rektor w skrócie nakreśla jego osiągnięcia: prezes własnej, odnoszącej niebywałe sukcesy spółki, człowiek, który do wszystkiego doszedł własną pracą.

– ...a także główny ofiarodawca naszej uczelni. Powitajmy pana Christiana Greya.

Rektor ściska gościowi dłoń i rozlegają się uprzejme oklaski. Serce podchodzi mi do gardła. Zbliża się do mównicy i toczy spojrzeniem po audytorium. Wygląda na tak pewnego siebie, stojąc przed nami wszystkimi, tak jak przed chwilą Kate. Moje sąsiadki nachylają się urzeczone. Prawdę mówiąc, wydaje mi się, że większa część żeńskiego audytorium, a także kilku mężczyzn, przesuwa się kilka centymetrów bliżej niego. Zaczyna, a głos ma cichy, wyważony i hipnotyzujący.

– Jestem niezmiernie wdzięczny władzom WSU za zaszczyt, który mnie dzisiaj spotkał. Mam rzadką okazję opowiedzieć wam o imponujących działaniach tutejszego wydziału sozologii. Naszym celem jest rozwój rentownych i nienaruszających równowagi ekologicznej metod upraw w krajach Trzeciego Świata; nasz główny cel to pomoc w zlikwidowaniu głodu i ubóstwa na całym świecie. Ponad miliard ludzi, głównie w Afryce, Azji Południowej i Ameryce Łacińskiej, żyje w skrajnym ubóstwie. W tych rejonach powszechna jest rolnicza dysfunkcja, a co za tym idzie destrukcja ekologiczna i społeczna. Wiem, jak to jest być bardzo głodnym. To dla mnie bardzo osobista podróż...

Opada mi szczęka. Że co? Christian doświadczył kiedyś głodu. O w mordę. Cóż, to sporo tłumaczy. I przypomina mi się nasz wywiad; on rzeczywiście pragnie nakarmić świat. Desperacko próbuję sobie przypomnieć, co takiego Kate napisała w swoim artykule. Adoptowany w wieku czterech lat. Jakoś trudno mi sobie wyobrazić, aby Grace go głodziła, więc musiał tego doświadczyć wcześniej, jako mały chłopiec. Przełykam ślinę i serce ściska mi się na myśl o głodnym szarookim dziecku. O nie. Co za życie musiał znieść, nim został uratowany przez Greyów?

Przepełnia mnie oburzenie. Biedny, popieprzony, perwersyjny, filantropijny Christian – choć jestem przekonana, że on nie postrzega siebie w taki sposób i nie życzyłby sobie współczucia ani litości. Jak na komendę wszyscy zgromadzeni w auli wstają i zaczynają bić brawo. Ja także, choć słyszałam najwyżej połowę jego mowy.

Robi te wszystkie dobre rzeczy, zarządza wielką spółką i jednocześnie ugania się za mną. To przytłaczające. Przypominają mi się te strzępki rozmów o Darfurze... Wszystko wskakuje na swoje miejsce. Jedzenie.

Uśmiechem dziękuje za brawa – nawet Kate klaszcze – a potem wraca na swoje miejsce. Nie patrzy w moją stronę, a ja mam w głowie mętlik i próbuję przyswoić te nowe informacje na jego temat.

Wstaje jeden z zastępców rektora i zaczyna się długi, nużący proces rozdawania dyplomów. Absolwentów jest niemal czterystu, więc mija godzina, nim słyszę swoje nazwisko. Udaję się na podium. Christian patrzy na mnie ciepło, ale z rezerwą.

– Moje gratulacje, panno Steele – mówi, ściskając mi dłoń. – Masz jakiś problem z laptopem?

Marszczę brwi i biorę od niego dyplom.

– Nie.

– W takim razie dlaczego ignorujesz moje mejle?

– Widziałam tylko ten o fuzjach i przejęciach.

Patrzy na mnie pytająco.

– Później – rzuca.

Muszę się przesunąć, ponieważ blokuję kolejkę. Wracam na swoje miejsce. Mejle? Musiał wysłać jeszcze jeden. Co w nim napisał?

Uroczystość ciągnie się przez następną godzinę. W końcu rektor opuszcza razem z kadrą podium, zaraz za Christianem i Kate. Christian nie patrzy w moją stronę, mimo że bardzo bym tego chciała. Moja wewnętrzna bogini nie jest zadowolona.

Gdy czekam w kolejce do wyjścia, woła mnie Kate. Idzie w moją stronę.

– Christian chce z tobą porozmawiać! – woła. Moje dwie sąsiadki, które stoją teraz obok, odwracają się i gapią na mnie. – Przysłał mnie po ciebie – dodaje.

Och...

– Twoja mowa była świetna, Kate.

– No nie? – Uśmiecha się promiennie. – Idziesz? Potrafi być bardzo uparty.

Przewraca oczami, a ja się uśmiecham.

– Nie masz pojęcia, jak bardzo. Nie mogę Rayowi kazać zbyt długo czekać.

Zerkam na niego i unoszę palce, pokazując pięć minut. Kiwa głową, więc idę za Kate w stronę korytarza za podium. Christian rozmawia właśnie z rektorem i dwoma profesorami. Gdy wchodzę, unosi głowę.

– Przepraszam panów – słyszę. Podchodzi i uśmiecha się zdawkowo do Kate. – Dziękuję ci – mówi i nim ona zdąży coś odpowiedzieć, ujmuje mój łokieć i kieruje w stronę czegoś, co wygląda jak męska szatnia. Sprawdza, czy pomieszczenie jest puste, a potem zamyka drzwi.

Jasny gwint, co mu chodzi po głowie? Mrugam powiekami, gdy odwraca się w moją stronę.

– Dlaczego nie odpisałaś mi na mejl? Ani na esemesa? – Patrzy na mnie gniewnie.

Jestem kompletnie zaskoczona.

– Nie zaglądałam dzisiaj do komputera ani do telefonu. – Kurde, próbował się do mnie dodzwonić. Próbuję techniki odwracania uwagi, która jest tak skuteczna w przypadku Kate. – Świetna przemowa.

– Dziękuję.

– Teraz już rozumiem, o co ci chodzi z jedzeniem.

Z rozdrażnieniem przeczesuje palcami włosy.

– Anastasio, w tej akurat chwili nie chcę poruszać tego tematu. – Zamyka oczy. Wygląda na udręczonego. – Martwiłem się o ciebie.

– Martwiłeś? Dlaczego?

– Ponieważ pojechałaś do domu tym wrakiem, który nazywasz samochodem.

– Słucham? To żaden wrak. Jest w świetnym stanie. José regularnie mi go serwisuje.

– José fotograf? – Christian mruży oczy, a jego spojrzenie staje się lodowate. O kurczę.

– Tak, garbus należał kiedyś do jego matki.

– Tak, a wcześniej prawdopodobnie do babki i prababki. To nie jest bezpieczny samochód.

– Jeżdżę nim od ponad trzech lat. Przykro mi, że się martwiłeś. Dlaczego nie zadzwoniłeś? – Jezu, przesadza.

Bierze głęboki oddech.

– Anastasio, muszę poznać twoją odpowiedź. To czekanie doprowadza mnie do szaleństwa.

– Christianie, ja… Posłuchaj, zostawiłam ojczyma zupełnie samego.

– Jutro. Do jutra chcę odpowiedzi.

– W porządku. Jutro, wtedy ci powiem.

Odsuwa się, mierzy mnie wzrokiem i wyraźnie się odpręża.

– Zostajesz na poczęstunek? – pyta.

– Nie wiem, co chce robić Ray.

– Twój ojczym? Chciałbym go poznać.

O nie… Dlaczego?

– Nie jestem pewna, czy to dobry pomysł.

Christian otwiera drzwi. Usta ma zaciśnięte.

– Wstydzisz się mnie?

– Nie! – Tym razem to ja jestem rozdrażniona. – Mam cię przedstawić tacie jako kogo? To jest ten pan, który mnie rozdziewiczył i chce mnie wciągnąć w relację BDSM?

Christian patrzy na mnie gniewnie, ale po chwili kąciki jego ust unoszą się w uśmiechu. I choć jestem na niego zła, na mojej twarzy także pojawia się uśmiech.

– Po prostu mu powiedz, że jestem twoim przyjacielem, Anastasio.

Wychodzę z szatni. W mojej głowie wirują setki myśli. Rektor, jego trzech zastępców, czterech profesorów i Kate wpatrują się w mnie, gdy mijam ich pospiesznie. Cholera. Zostawiając Christiana w towarzystwie kadry, ruszam na poszukiwanie Raya.

Powiedz mu, że jestem twoim przyjacielem.

„Przyjaciel, który chodzi z tobą do łóżka" – krzywi się moja podświadomość. Wiem, wiem. Odsuwam od siebie tę nieprzyjemną myśl. Jak ja go przedstawię Rayowi? Aula nadal jest pełna ludzi i Ray stoi tam, gdzie go zostawiłam. Dostrzega mnie, macha ręką i schodzi do mnie.

– Hej, Annie. Moje gratulacje. – Obejmuje mnie ramieniem.

– Masz ochotę pójść do jakiejś knajpki?

– Jasne. To twój dzień. Prowadź.

– Nie musimy, jeśli nie chcesz. – Proszę, powiedz „nie"...

– Annie, przez dwie i pół godziny musiałem siedzieć i słuchać różnych bełkotów. Drink dobrze mi zrobi.

Objęci wychodzimy razem z tłumem absolwentów i ich rodzin na ciepłe wczesne popołudnie. Mijamy kolejkę do uczelnianego fotografa.

– Och, przypomniałem sobie. – Ray wyjmuje z kieszeni aparat cyfrowy. – Jedno zdjęcie do albumu, Annie.

Przewracam oczami, gdy robi mi zdjęcie.

– Mogę już zdjąć ten biret i togę? Czuję się jak idiotka.

„Wyglądasz jak idiotka" – drwi niezawodna podświadomość. – „A więc zamierzasz przedstawić Raya facetowi, z którym się pieprzysz?" – Piorunuje mnie wzrokiem znad okularów. – „Ależ byłby z ciebie dumny". Boże, czasami jej nienawidzę.

Na trawniku rozstawiono olbrzymi namiot, w którym roi się od studentów, rodziców, wykładowców i przyjaciół. Wszyscy radośnie szczebiocą. Ray wręcza mi kieliszek szampana. Podejrzewam, że to raczej tanie wino musujące. Nie jest schłodzone i ma słodki smak. Moje myśli biegną ku Christianowi... Nie będzie mu smakować.

– Ana! – Odwracam się i sekundę później znajduję się w objęciach Ethana Kavanagha. Wiruje ze mną wesoło. – Moje gratulacje! – Uśmiecha się promiennie, a jego zielone oczy błyszczą radośnie.

A to niespodzianka. Włosy w kolorze brudnego blondu ma potargane i seksowne. Jest równie piękny jak Kate. Podobieństwo jest uderzające.

– Wow, Ethan! Cudownie cię widzieć. Tato, to jest Ethan, brat Kate. Ethan, to mój tato, Ray Steele.

Wymieniają uściski dłoni. Tata chłodno lustruje pana Kavanagha.

– Kiedy wróciłeś z Europy? – pytam.

– Już tydzień temu, ale chciałem zrobić niespodziankę siostrzyczce – mówi porozumiewawczo.

– To takie słodkie. – Uśmiecham się szeroko.

– Wygłaszała mowę, nie mogłem tego przegapić. – Widać, że rozsadza go duma.

– Mowę miała naprawdę świetną.

– To prawda – przyznaje Ray.

Ethan obejmuje mnie w pasie, kiedy podnoszę wzrok i napotykam lodowate szare spojrzenie Christiana Greya. Obok niego stoi Kate.

– Witaj, Ray. – Kate całuje Raya w obydwa policzki, na co on oblewa się rumieńcem. – Poznałeś chłopaka Any? Christian Grey.

Jasna cholera... Kate! Kurwa! Z mojej twarzy odpływa cała krew.

– Panie Steele, miło pana poznać – mówi ciepło Christian, zupełnie niezbity z tropu słowami Kate. Wyciąga dłoń, którą Ray ujmuje, nie okazując zaskoczenia, jakie z całą pewnością teraz czuje.

– Panie Grey – bąka. Z jego twarzy nic się nie da wyczytać. Może jedynie brązowe oczy lekko mu się rozszerzają i patrzą na mnie, mówiąc: „Kiedy zamierzałaś mi o tym powiedzieć?".

Przygryzam wargę.

– A to mój brat, Ethan Kavanagh – kontynuuje Kate. Christian przenosi arktyczne spojrzenie na Ethana, który nadal mnie obejmuje.

– Panie Kavanagh.

Wymieniają uścisk dłoni. Christian wyciąga rękę do mnie.

– Ana, skarbie – mruczy, a ja niemal padam z wrażenia, słysząc to pieszczotliwe określenie.

Uwalniam się z objęć Ethana, gdy tymczasem Christian uśmiecha się do niego zimno, i zajmuję miejsce przy jego boku. Kate uśmiecha się do mnie szeroko. Doskonale wie, co robi, jędza!

– Ethan, mama i tata chcieli nas na słówko. – Odciąga Ethana na bok.

– No więc jak długo się znacie? – Ray patrzy to na Christiana, to na mnie.

Tracę zdolność mowy. Mam ochotę zapaść się pod ziemię. Christian obejmuje mnie, muskając kciukiem odkryte plecy.

– Dwa tygodnie – odpowiada bez zająknięcia. – Poznaliśmy się, kiedy Anastasia przeprowadzała ze mną wywiad do gazety studenckiej.

– Nie wiedziałam, że pracujesz w gazecie, Ana. – W głosie Raya pobrzmiewa ciche upomnienie. Cholera.

– Kate zachorowała – mamroczę.

– Doskonałą mowę pan wygłosił, panie Grey.

– Dziękuję panu. Słyszałem, że jest pan zapalonym wędkarzem.

Ray unosi brwi i uśmiecha się – rzadki, prawdziwy, szczery uśmiech Raya Steele'a – a potem zaczynają rozmawiać o rybach. Christian urabia mojego tatę... „Tak jak i ciebie" – warczy podświadomość. Jego moc nie ma granic. Przepraszam i udaję się na poszukiwanie Kate.

Rozmawia właśnie z rodzicami, którzy są jak zawsze przemili i ciepło się ze mną witają. Gawędzimy chwilę, głównie o ich zbliżających się wakacjach na Barbadosie i naszej przeprowadzce.

– Kate, jak mogłaś mnie tak wydać Rayowi? – syczę przy pierwszej okazji, kiedy mam pewność, że nikt nas nie słyszy.

– Bo wiedziałam, że ty tego nie zrobisz, no i chcę pomóc Christianowi w tych jego problemach z zaangażowaniem się. – Kate uśmiecha się do mnie słodko.

Patrzę na nią gniewnie. To ja nie chcę się zaangażować, głupia!

– Nie wydawał się tym poruszony, Ana. Nie pękaj. Popatrz tylko na niego: Christian nie może oderwać od ciebie wzroku. – Unoszę głowę i widzę, że zarówno Ray, jak i Christian patrzą teraz na mnie. – Obserwuje cię niczym jastrząb.

– Lepiej ruszę na ratunek Rayowi. Albo Christianowi. Sama nie wiem któremu. Tego ostatniego nie słyszałaś, Katherine Kavanagh! – Piorunuję ją wzrokiem.

– Ana, oddałam ci przysługę – woła za mną.

– Cześć. – Uśmiecham się do obydwu, kiedy wracam.

Chyba jest dobrze. Christian wygląda, jakby rozśmieszył go jakiś dobry dowcip, a tata wydaje się wyjątkowo zrelaksowany, zważywszy na to, że musiał wyjść do ludzi. O czym oni rozmawiali oprócz tego, że o rybach?

– Ana, gdzie tu są toalety?

– Za namiotem w prawo.

– Zaraz wrócę. A wy bawcie się dobrze.

Ray oddala się. Zerkam nerwowo na Christiana. Nieruchomiejemy na chwilę, gdy fotograf robi nam zdjęcie.

– Dziękuję, panie Grey. – Fotograf oddala się szybko, a ja mrugam oślepiona fleszem.

– A więc mojego ojca także oczarowałeś?

– Także? – Oczy Christiana płoną. Unosi pytająco brew. Oblewam się rumieńcem. Unosi dłoń i gładzi palcem mój policzek. – Och, tak chciałbym wiedzieć, o czym myślisz, Anastasio – szepcze, po czym ujmuje moją brodę i unosi tak, że patrzymy sobie w oczy.

Brak mi tchu. Jak to możliwe, że ten mężczyzna ma na mnie taki wpływ, nawet w namiocie pełnym ludzi?

– W tej chwili myślę: „Ładny krawat" – wyrzucam z siebie.

Christian chichocze.

– Ostatnio mój ulubiony.

Moje policzki przybierają odcień purpury.

– Ślicznie wyglądasz, Anastasio. Do twarzy ci w tej sukience, no i mogę dotykać twych nagich pleców, czuć twoją piękną skórę.

Nagle robi się tak, jakbyśmy byli tu sami. Tylko ja i on. Moje całe ciało ożywa, wszystkie zakończenia nerwowe śpiewają radośnie, ten prąd przyciąga mnie do niego, a między nami przeskakują iskry.

– Wiesz, że będzie świetnie, prawda, mała? – szepcze.

Zamykam oczy i w dole brzucha czuję słodkie ściskanie.

– Ale ja chcę więcej – odpowiadam szeptem.

– Więcej? – patrzy na mnie z konsternacją, a oczy ma pociemniałe.

Kiwam głową i przełykam ślinę. No to już wie.

– Więcej – powtarza cicho. Testuje to słowo: krótkie, proste, ale nabrzmiałe obietnicą. Kciukiem przesuwa po mojej dolnej wardze. – Chcesz serduszek i kwiatków.

Ponownie kiwam głową. Christian mruga i oglądam w jego oczach toczącą się w nim walkę.

– Anastasio. – Głos ma cichy. – Nie znam się na tym.
– Ja też nie.
Uśmiecha się blado.
– Niewiele wiesz – mruczy.
– A ty wiesz o tym, co jest złe.
– Złe? Dla mnie nie. – Kręci głową. Wydaje się taki szczery. – Spróbuj – szepcze. Rzuca mi wyzwanie, przechylając głowę i uśmiechając się pięknie.

Łapię powietrze. Jestem Ewą z rajskiego ogrodu, a on to wąż. Nie potrafię mu się oprzeć.

– Okej – szepczę.
– Słucham? – Skupiam na sobie sto procent jego uwagi. Przełykam ślinę.
– Okej. Spróbuję.
– Zgadzasz się? – Nawet nie kryje niedowierzania.
– Z zastrzeżeniem granic względnych, tak. Spróbuję.
– Mój głos jest taki cichy.

Christian zamyka oczy i bierze mnie w objęcia.

– Jezu, Ana, jesteś taka nieprzewidywalna. Zapierasz mi dech w piersiach.

Robi krok w tył i nagle wraca Ray, a moje uszy stopniowo wypełniają głosy obecnych w namiocie osób. Nie jesteśmy sami. O kuźwa, właśnie się zgodziłam na bycie jego uległą. Christian uśmiecha się do Raya, a w jego oczach tańczą wesołe iskierki.

– Annie, a może się wybierzemy na jakiś lunch?
– Okej. – Mrugam, próbując odzyskać równowagę. „Co ty najlepszego zrobiłaś?" – krzyczy na mnie podświadomość. Moja wewnętrzna bogini robi przewroty w tył godne rosyjskiej gimnastyczki olimpijskiej.

– Chciałbyś się do nas przyłączyć, Christianie? – pyta Ray.

Christianie! Patrzę na niego, bezgłośnie błagając, aby odmówił. Potrzebuję przestrzeni, aby wszystko przemyśleć... Co ja, kurwa, narobiłam?

– Dziękuję, panie Steele, ale mam już plany. Miło było pana poznać.

– I nawzajem – odpowiada Ray. – Opiekuj się dobrze moją dziewczynką.

– Och, taki mam zamiar.

Wymieniają uścisk dłoni. Niedobrze mi. Ray nie ma pojęcia, w jaki sposób on zamierza się mną zaopiekować. Christian ujmuje moją dłoń, podnosi do ust i czule całuje, nie odrywając gorącego wzroku od mojej twarzy.

– Do zobaczenia później, panno Steele – mówi cicho głosem nabrzmiałym obietnicą.

Czuję ściskanie w żołądku. Chwileczkę... później?

Ray bierze mnie za łokieć i prowadzi w stronę wyjścia z namiotu.

– Wygląda na porządnego młodego człowieka. No i zamożnego. Mogłabyś trafić znacznie gorzej, Annie. Dlaczego jednak musiałem dowiedzieć się o nim od Katherine? – ruga mnie.

Wzruszam przepraszająco ramionami.

– Cóż, w moich oczach każdy, kto lubi wędkarstwo muchowe, jest porządnym gościem.

A niech mnie, mam akceptację Raya. Gdyby on tylko wiedział...

O ZMIERZCHU RAY PODRZUCA mnie do domu.

– Zadzwoń do mamy – mówi.

– Dobrze. Dzięki, że przyjechałeś, tato.

– Za nic bym tego nie przegapił, Annie. Jestem z ciebie taki dumny.

O nie. Nie rozkleję się teraz. Mocno przytulam się do Raya, a w moim gardle tworzy się wielka gula. Obejmuje mnie speszony, a ja nie mogę się powstrzymać – w moich oczach wzbierają łzy.

– Hej, Annie, słoneczko – mówi cicho Ray. – Ważny dzień, co? Chcesz, żebym wszedł i zrobił ci herbaty?

Śmieję się mimo łez. Dla Raya herbata to lek na całe zło. Pamiętam, jak mama na niego narzekała, że jeśli chodzi o herbatę i współczucie, to pierwsze rozdaje hojnie, ale drugie już nie bardzo.

– Nie, tato, wszystko w porządku. Tak się cieszę, że przyjechałeś. Odwiedzę cię, kiedy już zadomowię się w Seattle.

– Powodzenia podczas tych rozmów w sprawie pracy. Daj mi znać, jak poszło.

– Jasna sprawa, tato.

– Kocham cię, Annie.

– Ja ciebie też.

Uśmiecha się i wraca do samochodu. Macham mu, gdy odjeżdża, a potem wchodzę niespiesznie do mieszkania.

Przede wszystkim sprawdzam telefon komórkowy. Ponieważ się rozładował, najpierw muszę podłączyć ładowarkę, a dopiero potem mogę odczytać wiadomości. Cztery nieodebrane połączenia, jedna wiadomość na poczcie głosowej i dwa esemesy. Trzy nieodebrane połączenia od Christiana, jedno od José i to on nagrał się na pocztę głosową, życząc mi wszystkiego najlepszego z okazji ukończenia studiów.

Odczytuję esemesy.

„Dojechałaś bezpiecznie do domu?"
„Zadzwoń do mnie".

Oba od Christiana. Dlaczego nie zadzwonił na telefon stacjonarny? Idę do sypialni i włączam laptop.

Nadawca: Christian Grey
Temat: Dzisiejszy wieczór
Data: 25 maja 2011, 23:58
Adresat: Anastasia Steele

Mam nadzieję, że dotarłaś do domu tym swoim samochodem.
Daj znać, że wszystko w porządku.

Christian Grey
Prezes, Grey Enterprises Holdings, Inc.

Jezu... czemu się tak przejmuje moim garbusem? Od
trzech lat dobrze mi służy, a José zawsze jest chętny, aby zrobić przegląd. Drugi mejl od Christiana ma dzisiejszą datę.

Nadawca: Christian Grey
Temat: Granice względne
Data: 26 maja 2011, 17:22
Adresat: Anastasia Steele

Cóż mogę rzec poza tym, co już powiedziałem? Chętnie omówię to z Tobą, kiedy tylko będziesz chciała.

Ślicznie dzisiaj wyglądałaś.

Christian Grey
Prezes, Grey Enterprises Holdings, Inc.

Chcę się z nim zobaczyć. Klikam „odpowiedz".

Nadawca: Anastasia Steele
Temat: Granice względne
Data: 26 maja 2011, 19:23
Adresat: Christian Grey

Jeśli chcesz, to mogę dziś do Ciebie przyjechać, aby to omówić.

Ana

Nadawca: Christian Grey
Temat: Granice względne
Data: 26 maja 2011, 19:27
Adresat: Anastasia Steele

Ja przyjadę do Ciebie. Mówiłem poważnie, nie podoba mi się, że jeździsz takim samochodem.
Niedługo będę.

Christian Grey
Prezes, Grey Enterprises Holdings, Inc.

A niech to… On tu jedzie. Muszę coś dla niego przygotować. Pierwsze wydanie książek Thomasa Hardy'ego nadal stoi na półce w salonie. Nie mogę ich zatrzymać. Pakuję je w brązowy papier, na którym piszę słowa Tessy:

„Zgadzam się na te warunki, Angel; ponieważ Ty wiesz najlepiej, jaka powinna być moja kara; tylko… tylko… nie karz mnie mocniej, niż jestem w stanie znieść!"

ROZDZIAŁ PIĘTNASTY

– Cześć. – Czuję nieznośną nieśmiałość, gdy otwieram drzwi. Christian stoi na ganku w dżinsach i skórzanej kurtce.

– Cześć. – Jego twarz rozjaśnia promienny uśmiech. Przez chwilę podziwiam jego urodę. O rany, tak seksownie wygląda w skórze.

– Wejdź.

– Jeśli mogę – mówi rozbawiony. Podnosi butelkę szampana i wchodzi do środka. – Pomyślałem, że możemy uczcić koniec twoich studiów. Dobry Bollinger jest nie do pobicia.

– Ciekawy dobór słów – komentuję oschle.

Uśmiecha się szeroko.

– Och, podoba mi się, że nie tracisz rezonu.

– Mamy tylko filiżanki do herbaty. Spakowałyśmy wszystkie kieliszki.

– Filiżanki? Nic nie szkodzi.

Idę do kuchni zdenerwowana, a chmary motyli przypuszczają atak na mój brzuch. Zupełnie jakbym miała w salonie całkowicie nieprzewidywalną drapieżną panterę albo lwa górskiego.

– Chcesz też spodeczki? – wołam.

– Wystarczą filiżanki, Anastasio.

Gdy wracam, wpatruje się w pakunek z książkami w brązowym papierze. Stawiam filiżanki na stole.

– To dla ciebie – mamroczę z niepokojem.

Cholera... pewnie będzie kłótnia.

– Hmm, domyśliłem się. Bardzo trafny cytat. – W zamyśleniu przesuwa długim palcem wskazującym po tekście. – Myślałem, że jestem d'Urberville'em, a nie Angelem. Zdecydowałaś się na poniżenie. – Posyła mi szybki, wilczy uśmiech. – Na pewno znajdziesz coś, co będzie współgrało równie dobrze.

– To jest również prośba – szepczę. Dlaczego jestem taka zdenerwowana? Mam sucho w ustach.

– Prośba? Żebym był dla ciebie łagodny?

Przytakuję.

– Kupiłem je dla ciebie – mówi cicho z beznamiętnym wyrazem twarzy. – Będę dla ciebie łagodny, jeśli je przyjmiesz.

Gwałtownie przełykam ślinę.

– Christian, nie mogę ich przyjąć, to zbyt wiele.

– Widzisz, o tym właśnie mówiłem, sprzeciwiasz mi się. Chcę, żebyś je przyjęła i koniec dyskusji. To bardzo proste. Nie musisz o tym myśleć. Jako uległa byłabyś za nie jedynie wdzięczna. Przyjmujesz, co dla ciebie kupuję, ponieważ to mi sprawia przyjemność.

– Nie byłam uległa, kiedy mi je kupiłeś.

– Nie... ale zgodziłaś się, Anastasio. – Przygląda mi się nieufnie.

Wzdycham. Tej walki nie wygram, więc czas na plan B.

– A więc są moje i mogę z nimi zrobić, co chcę?

Patrzy na mnie podejrzliwie, ale przyznaje mi rację.

– Tak.

– W takim razie chcę przekazać je organizacji charytatywnej działającej w Darfurze, skoro to miejsce jest bliskie twemu sercu. Mogą je wystawić na aukcję.

– Skoro tak właśnie chcesz zrobić. – Zaciska usta. Widać, że jest zawiedziony.

Czerwienię się.

– Pomyślę o tym – dorzucam pod nosem. Nie chcę go rozczarować i słyszę w głowie jego słowa. *Chcę, żebyś chciała mnie zadowolić.*

– Nie myśl, Anastasio. Nie o tym. – Ton jego głosu jest poważny.

Jak mogę nie myśleć? „Możesz udawać, że jesteś samochodem i należysz do niego, tak jak inne rzeczy" – moja podświadomość odpowiada jadowicie, nieproszona. Ignoruję ją. Och, czy możemy cofnąć czas? Atmosfera między nami jest teraz napięta. Nie wiem, co robić. Opuszczam wzrok na dłonie. Jak mogę uratować tę sytuację?

Stawia butelkę szampana na stole i staje naprzeciw mnie. Chwytając mnie za brodę, unosi głowę do góry. Patrzy na mnie z poważną miną.

– Będę ci kupował mnóstwo rzeczy, Anastasio. Przyzwyczaj się do tego. Mogę sobie na to pozwolić. Jestem bardzo bogatym człowiekiem. – Pochyla się i składa na moich ustach szybki, niewinny pocałunek. – Proszę. – Puszcza mnie.

„Dziwka" – mówi bezgłośnie moja podświadomość.

– Czuję się tania – szepczę.

Christian z irytacją przeczesuje włosy palcami.

– Nie powinnaś. Zbyt wiele o tym myślisz. Nie stosuj wobec siebie jakichś ogólnych sądów moralnych na podstawie tego, co myślą inni. Nie trać na to energii. Twoje wątpliwości wynikają z zastrzeżeń do naszej umowy, a to zupełnie naturalne. Nie wiesz, na co się zgadzasz.

Marszczę brwi, próbując przetrawić jego słowa.

– Hej, przestań – rozkazuje łagodnie, znów chwytając moją brodę i pociągając ją lekko, aby uwolnić dolną wargę z uścisku zębów. – Nie ma w tobie nic taniego, Anastasio. Masz tak nie myśleć. Kupiłem ci po prostu kilka starych książek, bo myślałem, że okażą się dla ciebie ważne, to wszystko. Napij się szampana. – W jego oczach

widzę ciepło i łagodność, więc uśmiecham się nieśmiało.
– Tak lepiej – mruczy. Bierze butelkę szampana, zdejmuje folię oraz druciki podtrzymujące korek i przekręca butelkę zamiast korka, otwierając ją wprawnym ruchem i nie roniąc ani kropelki. Napełnia filiżanki do połowy.
– Jest różowy – mówię pod nosem zaskoczona.
– Bollinger Grande Année Rosé 1999, doskonały rocznik – mówi ze znawstwem.
– W filiżankach.
Uśmiecha się szeroko.
– W filiżankach. Gratulacje z okazji ukończenia studiów, Anastasio.
Stukamy się filiżankami i Christian upija łyk, ale nie mogę się oprzeć wrażeniu, że chodzi tu o moją kapitulację.
– Dziękuję – bąkam i biorę łyk. Oczywiście jest pyszny. – Przejrzymy granice względne?
Uśmiecha się, a ja się czerwienię.
– Zawsze taka ochocza. – Bierze mnie za rękę i prowadzi na kanapę, gdzie sadowi mnie obok siebie. – Twój ojczym to bardzo małomówny człowiek.
Och… czyli nie granice względne. Chcę mieć to już za sobą, ten niepokój mnie dręczy.
– Sprawiłeś, że jadł ci z ręki. – Wydymam wargi.
Christian śmieje się łagodnie.
– Tylko dzięki temu, że wiem, jak łowić ryby.
– Skąd wiedziałeś, że lubi wędkować?
– Ty mi powiedziałaś, gdy poszliśmy na kawę.
– Och, czyżby? – Biorę kolejny łyk. Rety, ma pamięć do szczegółów. Hmm… ten szampan jest naprawdę bardzo dobry. – Próbowałeś wina na przyjęciu?
Christian się krzywi.
– Tak. Było okropne.
– Pomyślałam o tobie, gdy go spróbowałam. Skąd się tak dobrze znasz na winach?

– Nie znam się, Anastasio. Po prostu wiem, co mi smakuje. – Jego szare oczy są błyszczące, prawie srebrne, co sprawia, że się rumienię. – Jeszcze? – pyta, wskazując szampana.

– Poproszę.

Christian wstaje z wdziękiem i podnosi butelkę. Napełnia moją filiżankę. Chce, żebym się wstawiła? Patrzę na niego podejrzliwie.

– Mieszkanie wygląda na prawie puste. Jesteś gotowa do przeprowadzki?

– Prawie.

– Pracujesz jutro?

– Tak, to mój ostatni dzień u Claytona.

– Pomógłbym ci w przeprowadzce, ale obiecałem odebrać siostrę z lotniska.

Och… to nowość.

– Mia przylatuje z Paryża bardzo wcześnie rano w sobotę. Jutro jadę z powrotem do Seattle, ale słyszałem, że Elliot wam pomoże.

– Tak, Kate jest tym bardzo podekscytowana.

– Tak, Kate i Elliot, kto by pomyślał – mamrocze pod nosem i z jakiegoś powodu nie wygląda na zadowolonego.

– A co robisz w kwestii pracy w Seattle?

Kiedy porozmawiamy o granicach względnych? W co on gra?

– Mam kilka rozmów w sprawie stażu.

– Kiedy miałaś zamiar mi powiedzieć? – Marszczy czoło.

– Yyy… teraz ci mówię.

Mruży oczy.

– Gdzie?

Jakoś nie chcę mu powiedzieć. Prawdopodobnie dlatego, że mógłby użyć swoich wpływów.

– W kilku wydawnictwach.

– Czy to właśnie chcesz robić? Pracować w wydawnictwie?

Ostrożnie przytakuję.

– Więc? – Patrzy na mnie cierpliwie, czekając na więcej informacji.

– Co więc?

– Nie bądź niemądra, Anastasio, w których wydawnictwach? – ruga mnie.

– W małych – mamroczę.

– Dlaczego nie chcesz, żebym wiedział?

– Zbyt duże wpływy.

Marszczy czoło.

– Teraz to ty jesteś niemądry.

Śmieje się.

– Niemądry? Ja? Boże, ale mi stawiasz wyzwania. Wypij i omówimy te granice. – Wyciąga drugi egzemplarz mojego mejla i listę. Nosi te listy w kieszeni? Jedna jest chyba w jego marynarce, tej, która została u mnie. Lepiej, żebym o tym nie zapomniała. Opróżniam filiżankę.

Spogląda na mnie przelotnie.

– Jeszcze?

– Poproszę.

Na twarzy ma ten swój uśmiech pełen samozadowolenia. Podnosi butelkę i zatrzymuje się.

– Jadłaś coś?

O nie… Znów ta stara śpiewka.

– Tak… Zjadłam z Rayem obiad z trzech dań. – Przewracam oczami. Po szampanie robię się odważniejsza.

Pochyla się i chwyta moją brodę, patrząc mi intensywnie w oczy.

– Jeszcze raz przewrócisz oczami, a przełożę cię przez kolano.

Co?!

– Och – dziwię się i widzę rozbawienie w jego oczach.

– Och – odpowiada, odzwierciedlając mój ton głosu.
– Tak to się zaczyna, Anastasio.

Moje serce tłucze się w piersi, a motyle uciekają z brzucha do ściśniętego gardła. Czemu to jest seksowne?

Napełnia moją filiżankę, a ja wypijam ją praktycznie do dna. Skarcona, wpatruję się w niego.

– Zainteresowałem cię, co?

Kiwam głową.

– Odpowiedz.

– Tak… zainteresowałeś mnie.

– Dobrze. – Uśmiecha się znacząco. – A więc akty seksualne. Większość przerobiliśmy.

Przysuwam się do niego na kanapie i spoglądam na listę.

ZAŁĄCZNIK NR 3

Granice względne

Do przedyskutowania i uzgodnienia przez obie strony:

Które z następujących aktów seksualnych Uległa uznaje za dopuszczalne?

• Masturbacja
• Fellatio
• Cunnilingus
• Połykanie nasienia
• Stosunek dopochwowy
• Fisting dopochwowy
• Stosunek analny
• Fisting analny

– Nie zgadzasz się na fisting. Czy na coś jeszcze? – pyta łagodnie.

Przełykam ślinę.

– Stosunek analny to niekoniecznie moja bajka.

– Zgadzam się co do fistingu, ale naprawdę chciałbym dobrać ci się do tyłeczka, Anastasio. Ale z tym poczekamy. Zresztą w tym przypadku nie możemy od razu skoczyć na głęboką wodę. Twój tyłek będzie musiał przejść szkolenie.

– Szkolenie? – szepczę.

– O tak. Trzeba go będzie dobrze przygotować. Uwierz mi, stosunek analny może być bardzo przyjemny. Ale jeśli spróbujemy, a tobie się nie spodoba, więcej tego nie zrobimy. – Uśmiecha się do mnie szeroko.

Mrugam z niedowierzaniem. Myśli, że mi się spodoba. Skąd wie, że to przyjemne?

– Robiłeś to? – pytam szeptem.

– Tak.

Jasny gwint. Zatyka mnie.

– Z mężczyzną?

– Nie. Nigdy nie uprawiałem seksu z mężczyzną. To nie moja bajka.

– Pani Robinson?

– Tak.

Rany boskie… jak? Marszczę brwi. Przechodzi do dalszych punktów na liście.

– Okej… połykanie nasienia. Cóż, z tego masz już szóstkę.

Rumienię się, a moja wewnętrzna bogini cmoka z zadowoleniem, dumna jak paw.

– A więc – Christian patrzy na mnie z promiennym uśmiechem – połykanie nasienia w porządku?

Kiwam głową, nie będąc w stanie spojrzeć mu w oczy, i ponownie opróżniam filiżankę.

– Jeszcze?

– Jeszcze. – I kiedy napełnia mi filiżankę, nagle przypominam sobie naszą wcześniejszą rozmowę. Ma na myśli listę czy tylko szampana? Czy z tym całym szampanem chodzi o coś więcej?

– Zabawki erotyczne?

Wzruszam ramionami, patrząc na listę.

Czy Uległa dopuszcza użycie zabawek erotycznych?
• Wibratory
• Sztuczne członki – dildo
• Zatyczki analne
• Inne zabawki dopochwowe / analne

– Zatyczka analna? Czy służy do tego, co opisano na opakowaniu? – Marszczę nos z niesmakiem.

– Tak – uśmiecha się. – I odsyłam cię do stosunku analnego wymienionego powyżej. Szkolenie.

– Och… A co się kryje pod „Inne zabawki"?

– Koraliki, jajka… tego typu przedmioty.

– Jajka? – pytam przerażona.

– Nie prawdziwe. – Śmieje się głośno, potrząsając głową.

Zaciskam usta.

– Cieszę się, że wydaję ci się zabawna. – Nie mogę się powstrzymać od okazania urażonych uczuć.

Przestaje się śmiać.

– Wybacz mi, panno Steele, przepraszam – stara się wyglądać na skruszonego, ale w jego oczach nadal czai się rozbawienie. – Jakiś problem z zabawkami?

– Nie – rzucam.

– Anastasio – przymila się. – Przepraszam. Uwierz mi. Nie chciałem się śmiać. Nigdy nie rozmawiałem o tym tak szczegółowo. Jesteś po prostu taka niedoświadczona. Wybacz mi. – Jego oczy są duże, szare i szczere.

Rozluźniam się trochę i pociągam łyk szampana.

– W takim razie wiązanie – mówi, wracając do listy. Czytam listę, a moja wewnętrzna bogini skacze jak małe dziecko czekające na lody.

Czy krępowanie jest dopuszczalne dla Uległej?
• Ręce z przodu
• Ręce z tyłu
• Kostki
• Kolana
• Łokcie
• Nadgarstki i kostki
• Rozpórki
• Przywiązywanie do mebli
• Zawiązywanie oczu
• Kneblowanie
• Krępowanie liną
• Krępowanie taśmą
• Krępowanie skórzanymi kajdankami
• Podwieszanie
• Krępowanie kajdankami/metalowymi elementami

– Rozmawialiśmy o podwieszaniu i w porządku, jeśli chcesz to zaznaczyć jako granicę bezwzględną. To zabiera dużo czasu, a ja i tak mam cię tylko na krótko. Coś jeszcze?

– Nie śmiej się ze mnie, ale co to jest rozpórka?

– Obiecałem, że nie będę się śmiać i przeprosiłem dwa razy. – Wpatruje się we mnie. – Nie każ mi tego robić kolejny raz – ostrzega. A ja kulę się w sobie… och, jest taki władczy. – Rozpórka to kołek z kajdankami na kostki lub nadgarstki. Dobra zabawa.

– Okej. Co do kneblowania… Bałabym się, że nie będę mogła oddychać.

– Ja też bym się bał, gdybyś nie mogła oddychać. Nie chcę cię udusić.

– A jak będę używać haseł bezpieczeństwa, jeśli będę zakneblowana?

Nieruchomieje.

– Po pierwsze, mam nadzieję, że nigdy nie będziesz musiała ich użyć. Ale jeśli będziesz zakneblowana, będziemy używać sygnałów bezpieczeństwa – wyjaśnia.

Mrugam, patrząc na niego. Jakich, skoro będę związana? Mój umysł zaczyna być lekko zamglony... hmm, alkohol.

– Denerwuję się na myśl o kneblowaniu.

– Dobrze, zanotuję to sobie.

Wpatruję się w niego i coś sobie uświadamiam.

– Czy lubisz krępować swoje uległe, żeby nie mogły cię dotknąć?

Patrzy na mnie, a jego oczy stają się coraz większe.

– To jeden z powodów – mówi cicho.

– To dlatego związałeś mi ręce?

– Tak.

– Nie lubisz o tym mówić.

– Nie, nie lubię. Chcesz się jeszcze napić? Po alkoholu stajesz się odważniejsza, a ja chcę się dowiedzieć, co myślisz na temat bólu.

Cholera jasna... To ta podchwytliwa część. Napełnia ponownie moją filiżankę, a ja pociągam łyk.

– Więc jakie jest twoje nastawienie wobec doświadczania bólu? – Christian patrzy na mnie wyczekująco. – Przygryzasz wargę – mówi poważnie.

Natychmiast przestaję, ale nie wiem, co powiedzieć. Czerwienię się i patrzę na swoje dłonie.

– Byłaś karana fizycznie jako dziecko?

– Nie.

– A więc nie masz żadnego punktu odniesienia?

– Nie.

– To nie takie złe, jak myślisz. Wyobraźnia jest tutaj twoim najgorszym wrogiem.

– Musisz to robić?

– Tak.

– Dlaczego?

– To nieodłączne. Tak właśnie funkcjonuję. Widzę, że jesteś zdenerwowana. Przeanalizujmy metody.

Pokazuje mi listę. Moja podświadomość ucieka z krzykiem i chowa się za kanapę.

- Klapsy
- Bicie drewnianymi packami
- Biczowanie
- Bicie laską
- Gryzienie
- Klamerki na sutkach
- Klamerki na genitaliach
- Lód
- Gorący wosk
- Inne rodzaje /metody zadawania bólu

– Powiedziałaś „nie" klamerkom na genitaliach. W porządku. To bicie laską boli najbardziej.

Blednę.

– Dojdziemy do tego.

– Albo nie zrobimy wcale – szepczę.

– To część układu, kochanie, ale do wszystkiego dojdziemy. Anastasio, nie posunę się za daleko.

– Kwestia kary najbardziej mnie martwi. – Mój głos jest bardzo cichy.

– Cieszę się, że mi powiedziałaś. Na razie skreślamy z listy bicie laską. Kiedy poczujesz się bardziej komfortowo w tym temacie, zwiększymy intensywność. Będziemy to robić stopniowo.

Przełykam ślinę, a on pochyla się i całuje mnie w usta.

– No, nie było tak źle, prawda?

Wzruszam ramionami, ponownie czując serce w gardle.

– Słuchaj, chcę omówić jeszcze jedną kwestię, a potem zabieram cię do łóżka.

– Do łóżka? – Mrugam szybko, a krew w moim ciele zaczyna szybciej krążyć, rozgrzewając miejsca, o których do tej pory nie miałam pojęcia.

– No co ty, Anastasio, po omawianiu tego wszystkiego chcę cię porządnie przelecieć, właśnie teraz. Na tobie też musiało to zrobić wrażenie.

Ściska mnie w środku, a moja wewnętrzna bogini zaczyna dyszeć.

– A widzisz? Poza tym jest coś, co chcę wypróbować.

– Coś bolesnego?

– Nie, przestań wszędzie widzieć ból. To głównie przyjemność. Czy kiedykolwiek cię skrzywdziłem?

Czerwienię się.

– Nie.

– No właśnie. Dzisiaj mówiłaś, że chcesz więcej. – Urywa, nagle niepewny, co powiedzieć.

O rany… Do czego to wszystko zmierza?

Ściska mnie za rękę.

– Poza czasem, gdy jesteś moją uległą, moglibyśmy spróbować. Nie wiem, czy to się uda. Nie wiem, jak będzie z rozdzieleniem wszystkiego. Może się nie udać. Ale jestem gotów spróbować. Może jedna noc w tygodniu. Nie wiem.

Rany Julek… Opada mi szczęka, a moja podświadomość doznaje szoku. Christian Grey jest gotów na więcej! Jest gotów spróbować! Podświadomość wychyla się zza kanapy, nadal z wyrazem szoku na twarzy harpii.

– Pod jednym warunkiem. – Christian patrzy nieufnie na moją zdumioną twarz.

– Jakim? – szepczę. Wszystko, co chcesz. Dam ci wszystko.

– Przyjmiesz łaskawie mój prezent z okazji zakończenia studiów.

– Och. – W głębi duszy wiem, co to jest. Przerażenie rośnie mi w brzuchu.

Patrzy na mnie, oceniając moją reakcję.

– Chodź – wstaje, podnosząc mnie. Zdejmuje kurtkę i otula mnie nią, ruszając do drzwi.

Na zewnątrz stoi czerwone dwudrzwiowe, kompaktowe audi.

– To dla ciebie. Wszystkiego najlepszego z okazji ukończenia studiów – mruczy, przyciągając mnie do siebie i całując moje włosy.

Kupił mi, cholera, samochód, sądząc po wyglądzie, zupełnie nowy. Jezu... Miałam wystarczający kłopot z książkami. Patrzę na samochód w osłupieniu, starając się zdecydować, co o tym wszystkim myśleć. Z jednej strony jestem przerażona, z drugiej wdzięczna, a jeszcze zszokowana, że w ogóle to zrobił, ale przeważające uczucie to gniew. Tak, jestem rozgniewana, szczególnie po tym, co powiedziałam mu o książkach... Ale, z drugiej strony, już go kupił. Biorąc mnie za rękę, prowadzi ścieżką w stronę nowego nabytku.

– Anastasio, ten twój garbus jest stary i szczerze mówiąc, niebezpieczny. Nigdy bym sobie nie wybaczył, gdyby coś ci się stało, skoro tak łatwo jest tę sytuację naprawić. – Tu przerywa. Patrzy na mnie, ale ja nie mogę zmusić się, żeby spojrzeć na niego. Stoję w milczeniu, gapiąc się na tę wspaniałą, soczyście czerwoną nowość.

– Wspomniałem o tym twojemu ojczymowi. Był jak najbardziej za – dodaje.

Odwracam się i rzucam mu gniewne spojrzenie, otwierając usta z przerażenia.

– Wspomniałeś o tym Rayowi? Jak mogłeś?! – Ledwie mogę wydusić z siebie słowa. Jak śmiał? Biedny Ray.

Niedobrze mi. Czuję się zażenowana na myśl, jak to odebrał mój tato.

– To prezent, Anastasio. Nie możesz po prostu powiedzieć „dziękuję"?

– Ale wiesz, że to zbyt wiele.

– Nie, dla mnie to nie jest zbyt wiele. Nie dla mojego spokoju ducha.

Patrzę na niego z zagniewaną miną, nie wiedząc, co powiedzieć. On tego nie rozumie! Całe życie miał pieniądze. W porządku, nie całe życie, nie kiedy był mały. I mój pogląd się zmienia. Ta myśl jest bardzo trzeźwiąca i moje nastawienie do samochodu łagodnieje. Czuję się winna z powodu napadu złości. Ma dobre intencje, chybione, ale nie złe.

– Cieszę się, że mi go pożyczasz, tak jak laptop.

Wzdycha ciężko.

– W porządku. Pożyczam. Na zawsze. – Patrzy na mnie ostrożnie.

– Nie, nie na zawsze, ale na teraz. Dziękuję.

Marszczy brwi. Całuję go pośpiesznie w policzek.

– Dziękuję panu za samochód – mówię tak słodko, jak potrafię.

Chwyta mnie nagle i przyciąga do siebie, z jedną ręką na moich plecach, a drugą zanurzoną w moich włosach.

– Ależ z ciebie prowokatorka, Ano Steele. – Całuje mnie namiętnie, rozchylając usta językiem, nie idąc na żadne ustępstwa.

Krew zaczyna mi wrzeć i z pasją odwzajemniam pocałunek. Tak bardzo go pragnę, pomimo samochodu, książek, granic względnych... bicia laską... pragnę go.

– Wykorzystuję całą swoją samokontrolę, żeby nie przelecieć cię teraz na masce tego samochodu, żeby pokazać ci, że jesteś moja i jeśli zechcę kupić ci pieprzo-

ny samochód, to kupię ci pieprzony samochód – warczy.
– A teraz do środka. Rozbierzemy cię. – Składa szybki,
ostry pocałunek na moich ustach.

Rany, ale jest zły. Chwyta mnie za rękę i prowadzi
z powrotem do mieszkania, prosto do mojej sypialni...
i już przepadłam. Moja podświadomość znów siedzi za
kanapą, kryjąc twarz w dłoniach. Christian włącza boczne
światło i zatrzymuje się, patrząc na mnie.

– Proszę, nie bądź na mnie zły – szepczę.

Jego wzrok jest beznamiętny, szare oczy jak kawałki
przydymionego szkła.

– Przepraszam za książki i samochód – zacinam się.
Nadal milczy. – Przerażasz mnie, gdy jesteś rozgniewany
– mówię cicho i wpatruję się w niego.

Zamyka oczy i potrząsa głową. Gdy je otwiera, wyraz
jego twarzy jest odrobinę łagodniejszy. Bierze głęboki
oddech i przełyka ślinę.

– Odwróć się – szepcze.– Chcę z ciebie zdjąć tę sukienkę.

Kolejna zmiana nastroju, tak trudno za nim nadążyć.
Odwracam się posłusznie, moje serce wali jak oszalałe,
pożądanie zastępuje niepokój i przechodząc przez
moje ciało, umiejscawia się głęboko w moim podbrzuszu,
ciemne i tęskne. Odgarnia włosy z moich pleców, tak że
zwisają po prawej stronie, wijąc się na piersi. Kładzie palec
wskazujący na moim karku i boleśnie powoli przeciąga
wzdłuż kręgosłupa. Jego wypielęgnowany paznokieć
delikatnie mnie drapie.

– Podoba mi się ta sukienka – mruczy. – Lubię widzieć
twoją nieskazitelną skórę.

Palec dociera do skraju dekoltu sukienki z odkrytymi
plecami gdzieś w talii i chwytając za górę, przyciąga mnie
bliżej, tak że staję plecami przy nim. Czuję na skórze, jak
płonie. Pochyla się i wącha moje włosy.

– Pachniesz tak pięknie, Anastasio. Tak słodko. – Muska nosem skórę za moim uchem i wzdłuż karku, składa delikatne jak piórko pocałunki na ramieniu.

Mój oddech się zmienia, staje się płytki, szybki, pełen oczekiwania. Jego ręce chwytają za zamek. Do bólu powoli rozpina go, podczas gdy usta liżąc, całując i ssąc suną przez plecy do drugiego ramienia. Jest w tym tak kusząco dobry. Moje ciało rezonuje i leniwie zaczynam poruszać się pod wpływem jego dotyku.

– Będziesz. Musiała. Nauczyć. Się. Nie. Ruszać – szepcze, całując mnie w kark między każdym słowem.

Chwyta za zapięcie na szyi i sukienka opada, kałuża materiału u moich stóp.

– Bez stanika, panno Steele. Podoba mi się.

Jego ręce sięgają do przodu i obejmują moje piersi, a sutki twardnieją pod tym dotykiem.

– Podnieś ręce i załóż mi za głowę – mruczy przy moim karku.

Natychmiast wykonuję polecenie i moje piersi unoszą się wprost w jego dłonie, a sutki stają się jeszcze twardsze. Moje dłonie wplatają się w jego miękkie, seksowne włosy i bardzo delikatnie pociągam za nie. Przechylam głowę na jedną stronę, by ułatwić mu dostęp do karku.

– Mhm… – mruczy za moim uchem i zaczyna pociągać sutki swoimi długimi palcami, robiąc to samo, co ja z jego włosami.

Jęczę, gdy to doznanie odzywa się ostro w moim kroczu.

– Czy mam cię doprowadzić do orgazmu w ten sposób? – szepcze.

Wyginam plecy w łuk, aby wcisnąć piersi w jego wytrawne dłonie.

– Podoba ci się, panno Steele, prawda?

– Mhm…

– Powiedz mi. – Kontynuuje powolną, zmysłową torturę, ciągnąc delikatnie.

– Tak.

– Tak... co?

– Tak... proszę pana.

– Grzeczna dziewczynka. – Szczypie mnie mocno, a moje ciało zwija się w konwulsjach, ocierając się o jego przód.

Wzdycham, czując tę cudowną, ostrą przyjemność wymieszaną z bólem. Czuję go przy sobie. Jęczę, a moje ręce wczepiają się w jego włosy i ciągną mocniej.

– Myślę, że jeszcze nie jesteś gotowa, żeby dojść – szepcze. Jego ręce zamierają, a on delikatnie gryzie i pociąga płatek mojego ucha. – Poza tym zdenerwowałaś mnie dzisiaj.

Och nie, co to oznacza? Mój mózg rejestruje wszystko przez mgłę palącego pożądania.

– Więc może jednak nie pozwolę ci dojść. – Zwraca uwagę swoich palców ponownie na moje sutki, ciągnąc, skręcając, ugniatając. Ocieram się o niego pośladkami... poruszając na boki.

Czuję na karku, jak się uśmiecha, a jego dłonie wędrują w dół do moich bioder. Palce zaczepiają się z tyłu o moje majtki, rozciągając je, a kciuk przebija się przez materiał, rozrywając je i rzucając przede mnie, abym je mogła zobaczyć. Jego ręce wędrują do mojej kobiecości... i od tyłu, powoli wkłada we mnie palec.

– O tak, moja słodka dziewczynka jest całkiem gotowa – szepcze, odwracając mnie twarzą do siebie. Mój oddech przyspiesza. Wkłada sobie palec do ust. – Smakujesz tak dobrze, panno Steele – wzdycha. – Rozbierz mnie – rozkazuje cicho, patrząc na mnie spod przymkniętych powiek.

Mam na sobie jedynie buty, to znaczy czółenka Kate na wysokim obcasie. Jestem zaskoczona. Nigdy nie rozbierałam mężczyzny.

– Dasz radę – zachęca mnie łagodnie.

O rany. Mrugam szybko. Od czego zacząć? Sięgam po T-shirt, ale on chwyta mnie za ręce i potrząsa głową, uśmiechając się przebiegle.

– O nie. Nie T-shirt. Do tego, co zaplanowałem, będziesz musiała mnie dotknąć. – Jego oczy płoną z podniecenia.

Och… a to nowość… mogę dotykać w ubraniu. Bierze moją dłoń i kładzie na swoim członku.

– To efekt, jaki u mnie wywołujesz, panno Steele.

Nabieram powietrza i obejmuję go palcami, a Christian uśmiecha się szeroko.

– Chcę być w tobie. Zdejmij mi dżinsy. Ty rządzisz.

O matko… ja rządzę. Otwieram usta ze zdziwienia.

– Co ze mną zrobisz? – drażni się.

Och, tyle możliwości… Moja wewnętrzna bogini warczy, a ja, kierowana frustracją, pożądaniem i czystą brawurą Steele'ów popycham go na łóżko. Śmieje się, upadając, a ja zwycięsko patrzę na niego z góry. Wewnętrzna bogini zaraz eksploduje. Ściągam mu buty, szybko, niezdarnie, i zaraz potem skarpetki. Wpatruje się we mnie wzrokiem rozświetlonym radością i pożądaniem. Wygląda… cudownie… cały mój. Wchodzę na łóżko i siadam na nim okrakiem, aby rozpiąć dżinsy, wkładając palce pod materiał na brzuchu, czując włosy na jego jakże rozkosznej ścieżce. Zamyka oczy i wysuwa biodra w moją stronę.

– Będziesz musiał nauczyć się nie ruszać – rugam go i pociągam za włosy pod palcami.

Wydaje syk i uśmiecha się do mnie.

– Tak, panno Steele – mruczy, a oczy mu płoną. – W mojej kieszeni, prezerwatywa – szepcze.

Powoli szukam w kieszeni, patrząc na jego twarz, gdy go dotykam. Ma otwarte usta. Wyławiam dwie foliowe paczuszki i kładę na łóżku koło jego biodra. Dwie!

Moje nadmiernie pożądliwe palce sięgają do guzika i rozpinają go, z małymi problemami. Jestem więcej niż podniecona.

– Jakaż rozochocona panna Steele – mruczy, a w jego głosie pobrzmiewa rozbawienie. Rozpinam rozporek i staję przed problemem zdjęcia mu spodni... hmm. Poruszam nimi i ciągnę, ale ledwie drgną. Marszczę brwi. Czy to może być aż tak trudne?

– Nie mogę się nie ruszać, jeśli przygryzasz wargę – ostrzega i unosi biodra do góry, tak że mogę ściągnąć spodnie i bokserki za jednym razem, uuu... uwalniając go. Skopuje ubrania na podłogę.

O święty Barnabo, jest cały mój i mogę się nim bawić. Cieszę się jak dziecko.

– Co teraz zrobisz? – szepcze, a cała wesołość nagle znika. Dotykam go, patrząc na jego wyraz twarzy. Jego usta układają się w literę O, gdy gwałtownie wciąga powietrze. Jego skóra jest tak gładka i miękka... i twarda... mmm, co za smakowite połączenie. Pochylam się, a włosy rozsypują się wokół mnie i już jest w moich ustach. Ssę go mocno. Zamyka oczy, a jego biodra podskakują pode mną.

– Jezu, Ana, spokojnie – jęczy.

Czuję taką moc, to takie podniecające, drażnić i sprawdzać go ustami i językiem. Zastyga pode mną, a ja przesuwam usta w górę i w dół, wpychając go aż do gardła, z zaciśniętymi ustami... jeszcze i jeszcze.

– Stop, Ana, zatrzymaj się. Nie chcę dojść.

Siadam, mrugając i dysząc jak on, ale czując dezorientację. Myślałam, że to ja rządzę? Moja wewnętrzna bogini wygląda, jakby ktoś wyrwał jej z ręki loda.

– Twoja niewinność i entuzjazm są takie rozbrajające – sapie. – Ty na górze... To właśnie musimy zrobić.

Och.

– Załóż to – podaje mi foliową paczuszkę.

O rany, jak? Rozrywam ją i już trzymam w palcach lepką prezerwatywę.

– Ściśnij koniec i zroluj do dołu. Żadnego powietrza na końcu tego drania – dyszy Christian.

Bardzo powoli, mocno się koncentrując, wykonuję jego polecenie.

– Chryste, dobijasz mnie, Anastasio – jęczy.

Podziwiam swoją pracę ręczną i jego. Naprawdę jest niezłym okazem mężczyzny, a patrzenie na niego jest bardzo, bardzo pobudzające.

– A teraz chcę się w tobie zagłębić – mruczy. Patrzę na niego onieśmielona, a on siada nagle i patrzymy na siebie nos w nos.

– O tak – szepcze i oplata jedną ręką moje biodra, unosząc mnie nieznacznie, drugą zaś się podpiera, by umiejscowić się pode mną, po czym bardzo powoli opuszcza mnie na siebie.

Jęczę, gdy mnie rozwiera, wypełnia i bezwiednie otwieram usta zaskoczona tym słodkim, cudownym, przejmującym i przepełniającym uczuciem. Och... proszę.

– Tak, kochanie, poczuj mnie całego – jęczy i na chwilę zamyka oczy.

I jest we mnie, zanurzony do końca, i trzyma mnie na miejscu przez sekundy... minuty... nie mam pojęcia, wpatrując się uważnie w moje oczy.

– Tak jest głęboko – mruczy. Jednocześnie wygina się i kołysze biodrami, a ja jęczę... o rany – doznanie promieniuje przez moje podbrzusze... wszędzie. Cholera!

– Jeszcze – szepczę. Leniwie się uśmiecha i robi, co chcę.

Jęcząc, odrzucam głowę do tyłu, moje włosy opadają na plecy, a on bardzo powoli opada z powrotem na łóżko.

– Ty się poruszaj, Anastasio, w górę i w dół, jak chcesz. Weź mnie za ręce – szepcze chrapliwym, niskim głosem, który jest taki seksowny.

Chwytam jego ręce jak koło ratunkowe. Delikatnie odpycham się od niego i opadam z powrotem. Jego oczy płoną w dzikim oczekiwaniu. Oddech jest nierówny, podobnie jak mój, a on podnosi miednicę, gdy opadam na dół, podbijając mnie znów do góry. Łapiemy rytm... góra, dół, góra, dół... znów i znów... i jest tak... dobrze. Pomiędzy moimi urywanymi oddechami ta głęboka, obfita pełnia... To gwałtowne odczucie pulsujące w ciele szybko narasta, patrzę na niego, on na mnie, i w zachwycie widzę, jak on zachwyca się mną.

Ja go pieprzę. Ja rządzę. Jest mój, a ja jego. Ta myśl popycha mnie, jak obciążoną betonem, na skraj przepaści i dochodzę... krzycząc nieskładnie. Chwyta moje biodra i z zamkniętymi oczami, odchylając głowę w tył, z zaciśniętymi ustami dochodzi cicho. Opadam na jego klatkę piersiową, napełniona nim, gdzieś pomiędzy fantazją a rzeczywistością, tam gdzie nie ma granic względnych i bezwzględnych.

ROZDZIAŁ SZESNASTY

Powoli świat zewnętrzny przypuszcza atak na moje zmysły i… o rety…. cóż to za atak. Płynę, kończyny mam lekkie i ospałe, jestem zupełnie wykończona. Leżę na Christianie, z głową na jego piersi, a on pachnie po prostu bosko: świeżym praniem, jakimś drogim żelem pod prysznic i co najlepsze – najbardziej uwodzicielskim zapachem na tej planecie… zapachem Christiana. Nie mam ochoty się stąd ruszać, pragnę bez końca wdychać tę upojną woń. Trącam go nosem, żałując, że musi istnieć ta bariera w postaci materiału T-shirta. A gdy reszta mego ciała schodzi na ziemię, wyciągam rękę i kładę na klatce piersiowej. Pierwszy raz go tam dotknęłam. Jest twardy… silny. Sięga szybko i chwyta moją dłoń, ale zaraz łagodzi ten gest, podnosząc ją do ust i słodko całując. Przekręca się, tak że patrzy teraz na mnie z góry.

– Nie rób tego – mruczy, po czym całuje mnie lekko.

– Czemu nie lubisz, jak ktoś cię dotyka? – pytam szeptem, wpatrując się w jego szare oczy.

– Bo skrywa się we mnie pięćdziesiąt odcieni szarości, Anastasio. I jestem ostro porąbany.

Och… ta szczerość jest rozbrajająca. Mrugam powiekami.

– Pierwsze lata życia miałem bardzo trudne. Nie chcę cię obarczać szczegółami. Po prostu tego nie rób, dobrze? – Pociera nosem o mój nos, a potem odsuwa się i siada. – No więc podstawy mamy już chyba przerobione. Co ty na to?

Wygląda na bardzo z siebie zadowolonego, a ton głosu ma rzeczowy, jakby właśnie odhaczył kolejny punkt na liście rzeczy do zrobienia. Z kolei ja cała jestem w rozsypce po tej uwadze o pierwszych latach życia. To takie frustrujące – tak bardzo bym chciała dowiedzieć się czegoś więcej. Ale Christian nie chce się tym ze mną dzielić. Przechylam głowę, tak jak on ma w zwyczaju, i z ogromnym wysiłkiem uśmiecham się do niego.

– Jeśli sobie wyobrażasz, że uznałam, iż pozwoliłeś mi przejąć kontrolę, to cóż, nie wziąłeś pod uwagę mojej średniej ocen. – Uśmiecham się nieśmiało. – Ale dziękuję za te złudzenia.

– Panno Steele, nie jesteś tylko ładną buzią. Do tej pory miałaś sześć orgazmów i wszystkie to moja zasługa – oświadcza chełpliwie, znowu wpadając w żartobliwy nastrój.

Jednocześnie rumienię się i mrugam powiekami, a on patrzy na mnie uważnie. On je liczy! Marszczy brwi.

– Masz mi coś do powiedzenia? – pyta surowo.

Cholera.

– Rano miałam sen.

– Och?

Cholera do kwadratu. Mam kłopoty?

– Szczytowałam przez sen. – Zakrywam ręką oczy. On nic nie mówi. Zerkam na niego znad ręki i widzę, że na jego twarzy maluje się rozbawienie.

– Przez sen?

– To mnie obudziło.

– Zdziwiłbym się, gdyby było inaczej. A co ci się śniło?

Cholera.

– Ty.

– Co robiłem?

Ponownie zasłaniam oczy. I jak małe dziecko przez chwilę myślę, że skoro ja go nie widzę, to i on nie widzi mnie.

– Anastasio, co robiłem? Nie zadam ci tego pytania po raz kolejny.

– Miałeś szpicrutę.

Odsuwa mi rękę.

– Naprawdę?

– Tak. – Policzki mam purpurowe.

– No to jest dla ciebie nadzieja – mruczy. – Mam wiele szpicrut.

– Z brązowej plecionej skóry?

Śmieje się.

– Nie, ale na pewno da się taką załatwić.

Nachyla się, całuje lekko, a potem wstaje i podnosi bokserki. O nie... Zbiera się do wyjścia. Sprawdzam szybko godzinę – dopiero za dwadzieścia dziesiąta. Ja też wyskakuję z łóżka. Chwytam spodnie od dresu i krótką bluzeczkę, następnie siadam po turecku i go obserwuję. Nie chcę, żeby wychodził. Co mogę zrobić?

– Kiedy masz miesiączkę? – Przerywa moje myśli.

Że co?

– Nie znoszę zakładać tego paskudztwa – burczy. Podnosi prezerwatywę, po czym kładzie ją na podłodze i wciąga dżinsy. – No więc? – pyta, kiedy nie odpowiadam, i patrzy na mnie wyczekująco, jakby czekał na moją opinię dotyczącą pogody. Kuźwa, to przecież sprawy intymne.

– W przyszłym tygodniu. – Wbijam wzrok w dłonie.

– Musisz pomyśleć o antykoncepcji.

Jest taki apodyktyczny. Siada na łóżku, by założyć skarpetki i buty.

– Masz swojego lekarza?

Kręcę głową. Wróciliśmy do fuzji i przejęć – kolejna zmiana nastroju o sto osiemdziesiąt stopni.

Marszczy brwi.

– Mogę poprosić mojego, aby przyszedł cię zbadać do twojego mieszkania, w niedzielę rano, zanim zjawisz się u mnie. Albo możesz się z nim spotkać u mnie. Jak wolisz?

A więc znowu będzie za coś płacił... ale to akurat ma na celu jego korzyść.

– U ciebie. – To oznacza, że na pewno spotkam się z nim w niedzielę.

– Okej. Dam ci znać, o której godzinie.

– Wychodzisz?

Nie idź... Zostań ze mną, proszę.

– Tak.

Dlaczego?

– Jak wrócisz do hotelu? – pytam cicho.

– Taylor po mnie przyjedzie.

– Ja mogę cię odwieźć. Mam śliczny nowy samochód.

Patrzy na mnie ciepło.

– To już bardziej mi się podoba. Ale myślę, że trochę za dużo wypiłaś.

– Celowo poiłeś mnie alkoholem?

– Tak.

– Czemu?

– Bo generalnie za dużo myślisz i jesteś równie powściągliwa jak twój ojczym. Wystarczy trochę wina i zaczynasz mówić, a chcę, żebyś szczerze się ze mną komunikowała. W przeciwnym razie zamykasz się w sobie i nie mam pojęcia, o czym myślisz. *In vino veritas*, Anastasio.

– A ty uważasz, że zawsze jesteś ze mną szczery?

– Staram się. – Patrzy na mnie z rezerwą. – Uda nam się tylko pod takim warunkiem, że będziemy ze sobą szczerzy. Oboje.

– Chciałabym, żebyś został i wykorzystał to. – Biorę do ręki drugą prezerwatywę.

Uśmiecha się wesoło.

– Anastasio, dzisiejszego wieczoru przekroczyłem tak wiele granic. Muszę iść. Do zobaczenia w niedzielę.

Przygotuję dla ciebie poprawioną wersję umowy, a potem
naprawdę możemy zacząć się bawić.

– Bawić? – O kuźwa. Serce podchodzi mi do gardła.

– Chciałbym odegrać z tobą jakąś scenkę. Ale to
dopiero po podpisaniu umowy, żebym miał pewność, że
jesteś gotowa.

– Och. Więc mogłabym to przeciągać, nie podpisu-
jąc jej?

Christian przygląda mi się badawczo, a potem na
jego twarzy pojawia się uśmiech.

– Cóż, pewnie tak, ale niewykluczone, że nie zniósłbym tej presji.

– I co wtedy? – Moja wewnętrzna bogini obudziła
się i teraz uważnie słucha.

Powoli kiwa głową, a potem uśmiecha się szeroko.

– Mogłoby się zrobić naprawdę nieprzyjemnie.

Jego uśmiech jest zaraźliwy.

– Nieprzyjemnie? To znaczy?

– Och, no wiesz, eksplozje, pościgi samochodowe,
porwanie, uwięzienie.

– Porwałbyś mnie?

– O tak. – Szczerzy zęby.

– Przetrzymywał wbrew mojej woli? – Jezu, podnieca mnie to.

– O tak. – Kiwa głową. – A potem kontrola całą dobę
na okrągło.

– Nie rozumiem. – Mocno wali mi serce. Czy on
mówi poważnie?

– Byłabyś uległą dwadzieścia cztery godziny na dobę.
– Oczy mu błyszczą i wyraźnie czuć, że jest podniecony
tą myślą.

O kuźwa.

– Tak więc nie masz wyboru – podsumowuje sardonicznie.

– Na to wygląda. – Wznoszę oczy do nieba.

– Och, Anastasio Steele, czy ty przewróciłaś właśnie oczami?

Cholera.

– Nie – piszczę.

– A mnie się wydaje, że tak. Co mówiłem, że zrobię, jeśli znowu przewrócisz oczami?

Jasny gwint. Siada na skraju łóżka.

– Chodź tutaj – mówi cicho.

Blednę. Jezu… on mówi poważnie. Siedzę, wpatrując się w niego, w zupełnym bezruchu.

– Nie podpisałam jeszcze – szepczę.

– Powiedziałem ci, co wtedy zrobię. A ja dotrzymuję słowa. Dostaniesz klapsy, a potem szybko i ostro cię zerżnę. Wygląda na to, że jednak przyda się ta gumka.

Głos ma cichy, groźny i jest to cholernie podniecające. W podbrzuszu czuję narastające, pulsujące pożądanie. Christian przygląda mi się, czekając. Oczy mu płoną. Niepewnie opuszczam nogi. Powinnam uciec? Mam mu pozwolić to zrobić czy odmówić, a potem co? Koniec? Jestem tego pewna. „Zrób to!" – błaga moja wewnętrzna bogini. Podświadomość jest równie sparaliżowana jak ja.

– Czekam – mówi. – Nie należę do ludzi cierpliwych.

Och, na litość boską. Głośno oddycham, przestraszona, ale i podniecona. Krew szybciej krąży mi w żyłach, nogi mam jak z waty. Powoli przesuwam się w jego stronę.

– Grzeczna dziewczynka – mruczy. – A teraz wstań.

Kurde… czy on nie może tego przyspieszyć? Nie jestem pewna, czy dam radę stać. Podnoszę się z wahaniem. Wyciąga rękę, a ja podaję mu prezerwatywę. Nagle mnie chwyta i przekłada przez kolano. Jednym płynnym ruchem przesuwa mnie tak, że klatką piersiową opieram się o łóżko obok niego. Prawą nogę zarzuca na moje nogi, a lewe ramię kładzie na karku, tak że nie jestem w stanie się ruszyć. O kurwa.

– Połóż ręce obok głowy – nakazuje.

Natychmiast wykonuję to polecenie.

– Dlaczego to robię, Anastasio? – pyta.

– Bo przewróciłam oczami – szepczę.

– Uważasz, że to uprzejme?

– Nie.

– Zrobisz to jeszcze raz?

– Nie.

– Dostaniesz klapsy za każdym razem, gdy to zrobisz, zrozumiano?

Bardzo powoli opuszcza mi spodnie. Ależ to poniżające. Poniżające, przerażające i podniecające. Serce mam w gardle. Ledwie jestem w stanie oddychać. Cholera, czy to będzie bolało?

Kładzie rękę na moich nagich pośladkach. Głaszcze je, przesuwając po nich dłoń. Aż nagle jego dłoń znika... i uderza mnie – mocno. Aua! W reakcji na ból otwieram szeroko oczy i próbuję wstać, ale jego druga dłoń wędruje między moje łopatki, udaremniając uwolnienie. Znowu mnie głaszcze tam, gdzie uderzył. Zmienił mu się oddech – jest głośniejszy, bardziej urywany. Uderza mnie znowu i znowu, raz za razem. Ależ to, kurwa, boli. Nie wydaję z siebie żadnego dźwięku, krzywiąc się z bólu. Próbuję uciec przed ciosami – w moim ciele szaleje adrenalina.

– Nie ruszaj się – warczy. – Inaczej wlepię ci jeszcze więcej klapsów.

Głaszcze mnie teraz, a za chwilę znowu klaps. I tak to idzie: pieszczota, mocne uderzenie. Muszę się koncentrować, aby znieść ból. Myśli zamierają, gdy tak próbuję złagodzić to wyczerpujące doświadczenie. Christian nie uderza dwa razy w to samo miejsce – co potęguje jeszcze ból.

– Aaa! – krzyczę przy dziesiątym uderzeniu. Nawet się nie zorientowałam, że w myślach liczę klapsy.

– Dopiero się rozgrzewam.

Znowu mnie uderza, a potem delikatnie głaszcze. Połączenie mocnego klapsa i czułej pieszczoty jest otępiające. Znowu uderzenie... To się robi coraz trudniejsze do zniesienia. Boli mnie twarz, tak bardzo ją wykrzywiam. Głaszcze mnie, a potem znowu następuje uderzenie. Wydaję okrzyk bólu.

– Nikt cię nie słyszy, maleńka, tylko ja.

I uderza mnie jeszcze raz, i jeszcze. Mam ochotę błagać go, aby przestał. Nie robię tego jednak. Nie chcę dać mu satysfakcji. Christian kontynuuje swój niesłabnący cykl przemienny. Krzyczę jeszcze sześć razy. Razem osiemnaście klapsów. Moje ciało krzyczy oburzone tą bezlitosną napaścią.

– Wystarczy – dyszy chrapliwie. – Dobra robota, Anastasio. A teraz cię zerżnę.

Gładzi delikatnie moje pośladki. Strasznie mnie pieką. Nagle wsuwa we mnie dwa palce, kompletnie mnie tym zaskakując. Wciągam gwałtownie powietrze i to nowe doznanie zaczyna się przedzierać przez odrętwienie moich myśli.

– Poczuj to. Przekonaj się, jak bardzo twoje ciało to lubi, Anastasio. Jesteś dla mnie wilgotna. – W jego głosie słyszę podziw. Szybko wsuwa palce i wysuwa.

Jęczę. Nie ma mowy. Nagle jego palce znikają... a ja czekam.

– Następnym razem każę ci liczyć. No dobrze, gdzie ta gumka?

Sięga po prezerwatywę, a potem unosi mnie delikatnie, tak że leżę teraz na brzuchu. Słyszę, jak rozpina rozporek i rozrywa foliową paczuszkę. Ściąga zupełnie moje spodnie, a potem popycha mi nogi tak, że klęczę, wsparta na łokciach. Delikatnie pieści mój obolały tyłek.

– Teraz cię przelecę. Możesz szczytować – mruczy.

Słucham?! A mam w ogóle jakiś wybór?

Sekundę później jest już we mnie, wypełniając szybko sobą. Wydaję głośny jęk. Christian porusza się, w szybkim tempie nacierając na moje biedne pośladki. To, co czuję, jest nieopisanie cudowne, dzikie, poniżające i zapierające dech w piersiach. Sieje spustoszenie w moich zmysłach. A potem czuję to znajome zaciskanie w podbrzuszu, coraz szybsze. NIE... i moje zdradzieckie ciało eksploduje w szaleńczym, wstrząsającym orgazmie.

– Och, Ana! – woła głośno Christian, także dochodząc, trzymając mocno moje biodra, gdy wlewa się we mnie. Ciężko dysząc, pada obok mnie, pociąga mnie do góry i skrywa twarz w moich włosach, mocno tuląc.

– Och, maleńka – dyszy. – Witaj w moim świecie.

Leżymy, czekając, aż nasze oddechy się uspokoją. Czule gładzi moje włosy. Znowu leżę na jego klatce piersiowej. Ale tym razem nie mam siły, aby unieść rękę i poczuć go. O rany... przeżyłam. To wcale nie było takie złe. Moja wewnętrzna bogini jest wykończona... Cóż, przynajmniej nic nie mówi. Christian zatapia nos w moich włosach i wciąga głęboko powietrze.

– Dobra robota, mała – szepcze z radością. Jego słowa otulają mnie niczym miękki, puszysty ręcznik z hotelu Heathman i taka jestem zadowolona, że on się cieszy. Pociąga za ramiączko mojej bluzeczki. – W tym właśnie sypiasz? – pyta miękko.

– Tak – odpowiadam sennie.

– Powinnaś spać otulona jedwabiem i satyną, śliczna dziewczyno. Zabiorę cię na zakupy.

– Lubię swoje dresy – burczę, udając irytację.

Całuje mnie delikatnie.

– Zobaczymy – mówi.

Leżymy tak przez kilka minut, godzin, kto wie, i chyba się w tym czasie zdrzemnęłam.

– Muszę iść. – Pochyla się nade mną i całuje lekko w czoło. – Wszystko w porządku? – pyta łagodnie.

Zastanawiam się nad odpowiedzią. Boli mnie pupa. Ale poza tym, choć jestem wykończona, cała promienieję. Nic z tego nie rozumiem.

– W porządku – odpowiadam szeptem. Nie chcę mówić niczego więcej.

Wstaje.

– Gdzie macie łazienkę?

– Na końcu korytarza po lewej stronie.

Podnosi drugą prezerwatywę i wychodzi z sypialni. Siadam sztywno i wkładam spodnie. Nieprzyjemnie się ocierają o mój piekący tyłek. Strasznie jestem skonsternowana własną reakcją. Pamiętam, jak powiedział – nie mam pewności kiedy – że o wiele lepiej bym się poczuła po porządnym laniu. Jak to możliwe? Naprawdę tego nie pojmuję. Ale z drugiej strony owszem. Nie mogę powiedzieć, że mi się to podobało. Nadal zrobiłabym wiele, aby czegoś takiego uniknąć, ale teraz... teraz czuję tę bezpieczną, dziwną, postorgazmiczną satysfakcję. Skrywam twarz w dłoniach. Nie rozumiem i już.

Wraca Christian. Nie jestem w stanie spojrzeć mu w oczy. Wpatruję się zamiast tego we własne dłonie.

– Znalazłem oliwkę dla dzieci. Pozwól, że wetrę ci ją w pośladki.

Słucham?

– Nie. Nic mi nie będzie.

– Anastasio – rzuca ostrzegawczo i mam ochotę przewrócić oczami, ale szybko się powstrzymuję.

Staję przodem do łóżka. Christian siada i delikatnie znowu opuszcza mi spodnie. „W górę i w dół, jak majtasy ladacznicy" – stwierdza z rozgoryczeniem moja podświadomość. W myślach mówię jej, gdzie ma sobie pójść. Christian wylewa oliwkę na dłoń, a potem z ostrożną czułością wsmarowuje ją w moją pupę. Do zmywania makijażu i do łagodzenia zbitego tyłka – kto by pomyślał, że ten produkt może mieć tyle zastosowań.

– Lubię cię dotykać – mruczy i muszę mu przyznać rację; ja też lubię, jak to robi. – Proszę bardzo – mówi, kończąc. Ponownie naciąga mi spodnie.

Zerkam na budzik. Dziesiąta trzydzieści.

– Wychodzę.

– Odprowadzę cię. – Nadal nie jestem w stanie spojrzeć mu w oczy.

Bierze mnie za rękę i idziemy razem do drzwi. Na szczęście Kate jeszcze nie wróciła. Pewnie jest na kolacji z rodzicami i Ethanem. Naprawdę się cieszę, że jej tu nie było i nie słyszała moich krzyków.

– Nie musisz zadzwonić po Taylora? – pytam, unikając kontaktu wzrokowego.

– Taylor czeka tu od dziewiątej. Popatrz na mnie.

Nie jest to łatwe, ale w końcu mi się udaje. I widzę, że Christian patrzy na mnie zdziwiony i jednocześnie zachwycony.

– Nie rozpłakałaś się – mówi cicho, a potem bierze mnie nagle w objęcia i gorąco całuje. – Do niedzieli – szepcze do mych ust i te słowa są zarówno obietnicą, jak i groźbą.

Patrzę, jak się oddala, a potem wsiada do wielkiego czarnego audi. Nie ogląda się. Zamykam drzwi i stoję bezradnie w salonie naszego mieszkania, w którym spędzę już tylko dwie noce. Było mi tu dobrze przez prawie cztery lata… A jednak dzisiaj, po raz pierwszy, czuję się w swoim towarzystwie samotna i nieszczęśliwa. Czy tak bardzo oddaliłam się od osoby, którą jestem? Wiem, że pod powiekami czeka cała studnia łez. Co ja wyprawiam? Nawet nie mogę usiąść i się porządnie wypłakać. Będę musiała stać. Wiem, że jest późno, ale postanawiam zadzwonić do mamy.

– Skarbie, co słychać? Jak uroczystość? – pyta entuzjastycznie. Jej głos to balsam na moją duszę.

– Przepraszam, że tak późno dzwonię – szepczę.

Oho.

– Ana? Co się stało? – Głos ma teraz poważny.

– Nic, mamo, chciałam jedynie usłyszeć twój głos.

Przez chwilę milczy.

– Ana, co się dzieje? Proszę, powiedz mi. – Głos ma miękki i pocieszający i wiem, że się o mnie troszczy. Po moich policzkach zaczynają płynąć nieproszone łzy. Tak często płaczę ostatnimi dniami. – Proszę, Ana – mówi i słyszę w jej głosie ból.

– Och, mamo, chodzi o mężczyznę.

– Co on ci zrobił? – pyta niespokojnie.

– To nie tak. – A może jednak? Cholera. Nie chcę jej martwić. Pragnęłam jedynie porozmawiać z kimś silnym.

– Ana, proszę, martwisz mnie.

Biorę głęboki oddech.

– Zadurzyłam się w jednym facecie, a on jest zupełnie inny niż ja i nie wiem, czy powinniśmy być razem.

– Och, kochanie, szkoda, że nie mogę być teraz przy tobie. Tak mi przykro, że nie mogłam przyjechać na uroczystość rozdania dyplomów. A więc w końcu się zakochałaś. Och, skarbie, z mężczyznami nie jest łatwo. To zupełnie inny gatunek. Jak długo się znacie?

Christian to zdecydowanie inny gatunek… inna planeta.

– Prawie trzy tygodnie.

– Ana, skarbie, to strasznie krótko. Nie da się kogoś poznać w tak krótkim czasie. Nigdzie się nie spiesz i trzymaj go nieco na dystans, dopóki nie zdecydujesz, czy jest ciebie wart.

Cóż, trochę już na to za późno. Czy on jest mnie wart? To ciekawe. Zawsze się zastanawiam, czy to ja jestem warta jego.

– Skarbie, wydajesz się taka nieszczęśliwa. Przyjedź do nas. Tęsknię za tobą, kochanie. Bob także chętnie by się z tobą zobaczył. Spojrzysz na wszystko z innej strony. Przydadzą ci się krótkie wakacje. Tak ciężko pracujesz.

Kusząca perspektywa. Uciec do Georgii. Nacieszyć się słońcem, koktajlami. Dobrym humorem mamy, jej kochającymi ramionami.

– W poniedziałek mam w Seattle dwie rozmowy w sprawie pracy.

Otwierają się drzwi i wchodzi uśmiechnięta Kate. Rzednie jej mina, kiedy dostrzega, że płakałam.

– Mamo, muszę kończyć. Zastanowię się nad przyjazdem. Dziękuję.

– Skarbie, proszę, nie pozwól, by ten mężczyzna zawrócił ci w głowie. Jesteś stanowczo za młoda. Po prostu dobrze się baw.

– Tak, mamo, kocham cię.

– Och, Ana, ja też cię kocham, tak bardzo. Trzymaj się ciepło, skarbie.

Rozłączam się i staję twarzą w twarz z rozgniewaną Kate.

– Czy ten nieprzyzwoicie bogaty popierdoleniec znowu doprowadził cię do łez?

– Nie... trochę... eee... tak.

– Powiedz mu, żeby spadał na drzewo, Ana. Masz straszne wahania nastroju, odkąd go poznałaś. Nigdy cię nie widziałam w takim stanie.

Świat Katherine Kavanagh jest bardzo prosty, czarno-biały. Nie ma w nim nieuchwytnych, tajemniczych, niejednoznacznych odcieni szarości, które zapełniają mój świat. *Witaj w moim świecie.*

– Siadaj, pogadamy. Napijmy się wina. Och, piliście szampana. – Zerka na butelkę. – I to całkiem niezłego.

Uśmiecham się nieudolnie, patrząc z obawą na kanapę. Podchodzę do niej ostrożnie. Hmm… siedzenie.

– Wszystko w porządku?

– Przewróciłam się i stłukłam sobie tyłek.

Nie przychodzi jej do głowy, aby to zakwestionować, ponieważ jestem jedną z najbardziej niezgrabnych osób w stanie Waszyngton. Nigdy nie sądziłam, że uznam to za błogosławieństwo. Siadam ostrożnie, mile zaskoczona, że aż tak nie boli. Myślami wracam do tamtego poranka w Heathmanie: *Cóż, gdybyś była moja, przez tydzień nie mogłabyś siedzieć po takim numerze, jaki wczoraj wykręciłaś.* Tak powiedział i wtedy byłam w stanie się skupić wyłącznie na należeniu do niego. Sporo się pojawiło sygnałów ostrzegawczych, ale byłam zbyt naiwna czy zauroczona, by je dostrzec.

Wraca Kate z butelką czerwonego wina i czystymi filiżankami.

– Proszę bardzo. – Podaje mi jedną i nalewa wina. Nie będzie smakować tak dobrze jak Bolly.

– Ana, jeśli ten palant ma problem z zaangażowaniem się, rzuć go. Choć prawda jest taka, że tego nie rozumiem. W tamtym namiocie nie mógł oderwać od ciebie wzroku, obserwował cię jak jastrząb. Obstawiałabym, że jest zadurzony na amen, ale może ma jakiś dziwny sposób okazywania uczuć.

Zadurzony? Christian? Dziwny sposób okazywania uczuć? Dobre sobie.

– Kate, to skomplikowane. Jak ci minął wieczór? – pytam.

Nie mogę z nią o tym porozmawiać, zbyt wiele przy tym nie ujawniając. Ale wystarcza jedno pytanie dotyczące jej dnia i Kate odpuszcza. Przyjemnie siedzieć i słuchać jej trajkotania. Słyszę nowinę, że po wakacjach Ethan może zamieszka z nami. Fajnie by było, brat Kate jest naprawdę

336 E L James

sympatyczny. Marszczę brwi. Nie sądzę, by Christianowi się to spodobało. Cóż... trudno. Będzie to musiał jakoś przełknąć. Po dwóch filiżankach wina postanawiam iść do łóżka. To był bardzo długi dzień. Kate ściska mnie na dobranoc, po czym sięga po telefon, aby zadzwonić do Elliota.

Myję zęby, a potem sprawdzam to podłe urządzenie. Jest mejl od Christiana.

Nadawca: Christian Grey
Temat: Ty
Data: 26 maja 2011, 23:14
Adresat: Anastasia Steele

Droga Panno Steele,

Jesteś po prostu niesamowita. Najpiękniejsza, najbardziej inteligentna, dowcipna i odważna kobieta, jaką dane mi było poznać. Weź paracetamol – i to nie jest prośba. I nie masz już jeździć tym swoim garbusem. Dowiem się, jeśli nie posłuchasz.

Christian Grey
Prezes, Grey Enterprises Holdings, Inc.

Och, nie jeździć więcej moim samochodem! Wystukuję odpowiedź.

Nadawca: Anastasia Steele
Temat: Ty
Data: 26 maja 2011, 23:20
Adresat: Christian Grey

Szanowny Panie Grey,

Pochlebstwa donikąd Pana nie zaprowadzą, ale skoro był Pan już wszędzie, to kwestia dyskusyjna.

Będę musiała pojechać garbusem do autokomisu, żeby go sprzedać – proszę więc nie wygadywać bredni.

Czerwone wino zawsze jest lepsze niż paracetamol.

Ana

PS. Bicie laską to dla mnie granica BEZWZGLĘDNA.

Klikam „wyślij".

Nadawca: Christian Grey
Temat: Frustrujące kobiety, które nie potrafią przyjmować komplementów
Data: 26 maja 2011, 23:26
Adresat: Anastasia Steele

Droga Panno Steele,

Wcale Ci nie schlebiam. Powinnaś już iść do łóżka.

W granicach bezwzględnych wprowadzę dodatkową pozycję.

Nie pij za dużo.

Taylor zajmie się twoim samochodem i postara się
przy tym o dobrą cenę.

Christian Grey
Prezes, Grey Enterprises Holdings, Inc.

Nadawca: Anastasia Steele
Temat: Taylor – czy to odpowiedni człowiek do tej
roboty?
Data: 26 maja 2011, 23:40
Adresat: Christian Grey

Proszę Pana,

Zaintrygowało mnie to, że ochoczo pozwala Pan
ryzykować swojej prawej ręce i siadać za kierownicą mojego samochodu, ale kobiecie, z którą się Pan
czasem pieprzy, już nie. Skąd mogę mieć pewność,
że Taylor dostanie za rzeczony samochód najlepszą
możliwą cenę? W przeszłości, prawdopodobnie zanim Pana poznałam, słynęłam z tego, że potrafię się
nieźle targować.

Ana

Nadawca: Christian Grey
Temat: Uważaj!
Data: 26 maja 2011, 23:44
Adresat: Anastasia Steele

Droga Panno Steele,

Zakładam, że przemawia przez Ciebie CZERWONE WINO, a także długi i ciężki dzień.

Kusi mnie jednak, aby wrócić i dopilnować, abyś nie mogła siedzieć przez tydzień, a nie przez jeden wieczór.

Taylor to były wojskowy, który potrafi jeździć wszystkim, od motocykla po czołg Sherman. Twój samochód nie stanowi dla niego zagrożenia.

I bardzo proszę, abyś nie nazywała siebie kobietą, z którą się czasem pieprzę, ponieważ jeśli mam być szczery, strasznie mnie to WKURZA, a zapewniam Cię, że nie spodobałbym Ci się w takim stanie.

Christian Grey
Prezes, Grey Enterprises Holdings, Inc.

Nadawca: Anastasia Steele
Temat: To ty uważaj
Data: 26 maja 2011, 23:57
Adresat: Christian Grey

Szanowny Panie Grey,

Nie jestem pewna, czy w ogóle mi się Pan podoba, zwłaszcza w tym momencie.

Panna Steele

Nadawca: Christian Grey
Temat: To ty uważaj
Data: 27 maja 2011, 00:03
Adresat: Anastasia Steele

Dlaczego Ci się nie podobam?

Christian Grey
Prezes, Grey Enterprises Holdings, Inc.

Nadawca: Anastasia Steele
Temat: To ty uważaj
Data: 27 maja 2011, 00:09
Adresat: Christian Grey

Bo nigdy nie zostajesz na noc.

Proszę bardzo, to mu da do myślenia. Zamykam komputer, wyłączam lampkę, kładę się do łóżka i leżę, wpatrując się w sufit. To był długi dzień, emocjonalnie wyczerpujący. Cudownie było spędzić trochę czasu z Rayem. Dobrze wyglądał i o dziwo zaaprobował Christiana. Jezu, Kate i ten jej długi język. Boże, i jeszcze ten samochód. Nawet nie powiedziałam o nim Kate. Co Christian sobie myślał?

A potem, wieczorem, on mnie naprawdę uderzył. Nigdy w życiu nikt mnie nie zbił. W co ja się wplątałam? Łzy bardzo powoli zaczynają spływać po moich policzkach i wpadać do uszu. Zakochałam się w kimś, kto jest emocjonalnie nieosiągalny, kto – według jego własnych słów – jest kompletnie porąbany. Ale dlaczego? Musiał doświadczyć w życiu czegoś naprawdę strasznego. Na myśl o małym, okrutnie potraktowanym chłopcu łzy płyną jeszcze większym strumieniem. „Gdyby był normalniejszy, może wcale by cię nie chciał". Podświadomość dolewa oliwy do ognia, a ja wiem w głębi duszy, że ma rację. Odwracam się na bok i wtedy otwierają się śluzy… Po raz pierwszy od lat szlocham bez opamiętania w poduszkę.

I wtedy do moich uszu docierają krzyki Kate.

„Co ty tu, kurwa, robisz?"

„Nie możesz!"

„Co jej znowu zrobiłeś?"

„Odkąd cię poznała, bez przerwy płacze".

„Nie możesz tu wejść!"

Christian wpada do mojej sypialni i bezceremonialnie włącza światło. Mrużę oczy.

– Jezus, Ana. – Wyłącza światło i chwilę później jest już przy mnie.

– Co ty tu robisz? – pytam, szlochając. Cholera jasna. Nie mogę przestać płakać.

Włącza lampkę, przez co znowu mrużę oczy. Kate staje w drzwiach.

– Chcesz, żebym wyrzuciła tego dupka za drzwi? – pyta, emanując termojądrową wrogością.

Christian unosi brwi, bez wątpienia zaskoczony jej epitetem i nastawieniem względem niego. Kręcę głową, a ona przewraca oczami. Och… Nie robiłabym tego w obecności pana G.

– Krzycz, jeśli będziesz mnie potrzebować – mówi nieco łagodniej. – Grey, jesteś u mnie na czarnej liście. Nie spuszczam z ciebie oka – syczy do niego.

Christian mruga powiekami, a ona odwraca się i pociąga za sobą drzwi, ale zostawia je uchylone.

On opuszcza wzrok na mnie. Minę ma poważną, twarz pobladłą. Z wewnętrznej kieszeni marynarki
w prążki wyjmuje chusteczkę i podaje mi ją. Chyba nie
zwróciłam mu jeszcze poprzedniej.

– Co się dzieje? – pyta cicho.

– Czemu przyjechałeś? – pytam, ignorując jego pytanie. Łzy jakimś cudem przestały płynąć, ale targa mną
suchy szloch.

– Moim obowiązkiem jest zaspokajanie twoich potrzeb. Napisałaś, że chciałabyś, abym spędził z tobą noc,
więc jestem. I zastaję cię w takim stanie. – Mruga powiekami, autentycznie oszołomiony. – Mam pewność, że
to ja jestem za to odpowiedzialny, ale nie mam pojęcia
dlaczego. Dlatego, że cię uderzyłem?

Podciągam się do góry, skrzywieniem kwitując ból
pupy. Siadam i patrzę mu w oczy.

– Wzięłaś paracetamol?

Kręcę głową. Mruży oczy i wychodzi z pokoju. Rozmawia z Kate, ale nie słyszę o czym. Chwilę później wraca z tabletkami i filiżanką wody.

– Weź to – mówi, siadając na łóżku.

Wykonuję polecenie.

– Porozmawiaj ze mną – szepcze. – Mówiłaś, że nic
ci nie jest. Nigdy bym cię nie zostawił, gdybym sądził, że
jesteś w takim stanie.

Wpatruję się w dłonie. Cóż mogę powiedzieć, czego jeszcze nie usłyszał? Chcę więcej. Chcę, aby tu został,
ponieważ sam ma na to ochotę, a nie dlatego, że jestem
płaczącą kupką nieszczęścia. I nie chcę, żeby mnie bił, czy
to naprawdę tak trudno pojąć?

– Rozumiem, że kiedy mówiłaś, że wszystko w porządku, wcale tak nie było.

Rumienię się.

– Sądziłam, że tak jest.

– Anastasio, nie możesz mi mówić tego, co ci się wydaje, że chcę usłyszeć. To nie jest uczciwe – gani mnie.
– Jak mogę wierzyć w to, co mi mówisz?

Podnoszę wzrok i widzę, że marszczy brwi. Minę ma posępną. Palcami obu dłoni przeczesuje włosy.

– Co czułaś, kiedy cię biłem i kiedy już było po wszystkim?

– Nie podobało mi się to. Wolałabym, żebyś więcej tego nie robił.

– Wcale nie miało ci się podobać.

– A tobie czemu się podoba? – Patrzę na niego gniewnie.

Zaskakuję go tym pytaniem.

– Naprawdę chcesz wiedzieć?

– Och, uwierz mi, strasznie mnie to fascynuje. – I nic nie mogę poradzić na to, że w moim głosie obecny jest sarkazm.

Ponownie mruży oczy.

– Uważaj – ostrzega.

Blednę.

– Znowu mnie uderzysz?

– Nie, dzisiaj nie.

Uff… zarówno ja, jak i moja podświadomość oddychamy z ulgą.

– No? – ponaglam.

– Lubię kontrolę, jaką mi to daje, Anastasio. Chcę, żebyś się zachowywała w konkretny sposób, a jeśli tego nie zrobisz, będę cię karał, aż się nauczysz zachowywać tak, jak sobie życzę. Karanie cię sprawia mi przyjemność. Miałem ochotę dać ci klapsa, odkąd mnie zapytałaś, czy jestem gejem.

Oblewam się rumieńcem na to wspomnienie. Jezu, po tamtym pytaniu sama miałam ochotę dać sobie klapsa. A więc to Katherine Kavanagh jest za to wszystko odpowiedzialna i gdyby to ona pojechała przeprowadzić z nim wywiad, sama siedziałaby tu teraz z obolałym dupskiem. Nie podoba mi się ta myśl.

– Więc nie podobam ci się taka, jaka jestem.

Wpatruje się w mnie, ponownie zaskoczony.

– Uważam, że jesteś urocza.

– Czemu więc próbujesz mnie zmienić?

– Nie chcę cię zmienić. Chcę, żebyś była grzeczna i postępowała zgodnie z otrzymaną ode mnie listą zasad. I żebyś mi się nie przeciwstawiała. Proste – oświadcza.

– Ale chcesz mnie karać?

– Tak.

– Tego właśnie nie rozumiem.

Wzdycha i po raz kolejny przeczesuje palcami włosy.

– Taki już jestem, Anastasio. Muszę mieć nad tobą kontrolę. Masz się zachowywać w konkretny sposób, a jeśli nie... Cóż, z przyjemnością patrzę, jak twoja śliczna alabastrowa skóra staje się pod moimi dłońmi różowa i gorąca. To mnie podnieca.

A niech to diabli. W końcu do czegoś dochodzimy.

– Więc nie chodzi o ból, który mi zadajesz?

Przełyka ślinę.

– Odrobinę, lubię patrzeć, ile możesz znieść, ale nie to jest głównym powodem. Raczej fakt, że jesteś moja i mogę robić z tobą, co tylko chcę, że mam nad tobą stuprocentową kontrolę. To właśnie mnie podnieca. Bardzo, Anastasio. Możliwe, że nie wyrażam się zbyt jasno... Nigdy dotąd nie musiałem się tłumaczyć i tak naprawdę zbyt wiele się nad tym wszystkim nie zastanawiałem. Zawsze mnie otaczali ludzie, którzy myślą podobnie. – Wzrusza przepraszająco ramionami. – No ale ty nadal nie odpowiedziałaś na moje pytanie. Jak czułaś się po wszystkim?

– Miałam w głowie mętlik.

– Byłaś tym seksualnie pobudzona, Anastasio. – Zamyka na chwilę oczy, a kiedy je otwiera, płoną gorącym blaskiem. To spojrzenie budzi moje libido, które jest, jak się okazuje, nienasycone. – Nie patrz tak na mnie – mruczy Christian.

Marszczę brwi. Jezu, a teraz co takiego zrobiłam?

– Nie mam już żadnej prezerwatywy, a ty jesteś zdenerwowana. Wbrew temu, co sądzi twoja współlokatorka, nie jestem potworem. A więc miałaś w głowie mętlik?

Wiercę się pod jego przenikliwym spojrzeniem.

– W komunikacji mejlowej nie masz problemu ze szczerością. Twoje mejle zawsze mi mówią, co czujesz. Dlaczego teraz tak nie potrafisz? Aż tak bardzo cię onieśmielam?

Z niebiesko-kremowej narzuty od mamy zdejmuję wyimaginowany paproszek.

– Zwodzisz mnie, Christianie. Kompletnie mnie przytłaczasz. Czuję się jak Ikar przelatujący zbyt blisko słońca – mówię cicho.

Christian wciąga głośno powietrze.

– Cóż, myślę, że opacznie to odbierasz – szepcze.

– Słucham?

– Och, Anastasio, rzuciłaś na mnie urok. Czy to nie oczywiste?

Nie, dla mnie nie. Rzuciłam urok… Moja wewnętrzna bogini stoi z rozdziawioną buzią. Nawet ona mu nie wierzy.

– Nadal nie odpowiedziałaś na moje pytanie. Napisz mejl, proszę. Ale teraz naprawdę chciałbym pójść spać. Mogę zostać?

– Chcesz tu zostać? – W moim głosie pobrzmiewa nadzieja.

– Chciałaś tego.

– Nie odpowiedziałeś na moje pytanie.

– Napiszę ci mejl – burczy z rozdrażnieniem.

Wstaje i opróżnia kieszenie dżinsów: BlackBerry, klucze, portfel, pieniądze. Rany Julek, ileż ci mężczyźni noszą w kieszeniach. Zdejmuje zegarek, buty, skarpetki i dżinsy, a przez oparcie krzesła przerzuca marynarkę. Przechodzi na drugą stronę łóżka i wsuwa się pod kołdrę.

— Kładź się — rzuca.

Powoli wykonuję polecenie, krzywiąc się i nie odrywając od niego wzroku. Jezu... on rzeczywiście zostaje. Paraliżuje mnie euforyczny szok. Christian opiera się na łokciu i patrzy na mnie.

— Jeśli zamierzasz płakać, zrób to przy mnie. Muszę to widzieć.

— Chcesz, żebym płakała?

— Niekoniecznie. Chcę jedynie wiedzieć, jak się czujesz. Nie chcę, abyś mi się wyślizgiwała. Zgaś światło. Jest późno, a jutro oboje musimy pracować.

No i proszę, nadal apodyktyczny, ale nie mogę narzekać; leży w moim łóżku. Nie do końca rozumiem dlaczego... Może częściej powinnam przy nim płakać. Gaszę lampkę.

— Połóż się na boku, tyłem do mnie — burczy w ciemnościach.

Przewracam oczami, mając świadomość, że mnie nie widzi, ale robię, co mi każe. Ostrożnie przysuwa się, obejmuje ramieniem i przyciąga do siebie.

— Śpij, mała — szepcze i czuję we włosach jego nos.

W mordę jeża. Christian Grey śpi ze mną. I w cichej przystani, jaką są dla mnie jego ramiona, odpływam w spokojny sen.

ROZDZIAŁ SIEDEMNASTY

Płomień świecy jest zbyt gorący. Migocze i tańczy w ciepłym wietrze, wietrze, który nie daje wytchnienia od żaru. Cienkie niteczki babiego lata fruwają w ciemnościach, połyskując srebrzyście w świetle świecy. Opieram się, ale siła przyciągania jest zbyt duża. A potem robi się zbyt jasno, a ja lecę zbyt blisko słońca, oślepiona, przypalona i roztapiająca się od skwaru, nade wszystko próbując utrzymać się w powietrzu. Jestem taka rozgrzana. To ciepło... jest duszne, przytłaczające. Ono mnie budzi.

Otwieram oczy i stwierdzam, że leżę w objęciach Christiana Greya. Owinął się wokół mego ciała niczym zwycięska flaga. Śpi z głową na mojej piersi, obejmując ramieniem, tuląc do siebie, i jeszcze przerzucił przeze mnie nogę. Dusi mnie gorącem swego ciała, no i jest ciężki. Przez chwilę oswajam się z faktem, że nadal leży w moim łóżku, a już jest ranek. Spędził ze mną całą noc.

Prawą rękę mam wyciągniętą, zapewne szukała chłodniejszego miejsca. I gdy tak przetrawiam fakt, że Christian tu leży, w mojej głowie pojawia się pewna myśl. Mogę go dotknąć. On śpi. Z wahaniem unoszę rękę i przebiegam czubkami palców po jego plecach. Z jego gardła dobywa się cichy, niespokojny jęk. Zaczyna się ruszać. Trąca nosem moją klatkę piersiową, budząc się i oddychając głęboko. Mruga kilka razy, a potem jego szare, zaspane spojrzenie napotyka moje.

– Dzień dobry – mruczy i marszczy brwi. – Jezu, nawet we śnie ciągnie mnie do ciebie. – Powoli odkleja się
ode mnie. Na biodrze wyczuwam jego wzwód i otwieram
szeroko oczy. Christian zauważa moją reakcję i obdarza
leniwym, seksownym uśmiechem. – Hmm… moglibyśmy to wykorzystać, ale chyba powinniśmy poczekać do
niedzieli. – Nachyla się i muska nosem moje ucho.

Rumienię się.

– Gorący jesteś – mówię.

– Sama jesteś niezła – mruczy i sugestywnie ociera
się o mnie.

Jeszcze bardziej się rumienię. Wcale nie to miałam
na myśli. Opiera się na łokciu i patrzy z rozbawieniem.
Nachyla głowę i delikatnie całuje mnie w usta.

– Dobrze spałaś? – pyta.

Kiwam głową. Rzeczywiście świetnie mi się spało,
może z wyjątkiem ostatnich trzydziestu minut, kiedy
było mi za gorąco.

– Ja też. – Marszczy brwi. – Tak, bardzo dobrze. –
Unosi brwi, jakby go to dziwiło. – Która godzina?

Zerkam na budzik.

– Siódma trzydzieści.

– Siódma trzydzieści… cholera. – Wyskakuje z łóżka
i zaczyna wkładać dżinsy.

Tym razem to ja czuję rozbawienie. Christian Grey
jest spóźniony i zdenerwowany. Czegoś takiego jeszcze
nie widziałam. Poniewczasie uświadamiam sobie, że tyłek
już mnie nie boli.

– Masz na mnie bardzo zły wpływ. O ósmej muszę
być na zebraniu w Portland. Czy ty się ze mnie śmiejesz?

– Tak.

Uśmiecha się szeroko.

– Jestem spóźniony. To nie w moim stylu. Kolejny
pierwszy raz, panno Steele. – Wkłada marynarkę, a po-

tem pochyla się i ujmuje w dłonie moją twarz. – Niedziela – mówi. Słowo to jest nabrzmiałe obietnicą. Mięśnie w moim podbrzuszu zaciskają się w słodkim oczekiwaniu. Fantastyczne uczucie. – Taylor przyjedzie zająć się garbusem. Mówiłem poważnie. Nie siadaj za kierownicą. Do zobaczenia w niedzielę u mnie. Napiszę ci w mejlu, o której godzinie. – I chwilę później już go nie ma.

Christian Grey spędził ze mną noc i czuję się wypoczęta. I nie było seksu, a jedynie przytulanie. Mówił, że nigdy z nikim nie spał – ale ze mną już trzy razy. Uśmiecham się szeroko i powoli wstaję z łóżka. Więcej we mnie optymizmu. Ruszam do kuchni po herbatę.

Po śniadaniu biorę prysznic i szybko się ubieram, szykując się na ostatni dzień pracy u Claytona. To koniec pewnej epoki i pożegnanie z państwem Clayton, WSU, Vancouver, mieszkaniem, garbusem. Rzucam spojrzenie na to podłe urządzenie. Jest dopiero siódma pięćdziesiąt dwie. Mam czas.

Nadawca: Anastasia Steele
Temat: Napaść i pobicie
Data: 27 maja 2011, 08:05
Adresat: Christian Grey

Szanowny Panie Grey,

Chciałeś wiedzieć, dlaczego miałam w głowie mętlik po tym, jak Ty… który eufemizm będzie najlepszy? – dałeś mi klapsy, ukarałeś mnie, zbiłeś, zaatakowałeś. Cóż, podczas całego zatrważającego procesu czułam się poniżona, upokorzona i wykorzystana. I choć mocno mnie to zażenowało, owszem, czułam podniecenie, i to było coś nieoczekiwanego. Jak doskonale wiesz, wszystko związane z seksem stanowi dla mnie nowość – żałuję jedynie, że nie byłam bardziej doświadczona, a co za tym idzie bardziej przygotowana. Przeżyłam szok, czując podniecenie.

Jednak naprawdę zmartwiło mnie to, jak się czułam już po wszystkim. To akurat trudniej mi opisać. Cieszyłam się, że ty jesteś zadowolony. Czułam ulgę, że nie okazało się to aż tak bolesne, jak wcześniej zakładałam. A kiedy leżałam w twoich ramionach, czułam się… zaspokojona. Ale krępowało mnie to uczucie, wręcz miałam wyrzuty sumienia. To do mnie nie pasuje i w rezultacie mam mętlik w głowie. Czy odpowiedziałam na twoje pytanie?

Mam nadzieję, że świat fuzji i przejęć jest równie stymulujący jak zazwyczaj… i że nie spóźniłeś się aż tak bardzo.

Dziękuję za to, że u mnie zostałeś.

Ana

Nadawca: Christian Grey
Temat: Uwolnij umysł
Data: 27 maja 2011, 08:24
Adresat: Anastasia Steele

Temat interesujący… aczkolwiek nieco wyolbrzymiony, Panno Steele.

Odpowiadając na Twoje uwagi:

– Ja bym powiedział, że dałem Ci klapsy, tak przecież właśnie było.

– A więc czułaś się poniżona, upokorzona i wykorzystana – jakie to w stylu Tessy Durbeyfield. O ile dobrze pamiętam, to Ty zdecydowałaś się na to upokorzenie. Naprawdę tak czujesz czy jedynie uważasz, że powinnaś czuć? To dwie różne rzeczy. Jeśli rzeczywiście tak się czujesz, myślisz, że mogłabyś spróbować uporać się z tymi uczuciami, dla mnie? Tak właśnie zrobiłaby uległa.

– Cieszę się z Twojego braku doświadczenia. Cenię je i dopiero zaczynam rozumieć, co to oznacza. Krótko mówiąc... oznacza to, że jesteś moja pod każdym względem.

– Tak, byłaś podniecona, co z kolei okazało się bardzo podniecające, nie ma w tym nic złego.

– Zadowolony? To określenie nie zbliża się nawet do tego, co wtedy czułem. Ekstatyczna radość, to już by bardziej pasowało.

– Klapsy za karę bolą znacznie bardziej od klapsów zmysłowych – a więc ból będzie najwyżej taki, chyba że, naturalnie, popełnisz jakieś większe wykroczenie, a wtedy do ukarania Cię użyję jakiegoś narzędzia. Ręka bardzo mnie bolała. Ale to mi się podobało.

– Ja też się czułem zaspokojony – nie jesteś w stanie sobie wyobrazić, jak bardzo.

– Nie trać energii na wyrzuty sumienia, poczucie, że robisz źle itd. Jesteśmy świadomymi swych czynów dorosłymi i to, co robimy za zamkniętymi drzwiami, jest wyłącznie naszą sprawą. Musisz uwolnić umysł i słuchać swego ciała.

– Świat fuzji i przejęć nie jest nawet w przybliżeniu tak stymulujący jak Pani, Panno Steele.

Christian Grey
Prezes, Grey Enterprises Holdings, Inc.

Ożeż ty… „moja pod każdym względem". Aż mi oddech przyspiesza.

Nadawca: Anastasia Steele
Temat: Świadomi swych czynów dorośli!
Data: 27 maja 2011, 08:26
Adresat: Christian Grey

Nie jesteś na zebraniu?
Bardzo się cieszę, że bolała Cię ręka.
A gdybym słuchała swego ciała, byłabym teraz na
Alasce.

Ana

PS. Przemyślę uporanie się z tymi uczuciami.

Nadawca: Christian Grey
Temat: Nie wezwałaś policji
Data: 27 maja 2011, 08:35
Adresat: Anastasia Steele

Panno Steele,
Jestem na zebraniu poświęconym rynkowi transak-
cji terminowych, jeśli Cię to rzeczywiście interesuje.
Żeby było jasne, stałaś przy mnie i wiedziałaś, co
zamierzam zrobić.
Ani razu nie poprosiłaś, abym przestał – nie użyłaś
żadnego z haseł bezpieczeństwa.
Jesteś dorosła – możesz decydować.
Jeśli mam być szczery, to już się nie mogę doczekać
następnego razu, kiedy będzie mnie boleć ręka.

W sposób oczywisty nie słuchasz właściwej części
swego ciała.
Na Alasce jest bardzo zimno, poza tym ucieczka nie
ma sensu. Znalazłbym Cię.
Potrafię namierzyć Twoją komórkę – pamiętasz?
Jedź do pracy.

Christian Grey
Prezes, Grey Enterprises Holdings, Inc.

Patrzę gniewnie na ekran. Christian ma oczywiście
rację. Sama dokonuję wyborów. Hmm. Poważnie mówi
o tym, że by mnie znalazł? Powinnam się zdecydować
uciec na jakiś czas? Przez chwilę zastanawiam się nad
propozycją mamy. Klikam „odpowiedz".

Nadawca: Anastasia Steele
Temat: Prześladowca
Data: 27 maja 2011, 08:36
Adresat: Christian Grey

Zastanawiałeś się nad terapią w kwestii swoich zapędów prześladowczych?

Ana

Nadawca: Christian Grey
Temat: Prześladowca? Ja?
Data: 27 maja 2011, 08:38
Adresat: Anastasia Steele

Majątek płacę wybitnemu dr. Flynnowi za zajmowanie się moimi zapędami prześladowczymi i nie tylko.
Jedź do pracy.

Christian Grey
Prezes, Grey Enterprises Holdings, Inc.

Nadawca: Anastasia Steele
Temat: Kosztowni szarlatani
Data: 27 maja 2011, 08:40
Adresat: Christian Grey

Czy wolno mi zasugerować, abyś poszukał rady u innego lekarza?
Nie jestem pewna, czy terapia dr. Flynna przynosi efekty.

Panna Steele

Nadawca: Christian Grey
Temat: Inny lekarz
Data: 27 maja 2011, 08:43
Adresat: Anastasia Steele

W sumie to nie Twoja sprawa, ale wiedz, że dr Flynn to jest właśnie ten inny lekarz.
Będziesz musiała szybko jechać swoim nowym samochodem, narażając się na niebezpieczeństwo – wydaje mi się, że to wbrew ustalonym zasadom.
JEDŹ DO PRACY.

Christian Grey
Prezes, Grey Enterprises Holdings, Inc.

Nadawca: Anastasia Steele
Temat: WIELKIE LITERY
Data: 27 maja 2011, 08:47
Adresat: Christian Grey

Skoro jestem obiektem Twoich zapędów prześladowczych, uważam, że to jednak moja sprawa.
Niczego jeszcze nie podpisałam. A więc zasady srady. A pracę zaczynam dopiero o 9:30.

Panna Steele

Nadawca: Christian Grey
Temat: Językoznawstwo opisowe
Data: 27 maja 2011, 08:49
Adresat: Christian Grey

„Srady"? Nie jestem pewny, gdzie takie określenie
widnieje w Websterze.

Christian Grey
Prezes, Grey Enterprises Holdings, Inc.

Nadawca: Anastasia Steele
Temat: Językoznawstwo opisowe
Data: 27 maja 2011, 08:52
Adresat: Christian Grey

Waham się pomiędzy kontrolerem a prześladowcą.
A językoznawstwo opisowe to dla mnie granica
bezwzględna.
Przestaniesz w końcu zawracać mi głowę?
Chciałabym jechać do pracy moim nowym samo-
chodem.

Ana

Nadawca: Christian Grey
Temat: Prowokacyjne, ale zabawne młode kobiety
Data: 27 maja 2011, 08:56
Adresat: Anastasia Steele

Świerzbi mnie ręka.
Jedź ostrożnie, Panno Steele.

Christian Grey
Prezes, Grey Enterprises Holdings, Inc.

Audi cudownie się prowadzi. Ma wspomaganie kierownicy. Wanda, mój garbus, w ogóle go nie miała. Koniec więc z codziennymi ćwiczeniami mięśni rąk. Och,
ale będę mieć przecież trenera osobistego. Marszczę brwi.
Nie znoszę ćwiczyć.

Podczas jazdy próbuję przeanalizować naszą wy-
mianę mejli. Bywa protekcjonalnym sukinsynem. Ale
potem myślę o Grace i ogarniają mnie wyrzuty sumienia. No ale przecież to nie ona jest jego rodzoną matką.
Hmm, całe mnóstwo nieznanego bólu. Cóż, protekcjo-
nalny sukinsyn w takim razie ujdzie. Tak. Jestem dorosła, dziękuję, Christianie Greyu, że mi o tym przypo-

mniałeś, i sama dokonuję wyborów. Problem w tym, że pragnę jedynie Christiana, a nie tego całego... bagażu. Bagażu ważącego chyba z tonę. Czy potrafię go przyjąć w pakiecie z Christianem? Jak uległa? Powiedziałam, że spróbuję.

Zajeżdżam na parking przed sklepem. Gdy wchodzę, ledwie jestem w stanie uwierzyć, że to mój ostatni dzień. Na szczęście przez sklep przewija się sporo klientów i czas szybko mija. W porze lunchu pan Clayton wzywa mnie do magazynu. Obok niego stoi kurier.

– Panna Steele? – pyta kurier.

Patrzę pytająco na pana Claytona, który wzrusza ramionami, równie zaskoczony jak ja. Co takiego przysłał mi teraz Christian? Podpisuję odbiór niewielkiej paczki i natychmiast ją otwieram. To BlackBerry. Włączam go.

Nadawca: Christian Grey
Temat: POŻYCZONY BlackBerry
Data: 27 maja 2011, 11:15
Adresat: Anastasia Steele

Muszę mieć możliwość stałego z Tobą kontaktu, a jako że to Twoja najuczciwsza forma komunikacji, uznałem, że przyda Ci się BlackBerry.

Christian Grey
Prezes, Grey Enterprises Holdings, Inc.

Nadawca: Anastasia Steele
Temat: Rozszalały konsumpcjonizm
Data: 27 maja 2011, 13:22
Adresat: Christian Grey

Myślę, że powinieneś natychmiast zadzwonić do
dr. Flynna.
Twoje zapędy prześladowcze szaleją.
Jestem teraz w pracy. Napiszę mejl po powrocie do
domu.
Dziękuję za kolejny gadżet.
Nie myliłam się, mówiąc, że jesteś idealnym konsu-
mentem.
Czemu to robisz?

Ana

Nadawca: Christian Grey
Temat: Roztropność u tak młodej osóbki
Data: 27 maja 2011, 13:24
Adresat: Anastasia Steele

Celna uwaga, jak zawsze, Panno Steele.
Dr Flynn ma urlop.
A robię to dlatego, że mogę.

Christian Grey
Prezes, Grey Enterprises Holdings, Inc.

Wkładam gadżet do tylnej kieszeni dżinsów, już go
nienawidząc. Mejlowanie z Christianem jest uzależniają-
ce, ale teraz powinnam zająć się pracą. Wibruje mi przy
pośladku... Jakież to trafne, myślę z ironią, przywołuję
jednak całą swoją silną wolę i ignoruję wiadomość.

O czwartej państwo Clayton zwołują wszystkich
pracowników i po straszliwie krępującej przemowie

wręczają mi czek opiewający na trzysta dolarów. W tym momencie kumulują się we mnie wszystkie wydarzenia minionych trzech tygodni: egzaminy, koniec studiów, porąbany miliarder, utrata dziewictwa, granice względne i bezwzględne, pokoje zabaw bez konsoli, loty śmigłowcem i fakt, że jutro się przeprowadzam. O dziwo, jakimś cudem biorę się w garść. Moja podświadomość otwiera buzię ze zdumienia. Mocno ściskam państwa Claytonów. Byli dobrymi i szczodrymi pracodawcami i będzie mi ich brakować.

Kiedy podjeżdżam pod dom, Kate wysiada właśnie ze swojego samochodu.

– Co to ma być? – pyta oskarżycielsko, pokazując na audi.

Nie mogę się oprzeć.

– Samochód – odpowiadam żartobliwie. Mruży oczy i przez krótką chwilę się zastanawiam, czy ona także zamierza przełożyć mnie przez kolano. – Prezent z okazji ukończenia studiów. – Staram się, aby zabrzmiało to nonszalancko. Tak, codziennie dostaję w prezencie drogie samochody. Kate opada szczęka.

– Hojny z niego palant, co?

Kiwam głową.

– Próbowałam go nie przyjąć, ale szczerze mówiąc, nie ma sensu się kłócić.

Kate zasznurowuje usta.

– Nic dziwnego, że czujesz się przytłoczona. Zauważyłam, że został na noc.

– Tak. – Uśmiecham się tęsknie.

– Dokończymy pakowanie?

Kiwam głową i wchodzę za nią do środka. Sprawdzam mejl od Christiana.

Nadawca: Christian Grey
Temat: Niedziela
Data: 27 maja 2011, 13:40
Adresat: Anastasia Steele

Możemy się spotkać o pierwszej?
O 1:30 w Escali zjawi się lekarz, aby Cię zbadać.
Teraz wyjeżdżam do Seattle.
Mam nadzieję, że przeprowadzka okaże się bez-
problemowa i czekam niecierpliwie na niedzielę.

Christian Grey
Prezes, Grey Enterprises Holdings, Inc.

Jezu, pisze tak, jakby poruszał temat pogody. Postanawiam, że odpowiem, kiedy skończymy pakowanie.
W jednej chwili potrafi być taki fajny, a w drugiej zamienia się w sztywniaka i formalistę. Trudno za nim nadążyć.
No bo naprawdę, to jak mejl do pracownika. Przewracam
oczami i dołączam do Kate.

Jesteśmy w kuchni, kiedy rozlega się pukanie do drzwi.
Na progu stoi Taylor, elegancki w swym garniturze. Zauważam cechy byłego wojskowego w jego szczupłej syl-
wetce i spokojnym spojrzeniu.

– Panno Steele – mówi – przyjechałem po pani auto.

– Ach tak, naturalnie. Proszę wejść, zaraz przyniosę
kluczyki.

To z całą pewnością nie wchodzi w zakres jego
obowiązków. I po raz kolejny się zastanawiam, na czym
dokładnie polega praca Taylora. Podaję mu kluczyki, po
czym w krępującym – dla mnie – milczeniu idziemy do

jasnoniebieskiego garbusa. Otwieram drzwi i ze schowka wyjmuję latarkę. I to tyle. Nie mam w Wandzie nic osobistego. Żegnaj, Wando, dziękuję ci. Głaszczę czule dach, gdy zamykam drzwi od strony pasażera.

– Od jak dawna pracuje pan dla pana Greya? – pytam.

– Od czterech lat, panno Steele.

Nagle ogarnia mnie przemożne pragnienie zasypania go pytaniami. Ileż ten człowiek musi wiedzieć o Christianie, zna wszystkie jego sekrety. No ale pewnie podpisał NDA. Zerkam na niego nerwowo. Jest równie małomówny jak Ray i czuję do niego sympatię.

– To dobry człowiek, panno Steele – mówi z uśmiechem. Następnie żegna mnie kiwnięciem głowy, wsiada do mojego samochodu i odjeżdża.

Mieszkanie, garbus, Claytonowie – wszystko się teraz zmienia. Kręcę głową, idąc niespiesznie do drzwi. A największa zmiana to Christian Grey. Taylor uważa, że to „dobry człowiek". Czy mogę mu wierzyć?

O ÓSMEJ ZJAWIA SIĘ José z chińszczyzną na wynos. Pakowanie mamy już za sobą. Przynosi także sporo butelek piwa. Ja siadam z Kate na kanapie, a on po turecku na podłodze między nami. Oglądamy kiepskie programy w telewizji, pijemy piwo i snujemy wspomnienia. To były fajne cztery lata.

Atmosfera pomiędzy mną a José wróciła do normy, próba pocałunku poszła w niepamięć. Cóż, a przynajmniej została zamieciona pod dywan, na którym leży moja wewnętrzna bogini, jedząc winogrona i strzelając palcami w niecierpliwym wyczekiwaniu niedzieli. Rozlega się pukanie do drzwi i serce podchodzi mi do gardła. Czy to…?

Drzwi otwiera Kate i niemal natychmiast ląduje w objęciach Elliota. Bardzo gorących objęciach… No na-

prawdę, wstydu nie mają. José i ja wymieniamy znaczące spojrzenia. Jestem zbulwersowana ich brakiem hamulców.
– Przejdziemy się do baru? – pytam José, a on kiwa entuzjastycznie głową. Zbyt nas krępuje ten pokaz namiętności. Kate podnosi na mnie wzrok, zarumieniona. Oczy jej błyszczą. – Idziemy z José na szybkiego drinka. – Przewracam oczami. Ha! Mogę tak robić, kiedy mam na to ochotę.

– Okej. – Uśmiecha się szeroko.

– Witaj, Elliot. Żegnaj, Elliot.

Puszcza do mnie oko, a potem José i ja wychodzimy, chichocząc jak nastolatki.

Gdy idziemy spacerkiem do baru, obejmuję go ramieniem. Boże, on jest taki nieskomplikowany – do tej pory naprawdę tego nie doceniałam.

– Ale przyjedziesz na otwarcie mojej wystawy, prawda?

– Jasne, José, a kiedy dokładnie?

– Dziewiątego czerwca.

– Jaki to dzień tygodnia? – pytam z nagłą paniką.

– Czwartek.

– Tak, powinno mi się udać… A ty odwiedzisz nas w Seattle?

– Spróbuj mnie tylko powstrzymać – odpowiada z szerokim uśmiechem.

JEST JUŻ PÓŹNO, KIEDY wracam z baru. Kate i Elliota nie widać, ale za to słychać. I to jak słychać! Jasny gwint. Mam nadzieję, że ja nie jestem taka głośna. Bo Christian na pewno nie. Oblewam się rumieńcem na tę myśl i uciekam do swojego pokoju. Ciekawe, kiedy znowu zobaczę José, pewnie na wystawie. To niesamowite, że mu się udało. Będzie mi brakować jego i jego chłopięcego uroku. Nie potrafiłam się przemóc i powiedzieć mu o garbusie. Wiem, że się na mnie wkurzy, kiedy się dowie, ale na razie wystarczy mi jeden wkurzający się na mnie facet. Włączam podłe urządzenie, no i oczywiście czeka na mnie mejl od Christiana.

Nadawca: Christian Grey
Temat: Gdzie jesteś?
Data: 27 maja 2011, 22:14
Adresat: Anastasia Steele

„Jestem w pracy. Napiszę mejl po powrocie do domu".
Nadal jesteś w pracy czy już spakowałaś telefon, BlackBerry i MacBooka?
Zadzwoń do mnie, inaczej będę zmuszony zadzwonić do Elliota.

Christian Grey
Prezes, Grey Enterprises Holdings, Inc.

Jasny gwint.

Sięgam po telefon. Pięć nieodebranych połączeń i jedna wiadomość na poczcie głosowej. Ostrożnie ją odsłuchuję. To Christian.

Myślę, że musisz się nauczyć spełniać moje oczekiwania. Nie jestem człowiekiem cierpliwym. Jeśli mówisz, że skontaktujesz się ze mną po powrocie z pracy, powinnaś mieć na tyle przyzwoitości, aby tak zrobić. W przeciwnym razie ja się martwię, a nie jest to uczucie dobrze mi znane i niezbyt dobrze je toleruję. Zadzwoń do mnie.

Jasny gwint do kwadratu. Czy on choć raz mi odpuści? Patrzę gniewnie na telefon. On mnie dusi. Z rodzącym się w brzuchu uczuciem strachu przewijam listę kontaktów, docieram do jego nazwiska i wciskam zielony przycisk. Serce mam w gardle, gdy czekam, aż odbierze. Miałby pewnie ochotę stłuc mnie na kwaśne jabłko. Ta myśl działa na mnie przygnębiająco.

– Cześć – mówi miękko i zupełnie mnie tym rozwala, ponieważ spodziewam się gniewu, a słyszę ulgę.

– Cześć – mruczę.

– Martwiłem się o ciebie.

– Wiem. Przepraszam, że nie odpowiedziałam, ale nic mi nie jest.

Przez chwilę milczy.

– Wieczór był miły? – Jest niezwykle grzeczny.

– Tak. Skończyłyśmy z Kate pakowanie, a potem zjadłyśmy z José chińszczyznę. – Zamykam oczy, gdy wymawiam imię José. Christian nic nie mówi. – A twój? – pytam, aby przerwać tę ogłuszającą ciszę. Nie będę się czuła winna z powodu José.

W końcu wzdycha.

– Byłem na kolacji dobroczynnej. Przerażająco nudnej. Wyszedłem tak szybko, jak się dało.

Wydaje się taki smutny i zrezygnowany. Serce mi się ściska. Wracam myślami do tamtej nocy, gdy siedział przy fortepianie w swoim olbrzymim salonie i grał tę nieznośnie gorzko-słodką, melancholijną melodię.

– Szkoda, że cię tu nie ma – szepczę, ponieważ nagle mam ochotę go objąć. Przytulić. Nawet jeśli miałby mi na to nie pozwolić. Pragnę jego bliskości.

– Naprawdę? – pyta beznamiętnie. Kuźwa. To nie w jego stylu i zaczyna mnie swędzieć skóra z niepokoju.

– Tak.

Po długiej chwili, która ciągnie się bez końca, wzdycha.

– Do zobaczenia w niedzielę?

– Tak, w niedzielę – mamroczę i przez moje ciało przebiega dreszcz.

– Dobranoc.

– Dobranoc, proszę pana.

Zaskakuję go tym. Wiem, bo słyszę, jak wciąga głośno powietrze.

– Powodzenia jutro podczas przeprowadzki, Anastasio. – Głos ma miękki.

I teraz oboje wisimy na telefonie niczym nastolatki, a żadne z nas nie chce się rozłączyć.

– Ty się rozłącz – szepczę. W końcu wyczuwam, że się uśmiecha.

– Nie, ty.

– Nie chcę.

– Ja też nie.

– Bardzo byłeś na mnie zły?

– Tak.

– Nadal jesteś?

– Nie.

– Więc mnie nie ukarzesz?

– Nie. Nie jestem taki.

– Zauważyłam.

– Możesz się teraz rozłączyć, panno Steele.

– Naprawdę pan tego chce?

– Idź spać, Anastasio.

– Tak jest, proszę pana.

Żadne z nas nie kończy rozmowy.

– Sądzisz, że choć raz uda ci się zrobić to, co ci się każe? – Jest jednocześnie rozbawiony i poirytowany.

– Może. Przekonamy się po niedzieli. – I po tych słowach wreszcie się rozłączam.

Elliot stoi i podziwia swoje dzieło. Udało mu się podłączyć nasz telewizor do systemu satelitarnego w mieszkaniu w Pike Place Market. Kate i ja padamy ze śmiechem na kanapę, zachwycone tym, jak radzi sobie z wiertarką.

Telewizor z płaskim ekranem dziwnie wygląda na tle ściany z cegieł w zaadaptowanym magazynie, ale na pewno się przyzwyczaję.

– Widzisz, mała, to proste. – Uśmiecha się szeroko do Kate, a ona niemal dosłownie się rozpływa.

Przewracam oczami.

– Chętnie bym został, mała, ale z Paryża przyleciała moja siostra. Mamy wieczorem obowiązkową rodzinną kolację.

– Możesz przyjść po kolacji? – pyta niepewnie Kate. Jest taka łagodna i zupełnie inna niż zazwyczaj.

Wstaję i pod pretekstem rozpakowania jednego z pudeł udaję się do aneksu kuchennego. Zaraz się zacznie robić ckliwie.

– Zobaczę, czy uda mi się uciec – obiecuje.

– Odprowadzę cię na dół. – Kate się uśmiecha.

– Na razie, Ana – mówi Elliot.

– Pa, Elliot. Pozdrów ode mnie Christiana.

– Mam go tylko pozdrowić? – Unosi znacząco brwi.

– Tak. – Oblewam się rumieńcem.

Mruga do mnie, a potem wychodzi za Kate z mieszkania.

Elliot jest uroczy i zupełnie inny niż Christian. Jest ciepły, otwarty i lubi kontakt fizyczny z Kate. Bardzo lubi, nawet za bardzo. Rąk nie mogą od siebie oderwać – co, prawdę mówiąc, odbieram jako krępujące – a ja zielenieję z zazdrości.

Jakieś dwadzieścia minut później moja przyjaciółka wraca z pizzą i siedzimy, otoczone pudłami, w naszym nowym mieszkaniu, jedząc prosto z kartonu. Tata Kate nie poskąpił pieniędzy. Mieszkanie nie jest duże, ale na nasze potrzeby wystarczające: ma trzy sypialnie i duży salon z oknami wychodzącymi na Pike Place Market. Podłogi są drewniane, ściany z czerwonej cegły, a blaty kuchenne z gładkiego betonu, bardzo praktyczne, bardzo modne. Obie bardzo się cieszymy, że będziemy mieszkać w samym sercu miasta.

O ósmej rozlega się dźwięk domofonu. Kate zrywa się z kanapy – a mnie serce podchodzi do gardła.

– Przesyłka dla panny Steele i panny Kavanagh.

Nieoczekiwanie zalewa mnie fala rozczarowania. To nie Christian.

– Drugie piętro, mieszkanie numer dwa.

Kurierowi opada szczęka, kiedy drzwi otwiera mu Kate. Kate w obcisłych dżinsach, T-shircie i z włosami spiętymi na czubku głowy. Tak właśnie działa na mężczyzn. Chłopak trzyma w ręce butelkę szampana z przytwierdzonym do niej balonikiem w kształcie śmigłowca. Kate dziękuje mu promiennym uśmiechem, a potem czyta dołączoną karteczkę.

Drogie Panie,
Wszystkiego najlepszego w nowym mieszkaniu.
Christian Grey

Kate kręci z dezaprobatą głową.

– Nie może po prostu napisać „od Christiana"? I co to za dziwaczny balon?

– Charlie Tango.

– Co?

– Christian zabrał mnie do Seattle swoim śmigłowcem. – Wzruszam ramionami.

Kate patrzy na mnie z otwartą buzią. Muszę przyznać, że uwielbiam takie chwile: Katherine Kavanagh zaniemówiła. Szkoda, że należą do rzadkości. Delektuję się więc tą chwilą.

– Aha, ma śmigłowiec, który sam pilotuje – oświadczam z dumą.

– Oczywiście, że ten nieprzyzwoicie bogaty drań ma śmigłowiec. Czemu mi nie powiedziałaś? – Kate patrzy na mnie oskarżycielsko, ale się uśmiecha, kręcąc z niedowierzaniem głową.

– Ostatnio trochę nie nadążam.

Marszczy brwi.

– Dasz sobie radę, kiedy wyjadę?

– No pewnie – odpowiadam uspokajająco. Nowe miasto, brak pracy... stuknięty chłopak.

– Dałaś mu nasz adres?

– Nie, ale prześladowanie i śledzenie to jego specjalność – stwierdzam rzeczowo.

Kate jeszcze bardziej się zasępia.

– Jakoś mnie to nie dziwi. On mnie martwi, Ana. Przynajmniej to dobry szampan, no i na dodatek schłodzony.

Oczywiście. Tylko Christian przysłałby schłodzonego szampana albo kazał to zrobić sekretarce... a może Taylorowi. Otwieramy go od razu i szukamy filiżanek – to ostatnie, co zapakowałyśmy.

– Bollinger Grande Année tysiąc dziewięćset dziewięćdziesiąt dziewięć, doskonały rocznik. – Uśmiecham się szeroko do Kate i stukamy się filiżankami.

BUDZĘ SIĘ WCZEŚNIE w szary niedzielny poranek i leżę, wpatrując się w kartony. „Powinnaś się zabrać za rozpakowywanie" – marudzi moja podświadomość, zaciskając usta w cienką linię. Nie... dzisiaj jest TEN dzień. Moja wewnętrzna bogini nie posiada się z radości i skacze z nogi na nogę. Niecierpliwe wyczekiwanie wisi nad moją głową jak ciemna burzowa chmura. W moim brzuchu szaleją motyle – jak również mroczny, zmysłowy, urzekający ból, gdy próbuję sobie wyobrazić, co Christian będzie ze mną robił... No i oczywiście muszę podpisać tę przeklętą umowę. Podłe urządzenie stojące na podłodze obok łóżka wydaje cichy dźwięk, sygnalizując nadejście mejla.

Nadawca: Christian Grey
Temat: Moje życie w liczbach
Data: 29 maja 2011, 08:04
Adresat: Anastasia Steele

Jeśli przyjedziesz samochodem, potrzebny Ci będzie kod dostępu do garażu podziemnego w Escali: 146963.
Zaparkuj na miejscu numer pięć – to jedno z moich.

Kod do windy: 1880.

Christian Grey
Prezes, Grey Enterprises Holdings, Inc.

Nadawca: Anastasia Steele
Temat: Doskonały rocznik
Data: 29 maja 2011, 08:08
Adresat: Christian Grey

Tak jest, proszę pana. Zrozumiałam.
Dziękuję za szampana i nadmuchiwanego Charliego Tango, który teraz jest przywiązany do mego łóżka.

Ana

Nadawca: Christian Grey
Temat: Zazdrość
Data: 29 maja 2011, 08:11
Adresat: Anastasia Steele

Nie ma za co.
Nie spóźnij się.

Szczęściarz z Charliego Tango.

Christian Grey
Prezes, Grey Enterprises Holdings, Inc.

Przewracam oczami na tę jego apodyktyczność, ale ostatnia linijka sprawia, że się uśmiecham. Udaję się do łazienki, zastanawiając się, czy Elliot dotarł tu wczoraj wieczorem, i bardzo się starając trzymać nerwy na wodzy.

W AUDI MOGĘ PROWADZIĆ w szpilkach! Dokładnie o 12.55 wjeżdżam do garażu Escali i parkuję na miejscu numer pięć. Ile ma wykupionych miejsc? Widzę tu audi SUV i R8, a także dwa mniejsze audi SUV... hmm. W podświetlanym lusterku na osłonie przeciwsłonecznej sprawdzam, czy nie rozmazał mi się tusz. W garbusie nie miałam takich luksusów.

„Śmiało, dziewczyno!". Moja wewnętrzna bogini wymachuje pomponami cheerleaderki. W nieskończoności luster w windzie sprawdzam śliwkową sukienkę – no, śliwkową sukienkę Kate. Kiedy ostatni raz miałam ją na sobie, Christian miał ochotę ją ze mnie zedrzeć. Moje ciało się spina na tę myśl. To uczucie jest tak przyjemne, że aż mi zapiera dech w piersiach. Włożyłam bieliznę, którą kupił mi Taylor. Rumienię się na myśl, że chodził między półkami w Agent Provocateur, czy też gdzie tam ją kupił. Drzwi otwierają się i moim oczom ukazuje się hol mieszkania numer jeden.

Gdy wysiadam z windy, przy podwójnych drzwiach pojawia się Taylor.

– Dzień dobry, panno Steele – mówi.

– Och, proszę, mów mi Ana.

– Ana – uśmiecha się. – Pan Grey pani oczekuje.

No a jakżeby inaczej.

Christian siedzi na sofie i przegląda niedzielną prasę. Podnosi głowę, gdy Taylor wprowadza mnie do salonu. Pokój wygląda dokładnie tak, jak zapamiętałam – od mojej wizyty tu minął tydzień, a mam wrażenie, że znacznie więcej. Christian wydaje się spokojny i opanowany, a przy tym wygląda dosłownie nieziemsko. Włożył luźną białą koszulę oraz dżinsy, nie włożył natomiast ani butów, ani skarpetek. Włosy ma potargane, w oczach widzę szelmowski błysk. Wstaje i zbliża się do mnie, a na jego pięknie wykrojonych ustach błąka się uśmiech.

Stoję znieruchomiała w progu, sparaliżowana pięknem tego mężczyzny i słodkim wyczekiwaniem tego, co ma się wydarzyć. Pojawia się znajomy prąd, rozpalający mnie powoli i przyciągający do niego.

– Hmm… ta sukienka – mruczy z uznaniem, lustrując mnie wzrokiem. – Witam ponownie, panno Steele – szepcze, po czym ujmuje moją brodę, nachyla się i składa na moich ustach delikatny, lekki pocałunek. Dotyk jego warg rezonuje w całym moim ciele.

– Cześć – szepczę, rumieniąc się.

– Jesteś punktualna. To mi się podoba. Chodź. – Bierze mnie za rękę i prowadzi do kanapy. – Chciałbym ci coś pokazać – mówi, gdy siadamy. Wręcza mi „Seattle

Timesa". Na stronie ósmej widnieje zdjęcie przedsta-
wiające nas dwoje na uroczystości rozdania dyplomów.
O w mordę. Jestem w gazecie. Czytam podpis. „Christian
Grey z przyjaciółką na uroczystości rozdania dyplomów
w WSU Vancouver".

Śmieję się.

– A więc teraz jestem twoją „przyjaciółką".

– Na to wygląda. I napisano o tym w gazecie, więc to
musi być prawda. – Uśmiecha się drwiąco.

Siedzi zwrócony w moją stronę, podciągnąwszy jedną nogę pod drugą. Wyciąga rękę i palcem wskazującym
zakłada mi włosy za ucho. Moje ciało od razu się ożywia,
czekające i spragnione.

– No więc, Anastasio, o wiele więcej wiesz teraz na
mój temat niż podczas poprzedniej wizyty.

– Tak. – Dokąd on zmierza?

– A jednak wróciłaś.

Na moje nieśmiałe kiwnięcie w jego oczach pojawia
się ogień. Kręci głową, jakby nie mógł w to uwierzyć.

– Jadłaś coś? – pyta ni z tego, ni z owego.

Kuźwa.

– Nie.

– Jesteś głodna? – Naprawdę się stara nie okazywać
irytacji.

– Nie, jeśli chodzi o jedzenie – odpowiadam szeptem.

Christian nachyla się i szepcze mi do ucha:

– Jak zawsze ochocza, panno Steele, a zdradzę ci
pewien sekret: ja też. Ale niedługo ma się zjawić doktor
Greene. – Siada. – Chciałbym, żebyś więcej jadła – gani
mnie lekko.

Krew w żyłach nieco mi stygnie. Jasny gwint, zupełnie zapomniałam o lekarzu.

– Co możesz mi powiedzieć o doktor Greene? – pytam, aby odwrócić jego uwagę od tematu jedzenia.

– To najlepsza ginekolog w Seattle. Co więcej? – Wzrusza ramionami.

– Myślałam, że spotkam się z twoim lekarzem, a nie mów mi, że tak naprawdę to jesteś kobietą, ponieważ ci nie uwierzę.

Posyła mi spojrzenie, które mówi, abym nie była nie-mądra.

– Myślę, że lepiej będzie, jak cię obejrzy specjalista. Nie sądzisz? – pyta grzecznie.

Kiwam głową. O święty Barnabo, skoro to najlep-sza ginekolog, a on umówił nas na niedzielę, w dodat-ku w porze lunchu, to aż się boję myśleć, ile to będzie kosztować. Christian marszczy nagle brwi, jakby mu się przypomniało coś nieprzyjemnego.

– Anastasio, moja matka by chciała, abyś wieczorem przyszła na kolację. Z tego, co mi wiadomo, to Elliot za-prasza także Kate. Nie wiem, jak się na to zapatrujesz. Dziwnie mi będzie przedstawić cię rodzinie.

Dziwnie? Dlaczego?

– Wstydzisz się mnie? – Nic nie poradzę na to, że w moim głosie pobrzmiewa uraza.

– Oczywiście, że nie. – Przewraca oczami.

– No to czemu dziwnie?

– Bo jeszcze nigdy tego nie robiłem.

– Dlaczego tobie wolno przewracać oczami, a mnie nie?

Mruga powiekami.

– Nie zrobiłem tego świadomie.

– Ja najczęściej też nie robię tego świadomie – warczę.

Christian patrzy na mnie. Brak mu słów. W drzwiach pojawia się Taylor.

– Jest już doktor Greene, proszę pana.

– Zaprowadź ją do pokoju panny Steele.

Pokój panny Steele!

– Gotowa na antykoncepcję? – pyta. Wstaje i wyciąga do mnie rękę.

– Chyba nie pójdziesz tam razem ze mną? – pytam zaszokowana.

Śmieje się.

– Sporo bym zapłacił za to, żeby móc patrzeć, uwierz mi, Anastasio, ale nie sądzę, aby pani doktor się to spodobało.

Ujmuję jego dłoń, a on bierze mnie w ramiona i mocno całuje. Dłoń wsuwa w moje włosy i przyciąga mnie do siebie. Nasze czoła się stykają.

– Cieszę się, że tu jesteś – szepcze. – Nie mogę się doczekać, kiedy cię rozbiorę.

ROZDZIAŁ OSIEMNASTY

Doktor Green jest wysoka, jasnowłosa, szykowna, ubrana w ciemnoniebieski kostium. Przypomina mi kobiety, które pracują w biurze Christiana. Kolejna blondynka ze Stepford. Długie włosy związane ma w elegancki kok. Musi mieć niewiele ponad czterdzieści lat.

– Panie Grey. – Wita się z Christianem uściskiem ręki.

– Dziękuję, że przyszła pani tak szybko.

– Dziękuję, że wynagrodził mi pan mój czas, panie Grey. Panno Steele. – Uśmiecha się, ale jej oczy są chłodne i oceniające.

Podajemy sobie dłonie i wiem, że należy do kobiet, które nie tolerują głupoty. Tak jak Kate. Od razu ją lubię. Obdarza Christiana znaczącym spojrzeniem i po chwili dociera do niego jej sygnał.

– Zaczekam na dole – mamrocze i wychodzi z pokoju, który będzie moją sypialnią.

– A więc, panno Steele. Pan Grey płaci mi sporą sumę za wizytę u pani. Co mogę dla pani zrobić?

Po DOKŁADNYM BADANIU i długiej rozmowie dr Green i ja decydujemy się na minipigułkę. Wypisuje mi opłaconą z góry receptę i instruuje, żebym jutro ją zrealizowała. Bardzo mi się podoba jej rzeczowe podejście – do znudzenia powtarza mi, że mam je brać codziennie, o tej samej porze. I jestem pewna, że umiera z ciekawości, jakie to relacje łączą mnie z panem Greyem. Nie zdradzam żadnych szczegółów. Mam wrażenie, że nie wyglądałaby na tak spokojną i opanowaną, gdyby zobaczyła Czerwony Pokój Bólu. Czerwienię się, kiedy przechodzimy obok jego zamkniętych drzwi i schodzimy na dół do galerii sztuki, która pełni funkcję salonu Christiana.

Czyta, siedząc na kanapie. Z głośników leci przejmująca aria, która wiruje wokół niego, otulając kokonem i wypełniając pokój słodką, smutną melodią. Przez chwilę wygląda pogodnie. Odwraca się i patrzy na nas, gdy wchodzimy, uśmiechając się do mnie ciepło.

– Skończyły panie? – pyta, jakby go to autentycznie interesowało. Kieruje pilota w stronę nowoczesnego białego pudełka poniżej kominka, w którym znajduje się iPod i niezwykła muzyka cichnie, ale pozostaje w tle. Wstaje i podchodzi do nas.

– Tak, panie Grey. Proszę się nią opiekować, to piękna, mądra młoda kobieta.

Christian jest zaskoczony, podobnie jak ja. Jak lekarz może powiedzieć coś tak nieodpowiedniego? Czyżby dawała mu niezbyt delikatne ostrzeżenie?

– Taki mam właśnie zamiar – speszony mówi pod nosem.

Patrząc na niego, zażenowana wzruszam ramionami.

– Prześlę panu rachunek – mówi lakonicznie doktor Green, ściskając jego dłoń. – Miłego dnia i powodzenia, Ano. – Uśmiecha się, mrużąc oczy, gdy się żegnamy.

Nie wiadomo skąd pojawia się Taylor i odprowadza lekarkę do windy. Jak on to robi? Gdzie się czai?

– Jak było? – pyta Christian.

– W porządku, dziękuję. Powiedziała, że muszę się powstrzymać od wszelkiej aktywności seksualnej przez cztery następne tygodnie.

Christian z przerażenia otwiera usta, a ja nie mogę dłużej zachować powagi i śmieję się do niego jak głupia.

– Mam cię!

Mruży oczy, a ja natychmiast przestaję się śmiać. Właściwie wygląda dość złowrogo. O cholera. Moja podświadomość truchleje, a cała krew odpływa mi z twarzy i wyobrażam sobie, jak znów przekłada mnie przez kolano.

– Mam cię! – mówi i uśmiecha się z satysfakcją. Chwyta mnie w talii i przyciąga do siebie. – Jesteś niepoprawna, panno Steele – mruczy i wpatruje mi się w oczy, zanurzając dłoń we włosach i trzymając pewnie w miejscu. Całuje mnie mocno, a ja wczepiam się w jego umięśnione ramiona, by utrzymać się na nogach.

– Chociaż bardzo chciałbym wziąć cię tutaj, teraz, musisz coś zjeść i ja również. Nie chcę, żebyś mi później zemdlała – mruczy przy moich ustach.

– Czy tylko dlatego mnie chcesz? Dla mojego ciała? – szepczę.

– I jeszcze dla twojego niewyparzonego języka – odpowiada cicho.

Znów całuje mnie namiętnie, a potem wypuszcza nagle z ramion, bierze za rękę i prowadzi do kuchni. Nogi się pode mną uginają. W jednej chwili żartujemy, a za moment… Wachluję swoją rozpaloną twarz. Jest chodzącym seksem, a ja muszę teraz odzyskać równowagę i coś zjeść. Aria nadal pobrzmiewa w tle.

– Co to za muzyka?

– Villa Lobos, aria z *Bachianas brasileiras*. Dobra, prawda?

– Tak – mamroczę, w pełni się z nim zgadzając.

Bar śniadaniowy nakryty jest dla dwojga. Christian wyjmuje z lodówki miskę.

– Sałatka cesarska z kurczakiem ci odpowiada?

Dzięki Bogu, nic ciężkiego.

– Tak, dziękuję.

Patrzę, jak z wdziękiem porusza się po kuchni. Z jednej strony tak swobodnie czuje się w swoim ciele, a z drugiej nie lubi być dotykany... Więc może gdzieś w głębi nie jest taki swobodny. Nikt nie jest samotną wyspą, rozmyślam, no może z wyjątkiem Christiana Greya.

– O czym myślisz? – pyta, wyrywając mnie z zadumy. Rumienię się.

– Przyglądałam się tylko, jak się poruszasz.

Rozbawiony unosi brwi.

– I? – pyta ostrożnie.

Czerwienię się jeszcze bardziej.

– Masz dużo wdzięku.

– Dziękuję, panno Steele – mruczy. Siada obok mnie z butelką wina w dłoni. – Chablis?

– Poproszę.

– Poczęstuj się sałatką – mówi łagodnym głosem. – Powiedz, na jaką metodę się zdecydowałaś?

W jednej chwili pytanie to wprawia mnie w zakłopotanie, gdy zdaję sobie sprawę, że mówi o wizycie doktor Green.

– Na minipigułkę.

Marszczy brwi.

– I będziesz pamiętać, żeby brać je regularnie, codziennie, o odpowiedniej porze?

Rany... pewnie, że będę. Skąd u niego taka orientacja w temacie? Czerwienię się na samą myśl, że wie o tym od jednej lub kilku z jego piętnastki.

– Nie wątpię, że mi przypomnisz – mówię oschle.

Zerka na mnie z protekcjonalnym rozbawieniem.

– Nastawię przypominacz – uśmiecha się z wyższością. – Jedz.

Sałatka cesarska okazuje się pyszna. O dziwo jestem wygłodniała i po raz pierwszy, od kiedy z nim jestem, kończę posiłek wcześniej niż on. Wino jest orzeźwiające, klarowne i owocowe.

– Apetyt dopisuje jak zawsze, panno Steele? – Śmieje się, patrząc na mój pusty talerz.

Zerkam na niego spod rzęs.

– Tak – szepczę.

Jego oddech staje się nierówny i kiedy patrzy na mnie, czuję, że atmosfera między nami powoli się zmienia, ewoluuje... elektryzuje. Jego spojrzenie zmienia się z mrocznego na uwodzicielskie, porywając mnie ze sobą. Wstaje, zmniejszając dystans między nami, i podnosi mnie ze stołka barowego w swe ramiona.

– Chcesz to zrobić – szepcze, patrząc na mnie intensywnie.

– Nic nie podpisałam.

– Wiem, ale ostatnio łamię wszystkie zasady.

– Uderzysz mnie?

– Tak, ale nie żeby zadać ci ból. Nie chcę cię teraz karać. Gdybym miał cię pod ręką wczoraj wieczorem, no cóż, byłoby inaczej.

Jasny gwint. On chce zadać mi ból... Jak mam sobie z tym poradzić? Nie jestem w stanie ukryć przerażenia.

– Nie pozwól, by ktoś przekonał cię, że jest inaczej, Anastasio. Jednym z powodów, dla których ludzie lubią, kiedy to robię, jest to, że lubimy zadawać ból albo go doświadczać. To bardzo proste. Ty nie, więc spędziłem wczoraj dużo czasu, myśląc o tym.

Przyciąga mnie do siebie, a jego erekcja uciska mnie w brzuch. Powinnam uciekać, ale nie potrafię. Ciągnie mnie do niego na jakimś głębokim, pierwotnym poziomie, którego zupełnie nie rozumiem.

– Doszedłeś do jakichś wniosków?

– Nie i teraz chcę cię związać i pieprzyć do nieprzytomności. Jesteś na to gotowa.

– Tak – szepczę, podczas gdy wszystko w moim ciele
momentalnie się kurczy… rety.

– Dobrze. Chodź. – Bierze mnie za rękę i zostawiając wszystkie brudne naczynia na barze śniadaniowym,
idziemy na górę.

Serce mi wali. A więc ta chwila nadeszła. Naprawdę
to zrobię. Moja wewnętrzna bogini wiruje jak światowej
klasy balerina, wykonując jeden piruet za drugim. Christian otwiera drzwi do swojego pokoju zabaw, przytrzymując je, żebym weszła, i znów jestem w Czerwonym
Pokoju Bólu.

Nic się nie zmieniło. Zapachy skóry, cytrusów, pasty
do czyszczenia i ciemnego drewna są bardzo zmysłowe.
Rozgrzana i przerażona krew przepływa przez moje ciało – adrenalina wymieszana z pożądaniem i tęsknotą. To
uderzający do głowy, pobudzający koktajl. Postawa Christiana zmieniła się całkowicie, teraz wydaje się twardszy
i bardziej surowy. Patrzy na mnie z góry, a jego oczy są
płomienne, pożądliwe… hipnotyczne.

– Gdy jesteś tutaj, należysz do mnie bez reszty –
mówi wolno, ważąc każde słowo. – Mogę z tobą zrobić,
co zechcę. Rozumiesz?

Patrzy tak żarliwie. Przytakuję, mam sucho w ustach,
a serce omal nie wyskoczy mi z piersi.

– Zdejmij buty – rozkazuje łagodnie.

Przełykam ślinę i dość niezgrabnie zdejmuję czółenka. Schyla się, podnosi je i stawia koło drzwi.

– Dobrze. Nie wahaj się, kiedy każę ci coś zrobić. Teraz
zedrę z ciebie tę sukienkę. O ile dobrze pamiętam, pragnąłem to zrobić już kilka dni temu. Chcę, żebyś czuła się swobodnie w swoim ciele, Anastasio. Masz piękne ciało i lubię
na nie patrzeć. To sprawia mi przyjemność. W zasadzie
mógłbym przyglądać ci się cały dzień i chcę, żebyś nie była
zawstydzona ani zażenowana swoją nagością. Rozumiesz?

– Tak.

– Tak co? – pochyla się nade mną, patrząc gniewnie.

– Tak, Panie.

– Mówisz szczerze? – rzuca ostro.

– Tak, Panie.

– Dobrze. Podnieś ręce nad głowę.

Robię, co każe, a on sięga w dół i chwyta brzeg sukienki. Powoli podciąga ją przez moje uda, biodra, brzuch, piersi, ramiona i głowę. Odsuwa się, by mnie obejrzeć i nieuważnie składa sukienkę, nie odrywając ode mnie oczu. Zostawia ją na wielkiej szafce koło drzwi. Chwyta moją brodę, a jego dotyk mnie pali.

– Przygryzasz wargę – szepcze. – Wiesz, jak na to reaguję – dodaje złowieszczo. – Odwróć się.

Odwracam się natychmiast, bez wahania. Rozpina mi stanik, chwyta oba ramiączka i powoli ściąga je w dół i w końcu zdejmuje, gładząc moją skórę palcami i paznokciami kciuków. Wzdłuż mojego kręgosłupa przebiega dreszcz, pobudzając każdy nerw. Stoi za mną tak bliski, że czuję promieniujące od niego ciepło, które rozgrzewa mnie, rozgrzewa mnie całą. Zbiera moje włosy, by spływały po plecach, chwyta je w garść i przechyla moją głowę na jedną stronę. Wodzi nosem po odsłoniętym karku, cały czas wciągając mój zapach, a po chwili powraca do ucha. Mięśnie w moim brzuchu kurczą się zmysłowo, pożądliwie. Rety… ledwie mnie dotknął, a ja już go pragnę.

– Pachniesz pięknie, jak nigdy dotąd, Anastasio – szepcze, składając za mym uchem słodki pocałunek.

Jęczę.

– Cicho – szepcze. – Ani piśnij.

Pociąga mnie za włosy z tyłu i ku memu zdziwieniu, zaczyna splatać je w jeden duży warkocz. Palce ma szybkie i wprawne. Na koniec związuje je gumką, której wcześniej nie widziałam, i pociąga za nie, tak że cofam się w jego kierunku.

– Lubię, jak masz tutaj związane włosy – szepcze. Hmm... dlaczego?

Puszcza warkocz.

– Odwróć się – rozkazuje.

Robię, co mi każe, oddychając płytko, a lęk i pożądanie mieszają się ze sobą. To odurzający koktajl.

– Gdy każę ci tu przyjść, tak będziesz się ubierać. Tylko majtki. Rozumiesz?

– Tak.

– Tak co? – spogląda na mnie gniewnie.

– Tak, panie.

Cień uśmiechu unosi kąciki jego ust.

– Grzeczna dziewczynka. – Jego wzrok przepala mnie na wskroś. – Gdy każę ci tu przyjść, oczekuję, że będziesz klęczała tam. – Wskazuje miejsce przy drzwiach. – Zrób to teraz.

Mrugam, przetwarzając jego słowa, odwracam się i trochę niezręcznie klękam, jak mi każe.

– Możesz usiąść na piętach.

Siadam.

– Połóż dłonie i przedramiona płasko na udach. Dobrze. Teraz rozchyl kolana. Szerzej. Szerzej. Idealnie. Spójrz w podłogę.

Podchodzi do mnie i w polu widzenia mam jego stopy i łydki. Nagie stopy. Jeśli chce, żebym to wszystko zapamiętała, powinnam robić notatki. Sięga dłonią i znów chwyta mnie za warkocz, pociągając tak, że muszę spojrzeć na niego w górę. Prawie nie boli.

– Zapamiętasz tę pozycję, Anastasio?

– Tak, panie.

– Dobrze. Zostań tu i nie ruszaj się. – Wychodzi z pokoju.

Klęczę i czekam. Gdzie on poszedł? Co ma zamiar ze mną zrobić? Zmienia mi się poczucie czasu. Nie mam pojęcia, na jak długo mnie tu zostawi... na kilka minut, pięć, dziesięć? Mój oddech staje się płytszy, a niecierpliwość zżera mnie od środka.

I nagle wraca, a ja w jednej chwili jestem jednocześnie spokojniejsza i bardziej podniecona. Czy mogę czuć jeszcze większe podniecenie? Widzę jego stopy. Zmienił dżinsy. Te są starsze, porwane i sprane. A niech to. Te dżinsy są seksowne. Zamyka drzwi i wiesza coś na nich od wewnątrz.

– Grzeczna dziewczynka, Anastasia. Ślicznie tak wyglądasz. Brawo. Wstań.

Wstaję, ale nadal patrzę w dół.

– Możesz na mnie spojrzeć.

Zerkam na niego, a on wpatruje się we mnie intensywnie, oceniająco, ale wyraz jego oczu łagodnieje. Zdjął koszulę. O rany... chcę go dotknąć. Górny guzik jego dżinsów jest odpięty.

– Teraz cię skuję, Anastasio. Daj mi prawą rękę.

Podaję. Odwraca ją wnętrzem do góry i zanim zdążę pomyśleć, uderza w jej środek szpicrutą, której nie zauważyłam w jego prawej dłoni. Dzieje się to tak szybko, że prawie nie jestem zaskoczona. A co dziwniejsze – to wcale nie boli. No, nie tak bardzo, czuję jedynie lekkie pieczenie.

– Jakie to uczucie? – pyta.

Zdezorientowana mrugam, patrząc na niego.

– Odpowiedz.

– W porządku – marszczę czoło.

– Nie marszcz czoła.

Mrugam i staram się wyglądać na spokojną. Udaje mi się.

– Czy to bolało?

– Nie.

– To nie będzie bolało. Rozumiesz?

– Tak. – Mój głos jest niepewny. Czy to naprawdę nie będzie bolało?

– Mówię poważnie – przekonuje.

Rany, mój oddech jest taki płytki. Czy on wie, o czym myślę? Pokazuje mi szpicrutę. Jest z brązowej plecionej skóry. Unoszę wzrok, by spotkać jego oczy, które rozświetla ogień z nutą rozbawienia.

– Naszym celem jest przyjemność, panno Steele – mruczy. – Chodź. – Bierze mnie za łokieć i prowadzi pod kratkę. Sięga w górę i ściąga jakieś klamry z czarnymi skórzanymi kajdankami.

– Tę kratkę zaprojektowano tak, żeby klamry poruszały się po niej.

Patrzę w górę. Jasna cholera – to przypomina mapę metra.

– Zaczniemy tutaj, ale chcę cię przelecieć, gdy będziesz stała, więc skończymy tam, przy ścianie. – Wskazuje szpicrutą na ścianę, na której widnieje duży, drewniany ukośny krzyż.

– Podnieś ręce nad głowę.

Natychmiast się podporządkowuję, czując się, jakbym opuszczała własne ciało i stawała się postronnym obserwatorem wydarzeń rozgrywających się wokół mnie. To jest bardziej niż fascynujące, bardziej niż erotyczne. To najbardziej podniecająca i przerażająca rzecz, jaką kiedykolwiek robiłam. Oddaję się wspaniałemu człowiekowi, który, jak sam przyznaje, jest popieprzony na pięćdziesiąt sposobów. Tłumię przelotne ukłucie strachu. Kate i Elliot wiedzą, że tu jestem.

Staje bardzo blisko i zapina kajdanki. Wpatruję się w jego klatkę piersiową. Jego bliskość jest niebiańska. Pachnie żelem do kąpieli i Christianem, upojną mieszanką, która sprowadza mnie z powrotem do teraźniejszości. Chcę przejechać nosem i językiem po włoskach na klatce. Wystarczy, że się pochylę...

Robi krok w tył, patrząc na mnie spod przymkniętych powiek, lubieżnie, zmysłowo, a ja jestem bezradna, ze związanymi rękami, ale jedynie patrząc na jego piękną twarz i widząc malujące się na niej pożądanie, czuję wilgoć między nogami. Chodzi powoli wokół mnie.

– Wyglądasz niezwykle korzystnie tak podwiązana, panno Steele. I twoje niewyparzone usta są na razie zamknięte. To mi się podoba.

Stając naprzeciw mnie, zaczepia palec o moje majtki i w niespiesznym tempie ściąga je w dół, rozbierając mnie wolno, aż do bólu, a kończy, klęcząc przede mną. Nie spuszczając wzroku z moich oczu, ściska moje majtki w dłoni, podnosi do nosa i głęboko się zaciąga. Jasna cholera! Czy on rzeczywiście to zrobił? Uśmiecha się do mnie szelmowsko i wkłada je do kieszeni dżinsów.

Zbierając się z podłogi, leniwie jak dziki kot, dotyka końcem szpicruty mojego pępka i powoli zatacza wokół niego koła, drażniąc mnie. Czując dotyk skóry, drżę i ostro wciągam powietrze. Znów krąży wokół mnie, sunąc po mnie szpicrutą. Przy drugim okrążeniu nagle trzaska pejczem, który uderza mnie pod pośladkami, w moją kobiecość. Krzyczę zaskoczona, a wszystkie moje nerwy stają na baczność. Pociągam za więzy. Wstrząs przeszywa moje ciało i jest to najsłodsze, najdziwniejsze, hedonistyczne uczucie.

– Cicho... – szepcze, przechodząc ponownie wokół mnie, muskając moje ciało szpicrutą nieco wyżej. Tym razem, gdy strzela pejczem znów w tym samym miejscu, czekam na to i... och! Moje ciało zwija się pod tym słodkim, piekącym smagnięciem.

Krążąc dalej, znów strzela, tym razem trafiając w mój sutek, a ja odrzucam głowę w tył, gdy moje zakończenia nerwowe śpiewają. Uderza drugi sutek… krótka, szybka, słodka chłosta. Moje sutki twardnieją i wydłużają się pod wpływem tego ataku, a ja jęczę głośno, szarpiąc za kajdanki.

– Dobrze ci? – szepcze.

– Tak.

Uderza mnie raz jeszcze, tym razem w pośladki. Czuję pieczenie.

– Tak co?

– Tak, panie – skomlę.

Przerywa, ale już go nie widzę. Mam zamknięte oczy, próbując wchłonąć miriady doznań zalewających moje ciało. Bardzo powoli obsypuje mnie małymi, kąsającymi liźnięciami bata na brzuchu i posuwa się na południe. Wiem, do czego zmierza, i próbuję przygotować się na to psychicznie, ale kiedy uderza w moją łechtaczkę, wydaję głośny krzyk.

– Och… proszę! – jęczę.

– Cicho – rozkazuje i znów uderza mnie w pośladki. Nie myślałam, że tak to będzie wyglądać… Jestem zagubiona. Zagubiona w morzu doznań. I nagle przeciąga szpicrutę po mojej kobiecości, przez moje włosy łonowe, w dół do wejścia do pochwy.

– Widzisz, jaka jesteś wilgotna, czekając na to, Anastasio? Otwórz oczy i usta.

Robię, co mi każe, całkowicie zahipnotyzowana. Wpycha czubek bata do moich ust, tak jak w tamtym śnie. A niech to.

– Czujesz swój smak? Ssij, ssij mocno, maleńka.

Moje usta zaciskają się na bacie, a oczy patrzą wprost na Christiana. Czuję smak kosztownej skóry i słoność mojego podniecenia. Jego oczy płoną. Jest w swoim żywiole.

Wyciąga koniec bata spomiędzy moich warg, robi krok w przód i chwytając mnie, całuje mocno, wdzierając się językiem do ust. Otaczając mnie ramionami, przyciąga do siebie. Jego klatka napiera na mnie, a ja czuję pokusę, aby go dotknąć, ale nie mogę – moje ręce tkwią bezużytecznie nade mną.

– Och, Anastasio, smakujesz tak niezwykle cudownie – szepcze. – Czy mam cię doprowadzić do orgazmu?

– Proszę – błagam.

Pejcz trafia w mój pośladek. Au!

– Proszę co?

– Proszę, panie – skomlę.

Uśmiecha się triumfalnie.

– Tym? – Unosi pejcz tak, żebym go widziała.

– Tak, panie.

– Jesteś pewna? – Patrzy na mnie surowo.

– Tak, proszę, panie.

– Zamknij oczy.

Zostawiam po tamtej stronie pokój, zostawiam jego... zostawiam pejcz. Znów zaczyna mi zadawać niewielkie, kąsające liźnięcia w okolicy brzucha. Posuwając się w dół, miękkie, niewielkie muśnięcia łechtaczki, raz, dwa razy, trzy razy, jeszcze i jeszcze, aż w końcu to jest ten moment, nie mogę już dłużej wytrzymać i szczytuję, cudownie, głośno, zwisając bez sił. Jego ramiona otaczają mnie, gdyż nogi mam jak z waty. Rozpuszczam się w jego objęciach, moja głowa na jego klatce, a ja miauczę i skomlę, trawiona postorgazmicznymi dreszczami. Podnosi mnie i nagle się poruszamy. Moje ręce pozostają skrępowane nad głową, na plecach czuję chłodne drewno wypolerowanego iksa, a on rozpina guziki w dżinsach. Na moment stawia mnie przy krzyżu, gdy zakłada prezerwatywę, a potem oplata ramionami moje uda i znów mnie podnosi.

– Unieś nogi, maleńka, i owiń wokół mnie.

Czuję się taka słaba, ale robię, co każe, a on zaplata moje nogi wokół swych bioder i ustawia się pode mną.

Jedno pchnięcie i jest we mnie, a ja znów krzyczę, słuchając jego ściszonego jęku przy moim uchu. Moje ramiona leżą na jego barkach, gdy wchodzi we mnie. Rety, w ten sposób wchodzi naprawdę głęboko. Pcha raz za razem, z twarzą przy moim karku, i ostrym oddechem na mojej szyi. Czuję, że znów coś we mnie wzbiera. O Boże, nie... nie znowu. Moje ciało chyba nie wytrzyma kolejnego trzęsienia ziemi. Ale nie mam wyboru i z nieuchronnością, która staje się znajoma, puszczam wszystko i znów doznaję rozkoszy, a ten moment jest słodki, przejmujący i intensywny. Tracę wszelkie poczucie siebie. Christian przyłącza się, krzycząc z ulgą przez zaciśnięte usta, trzymając mnie mocno i blisko.

Wychodzi ze mnie szybko i stawia pod iksem, podtrzymując mnie swoim ciałem. Odpinając kajdanki, uwalnia mnie i oboje osuwamy się na podłogę. Bierze mnie na kolana, tuli, a ja opieram głowę na jego klatce piersiowej. Gdybym miała siłę, dotknęłabym go, ale jej nie mam. Dopiero teraz zauważam, że nadal ma na sobie dżinsy.

– Brawo, mała. Czy to bolało?

– Nie – szepczę. Ledwie mogę utrzymać otwarte oczy. Dlaczego jestem taka zmęczona?

– A myślałaś, że będzie bolało? – szepcze, trzymając mnie blisko i odgarniając palcami niesforne kosmyki z twarzy.

– Tak.

– Widzisz więc, że większość obaw powstaje w twojej głowie, Anastasio. – Przez chwilę milczy. – Zrobiłabyś to jeszcze raz?

Zastanawiam się przez moment, a zmęczenie przyćmiewa moją świadomość. Jeszcze raz?

– Tak – mój głos jest łagodny.

Tuli mnie mocno.

– To dobrze, ja też – mruczy, a potem pochyla się i delikatnie całuje mnie w czubek głowy. – Bo jeszcze z tobą nie skończyłem.

Jeszcze ze mną nie skończył. O święty Barnabo. Nie ma mowy, żebym mogła zrobić coś więcej. Jestem kompletnie wykończona i walczę z przemożną potrzebą snu. Opieram się o jego pierś, mam zamknięte oczy, a on otula mnie sobą, rękami i nogami, i czuję się... bezpiecznie i wygodnie. Czy pozwoli mi spać i śnić? Moje usta drgają na tę niemądrą myśl i zwracając twarz w stronę klatki Christiana, wdycham jego szczególny zapach i muskam nosem, ale on natychmiast sztywnieje... o cholera. Otwieram oczy i patrzę na niego.

– Nie rób tego – mówi ostrzegawczo.

Czerwienię się i z powrotem patrzę tęsknie na jego tors. Chcę przeciągnąć językiem po jego włosach, całować go i po raz pierwszy dostrzegam kilka drobnych, ledwo widocznych okrągłych blizn rozsianych po jego klatce. Ospa? Odra? Myślę bezładnie.

– Uklęknij przy drzwiach – rozkazuje i odchyla się, kładąc dłonie na kolanach, skutecznie uwalniając mnie z objęć. Nie jest już ciepły, a temperatura jego głosu spadła o kilka stopni.

Chwiejnie podnoszę się do pozycji stojącej i skulona podchodzę do drzwi, aby uklęknąć, jak mi każe. Jestem roztrzęsiona, bardzo, bardzo zmęczona i kompletnie zdezorientowana. Kto by pomyślał, że znajdę w tym pokoju taką satysfakcję? Kto by pomyślał, że to będzie takie wyczerpujące? Moje kończyny są cudownie ciężkie, zaspokojone. Wewnętrzna bogini wywiesiła na swoich drzwiach tabliczkę „nie przeszkadzać".

Christian porusza się na obrzeżach mojego pola widzenia. Powieki zaczynają mi opadać.

– Nudzę cię, panno Steele?

Budzę się momentalnie i widzę Christiana z założonymi rękami. Patrzy na mnie. O cholera, przyłapał mnie na drzemce – nie będzie dobrze. Jego spojrzenie mięknie, gdy spoglądam na niego.

– Wstań – rozkazuje.

Wstaję ostrożnie. Patrzy na mnie, a jego usta się wykrzywiają.

– Jesteś skonana, prawda?

Przytakuję nieśmiało, czerwieniąc się.

– Wytrzymałość, panno Steele. – Mruży oczy. – Jeszcze się tobą nie nasyciłem. Wyciągnij ręce przed siebie, jakbyś się chciała pomodlić.

Mrugam powiekami. Pomodlić się! Pomodlić do ciebie o łaskawość dla mnie. Robię, co mi rozkazuje. Bierze spinkę do kabli i owija moje nadgarstki, zaciskając plastik. Jasny gwint. Momentalnie podnoszę na niego oczy.

– Wygląda znajomo? – pyta, nie potrafiąc ukryć uśmiechu.

Rany… plastikowe spinki do kabli. Zakupy u Claytona! Wszystko staje się jasne. Wpatruję się w niego, podczas gdy adrenalina znów przeszywa moje ciało. Dobra – to przykuło moją uwagę – znów jestem rozbudzona.

– Mam tu nożyczki. – Pokazuje mi je. – Mogę cię z tego uwolnić w jednym momencie.

Próbuję rozdzielić nadgarstki, testując więzy, ale plastik wrzyna mi się w skórę. To boli, ale kiedy rozluźniam nadgarstki, spinka nie wcina mi się w ciało.

– Chodź. – Chwyta moje ręce i prowadzi do łóżka z baldachimem. Teraz zauważam, że jest na nim ciemnoczerwona pościel i klamry na każdym rogu.

– Chcę więcej, dużo, dużo więcej – pochyla się i szepcze mi do ucha.

A moje serce znów zaczyna walić jak szalone. O rany.

– Ale zrobię to szybko. Jesteś zmęczona. Trzymaj się kolumny – mówi.

Marszczę czoło. A więc nie na łóżku? Widzę, że mogę rozsunąć dłonie i chwytam bogato rzeźbioną kolumienkę.

– Niżej – rozkazuje. – Dobrze, nie puszczaj. Jeśli puścisz, dam ci klapsa. Zrozumiałaś?

– Tak, panie.

– Dobrze.

Staje za mną i chwytając za biodra, szybko pociąga mnie w tył, tak że pochylam się do przodu, trzymając kolumnę.

– Nie puszczaj, Anastasio – ostrzega. – Przelecę cię teraz ostro od tyłu. Trzymaj się kolumny, żeby utrzymać swój ciężar. Zrozumiałaś?

– Tak.

Uderza mnie dłonią w pośladek. Aua… piecze.

– Tak, panie – mamroczę szybko.

– Rozsuń nogi. – Wsuwa swoją nogę między moje i trzymając mnie za biodra, przesuwa moją prawą nogę w bok. – Tak lepiej. Po tym pozwolę ci spać.

Spać? Dyszę. Teraz nie myślę o spaniu. Wyciąga rękę i delikatnie gładzi mnie po plecach.

– Masz taką piękną skórę, Anastasio – szepcze i pochylając się, całuje mnie wzdłuż kręgosłupa delikatnymi jak piórko muśnięciami. W tym samym czasie jego ręce wędrują do przodu, dotykają piersi i chwytają moje sutki, lekko je pociągając.

Dławię jęk, czując, jak całe moje ciało odpowiada, raz jeszcze budząc się do życia.

Delikatnie gryzie i ssie mnie w pasie, pociąga za sutki, a moje ręce zaciskają się mocniej na pięknie rzeźbionym filarze. Odsuwa ręce i słyszę znajomy dźwięk rozrywanej folii, gdy on zrzuca dżinsy.

– Masz tak urzekający, seksowny tyłek, Anastasio. Cóż ja bym chciał z nim zrobić? – Jego dłonie głaszczą i ugniatają pośladki, a potem ześlizgują się w dół i wsuwa we mnie dwa palce. – Taka wilgotna. Nigdy mnie nie zawodzisz, panno Steele – szepcze i słyszę zachwyt w jego głosie. – Trzymaj się mocno... to nie potrwa długo.

Chwyta mnie za biodra i ustawia się, a ja zapieram się w oczekiwaniu na jego atak. On jednak chwyta koniec mojego warkocza i owija sobie wokół nadgarstka, aż do mojego karku, unieruchamiając mi głowę. Bardzo powoli wchodzi we mnie, jednocześnie ciągnąc za włosy... Powoli wychodzi ze mnie, drugą ręką chwyta za biodra i trzymając mocno, zanurza się we mnie, popychając do przodu.

– Trzymaj się, Anastasio – krzyczy przez zaciśnięte zęby.

Chwytam się mocniej kolumny i odpycham od niego, gdy kontynuuje swoją bezlitosną napaść, raz za razem, a jego palce wpijają się w moje biodra. Bolą mnie ramiona, chwieję się na nogach, a skóra głowy boli mnie od ciągnięcia za włosy... i czuję narastające uczucie głęboko wewnątrz. Och nie... i po raz pierwszy boję się swojego orgazmu... jeśli dojdę... upadnę. Christian nadal ostro porusza się przy mnie, we mnie, oddychając ciężko, jęcząc i powarkując. Moje ciało odpowiada... jak? Czuję przyspieszenie. I nagle Christian wchodzi we mnie naprawdę głęboko i zastyga.

– Dalej, Ana, zrób to dla mnie – jęczy, a moje imię na jego ustach wysyła mnie w przepaść i staję się jedynie ciałem i rosnącym doznaniem, a potem słodką ulgą. Tracę świadomość.

Gdy wracają mi zmysły, leżę na nim. Leży na podłodze, a ja na górze, plecami na jego brzuchu, i wpatruję się w sufit, całkowicie pochłonięta właśnie odbytym stosun-

kiem, promienna i skonana. Och… karabińczyki, myślę
bezładnie, zapomniałam o nich. Christian muska nosem
moje ucho.

– Podnieś ręce – mówi łagodnie.

Czuję, jakbym miała ręce z ołowiu, ale podnoszę je.
Bierze nożyczki i wkłada jedno ostrze pod spinkę.

– Uważam tę Anę za otwartą – mówi i przecina plastik.

Chichoczę i masuję uwolnione nadgarstki. Czuję, że
się uśmiecha.

– To taki piękny dźwięk – mówi tęsknie. Nagle siada, podnosząc mnie ze sobą tak, że znów siedzę mu na
kolanach.

– To moja wina – mówi i odwraca mnie, by móc ro-
zetrzeć moje ręce i ramiona. Delikatnym masażem przy-
wraca życie moim kończynom.

Co?

Oglądam się na niego, starając się zrozumieć, co ma
na myśli.

– Że nie chichoczesz częściej.

– Nie jestem najlepsza w chichotaniu – mamroczę
sennie.

– Och, ale kiedy to robisz, panno Steele, zachwyca
mnie to i raduje.

– Bardzo kwieciście powiedziane, panie Grey – mówię pod nosem, starając się utrzymać otwarte oczy.

Jego wzrok łagodnieje. Christian się uśmiecha.

– Powiedziałbym, że jesteś ostro przerżnięta i potrzebujesz snu.

– To nie było ani trochę kwieciste – narzekam żartobliwie.

Uśmiecha się, delikatnie podnosi mnie ze swoich
kolan i wstaje, cudownie nagi. W jednej chwili żałuję, że
nie jestem bardziej przytomna, żeby w pełni to docenić.
Chwyta dżinsy i po żołniersku wciąga je na siebie.

– Nie chcę wystraszyć Taylora ani pani Jones.

Hmm… na pewno wiedzą, jaki z niego perwersyjny drań. Ta myśl nie daje mi spokoju.

Schyla się, aby pomóc mi wstać i prowadzi do drzwi, na których wisi szary, miękki szlafrok. Cierpliwie ubiera mnie, jakbym była małym dzieckiem. Nie mam siły unieść rąk. Gdy jestem okryta i wyglądam przyzwoicie, pochyla się i całuje mnie delikatnie, a jego usta drgają w uśmiechu.

– Do łóżka – mówi.

Och… nie.

– Żeby się przespać – dodaje uspokajająco, widząc moją minę.

Nagle chwyta mnie w ramiona i niesie skuloną do pokoju w głębi korytarza, gdzie wcześniej badała mnie doktor Green. Głowa opada mi na jego pierś. Jestem wykończona. Nie pamiętam, żebym kiedykolwiek była tak zmęczona. Odsuwając kołdrę, kładzie mnie i, co bardziej zaskakujące, kładzie się koło mnie i przytula.

– Teraz śpij, cudowna dziewczynko – szepcze i całuje moje włosy.

I zanim jestem w stanie zrobić jakiś niemądry ruch, zasypiam.

ROZDZIAŁ DZIEWIĘTNASTY

Miękkie usta muskają moją skroń, zostawiając na niej delikatne pocałunki. Chcę się odwrócić i odpowiedzieć na nie, ale przede wszystkim chcę spać. Mruczę i wtulam się w poduszkę.

– Anastasio, obudź się. – Głos Christiana jest łagodny, zachęcający.

– Nie – mruczę.

– Za pół godziny musimy wyjść na kolację z moimi rodzicami – wyjaśnia rozbawiony.

Niechętnie otwieram oczy. Za oknem widzę zmierzch. Christian pochyla się nade mną i patrzy intensywnie.

– No dalej, śpiochu. Wstawaj. – Podnosi się i znów mnie całuje.

– Przyniosłem ci coś do picia. Będę na dole. Nie zasypiaj, bo będziesz miała kłopoty – grozi, ale ton głosu ma łagodny. Całuje mnie szybko i wychodzi, zostawiając z resztkami snu na powiekach w chłodnym, surowym pokoju.

Czuję się wypoczęta, ale i zdenerwowana. Rany Julek, mam poznać jego rodziców! Dopiero co skatował mnie pejczem i skrępował spinką do kabli, którą mu sprzedałam, rany boskie – a teraz mam poznać jego rodziców. To będzie również pierwsze spotkanie Kate z nimi – przynajmniej ona będzie mnie wspierać. Poruszam ramionami. Są zesztywniałe. Jego żądanie, abym miała osobistego

trenera, nie wydaje się teraz tak dziwaczne, a w zasadzie
trener może okazać się niezbędny, jeśli mam dotrzymać
kroku Christianowi.

Powoli wychodzę z łóżka i widzę, że moja sukienka
wisi na drzwiach szafy, a stanik na krześle. A gdzie są
moje majtki? Szukam pod krzesłem. Nie ma. I wtedy sobie przypominam – wcisnął je do kieszeni dżinsów. Po
tym, jak – czerwienię się na samo wspomnienie – zachował się tak... barbarzyńsko. Marszczę brwi. Dlaczego nie
oddał mi majtek?

Zakradam się do łazienki, zdumiona brakiem bielizny. Wycierając się po radosnym, choć zdecydowanie za
krótkim prysznicu, zdaję sobie sprawę, że zrobił to celowo. Chce, żebym była zażenowana i poprosiła o zwrot
majtek, na co on się zgodzi albo nie. Moja wewnętrzna
bogini śmieje się do mnie. „Do diabła... każdy kij ma dwa
końce". Postanawiam nie prosić go o majtki i nie dać mu
tej satysfakcji, na spotkanie z jego rodzicami udam się bez
bielizny. „Anastasio Steele!". Moja podświadomość łaje
mnie, ale nie chcę jej słuchać – niemalże ściskam samą
siebie z radości, bo wiem, że to go doprowadzi do szaleństwa.

Po powrocie do sypialni wkładam stanik, wślizguję się w sukienkę i wsuwam buty. Rozplatam warkocz
i w pośpiechu szczotkuję włosy, a potem patrzę na napój,
który mi zostawił. Jest jasnoróżowy. Co to takiego? Żu-
rawina i woda gazowana. Hmm... pyszne i świetnie gasi
pragnienie.

Wpadając ponownie do łazienki, przeglądam się
w lustrze: błyszczące oczy, policzki lekko zaróżowione,
cień samozadowolenia na twarzy w związku z planem co
do majtek i ruszam na dół. Piętnaście minut. Nieźle, Ana.

Christian stoi przy panoramicznym oknie w szarych
flanelowych spodniach, które uwielbiam i które zwisają

mu na biodrach w ten niewiarygodnie seksowny sposób i, oczywiście, w białej lnianej koszuli. Czy on ma jakieś inne kolory? Frank Sinatra śpiewa łagodnie w tle.

Gdy wchodzę, Christian odwraca się i uśmiecha. Patrzy na mnie wyczekująco.

– Cześć – mówię czule, a mój uśmiech Sfinksa napotyka jego.

– Cześć – odpowiada. – Jak się czujesz?

– Dobrze, dziękuję. A ty?

– Czuję się całkiem dobrze, panno Steele.

Czeka, aż coś powiem.

– Frank. Nie pomyślałabym, że jesteś fanem Sinatry. Unosi brwi i przygląda mi się podejrzliwie.

– Eklektyczny gust, panno Steele – mruczy i podchodzi do mnie jak pantera, aż staje naprzeciw, patrząc na mnie tak intensywnie, że zapiera mi dech w piersiach.

Frank zaczyna nucić... Stara piosenka, jedna z Raya ulubionych, *Witchcraft*. Christian delikatnie wodzi opuszkami palców po moim policzku i czuję to w całym ciele, aż Tam.

– Zatańcz ze mną – mruczy chrapliwie.

Wyjmując pilota z kieszeni, robi głośniej i wyciąga do mnie dłoń, a jego szare oczy pełne są obietnicy, tęsknoty i rozbawienia. Jest całkowicie urzekający, a ja oczarowana. Podaję mu dłoń. Uśmiecha się do mnie leniwie, przyciąga w swe objęcia i obejmując mnie ręką w talii, zaczyna się kołysać.

Kładę wolną rękę na jego ramieniu i uśmiecham się do niego szeroko, porwana zaraźliwym, zabawnym nastrojem. I zaczyna się poruszać. Rany, jak on tańczy. Suniemy po podłodze od okna do kuchni i z powrotem, wirując i obracając się w rytm muzyki. I tak łatwo mi za nim podążać.

Płyniemy przez jadalnię, do fortepianu, w tę i z powrotem przed szklaną ścianą, Seattle migocze na zewnątrz jak magiczne malowidło w tle naszego tańca i nie mogę powstrzymać beztroskiego śmiechu. Gdy piosenka się kończy, on uśmiecha się do mnie szeroko.

– Nie ma milszej czarownicy niż ty – mruczy i całuje mnie słodko. – No, to przywróciło twoim policzkom nieco koloru, panno Steele. Dziękuję za taniec. Idziemy na spotkanie z moimi rodzicami?

– Nie ma za co i owszem, nie mogę się doczekać, kiedy się z nimi spotkam – odpowiadam bez tchu.

– Masz wszystko, co trzeba?

– Och tak – odpowiadam słodko.

– Jesteś pewna?

Kiwam głową tak nonszalancko, jak tylko się da pod jego wnikliwą, rozbawioną obserwacją. Potrząsa głową, a jego twarz rozjaśnia się w szerokim uśmiechu.

– W porządku. Skoro tak chcesz to rozegrać, panno Steele.

Chwyta mnie za rękę, bierze kurtkę, która wisi na jednym ze stołków barowych, i prowadzi przez hol do windy. Och, te wszystkie oblicza Christiana Greya. Czy kiedykolwiek zrozumiem tego zmiennego człowieka?

Zerkam na niego w windzie. Śmieje się z jakiegoś własnego żartu, a cień uśmiechu flirtuje z jego pięknymi ustami. Boję się, że śmieje się ze mnie. Co ja sobie myślałam? Idę na spotkanie z jego rodzicami i nie mam na sobie bielizny. Moja podświadomość posyła mi niezbyt pomocne spojrzenie w stylu „a nie mówiłam". W stosunkowo bezpiecznym otoczeniu jego mieszkania wydawało się to zabawnym, przekornym pomysłem. Teraz jestem prawie na zewnątrz bez majtek! Spogląda na mnie i w tym momencie napięcie między nami narasta. Rozbawienie znika z jego twarzy, a spojrzenie staje się pochmurne, oczy ciemne... o rany.

Drzwi windy otwierają się na parterze. Christian lekko potrząsa głową, jakby chciał odsunąć od siebie myśli i w bardzo dżentelmeński sposób pokazuje, abym wyszła pierwsza. Kogo on oszukuje? Nie jest dżentelmenem. Ma moje majtki.

Taylor podjeżdża dużym audi. Christian otwiera przede mną tylne drzwi, a ja wsiadam tak elegancko, jak potrafię, zważywszy na mój stan swawolnego negliżu. Cieszę się, że śliwkowa sukienka Kate jest tak przylegająca i sięga mi do kolan.

Pędzimy autostradą I-5, oboje milczący, bez wątpienia skrępowani obecnością Taylora. Nastrój Christiana jest prawie namacalny i wydaje się zmieniać, dobry humor powoli gaśnie, w miarę jak posuwamy się na północ. Rozmyśla wpatrzony w okno i czuję, że mi się wymyka. O czym myśli? Nie mam jak go zapytać. Co mogę powiedzieć przy Taylorze?

– Gdzie się nauczyłeś tańczyć? – pytam z wahaniem. Odwraca wzrok w moją stronę. Minę ma nieodgadnioną.

– Naprawdę chcesz wiedzieć? – pyta łagodnie.

Tracę zapał i już nie chcę wiedzieć, ponieważ się domyślam.

– Tak – odpowiadam niechętnie.

– Pani Robinson lubiła tańczyć.

Och, potwierdziły się moje najgorsze przypuszczenia. Była dobrą nauczycielką i ta myśl mnie smuci – ja niczego nie mogę go nauczyć. Nie posiadam żadnych szczególnych umiejętności.

– Musiała być dobrą nauczycielką.

– Była.

Czuję dreszcz na skórze głowy. Czy dostała to, co w nim najlepsze? Zanim stał się taki zamknięty? Czy może to ona sprawiła, że pokazał światu swoje wnętrze? Ma przecież taką zabawną, radosną stronę. Bezwiednie uśmiecham się, wspominając moment, gdy byłam w jego ramionach, gdy wirował ze mną po salonie, tak niespodziewanie, i że ma gdzieś moje majtki.

No i jeszcze ten Czerwony Pokój Bólu. Odruchowo pocieram nadgarstki – tak działają na dziewczynę cienkie paski plastiku. Nauczyła go również tego wszystkiego albo zepsuła go, zależy, jak na to spojrzeć. A może tak czy inaczej by tam trafił, z panią Robinson czy bez. W tym momencie uświadamiam sobie, że jej nienawidzę. Mam nadzieję, że nigdy jej nie spotkam, bo jeśli tak się stanie, to nie odpowiadam za swoje czyny. Nie pamiętam, żebym żywiła wobec kogoś tak silne uczucia, szczególnie wobec kogoś, kogo nigdy nie poznałam. Wpatrując się niewidzącym wzrokiem w okno, pielęgnuję swój irracjonalny gniew i zazdrość.

Wracam myślami do popołudnia. Biorąc pod uwagę, co wiem o jego preferencjach, myślę, że postąpił ze mną łagodnie. Czy zrobiłabym to jeszcze raz? Nawet nie próbuję zaprzeczać. Oczywiście, że tak, gdyby mnie poprosił, pod warunkiem, że mnie nie skrzywdzi i że to jest jedyny sposób, żeby z nim być.

Do tego wszystko się sprowadza. Chcę z nim być. Moja wewnętrzna bogini wzdycha z ulgą. Dochodzę do wniosku, że rzadko używa ona do myślenia mózgu, a raczej innej ważnej części swojej anatomii, w tym momencie znacznie odsłoniętej.

– Nie rób tego – mamrocze pod nosem.

Marszczę czoło i zwracam się w jego stronę.

– Nie rób czego? – Nie dotknęłam go.

– Nie myśl za dużo, Anastasio. – Wyciąga rękę i chwyta moją dłoń, unosi do ust i delikatnie całuje. – To było wspaniałe popołudnie. Dziękuję.

I z powrotem jest ze mną. Mrugam powiekami i uśmiecham się do niego nieśmiało. Jest tak dezorientujący. Zadaję pytanie, które mnie dręczy.

– Dlaczego użyłeś spinki do kabli?

Posyła mi szeroki uśmiech.

– Jest szybka i łatwa w użyciu, a ty możesz poczuć i doświadczyć czegoś innego. Wiem, że są one dość brutalne i lubię to w narzędziach do krępowania. – Uśmiecha się do mnie łagodnie. – I skutecznie unieruchamiają cię w jednym miejscu.

Czerwienię się i zerkam nerwowo na Taylora, który zdaje się być nieporuszony, ze wzrokiem utkwionym w drodze. Cóż mam odpowiedzieć? Christian niewinnie wzrusza ramionami.

– To wszystko stanowi część mojego świata, Anastasio. – Ściska moją dłoń i puszcza ją, znów patrząc przez okno.

Rzeczywiście to jego świat i chcę do niego należeć, ale na jego warunkach? Po prostu nie wiem. Nie wspomniał o tej przeklętej umowie. Moja wewnętrzna bogini nie robi nic, żeby mnie pocieszyć. Patrzę przez szybę i widzę, że krajobraz się zmienił. Przejeżdżamy przez jeden z mostów, otoczeni mrokiem ciemnym jak atrament. Ponura noc odzwierciedla mój wewnętrzny nastrój, przytłaczając mnie i dławiąc.

Zerkam na Christiana, a on mi się przygląda.

– Dam grosz za twoje myśli – mówi.

Wzdycham i marszczę czoło.

– Aż tak źle, co?

– Chciałabym znać twoje myśli.

Uśmiecha się znacząco.

– A ja twoje, maleńka – mówi łagodnie, podczas gdy Taylor sunie przez mrok w kierunku Bellevue.

Tuż przed ósmą audi wjeżdża na podjazd dworku w stylu kolonialnym. Zapiera dech w piersiach, włącznie z różami wokół drzwi. Idealny, jak z obrazka.

– Jesteś gotowa? – pyta Christian, gdy Taylor zatrzymuje się przed imponującymi drzwiami frontowymi.

Przytakuję, a on ponownie ściska uspokajająco moją dłoń.

– To dla mnie też pierwszy raz – szepcze, a potem uśmiecha się szelmowsko. – Założę się, że wolałabyś mieć teraz na sobie swoją bieliznę – drażni się.

Czerwienię się. Zapomniałam o nieobecnych majtkach. Na szczęście Taylor wysiadł z samochodu i otwiera moje drzwi, więc nie słyszy naszej wymiany zdań. Patrzę gniewnie na Christiana, który uśmiecha się szeroko, gdy odwracam się i wysiadam z samochodu.

Dr Grace Trevelyan-Grey stoi na progu, czekając na nas. Wygląda elegancko i wytwornie w jasnoniebieskiej jedwabnej sukience. Za nią stoi, jak mniemam, pan Grey, wysoki blondyn, na swój sposób przystojny jak Christian.

– Anastasio, poznałaś już moją matkę, Grace. A to mój ojciec, Carrick.

– Panie Grey, miło mi pana poznać – uśmiecham się i potrząsam wyciągniętą dłonią.

– Cała przyjemność po mojej stronie, Anastasio.

– Proszę mówić mi Ana.

Jego niebieskie oczy są delikatne i łagodne.

– Ana, jak miło znów cię widzieć. – Grace otula mnie ramionami w ciepłym uścisku. – Wejdź, moja droga.

– Czy ona tu jest? – Słyszę krzyk z głębi domu. Nerwowo zerkam na Christiana.

– To moja młodsza siostra, Mia – mówi prawie z irytacją.

W jego słowach słychać sympatię, a ton głosu staje się łagodniejszy, gdy wypowiada jej imię. Najwyraźniej Christian ją uwielbia. A to nowina. I wpada na dół, ciemnowłosa, wysoka, o zaokrąglonych kształtach. Jest w moim wieku.

– Anastasia! Tyle o tobie słyszałam. – Ściska mnie mocno.

O rany. Nie mogę się nie uśmiechnąć w odpowiedzi na jej autentyczny entuzjazm.

– Ana, proszę – mamroczę, gdy ciągnie mnie do wielkiego holu. Wszędzie widać ciemne drewno i antyczne chodniki oraz szerokie schody prowadzące na piętro.

– Nigdy dotąd nie przyprowadził tu żadnej dziewczyny – mówi Mia z podnieceniem w ciemnych źrenicach.

Zerkam na Christiana, który przewraca oczami. Unoszę brwi, a on mruży oczy.

– Mia, uspokój się – Grace upomina ją delikatnie. – Witaj, kochanie – mówi, całując Christiana w oba policzki. On ciepło się do niej uśmiecha, a potem podaje rękę ojcu.

Wszyscy odwracamy się i ruszamy do jadalni. Mia nie puszcza mojej ręki. Pokój jest przestronny i umeblowany ze smakiem w odcieniach kremu, brązu i bladego błękitu, wygodnie, prosto i bardzo stylowo. Kate i Elliot siedzą przytuleni na kanapie, trzymając kieliszki z szampanem. Kate zrywa się, aby mnie uścisnąć, i Mia wreszcie puszcza moją dłoń.

– Cześć, Ana. – Promienieje. – Christian – wita go szorstko skinieniem głowy.

– Kate. – On jest równie chłodny w stosunku do niej.

Marszczę czoło na widok tego powitania. Elliot chwyta mnie w ramiona w szczerym uścisku. Co to jest, tydzień uścisków dla Any? Ten oszałamiający pokaz sympatii – po prostu nie jestem do tego przyzwyczajona. Christian staje obok, obejmując mnie ramieniem. Kładzie dłoń na moim biodrze, rozsuwa palce i przyciąga mnie do siebie. Wszyscy na nas patrzą. To denerwujące.

– Coś do picia? – Pan Grey pierwszy dochodzi do siebie. – Prosecco?

– Poproszę – Christian i ja mówimy jednocześnie.

O rany... to jest bardziej niż dziwne. Mia klaszcze w dłonie.

– Nawet mówicie te same rzeczy. Przyniosę wino. – Wymyka się z pokoju.

Oblewam się rumieńcem i widząc Kate siedzącą z Elliotem, nagle zdaje sobie sprawę, że Christian zaprosił mnie tylko dlatego, że jest tu moja przyjaciółka. Elliot prawdopodobnie swobodnie i radośnie zaprosił ją do domu rodziców. Christian nie miał wyjścia, wiedząc, że dowiem się o tym od Kate. Chmurzę się na tę myśl. Musiał mnie zaprosić. Ta myśl jest ponura i przygnębiająca. Moja podświadomość mądrze kiwa głową z wyrazem twarzy mówiącym „Wreszcie do tego doszłaś, głuptasie".

– Kolacja już prawie gotowa – melduje Grace, wychodząc za Mią z pokoju.

Christian patrzy na mnie i marszczy brwi.

– Siadaj – rozkazuje, wskazując pluszową kanapę i robię, co mi każe, ostrożnie krzyżując nogi. Siada obok, ale nie dotyka mnie.

– Właśnie rozmawialiśmy o wakacjach, Ano – mówi uprzejmie pan Grey. – Elliot zdecydował się pojechać z Kate i jej rodziną na tydzień na Barbados.

Zerkam na Kate, a ona uśmiecha się promiennie z błyskiem w szeroko otwartych oczach. Jest wniebowzięta. Katherine Kavanagh, okaż trochę godności!

– Czy po skończeniu studiów zrobisz sobie przerwę? – pyta pan Grey.

– Chciałabym pojechać do Georgii na kilka dni – odpowiadam.

Christian wpatruje się we mnie, mrugając kilka razy, z nieodgadnionym wyrazem twarzy.

– Georgia? – rzuca pod nosem.

– Moja mama tam mieszka, a dość dawno już jej nie widziałam.

– Kiedy planujesz wyjazd? – Jego głos jest niski.

– Jutro, późnym wieczorem.

Mia wraca niespiesznie do salonu i podaje nam kieliszki wypełnione różowym prosecco.

– Wasze zdrowie! – Pan Grey unosi kieliszek. Odpowiedni toast z ust męża lekarki.

– Na jak długo? – pyta Christian, a jego głos jest pozornie łagodny.

O cholera… jest zły.

– Nie wiem jeszcze. To zależy od tego, jak mi pójdzie jutro na rozmowach o pracę.

Zaciska usta, a Kate robi ciekawską minę. Uśmiecha się nieco zbyt słodko.

– Ana zasługuje na przerwę – mówi znacząco do Christiana. Dlaczego jest do niego tak wrogo nastawiona? O co jej chodzi?

– Masz rozmowy w sprawie pracy? – pyta pan Grey.

– Tak, jutro w dwóch wydawnictwach, w sprawie stażu.

– Wobec tego powodzenia.

– Kolacja na stole – oznajmia Grace.

Wszyscy wstajemy. Kate i Elliot wychodzą z pokoju za panem Greyem i Mią. Chcę iść za nimi, ale Christian chwyta mnie za łokieć, zatrzymując gwałtownie.

– Kiedy miałaś zamiar mi powiedzieć, że wyjeżdżasz? – pyta natarczywie. Jego głos jest łagodny, ale skrywa się w nim gniew.

– Nie wyjeżdżam, tylko odwiedzam matkę, i dopiero o tym pomyślałam.

– A co z naszą umową?

– Nie mamy jeszcze umowy.

Mruży oczy i widać, że sobie coś przypomina. Puszczając moją rękę, bierze mnie pod łokieć i wyprowadza z pokoju.

– Ta rozmowa nie jest jeszcze skończona – szepcze ostrzegawczo, gdy wchodzimy do jadalni.

O cholercia. Nie denerwuj się, jakbyś miał osę w majtkach... i oddaj mi moje. Patrzę na niego uważnie. Jadalnia przypomina mi o naszym obiedzie w Heathmanie. Nad ciemnym drewnianym stołem wisi kryształowy żyrandol, na ścianie ogromne lustro w bogato rzeźbionej ramie. Stół nakryto świeżo wyprasowanym, białym lnianym obrusem, na środku stoi wazon bladoróżowych peonii. Wszystko wygląda oszałamiająco.

Zajmujemy miejsca. Pan Grey siedzi u szczytu stołu, ja po jego prawej stronie, a Christian obok mnie. Pan Grey sięga po otwartą butelkę czerwonego wina i proponuje je Kate. Mia sadowi się koło Christiana i chwytając go za rękę, mocno ją ściska. On uśmiecha się do niej ciepło.

– Gdzie poznałeś Anę? – pyta go.

– Przeprowadzała ze mną wywiad dla magazynu studenckiego WSU.

– Którego Kate jest redaktorem naczelnym – dodaję, chcąc pokierować rozmowę z dala ode mnie.

Mia uśmiecha się promiennie do Kate, która siedzi po przeciwnej stronie obok Elliota i zaczynają rozmawiać o gazecie studenckiej.

– Wina, Ano? – pyta pan Grey.

– Poproszę. – Uśmiecham się do niego. Pan Grey wstaje, aby napełnić pozostałe kieliszki.

Zerkam na Christiana, a on spogląda na mnie, przekrzywiając głowę.

– Co? – pyta.

– Proszę, nie złość się na mnie – szepczę.

– Nie jestem na ciebie zły.

Wpatruję się w niego. Wzdycha.

– Tak, jestem na ciebie zły. – Na moment zamyka oczy.

– Tak, że ręka cię świerzbi? – pytam nerwowo.

– O czym tak szepczecie? – wtrąca się Kate.

Czerwienię się, a Christian patrzy na nią wzrokiem mówiącym „nie wtrącaj się, Kavanagh" – nawet Kate kuli się pod tym spojrzeniem.

– Tylko o moim wyjeździe do Georgii – mówię słodko, mając nadzieję, że zniweluję ich wzajemną wrogość.

Kate uśmiecha się z szelmowskim błyskiem w oku.

– Jaki ci minął piątkowy wieczór z José?

Jasna cholera, Kate. Patrzę na nią otwartymi ze zdziwienia oczami. Co ona robi? Ona w odpowiedzi również otwiera szeroko oczy i zdaję sobie sprawę, że chce sprawić, by Christian był zazdrosny. Jakże niewiele wie. A już myślałam, że mi się upiecze.

– W porządku – mamroczę.

Christian nachyla się do mnie.

– Zły, aż mnie ręka świerzbi – szepcze. – Szczególnie teraz. – Ton jego głosu jest cichy i grobowy.

Och, nie. Kulę się.

Grace zjawia się ponownie, niosąc dwa talerze, a za nią ładna młoda dziewczyna z blond kucykami, ubrana elegancko w jasny błękit, niesie tacę z naczyniami. Jej oczy natychmiast odnajdują Christiana. Czerwieni się i spogląda na niego spod długich wytuszowanych rzęs.

Gdzieś w domu dzwoni telefon.

– Przepraszam. – Pan Grey znowu wstaje i wychodzi.

– Dziękuję, Gretchen – mówi łagodnie Grace, marszcząc czoło, gdy pan Grey wychodzi. – Zostaw tacę na szafce.

Gretchen kiwa głową i jeszcze raz dyskretnie zerkając na Christiana, wychodzi.

A więc państwo Greyowie mają służbę, która taksuje spojrzeniem mojego przyszłego Pana. Czy ten wieczór może potoczyć się jeszcze gorzej? Z nachmurzoną miną wpatruję się w swe dłonie na kolanach.

Wraca pan Grey.

– Telefon do ciebie, kochanie. To ze szpitala – mówi do Grace.

– Proszę, zaczynajcie. – Grace uśmiecha się, podając mi talerz, i wychodzi.

Pachnie wspaniale – chorizo i muszle świętego Jakuba zapiekane z czerwoną papryką i szczypiorkiem, posypane natką pietruszki. I chociaż żołądek podchodzi mi do gardła z powodu zawoalowanych gróźb Christiana, ukradkowych spojrzeń pięknej Panienki z Kucykami i braku bielizny, umieram z głodu. Czerwienię się, zdając sobie sprawę, że to przez dzisiejszy wysiłek fizyczny nabrałam takiego apetytu.

Chwilę później wraca Grace, a jej twarz jest pochmurna. Pan Grey przechyla głowę na jedną stronę... jak Christian.

– Wszystko w porządku?

– Kolejny przypadek odry – wzdycha Grace.

– Och, nie.

– Tak, dziecko. Czwarty przypadek w tym miesiącu. Gdyby tylko ludzie szczepili swoje dzieci. – Ze smutkiem potrząsa głową i uśmiecha się. – Tak się cieszę, że nasze dzieci nigdy nie musiały przez to przechodzić. Dzięki Bogu, nigdy nie złapały nic poważniejszego niż ospa wietrzna. Biedny Elliot – mówi, siadając i uśmiechając się pobłażliwie do syna. Elliot marszczy brwi w połowie kęsa i poprawia się nerwowo na krześle. – Christian i Mia mieli szczęście. Przeszli ją tak łagodnie, jedna krostka na ich dwoje.

Mia chichocze, a Christian przewraca oczami.

– Tato, oglądałeś mecz Marinersów? – Elliot wyraźnie chce zmienić temat.

Przystawki są pyszne i koncentruję się na jedzeniu, gdy tymczasem Elliot, pan Grey i Christian rozmawiają o baseballu. W kontaktach z rodziną Christian wydaje się rozluźniony i spokojny. Mój umysł pracuje jak szalony. Cholerna Kate, w co ona gra? Czy on mnie ukarze? Truchleję na samą myśl o tym. Jeszcze nie podpisałam umowy. Może wcale tego nie zrobię. Może zostanę w Georgii, gdzie mnie nie dopadnie.

– Zadomowiłaś się już w nowym mieszkaniu, moja droga? – pyta uprzejmie Grace.

Jestem jej wdzięczna za to pytanie wyrywające mnie z zakłócających spokój myśli i opowiadam jej o przeprowadzce.

Gdy kończymy przystawki, pojawia się Gretchen i nie po raz pierwszy chciałabym móc swobodnie dotknąć Christiana, żeby pokazać jej, że może być popieprzony na pięćdziesiąt sposobów, ale jest mój. Zabiera się do sprzątania ze stołu, przechodząc moim zdaniem nieco za blisko Christiana. Na szczęście on zdaje się jej nie zauważać, ale moja wewnętrzna bogini szaleje z zazdrości.

Kate i Mia rozpływają się nad Paryżem.

– Ano, byłaś w Paryżu? – Mia pyta niewinnie, wytrącając mnie z zadumy.

– Nie, ale bardzo chciałabym pojechać. – Wiem, że jestem jedyną osobą przy tym stole, która nigdy nie była za granicą.

– My spędziliśmy w Paryżu nasz miesiąc miodowy. – Grace uśmiecha się do pana Greya, a on odwzajemnia jej uśmiech.

Czuję się prawie zażenowana, widząc to. Najwyraźniej bardzo się kochają i przez chwilę zastanawiam się, jak to jest dorastać, mając przy sobie oboje rodziców.

– To piękne miasto – zgadza się Mia. – Pomimo paryżan. Christian, powinieneś zabrać Anę do Paryża – stwierdza stanowczo.

– Myślę, że Ana wolałaby Londyn – mówi łagodnie Christian.

Och... pamięta. Kładzie dłoń na moim kolanie, a jego palce wędrują w górę uda. W odpowiedzi moje całe ciało się spina. Och... nie tutaj, nie teraz. Czerwienię się i przesuwam, starając się odsunąć od niego. Jego dłoń chwyta moje udo, unieruchamiając mnie. W desperacji sięgam po wino.

Znów pojawia się Panienka Europejka z Kucykami. Rzucając zawstydzone spojrzenia i falując biodrami, wnosi danie główne, bodajże wołowinę à la Wellington. Na szczęście podaje nam talerze i wychodzi, chociaż ociąga się, podając porcję Christianowi. On posyła mi lekko zdziwione spojrzenie, gdy przyglądam się uważnie, jak Gretchen wychodzi z pokoju.

– Więc co było nie tak z paryżanami? – pyta Elliot siostrę. – Nie spodobały im się twoje czarujące zwyczaje?

– Wrr, nie, nie przekonali się. A Monsieur Floubert, ten potwór, dla którego pracowałam, był takim despotycznym tyranem.

Krztuszę się winem.

– Anastasio, wszystko w porządku? – Christian pyta z troską, zdejmując dłoń z mojego uda.

W jego głosie znów pobrzmiewa rozbawienie. Och, dzięki Bogu. Gdy przytakuję, lekko klepie mnie w plecy i zabiera rękę dopiero wtedy, gdy jest pewny, że czuję się lepiej.

Wołowina jest pyszna, podana z pieczonymi ziemniakami, marchewką, pasternakiem i zieloną fasolką. Wszystko jest tym smaczniejsze, że Christian pozostaje w dobrym humorze do końca posiłku. Podejrzewam, że to dlatego, iż jem z takim apetytem. Greyowie swobodnie prowadzą rozmowę: jest w niej ciepło, troska i delikatne przekomarzanie. Przy deserze z cytrynowej śmietanki ubitej z winem i żółtkami Mia raczy nas opowieścią o swoich podbojach, nieświadomie przechodząc na płynny francuski. Wszyscy wpatrujemy się w nią, a ona zdziwiona w nas, aż Christian wyjaśnia jej równie płynnie po francusku, co zrobiła, a Mia dostaje ataku śmiechu. Ma bardzo zaraźliwy śmiech i już za chwilę wszyscy zrywamy boki.

Elliot peroruje na temat swojego najnowszego projektu budowlanego, ekologicznego osiedla na północ od Seattle. Zerkam na Kate, która spija każde słowo z ust Elliota, a jej oczy płoną pożądaniem lub miłością. Jeszcze nie rozpracowałam, czym dokładnie. On uśmiecha się do niej i wygląda to tak, jakby składali sobie niewypowiedzianą obietnicę. Mówi „Na razie, kochanie" i to jest seksowne, cholernie seksowne. Czerwienię się, patrząc na nich.

Wzdycham i zerkam na swojego Szarego. Jest tak piękny, że mogłabym patrzeć na niego cały czas. Ma na brodzie lekki zarost i aż świerzbią mnie palce, żeby go podrapać i poczuć na swojej twarzy, piersiach... między udami. Tor moich myśli przyprawia mnie o rumieńce. On spogląda na mnie i unosi dłoń, by pociągnąć mnie za brodę.

– Nie przygryzaj wargi – mruczy gardłowo. – Ja chcę to zrobić.

Grace i Mia zbierają miseczki deserowe i udają się do kuchni, podczas gdy pan Grey, Kate i Elliot dyskutują o korzyściach z instalacji paneli słonecznych w stanie Waszyngton. Christian, udając zainteresowanie ich rozmową, znów kładzie dłoń na moim kolanie, a jego palce podążają w górę uda. Wstrzymuję oddech i ściskam uda, by zatrzymać tę wędrówkę. Widzę, że uśmiecha się z wyższością.

– Chcesz, żebym pokazał ci posiadłość? – pyta wprost.

Wiem, że powinnam powiedzieć: tak, ale nie ufam mu. On jednak już się zrywa i wyciąga do mnie rękę. Podaję mu dłoń i czuję, jak wszystkie mięśnie kurczą się głęboko w moim podbrzuszu, w odpowiedzi na jego ciemne, głodne, szare spojrzenie.

– Przepraszam – mówię do pana Greya i wychodzę z Christianem z jadalni.

Prowadzi mnie przez hol do kuchni, gdzie Mia i Grace wkładają naczynia do zmywarki. Europejskich Kucyków nigdzie nie widać.

– Idę pokazać Anastasii ogród – Christian mówi niewinnie do matki. Ona uśmiecha się, machając nam na pożegnanie, a Mia wraca do jadalni.

Wychodzimy na patio z szarych kamiennych płyt, oświetlone niewidocznymi lampkami. W szarych kamiennych donicach rosną krzewy, a w rogu stoi elegancki metalowy stół z krzesłami. Christian przechodzi koło nich, pokonuje kilka stopni i wychodzi na duży trawnik, prowadzący w dół nad zatokę... o rany – jak pięknie. Na horyzoncie migocze Seattle, a chłodny, jasny majowy księżyc maluje na wodzie błyszczącą srebrną smugę aż do pomostu, gdzie przycumowano dwie łódki. Koło pomostu stoi hangar dla łodzi. Jest tak malowniczo i spokojnie. Zatrzymuję się na chwilę i podziwiam.

Christian pociąga mnie za sobą, a moje obcasy grzęzną w miękkiej trawie.

– Zatrzymaj się, proszę. – Kuśtykam za nim.

Zatrzymuje się i patrzy na mnie nieprzeniknionym spojrzeniem.

– Moje obcasy. Muszę zdjąć buty.

– Nie rób sobie kłopotu. – Schyla się i przerzuca mnie przez ramię. Piszczę głośno zaskoczona, a on daje mi piekącego klapsa w pupę.

– Ciszej – warczy.

Och, nie... nie jest dobrze. Moja podświadomość ma nogi jak z waty. Jest o coś zły – może o José, Georgię, brak majtek, gryzienie wargi. Rany, łatwo go wkurzyć.

Wisząc do góry nogami, trzymam się jego bioder, a on z determinacją kroczy przez trawnik.

– Dlaczego? – pytam bez tchu, podskakując na jego ramieniu.

– Muszę pobyć z tobą sam na sam.

– Po co?

– Ponieważ mam zamiar spuścić ci lanie, a potem cię przelecieć.

– Dlaczego? – skomlę.

– Wiesz dlaczego – syczy.

– Myślałam, że jesteś opanowanym facetem – błagam bez tchu.

– Wierz mi, Anastasio, jestem bardzo opanowany.

O kuźwa.

ROZDZIAŁ DWUDZIESTY

Christian wpada do hangaru. Tuż za progiem zatrzymuje się na chwilę, aby zapalić światło. Po chwili duże drewniane pomieszczenie zalewa białe światło jarzeniówek. Ze swojej pozycji do góry nogami dostrzegam imponującą łódź motorową, kołyszącą się łagodnie na ciemnej wodzie, ale nie mam okazji przyjrzeć się jej uważniej, gdyż Christian wnosi mnie po drewnianych schodach na górę.

Zatrzymuje się w progu i włącza kolejne przyciski – tym razem halogeny, które emitują delikatniejsze, nie tak jaskrawe światło – a chwilę później znajdujemy się w pokoju na poddaszu. Urządzono go w żeglarskim stylu Nowej Anglii: granat, krem i przebłyski czerwieni. Mebli jest mało, właściwie to widzę jedynie dwie kanapy.

Christian stawia mnie na drewnianej podłodze. Nie mam czasu, aby się rozejrzeć – wzrok mam utkwiony w nim. Jestem jak urzeczona… Patrzę na niego tak, jakby był rzadkim i niebezpiecznym drapieżnikiem szykującym się do ataku. Oddycha głośno, no ale przecież przeniósł mnie przez cały trawnik i po schodach aż tutaj. Szare oczy płoną gniewem i czystym, nieokiełznanym pożądaniem.

Jasny gwint. Eksploduję od samego spojrzenia.

– Proszę, nie bij mnie – szepczę błagalnie.

Marszczy brwi, a po chwili otwiera szeroko oczy. Mruga dwa razy.

– Nie chcę, żebyś dawał mi klapsy, nie tutaj, nie teraz. Proszę.

Otwiera usta ze zdziwienia, a ja zbieram się na odwagę, unoszę rękę i niepewnie przesuwam palcami po jego policzku aż do delikatnego zarostu na brodzie. Intrygujące połączenie – lekko kłujący i zarazem gładki. Christian zamyka powoli oczy i nachyla twarz ku mojej dłoni. Oddech więźnie mu w gardle. Unoszę drugą rękę i wsuwam palce w jego włosy. Uwielbiam je. Wydaje ledwie słyszalny jęk, a kiedy otwiera oczy, patrzy na mnie nieufnie, jakby nie rozumiał, co robię.

Przysuwam się jeszcze o krok i pociągając go delikatnie za włosy, przysuwam jego usta do swoich i go całuję. Wciskam język między jego wargi. Jęczy i bierze mnie w objęcia, mocno do siebie przyciskając. Jego dłonie odnajdują drogę do moich włosów. Nasze języki tańczą razem, naciskając i wirując. Christian smakuje bosko!

Nagle się odsuwa. Obojgu nam rwie się oddech. Opuszczam ręce na jego ramiona.

– Co ty mi robisz? – pyta cicho, wyraźnie skonsternowany.

– Całuję cię.

– Odmówiłaś.

– Słucham? – Odmówiłam czego?

– Przy stole, nogami.

Och... a więc o to w tym wszystkim chodzi.

– Ale siedzieliśmy przy stole twoich rodziców. – Wpatruję się w niego oszołomiona.

– Jeszcze nikt mi nigdy nie odmówił. I jest to strasznie podniecające.

W jego oczach widać zdumienie i pożądanie. Mieszanka uderzająca do głowy. Bezwiednie przełykam ślinę. Jego dłoń zsuwa się na moje pośladki. Przyciąga mnie mocno do siebie, do swojego wzwodu.

O rety...

– Jesteś zły i podniecony, bo powiedziałam „nie"? – pytam bez tchu.

– Jestem zły, ponieważ ani słowem nie wspomniałaś mi o Georgii. Jestem zły, ponieważ poszłaś na drinka z facetem, który próbował cię uwieść, kiedy byłaś pijana, i który potem zostawił cię z kimś niemal zupełnie obcym. Co za przyjaciel tak się zachowuje? I jestem zły i podniecony, ponieważ zacisnęłaś przede mną uda. – Oczy mu błyszczą niebezpiecznie i powoli podnosi skraj mojej sukienki. – Pragnę cię, pragnę cię teraz. A skoro nie pozwalasz mi dać ci klapsa, na co sobie zasłużyłaś, zamierzam przelecieć cię na tej kanapie, teraz, szybko, dla mojej przyjemności, nie twojej.

W tej chwili sukienka ledwie zakrywa moją nagą pupę. Christian nagle przesuwa dłoń, tak że obejmuje moje łono, a jeden z palców powoli wsuwa do środka. Drugim ramieniem obejmuje mnie w talii i trzyma unieruchomioną. Zduszam jęk.

– To jest moje – szepcze gorączkowo. – Tylko moje. Rozumiesz? – Wsuwa palec i wysuwa, wpatrując się we mnie płonącymi oczami, badając moją reakcję.

– Tak, twoje. – Dyszę, gdyż moje pożądanie, gorące i nabrzmiałe, przedostaje się do krwi, dotykając... wszystkiego. Zakończeń nerwowych, oddechu. Serce mi wali jak młotem, próbując wydostać się z klatki piersiowej, w uszach słyszę dudnienie krwi.

A Christian wykonuje nagle kilka czynności naraz: cofa dłoń, rozpina rozporek i popycha mnie na kanapę, a chwilę później kładzie się na mnie.

– Ręce na głowie – nakazuje przez zaciśnięte zęby i klęka, zmuszając moje uda, aby rozchyliły się jeszcze szerzej, a potem sięga do kieszeni marynarki. Wyjmuje foliową paczuszkę, nie spuszczając ze mnie wzroku, i zsuwa z siebie marynarkę, która spada na podłogę. Nakłada prezerwatywę na imponujących rozmiarów męskość. Kładę ręce na głowie i wiem, że to po to, abym go nie dotykała. Jestem taka podniecona. Czuję, jak moje biodra ochoczo wysuwają się ku niemu. Tak bardzo pragnę poczuć go w sobie, tu i teraz. Och… to wyczekiwanie.

– Nie mamy dużo czasu. To będzie szybki numerek, dla mnie, nie dla ciebie. Zrozumiano? Nie szczytuj, inaczej dam ci klapsa – rzuca ostro.

W mordę jeża… a niby jak mam to zrobić?

Wystarcza jedno płynne pchnięcie i już jest cały we mnie. Jęczę głośno, gardłowo i rozkoszuję się uczuciem wypełnienia. Kładzie ręce na moich dłoniach, łokciami przytrzymuje mi ramiona, nogami przygważdża mnie do kanapy. Jest wszędzie, przytłaczając mnie, niemal dusząc. Ale to także nieziemskie, hedonistyczne uczucie; moja władza nad nim, to, co mu robię. Porusza się we mnie szybko i wściekle. W uchu czuję jego urywany oddech. Moje ciało reaguje, rozpływając się wokół niego. Nie wolno mi szczytować. Nie. Ale wysuwam biodra ku jego pchnięciom, idealnie synchronizując ten erotyczny rytm. Nagle, zdecydowanie za szybko, nieruchomieje i przeżywa orgazm, wypuszczając powietrze przez zaciśnięte zęby. Jego ciało od razu się rozluźnia, tak że czuję na sobie jego cały słodki ciężar. Nie jestem gotowa, aby pozwolić mu wyjść, moje ciało błaga o uwolnienie od nieznośnego napięcia. Ale on się wycofuje, pozostawiając mnie obolałą i wygłodniałą. Piorunuje mnie wzrokiem.

– Nie dotykaj się. Chcę, żebyś czuła frustrację. To właśnie mi zrobiłaś, kiedy ze mną nie rozmawiałaś, kiedy odmawiałaś tego, co moje. – W jego oczach znowu płonie gniew.

Kiwam głową, dysząc. Wstaje i zdejmuje prezerwatywę, zawiązuje ją na końcu, po czym wkłada do kieszeni spodni. Patrzę na niego i bezwiednie zaciskam uda, próbując doznać choć odrobiny ulgi. Christian zapina rozporek i przeczesuje palcami włosy, a potem podnosi z podłogi marynarkę. Odwraca się w moją stronę. Spojrzenie ma już łagodniejsze.

– Lepiej wracajmy już do domu.

Siadam oszołomiona. Lekko kręci mi się w głowie.

– Proszę. Możesz je założyć.

Z wewnętrznej kieszeni marynarki wyjmuje moje majtki. Nie uśmiecham się, biorąc je od niego, ale wiem, że choć mnie za karę przeleciał, tak naprawdę zaliczyłam małe zwycięstwo. Moja wewnętrzna bogini kiwa głową, przyznając mi rację, a na jej twarzy widnieje uśmiech pełen satysfakcji: „Nie musiałaś o nie prosić".

– Christian! – krzyczy z dołu Mia.

Unosi brwi.

– W samą porę. Chryste, potrafi być naprawdę irytująca.

Pospiesznie zakładam majtki i wstaję z godnością – na tyle, na ile jestem w stanie ją zmobilizować po niedawnym bzykanku. Szybko próbuję przygładzić potargane włosy.

– Na górze, Mia! – woła Christian. – Cóż, panno Steele, czuję się już lepiej, ale i tak mam ochotę przełożyć cię przez kolano – mówi cicho.

– Nie sądzę, abym sobie na to zasłużyła, panie Grey, zwłaszcza, że pozwoliłam na pański nieuzasadniony atak.

– Nieuzasadniony? Pocałowałaś mnie. – Bardzo się stara, aby w jego głosie słychać było urazę.

Sznuruję usta.

– To był atak jako najlepsza forma obrony.

– Obrony przed czym?

– Tobą i twoją ręką, która świerzbi.

Przechyla głowę i uśmiecha się do mnie. Po schodach wchodzi głośno Mia.

– Ale dało się to jakoś znieść? – pyta cicho.

Oblewam się rumieńcem.

– Ledwo, ledwo – odpowiadam szeptem, ale uśmiecham się.

– Och, tu jesteście. – Rozpromienia się na nasz widok.

– Oprowadzałem Anastasię po hangarze. – Christian wyciąga do mnie rękę.

Ujmuję ją, a on lekko ściska moją dłoń.

– Kate i Elliot zaraz wychodzą. Możecie uwierzyć? Nie mogą się od siebie odkleić. – Mia udaje odrazę i przenosi spojrzenie z Christiana na mnie. – Co tu robiliście?

Jezu, ależ jest bezpośrednia. Moje policzki robią się szkarłatne.

– Pokazywałem Anastasii moje nagrody wioślarskie – odpowiada Christian bez zająknięcia. – Chodźmy się pożegnać z Kate i Elliotem.

Nagrody wioślarskie? Przyciąga mnie delikatnie przed siebie, a kiedy Mia odwraca się, aby zejść na dół, klepie mnie w tyłek. Zaskoczona wciągam gwałtownie powietrze.

– Zrobię to ponownie, Anastasio, niedługo – szepcze mi do ucha groźbę, następnie przytula mocno i całuje moje włosy.

Kate i Elliot żegnają się właśnie z państwem Grey. Kate ściska mnie mocno.

– Muszę z tobą porozmawiać o tej wrogości wobec Christiana – syczę jej cicho do ucha.

– To niezbędne; wtedy widać, jaki jest naprawdę. Uważaj, Ana, strasznie lubi wszystko kontrolować – szepcze. – No to na razie.

„Wiem, jaki on jest naprawdę, to ty nie wiesz!" – krzyczę na nią w myślach. Rozumiem, że powodem jej zachowania jest troska o mnie, ale czasami zdarza jej się przekroczyć granice. Teraz na przykład znajduje się już w sąsiednim kraju. Gromię ją wzrokiem, a ona pokazuje mi język. Mimowolnie się uśmiecham. Żartobliwa Kate to nowość; to musi być wpływ Elliota. Machamy im na pożegnanie, a potem Christian odwraca się w moją stronę.

– My też powinniśmy jechać, jutro czekają cię rozmowy w sprawie pracy.

Mia ściska mnie mocno, gdy się żegnamy.

– Nie sądziliśmy, że w końcu kogoś znajdzie! – wyrzuca z siebie.

Rumienię się, a Christian ponownie przewraca oczami. Zaciskam usta. Dlaczego jemu wolno, a mnie nie? Chcę przewrócić do niego oczami, ale nie śmiem, nie po tej groźbie w hangarze.

– Dbaj o siebie, moja droga – mówi ciepło Grace.

Christian, zażenowany, a może sfrustrowany atencją, jaką mi okazują Greyowie, bierze mnie za rękę i przyciąga do siebie.

– Bo jeszcze ją wystraszycie albo zepsujecie zbyt dużą ilością uwagi – burczy.

– Christian, przestań się przekomarzać – beszta go Grace. W jej oczach błyszczy jednak matczyna miłość.

A mnie się wydaje, że on się wcale nie przekomarza. Ukradkiem obserwuję ich wzajemne relacje. To oczywiste, że Grece obdarza go bezwarunkowym matczynym uczuciem. On się nachyla i całuje ją sztywno.

– Mamo – mówi i w jego głosie pobrzmiewa szacunek.

– Panie Grey, do zobaczenia i dziękuję. – Wyciągam do niego rękę, a on także obdarza mnie uściskiem!

– Proszę, mów mi Carrick. Liczę, że niedługo znowu się spotkamy, Ano.

Pożegnawszy się, Christian prowadzi mnie do samochodu, w którym siedzi Taylor. Czekał tu przez cały czas? Otwiera przede mną drzwi i siadam na tylnej kanapie audi.

Czuję, jak opada ze mnie część napięcia. Jezu, co za dzień. Jestem wykończona, fizycznie i emocjonalnie. Po krótkiej rozmowie z Taylorem Christian siada obok mnie.

– Cóż, wygląda na to, że moja rodzina także cię polubiła – mruczy.

Także? W mojej głowie pojawia się nieproszona i nieprzyjemna myśl związana z powodem, dla którego otrzymałam zaproszenie. Taylor uruchamia silnik i wyjeżdża z oświetlonego podjazdu na ciemną drogę. Patrzę na Christiana, a on na mnie.

– No co? – pyta cicho.

Przez chwilę się waham. Nie, powiem mu. Zawsze narzeka, że z nim nie rozmawiam.

– Uważam, że poczułeś się zmuszony do tego, aby mnie przywieźć do rodziców. – Głos mam cichy i pełen wahania. – Gdyby Elliot nie zaprosił Kate, nie zrobiłbyś tego. – W ciemności nie widzę jego twarzy.

– Anastasio, niezwykle cieszę się z tego, że poznałaś moich rodziców. Dlaczego tak bardzo w siebie wątpisz? Nigdy nie przestanie mnie to zadziwiać. Jesteś silną, niezależną młodą kobietą, a tak negatywnie o sobie myślisz. Gdybym nie chciał, abyś ich poznała, nie przywiózłbym cię tutaj. Czy tak się właśnie czułaś przez całą wizytę?

Och! Chciał, żebym tu przyjechała – a to nowina. Udzielanie odpowiedzi chyba go nie krępuje, a przecież tak by było, gdyby skrywał prawdę. Wydaje się autentycznie zadowolony z tego, że tu jestem… Powoli otula mnie przyjemne ciepło. Christian kręci głową i sięga po moją dłoń. Zerkam nerwowo na Taylora.

– Nie przejmuj się Taylorem. Mów do mnie.

Wzruszam ramionami.

– Tak. Tak myślałam. I jeszcze jedno. Wspomniałam o Georgii tylko dlatego, że Kate mówiła o Barbadosie. Jeszcze się nie zdecydowałam.

– Chcesz odwiedzić matkę?

– Tak.

Patrzy na mnie dziwnie, jakby toczył wewnętrzną walkę z samym sobą.

– Mogę jechać z tobą? – pyta w końcu.

Że co?

– Eee… to chyba nie jest dobry pomysł.

– Dlaczego?

– Miałam nadzieję na małą odskocznię od tego wszystkiego… od tej intensywności. Chciałam spróbować wszystko przemyśleć.

– Jestem zbyt intensywny?

Wybucham śmiechem.

– Oględnie powiedziane!

W świetle mijanych latarni widzę, jak drgają mu kąciki ust.

– Śmieje się pani ze mnie, panno Steele?

– Jakżebym śmiała, panie Grey – odpowiadam z udawaną powagą.

– Śmiałabyś, i uważam, że często to robisz.

– Bo jesteś zabawny.

– Zabawny?

– O tak.

– Zabawny wesoły czy zabawny śmieszny?

– Och… sporo pierwszego i trochę drugiego.

– A jaki bardziej?

– Sam to rozgryź.

– Nie jestem pewny, czy w twoim towarzystwie jestem w stanie cokolwiek rozgryźć, Anastasio – rzuca sardonicznie, po czym kontynuuje cicho: – O czym musisz pomyśleć w Georgii?

– O nas – szepczę.

Patrzy na mnie spokojnie.

– Powiedziałaś, że spróbujesz – mówi.

– Wiem.

– Ogarnęły cię wątpliwości?

– Niewykluczone.

Poprawia się na kanapie.

– Dlaczego?

Jasny gwint. Jakim cudem ta rozmowa stała się nagle taka poważna? Mam wrażenie, że zdaję egzamin, do którego się nie przygotowałam. Co mam powiedzieć? Bo chyba cię kocham, a ty widzisz we mnie jedynie zabawkę. Bo nie mogę cię dotykać, bo za bardzo się boję okazać ci uczucie, bo wtedy ty się wzdrygniesz, odprawisz mnie albo co gorsza zbijesz? Cóż mogę rzec?

Przez chwilę wyglądam przez okno. Samochód jedzie z powrotem przez most. Oboje nas spowija ciemność maskująca nasze myśli i uczucia. Ale do tego nie jest nam potrzebna noc.

– Dlaczego, Anastasio? – naciska Christian.

Wzruszam ramionami, czując się jak w potrzasku. Nie chcę go stracić. Pomimo tych wszystkich żądań, potrzeby sprawowania kontroli, różnorakich perwersji, jeszcze nigdy nie czułam się tak pełna życia jak teraz. Czuję dreszczyk emocji, mogąc siedzieć tu obok niego. Jest taki nieprzewidywalny, seksowny, inteligentny i zabawny. Ale jego nastroje... och – no i chce zadawać mi ból. Twierdzi, że przemyśli moje zastrzeżenia, ale i tak mnie to przeraża. Zamykam oczy. Cóż mogę powiedzieć? Po prostu chciałabym więcej, więcej uczucia, więcej wesołego Christiana, więcej... miłości.

Ściska moją dłoń.

– Rozmawiaj ze mną, Anastasio. Nie chcę cię stracić. Ten ostatni tydzień...

Dojeżdżamy do końca mostu i droga po raz kolejny skąpana jest w neonowym świetle latarni, więc jego twarz to kryje się w mroku, to staje się widoczna. Jakaż akuratna metafora! To jego uznałam kiedyś za romantycznego bohatera, odważnego białego rycerza – czy też mrocznego rycerza, jak sam się określił. To nie bohater, lecz człowiek z poważnymi emocjonalnymi ułomnościami, który pociąga mnie za sobą w ciemność. Czy ja nie mogę go poprowadzić ku światłu?

– Nadal chcę więcej – mówię cicho.

– Wiem – odpowiada. – Spróbuję.

Mrugam powiekami, a on puszcza moją dłoń i ujmuje podbródek, uwalniając uwięzioną dolną wargę.

– Dla ciebie, Anastasio, spróbuję. – Głos ma nabrzmiały szczerością.

To sygnał dla mnie. Odpinam pasy i wdrapuję mu się na kolana, biorąc go z zaskoczenia. Oplatam rękami jego szyję i całuję, długo i mocno. Nie muszę długo czekać na reakcję.

– Zostań dziś ze mną – wyrzuca z siebie. – Jeśli pojedziesz, nie będziemy się widzieć cały tydzień. Proszę.

– Dobrze – zgadzam się. – I ja też spróbuję. Podpiszę twoją umowę. – Decyzja podjęta pod wpływem chwili.

Patrzy na mnie.

– Podpisz po Georgii. Przemyśl wszystko. Dobrze przemyśl, maleńka.

– Tak zrobię. – I przez kilometr czy dwa milczymy.

– Naprawdę powinnaś zapiąć pasy – Christian szepcze z dezaprobatą do mych włosów, ale nie wykonuje żadnego ruchu, żeby mnie zepchnąć z kolan.

Przytulam się do niego; oczy mam zamknięte, nos schowany na jego szyi. Wdycham seksowny zapach Christiana i piżmowego żelu pod prysznic. Głowę opieram mu na ramieniu. Pozwalam sobie fantazjować, że ten mężczyzna mnie kocha. Och, i jest to takie rzeczywiste, niemal namacalne, a maleńka część mojej paskudnej podświadomości zachowuje się zupełnie zaskakująco i ośmiela się mieć nadzieję. Uważam, aby nie dotykać jego klatki piersiowej, a jedynie tulę się do niego mocno.

Zbyt szybko zostaję wyrwana ze swoich niespełnialnych marzeń.

– Jesteśmy w domu – mruczy Christian.

To takie zwodnicze zdanie, pełne olbrzymiego potencjału.

W domu, z Christianem. Tyle że jego mieszkanie to galeria sztuki, a nie dom.

Taylor otwiera nam drzwi i dziękuję mu nieśmiało, świadoma tego, że słyszał naszą rozmowę. Ale jego uprzejmy uśmiech niczego nie zdradza. Gdy wysiadamy, Christian mierzy mnie wzrokiem. O nie… a teraz co zrobiłam?

– Czemu nie masz żakietu? – Marszczy brwi, zdejmuje marynarkę i narzuca mi na ramiona.

Zalewa mnie fala ulgi.

– Jest w moim nowym samochodzie – odpowiadam sennie, tłumiąc ziewnięcie.

Uśmiecha się znacząco.

– Zmęczona, panno Steele?

– Tak, panie Grey. – Czuję się nieswojo pod jego bacznym spojrzeniem. Niemniej jednak uważam, że jestem winna wyjaśnienie. – Zostałam dziś nakłoniona do robienia rzeczy, których w życiu nie uznałabym za możliwe.

– Cóż, jeśli mi podpadniesz, niewykluczone, że nakłonię cię do jeszcze innych rzeczy.

Bierze mnie za rękę i prowadzi do budynku. Ożeż ty… znowu!

W windzie przyglądam mu się uważnie. Najpierw sądziłam, że chce, abym z nim spała, ale teraz przypominam sobie, że on z nikim nie sypia. Nie licząc tych kilku razy ze mną. Marszczę brwi i nagle jego oczy ciemnieją. Wyciąga rękę i uwalnia mi wargę z zębów.

– Pewnego dnia zerżnę cię w tej windzie, Anastasio, ale teraz jesteś zmęczona, więc sądzę, że powinniśmy
pójść spać.

Pochyla głowę, bierze moją wargę w zęby i delikatnie pociąga. Cała się rozpływam, przestaję oddychać, a wszystko we mnie skręca się z pożądania. Odwzajemniam się, chwytając zębami jego górną wargę.
Z jego gardła wydobywa się niski jęk. Kiedy drzwi
windy się rozsuwają, chwyta mnie za rękę i wyciąga do
holu. Przechodzimy przez podwójne drzwi i jesteśmy
w domu.

– Chcesz się czegoś napić?

– Nie.

– To dobrze. Chodźmy do łóżka.

Unoszę brwi.

– Zadowoli cię zwykły, stary waniliowy seks?

Przechyla głowę.

– W waniliowym nie ma nic zwykłego czy starego;
to bardzo intrygujący smak – wyrzuca z siebie.

– Od kiedy?

– Od ubiegłej niedzieli. A czemu pytasz? Miałaś nadzieję na coś bardziej egzotycznego?

Moja wewnętrzna bogini się wychyla.

– O nie. Wystarczy mi egzotyki na jeden dzień. –
Bogini wydyma usta i nie bardzo jej wychodzi ukrywanie
rozczarowania.

– Na pewno? Jesteśmy w stanie zaspokoić wszystkie
gusta, co najmniej trzydzieści jeden smaków. – Uśmiecha
się do mnie lubieżnie.

– Zauważyłam – odpowiadam cierpko.

Kręci głową.

– Chodź, panno Steele, jutro ważny dzień. Im szybciej znajdziesz się w łóżku, tym szybciej cię przelecę i tym
szybciej będziesz mogła zasnąć.

– Panie Grey, urodzony z pana romantyk.

– Panno Steele, masz niewyparzony język. Możliwe, że będę to musiał jakoś utemperować. Chodź. – Prowadzi mnie korytarzem do swojej sypialni i kopniakiem zamyka za nami drzwi. – Ręce do góry – nakazuje.

Robię, co mi każe, a on, jak jakiś magik, jednym płynnym ruchem zdejmuje ze mnie suknię.

– Ta da! – woła żartobliwie.

Chichoczę i grzecznie biję brawo. Kłania się z gracją, uśmiechając się przy tym szeroko. Jak mogę mu się oprzeć, kiedy jest właśnie taki? Kładzie sukienkę na stojącym obok komody krześle.

– A jaka będzie następna sztuczka? – pytam wesoło.

– Och, moja droga panno Steele. Wskakuj do wyrka, a ci pokażę.

– Sądzisz, że choć raz powinnam grać trudną do zdobycia? – pytam kokieteryjnie.

Zaskoczony otwiera szeroko oczy i widzę w nich błysk podniecenia.

– Cóż... drzwi są zamknięte. Nie bardzo wiem, jak byś miała mnie unikać – stwierdza zgryźliwie. – Wydaje mi się, że klamka zapadła.

– Ale jestem dobrą negocjatorką.

– Ja także. – Przygląda mi się i stopniowo wyraz jego twarzy ulega zmianie. Pojawia się na niej konsternacja i atmosfera staje się nagle napięta. – Nie chcesz się pieprzyć? – pyta.

– Nie – odpowiadam bez tchu.

– Och. – Marszczy brwi.

Okej, no to się zaczyna... głęboki oddech.

– Chcę, żebyś się ze mną kochał.

Nieruchomieje. Twarz mu posępnieje. Cholera, nie wygląda to dobrze. „Daj mu chwilę" – warczy moja podświadomość.

– Ana, ja… – Przeczesuje palcami włosy. Obu rąk. Jezu, naprawdę go zaskoczyłam. – Myślałem, że już to robiliśmy? – mówi w końcu.

– Chcę cię dotknąć.

Odruchowo robi krok w tył i przez jego twarz przebiega strach. Po chwili bierze się w garść.

– Proszę – szepczę.

– O nie, panno Steele, dziś wieczorem poszedłem na wystarczająco wiele ustępstw. I mówię „nie”.

– Nie?

– Nie.

Och… z tym się nie da polemizować… prawda?

– Słuchaj, ty jesteś zmęczona, ja jestem zmęczony. Chodźmy po prostu do łóżka – mówi, uważnie mnie obserwując.

– A więc dotykanie jest dla ciebie granicą bezwzględną?

– Tak. Wielka mi nowość.

– Proszę, powiedz mi dlaczego.

– Och, Anastasio, błagam. Odpuść ten temat – burczy z rozdrażnieniem.

– To dla mnie ważne.

Ponownie przeczesuje palcami włosy i zdusza pod nosem przekleństwo. Odwraca się na pięcie, podchodzi do komody, wyjmuje T-shirt i rzuca w moją stronę. Łapię go zdeprymowana.

– Włóż to i chodź do łóżka – warczy z irytacją.

Marszczę brwi, ale postanawiam ustąpić. Odwracam się do niego plecami, zdejmuję stanik i jak najszybciej wkładam koszulkę, aby zakryć nagość. Majtki zostawiam; w końcu nie miałam ich na sobie przez większą część wieczoru.

– Muszę skorzystać z łazienki. – Mój głos jest niewiele głośniejszy od szeptu.

Patrzy na mnie zaskoczony.

– Czy ty mnie pytasz o pozwolenie?

– Eee… nie.

– Anastasio, wiesz, gdzie jest łazienka. Dzisiaj, na tym etapie naszego dziwnego układu, nie potrzebujesz mojego pozwolenia, aby z niej skorzystać. – Nawet nie kryje rozdrażnienia. Rozpina koszulę, a ja czmycham do łazienki.

Przyglądam się sobie w olbrzymim lustrze, zaszokowana faktem, że w moim wyglądzie nic się nie zmieniło. Po tym wszystkim, co dzisiaj robiłam, patrzy na mnie ta sama zwyczajna dziewczyna. „A czego się spodziewałaś, że urosną ci rogi i zakręcony ogon?" – warczy moja podświadomość. – „I co ty, u licha, wyprawiasz? Dotykanie to jego granica bezwzględna. Za wcześnie, ty idiotko. Trzeba to robić krok po kroku". Podświadomość jest wściekła, a w swym gniewie wygląda jak Meduza. Dłońmi ściska twarz niczym postać z *Krzyku* Muncha. Ignoruję ją, ale ona nie da się tak łatwo zbyć. „Doprowadzasz go do szaleństwa, pomyśl o tym wszystkim, co ci powiedział, do czego się przyznał". Patrzę gniewnie na swoje odbicie. Muszę umieć okazać mu uczucie – wtedy być może je odwzajemni.

Kręcę zrezygnowana głową i biorę szczoteczkę Christiana. Moja podświadomość ma naturalnie rację. Popędzam go. Nie jest gotowy, i ja też nie. Balansujemy na delikatnej huśtawce, którą stanowi nasz dziwny układ – na samych końcach, wahając się, a ona chwieje się niebezpiecznie. Oboje musimy przejść bliżej środka. Mam jedynie nadzieję, że żadne z nas podczas tej próby nie spadnie. Wszystko dzieje się tak szybko. Może przydałoby mi się nieco dystansu. Georgia kusi mnie jeszcze bardziej. Gdy zabieram się za mycie zębów, rozlega się pukanie do drzwi.

– Proszę – mówię z ustami pełnymi pasty.

W drzwiach staje Christian, a spodnie od piżamy zwisają mu z bioder w taki sposób, że każda komórka mego ciała podnosi się i wychyla, aby lepiej widzieć. Od pasa w górę jest nagi, a ja karmię oczy tym widokiem, jakbym umierała z głodu. Patrzy na mnie beznamiętnie, następnie uśmiecha się znacząco i staje obok mnie. Nasze spojrzenia krzyżują się w lustrze, niebieskie z szarym. Kończę myć zęby, opłukuję szczoteczkę i wręczam mu ją, ani przez chwilę nie spuszczając z niego wzroku. Bez słowa bierze ją ode mnie i wkłada do ust. Również się uśmiecham, a w jego oczach nagle pojawiają się wesołe iskierki.

– Nie krępuj się, pożycz sobie moją szczoteczkę – mówi lekko drwiąco.

– Dziękuję panu. – Uśmiecham się słodko i wychodzę, kierując się prosto do łóżka.

Parę minut później dołącza do mnie.

– Nie tak miał się potoczyć dzisiejszy wieczór – burczy nadąsany.

– Wyobraź sobie, że ja bym ci powiedziała, że nie możesz mnie dotykać.

Siada po turecku na łóżku.

– Anastasio, już ci mówiłem. Pięćdziesiąt odcieni. Miałem w życiu niełatwy start, wcale nie chcesz tego wszystkiego wiedzieć. No bo czemu miałoby być inaczej?

– Dlatego, że chcę cię lepiej poznać.

– Znasz mnie wystarczająco dobrze.

– Jak możesz tak mówić? – Klękam twarzą do niego. Przewraca z frustracją oczami.

– Przewróciłeś oczami. Kiedy ja tak ostatnio zrobiłam, przełożyłeś mnie przez kolano.

– Och, chętnie bym to powtórzył.

Spływa na mnie natchnienie.

– Powiedz mi, a będziesz mógł tak zrobić.

– Co takiego?

– Słyszałeś.

– Próbujesz się targować? – W jego głosie wibruje zaskoczone niedowierzanie.

Kiwam głową. Owszem... może to jest sposób na niego.

– Negocjować.

– To tak nie działa, Anastasio.

– W porządku. Powiedz mi, a ja przewrócę wtedy oczami.

Śmieje się, a ja mam nieczęstą możliwość oglądać beztroskiego Christiana. Sporo czasu minęło od ostatniego razu. Po chwili poważnieje.

– Zawsze taka złakniona informacji. – Przygląda mi się uważnie. Następnie zeskakuje z łóżka. – Zostań tu – mówi i wychodzi z pokoju.

Ogarnia mnie niepokój i podciągam kolana pod brodę. Co on robi? Ma jakiś niecny plan? Kuźwa. A jeśli wróci z laską albo jakimś innym perwersyjnym dziwactwem? Jasna cholera, co ja wtedy zrobię? Kiedy Christian w końcu wraca, trzyma w dłoni coś niewielkiego. Nie widzę co i zżera mnie ciekawość.

– O której godzinie masz jutro pierwszą rozmowę? – pyta miękko.

– O drugiej.

Na jego twarzy pojawia się leniwy, grzeszny uśmiech.

– Świetnie. – I na moich oczach dokonuje się w nim subtelna zmiana. Staje się surowszy, bardziej nieustępliwy... gorący. To Christian – Pan. – Zejdź z łóżka. Stań tutaj. – Pokazuje mi, a ja w ekspresowym tempie wykonuję jego polecenie. Patrzy na mnie uważnie, w jego oczach migocze obietnica. – Ufasz mi? – pyta.

Kiwam głową. Wyciąga rękę i moim oczom ukazują się dwie srebrne, błyszczące kulki połączone grubą czarną nicią.

– Są nowe – mówi dobitnie.

Posyłam mu pytające spojrzenie.

– Zamierzam włożyć je w ciebie, a potem dać ci klapsy, nie za karę, ale dla twojej przyjemności i mojej.

Łykam głośno powietrze, a wszystkie mięśnie w moim podbrzuszu słodko się zaciskają. Moja wewnętrzna bogini wykonuje taniec siedmiu welonów.

– Potem będziemy się pieprzyć, a jeśli po tym wszystkim nie zaśniesz, opowiem ci trochę o swoim wczesnym dzieciństwie. Zgoda?

Pyta mnie o zgodę! Bez tchu kiwam głową. Nie jestem w stanie wykrztusić ani słowa.

– Grzeczna dziewczynka. Otwórz usta.

Usta?

– Szerzej. – Bardzo delikatnie wkłada mi kulki do ust. – Potrzebne im nawilżenie. Ssij – nakazuje. Głos ma miękki.

Kulki są zimne, gładkie, zaskakująco ciężkie i mają metaliczny posmak. W moich ustach zbiera się ślina, gdy badam językiem te nieznajome przedmioty. Christian nie odrywa ode mnie wzroku. A niech to, podniecam się. Przestępuję z nogi na nogę.

– Nie ruszaj się, Anastasio – rzuca ostrzegawczo. – Wystarczy. – Wyjmuje je z moich ust. Odrzuca na bok kołdrę i siada na skraju łóżka. – Chodź tutaj.

Staję przed nim.

– Teraz się odwróć, pochyl i złap za kostki.

Mrugam, a przez jego twarz przebiega cień.

– Żadnego wahania – beszta mnie i wsuwa kulki do swych ust.

O kuźwa, to bardziej seksowne od szczoteczki do zębów. Natychmiast wypełniam jego polecenie. Jezu, uda mi się złapać za kostki? Okazuje się, że owszem, bez problemu. T-shirt zsuwa mi się po plecach, odsłaniając pupę.

Dobrze, że zostawiłam majtki. Ale podejrzewam, że niedługo się nimi nacieszę.

Christian ze skupieniem kładzie mi rękę na tyłku i delikatnie go pieści. Widzę tylko jego nogi. Zamykam oczy, gdy delikatnie odsuwa materiał majtek na bok i powoli przesuwa palcem w górę i w dół po mojej kobiecości. Moje ciało szykuje się na uderzającą do głowy mieszankę szaleńczego oczekiwania i podniecenia. Wsuwa we mnie jeden palec i zatacza powolne, zmysłowe kółka. Och, ale przyjemnie. Jęczę.

Słyszę, jak głośniej oddycha, powtarzając ten ruch. Wyjmuje palec i bardzo powoli wsuwa kulki, jedną po drugiej. O rany. Mają temperaturę ciała, ogrzane przez nasze usta. Interesujące doznanie. Kiedy już są we mnie, właściwie ich nie czuję – ale wystarczy, że wiem, iż tam są.

Christian poprawia mi majtki, pochyla się i delikatnie muska ustami moją pupę.

– Wstań – mówi, a ja niepewnie się prostuję.

Och! Teraz je czuję… tak jakby. Chwyta mnie za biodra, aby pomóc w odzyskaniu równowagi.

– Wszystko dobrze? – pyta surowo.

– Tak.

– Odwróć się w moją stronę.

Tak robię. Kulki się przesuwają i moje mięśnie bezwiednie się wokół nich zaciskają. To doznanie mnie zaskakuje, ale wcale nie negatywnie.

– I jakie to uczucie? – pyta.

– Dziwne.

– Dziwne dobre czy dziwne złe?

– Dziwne dobre – przyznaję, rumieniąc się.

– To świetnie. – W jego oczach czają się wesołe iskierki.

– Chciałbym szklankę wody. Przynieś mi, proszę.

Och.

– A kiedy wrócisz, przełożę cię przez kolano. Pomyśl o tym, Anastasio.

Wody? Chce wody... teraz... dlaczego?

Gdy wychodzę z sypialni, staje się aż nazbyt jasne, dlaczego chce, żebym chodziła – gdy to robię, kulki przesuwają się we mnie, delikatnie masując. To takie dziwne uczucie i wcale nie nieprzyjemne. Prawda jest taka, że mój oddech przyspiesza, gdy z szafki w kuchni wyjmuję szklankę. O rany... Możliwe, że je zatrzymam. Dzięki nim mam wielką ochotę na seks.

Gdy wracam, Christian przygląda mi się bacznie.

– Dziękuję – mówi i bierze ode mnie szklankę.

Bierze niespieszny łyk, następnie odstawia szklankę na nocny stolik. Czeka już na nim foliowa paczuszka, gotowa jak ja. I wiem, że robi to, abym czekała z jeszcze większą niecierpliwością. Moje serce przyspiesza.

– Chodź tutaj. Stań obok mnie. Tak jak poprzednio.

Podchodzę do niego i tym razem... jestem podekscytowana. Podniecona.

– Poproś mnie – mówi miękko.

Marszczę brwi. Ale o co?

– Poproś – powtarza, tym razem surowiej.

O co? Czego on chce?

– Poproś mnie, Anastasio. Więcej tego nie powiem. – W jego słowach kryje się zawoalowana groźba i nagle już wiem. Chce, żebym go poprosiła o klapsy.

Jasny gwint. Patrzy na mnie wyczekująco, a jego spojrzenie staje się coraz chłodniejsze.

– Daj mi klapsy, proszę... panie – szepczę.

Zamyka na chwilę oczy, rozkoszując się moimi słowami. Chwyta moją lewą dłoń i pociąga na swoje kolana. Serce mam w ustach, gdy ręką gładzi mój tyłek. Tym razem też leżę tak, że klatkę piersiową mam na łóżku obok niego. Ale nie przytrzymuje nogą moich nóg. Odgarnia mi włosy z twarzy i zakłada je za ucho. Następnie chwyta je na karku, unieruchamiając głowę.

– Chcę widzieć twoją twarz, Anastasio – mruczy, nie przestając głaskać moich pośladków.

Zsuwa dłoń niżej i ociera ją o moją kobiecość, a to, co wtedy czuję, jest… Jęczę. Och, to uczucie jest niesamowite.

– To jest dla przyjemności, Anastasio, mojej i twojej – szepcze.

Unosi rękę i opuszcza szybko, uderzając w złączenie moich ud i pośladki. Kulki przesuwają się w głąb mnie i gubię się w grzęzawisku doznań. Pieczeniu pośladków, uczuciu wypełnienia, jakie zapewniają kulki i fakcie, że Christian mnie unieruchamia. Krzywię się, próbując przyswoić te wszystkie uczucia. Dociera do mnie, że klapsy nie są tak mocne jak ostatnio. Znowu pieści moją pupę, przesuwając dłonią po skórze i bieliźnie.

Czemu nie zdjął mi majtek? Wtedy jego dłoń znika, a chwilę później znowu czuję uderzenie. Jęczę. I tak to idzie: lewy pośladek, prawy, a potem niżej. Te ostatnie klapsy są najlepsze. Wszystko przesuwa się do przodu… wewnątrz mnie… a pomiędzy uderzeniami pieści mnie, gładzi – tak więc jestem masowana na zewnątrz i od wewnątrz. Niezwykle stymulujące erotyczne doznanie i z jakiegoś powodu, ponieważ to się odbywa na moich warunkach, nie przeszkadza mi ból. Zresztą nie jest taki duży – okej, jest, ale do zniesienia. A nawet przyjemny… Wydaję jęk. Tak, dam radę.

Christian przerywa i powoli zsuwa mi majtki. Wiercę się na jego nogach, nie dlatego, że chcę uciec przed klapsami, ale ponieważ pragnę więcej… A potem wraca do ustalonego rytmu. Kilka lekkich klapsów, a potem mocniejsze, lewa, prawa, dół. Och, te doły. Jęczę.

– Grzeczna dziewczynka. – Oddech ma urywany.

Wymierza mi jeszcze dwa klapsy, a potem pociąga za przytwierdzoną do kulek nitkę i wyciąga je nagle ze mnie. Niemal szczytuję – doznanie jest tak nieziemskie. Płynnym ruchem przekręca mnie na plecy. Słyszę odgłos rozrywanej folii, a potem Christian kładzie się przy mnie. Przytrzymuje mi ręce nad głową i opuszcza się we mnie, powoli, wypełniając mnie tam, gdzie jeszcze przed chwilą znajdowały się srebrne kulki. Jęczę głośno.

– Och, mała – szepcze, wykonując powolne, zmysłowe pchnięcia, rozkoszując się mną, czując mnie wokół siebie.

Jeszcze nigdy nie był tak delikatny i nie mija dużo czasu, a docieram nad krawędź, a potem przeżywam rozkoszny, intensywny, wyczerpujący orgazm. Gdy zaciskam się wokół niego, to jeszcze potęguje jego rozkosz. Wbija się we mnie, a potem nieruchomieje, wykrzykując moje imię.

– Ana!

Leży na mnie, głośno oddychając, a dłońmi nadal przytrzymuje mi ręce nad głową. W końcu odsuwa się i patrzy mi w oczy.

– Podobało mi się – szepcze, a potem całuje mnie słodko.

Wstaje, przykrywa mnie kołdrą i znika w łazience. Po chwili wraca z buteleczką białej emulsji. Siada na łóżku.

– Przekręć się – poleca, a ja bardzo niechętnie obracam się na brzuch. Po co tyle zamieszania? Strasznie chce mi się spać.

– Twój tyłek ma teraz piękny kolor – stwierdza z uznaniem i czule wmasowuje chłodzącą emulsję w różowawe pośladki.

– To teraz puść farbę, Grey – ziewam.

– Panno Steele, pani to potrafi zepsuć nastrój.

– Mieliśmy umowę.

– Jak się czujesz?

– Wyrolowana.

Wzdycha, kładzie się przy mnie i bierze w ramiona. Uważa, żeby nie dotykać mojego obolałego tyłka.
I tak znowu leżymy na łyżeczki. Całuje mnie delikatnie
w ucho.

– Kobieta, która wydała mnie na świat, była dziwką
i narkomanką, Anastasio. A teraz śpij.

O w mordę... co to znaczy?

– Była?

– Nie żyje.

– Od jak dawna?

Wzdycha.

– Umarła, kiedy miałem cztery lata. Nie bardzo ją
pamiętam. Carrick trochę mi opowiedział. Pamiętam jedynie pewne rzeczy. Proszę, śpij już.

– Dobranoc, Christianie.

– Dobranoc.

I odpływam w oszołomiony i wyczerpany sen, śniąc
o czteroletnim szarookim chłopczyku w jakimś ciemnym,
przerażającym, smutnym miejscu.

ROZDZIAŁ DWUDZIESTY PIERWSZY

Wszędzie jest światło. Jaskrawe, ciepłe, przeszywające. Z całych sił próbuję go do siebie nie dopuścić jeszcze przez kilka cennych minut. Pragnę się ukryć, tylko na chwilę. Ale ono jest zbyt mocne i w końcu wyrywa mnie ze snu. Wita mnie śliczny poranek w Seattle – przez sięgające podłogi okna wlewają się słoneczne promienie, wypełniając pokój zbyt jasnym blaskiem. Dlaczego wczoraj nie opuściliśmy rolet? Znajduję się w wielkim łożu Christiana Greya. Ale Christiana Greya w nim brak.

Przez chwilę po prostu leżę i podziwiam strzelistą panoramę Seattle. Życie w chmurach wydaje się nierzeczywiste. Fantazja – zamek w powietrzu, oderwany od ziemi, odporny na realia życia, daleko od zaniedbania, głodu, matek dziwek i narkomanek. Wzdrygam się na myśl, co musiał przejść jako małe dziecko, i już rozumiem, dlaczego mieszka tutaj odizolowany, otoczony pięknymi i cennymi dziełami sztuki – tak daleko od miejsca, w którym miał swój początek… Marszczę brwi, ponieważ nadal to nie tłumaczy, dlaczego nie wolno mi go dotykać.

Jak na ironię ja w jego strzelistej wieży czuję to samo. Jestem oderwana od rzeczywistości. Znajduję się w jego wymarzonym apartamencie, uprawiając wymarzony seks z wymarzonym chłopakiem, gdy tymczasem ponura rzeczywistość wygląda tak, że on chce specjalnego układu, choć twierdził, że postara się dać mi coś więcej. Co to właściwie oznacza? Tego się właśnie muszę dowiedzieć, przekonać się, czy nadal stoimy na przeciwległych końcach huśtawki, czy też choć trochę się zbliżyliśmy do siebie.

Gramolę się z łóżka cała zesztywniała i, że tak powiem – porządnie wykorzystana. „Tak, to przez ten seks". Moja podświadomość z dezaprobatą zaciska usta. Przewracam oczami, ciesząc się, że w sypialni nie ma pewnego kontrolera, którego świerzbi ręka. Postanawiam, że poproszę go o tego trenera osobistego. To znaczy jeśli podpiszę umowę. Moja wewnętrzna bogini piorunuje mnie wzrokiem. „Oczywiście, że podpiszesz". Ignoruję obie i po krótkiej wizycie w łazience idę poszukać Christiana.

Nie ma go w galerii sztuki, za to w aneksie kuchennym natykam się na elegancką kobietę w średnim wieku. Na jej widok zatrzymuję się w pół kroku. Ma krótkie jasne włosy i niebieskie oczy; ubrana jest w białą dopasowaną koszulę i granatową ołówkową spódnicę. Na mój widok uśmiecha się szeroko.

– Dzień dobry, panno Steele. Ma pani ochotę na śniadanie?

Ton głosu ciepły, lecz rzeczowy. Czuję oszołomienie. Kim jest ta atrakcyjna blondynka w kuchni Christiana? Mam na sobie tylko jego T-shirt i mocno mnie to krępuje.

– Obawiam się, że zaskoczyła mnie pani – mówię cicho, nie kryjąc niepokoju.

– Och, najmocniej przepraszam, moje nazwisko Jones, jestem gospodynią pana Greya.

Och.

– Miło mi panią poznać – dukam.

– Może śniadanie, proszę pani?

Proszę pani!

– Wystarczy herbata, dziękuję. Wie pani może, gdzie jest pan Grey?

– W swoim gabinecie.

– Dziękuję.

Zażenowana wychodzę szybko z kuchni. Dlaczego Christian zatrudnia tylko atrakcyjne blondynki? I natychmiast w mojej głowie pojawia się nieproszona myśl: wszystkie to jego byłe uległe? Odganiam ją od siebie jak najdalej. Nieśmiało wsuwam głowę do gabinetu. Christian stoi plecami do drzwi i rozmawia przez telefon. Ma na sobie czarne spodnie i białą koszulę. Włosy mu jeszcze nie wyschły po prysznicu, a wszystkie moje nieprzyjemne myśli natychmiast znikają.

– Nie jestem zainteresowany, Ros, chyba że rachunek zysków i strat tej firmy ulegnie poprawie. Nie interesuje nas nieproduktywność… Żadnych więcej kiepskich wymówek… Niech Marco do mnie zadzwoni, pora podjąć decyzję… Tak, przekaż Barneyowi, że prototyp wygląda dobrze, choć nie jestem przekonany co do interfejsu… Nie, po prostu czegoś mu brakuje… Chcę się z nim spotkać po południu i to omówić… Właściwie to razem z całą ekipą, przeprowadzimy burzę mózgów… Okej. Przełącz mnie z powrotem do Andrei… – Czeka, wyglądając przez okno, pan osobistego wszechświata, spoglądający ze swego zamku w chmurach na maleńkich ludzi. – Andrea…

Podnosi wzrok i dostrzega mnie. Na jego przystojnej twarzy pojawia się leniwy, seksowny uśmiech i głos więźnie mi w gardle. Nie mam żadnych wątpliwości co do tego, że to najprzystojniejszy mężczyzna na Ziemi, zbyt piękny dla tych malutkich ludzi w dole, zbyt piękny dla mnie. „Wcale nie" – krzywi się moja wewnętrzna bogini. Na razie ten mężczyzna jest mój. Na tę myśl przez moje ciało przebiega dreszcz przeganiający irracjonalne zwątpienie w siebie.

Christian kontynuuje rozmowę, nie spuszczając ze mnie wzroku.

– Przełóż moje poranne spotkania, ale przekaż Billowi, żeby do mnie zadzwonił. Przyjadę o drugiej. Po południu muszę porozmawiać z Markiem, zarezerwuj co najmniej pół godziny... Przełóż Barneya i jego ekipę na popołudnie, po Marcu, albo na jutro, i znajdź mi czas, żebym w tym tygodniu codziennie spotykał się z Claude'em... Każ mu zaczekać... Och... Nie, nie chcę upubliczniać Darfuru... Powiedz Samowi, żeby się tym zajął... Nie... Co za impreza?... To w przyszłą sobotę?... Chwileczkę. – Zakrywa dłonią słuchawkę. – Kiedy wrócisz z Georgii? – pyta mnie.

– W piątek.

Wraca do rozmowy.

– Będzie mi potrzebne dodatkowe zaproszenie, gdyż zabiorę osobę towarzyszącą... Tak, Andreo, tak właśnie powiedziałem, osobę towarzyszącą, pannę Anastasię Steele... To wszystko. – Rozłącza się. – Dzień dobry, panno Steele.

– Panie Grey – uśmiecham się nieśmiało.

Jak zawsze z gracją obchodzi biurko i staje przede mną. Wierzchem dłoni gładzi mnie delikatnie po policzku.

– Nie chciałem cię budzić, wyglądałaś tak spokojnie. Dobrze spałaś?

– Bardzo dobrze, dziękuję. Przyszłam się tylko przywitać, a teraz uciekam pod prysznic.

Wpatruję się w niego, napawając się jego widokiem. Nachyla się i lekko mnie całuje, a ja nie jestem w stanie się powstrzymać. Zarzucam mu ręce na szyję i wplatam palce w jeszcze wilgotne włosy. Przyciskając ciało do jego ciała, oddaję pocałunek. Pragnę go. Moje zachowanie go zaskakuje, ale po chwili zaczyna reagować. Z jego gardła wydobywa się niski jęk. Przesuwa dłonie po moich plecach aż do pośladków, językiem badając wnętrze ust. Odsuwa się.

– Wolisz iść teraz pod prysznic czy mam cię położyć na biurku? – mruczy.

– Wybieram biurko – odpowiadam bez chwili namysłu. Przemawia przeze mnie pożądanie przetaczające się przez me ciało, burzące wszystko, co napotka po drodze. Przez ułamek sekundy patrzy na mnie zaskoczony.

– Spodobało ci się to, prawda, panno Steele? Robisz się nienasycona.

– Jestem złakniona wyłącznie ciebie – szepczę w odpowiedzi.

Jego oczy ciemnieją. Dłońmi przez cały czas gładzi moje nagie pośladki.

– A pewnie, że wyłącznie mnie – warczy i nagle jednym ruchem zrzuca z biurka wszystkie dokumenty i terminarze, bierze mnie w ramiona i kładzie w poprzek tak, że głowę mam na samym brzegu.

– Mówisz i masz, mała – rzuca, wyjmując z kieszeni spodni foliową paczuszkę. Rozpina rozporek. Och, a to harcerz. Nakłada prezerwatywę na naprężony członek i patrzy na mnie. – Mam oczywiście nadzieję, że jesteś gotowa. – Uśmiecha się lubieżnie.

A chwilę później jest już we mnie, przygważdżając mi nadgarstki do blatu. Wchodzi głęboko, bardzo głęboko.

Jęczę... o tak.

– Chryste, Ana. Rzeczywiście jesteś gotowa – szepcze z uznaniem.

Oplatam go nogami w pasie, przytrzymując blisko siebie w jedyny możliwy sposób. Jego szare oczy płoną. Zaczyna się poruszać, naprawdę poruszać. To nie jest kochanie się, ale pieprzenie – i ja to uwielbiam. Wydaję jęk. To takie surowe, takie cielesne i wyuzdane. Upajam się tym doznaniem. Christian rozchyla usta, a jego oddech przyspiesza. Zatacza biodrami kółka, co jeszcze potęguje moje doznania.

Zamykam oczy, czując, jak wzbiera to we mnie – ta powolna, rozlewająca się po całym ciele rozkosz. Porywając mnie ze sobą wyżej, wyżej, do zamku w chmurach. O tak... Christian lekko przyspiesza. Głośno jęczę. Cała jestem nim, delektując się każdym pchnięciem, którym mnie wypełnia. I robi to coraz szybciej... mocniej... a moje ciało dostosowuje się do tego szaleńczego rytmu, aż czuję, że sztywnieją mi nogi.

– Dalej, maleńka, dojdź dla mnie – syczy przez zaciśnięte zęby, a ogniste pragnienie w jego głosie doprowadza mnie na samą krawędź.

Wyrzucam z siebie pozbawione słów, pełne namiętności błaganie, gdy dotykam słońca i spalam się, a potem opadam wokół niego, wracając bez tchu na ziemię. A on, szczytując, nieruchomieje, po czym opada na mnie bez tchu.

Wow... nie spodziewałam się tego. Powoli dochodzę do siebie.

– Co ty mi, u licha, robisz? – pyta bez tchu, muskając nosem moją szyję. – Oczarowujesz mnie, Ana. Rzucasz na mnie czar.

Puszcza moje nadgarstki, a ja natychmiast wplatam mu palce we włosy. Otulam ciaśniej nogami.

– To ja jestem oczarowana – szepczę.

Wpatruje się we mnie. W jego oczach pojawia się zakłopotanie, chyba nawet niepokój. Kładzie dłonie po obu stronach mojej głowy, unieruchamiając ją.

– Jesteś. Tylko. Moja – mówi, podkreślając każde słowo. – Rozumiesz to?

Mówi to tak żarliwie, tak płomiennie – prawdziwy zelota. Siła jego słów jest nieoczekiwana i rozbrajająca. Zastanawiam się, dlaczego tak się poczuł.

– Tak, twoja – szepczę.

– Jesteś pewna, że musisz jechać do Georgii?

Powoli kiwam głową. I widzę, że wyraz jego twarzy ulega zmianie, że znowu się w sobie zamyka. Szybko wychodzi ze mnie. Krzywię się.

– Boli? – pyta, nachylając się nade mną.

– Trochę – przyznaję.

– Lubię, jak cię boli. – Oczy mu płoną. – To mi przypomina, gdzie byłem, ja i tylko ja.

Chwyta mnie za brodę i mocno całuje, następnie wyciąga rękę, aby mi pomóc wstać. Rzucam okiem na leżącą obok mnie folię.

– Zawsze przygotowany – stwierdzam.

Zapina rozporek. Biorę do ręki pustą paczuszkę.

– Można mieć nadzieję, Anastasio, a nawet marzyć, i czasami marzenia się spełniają.

Dziwnie to brzmi. Nie rozumiem. O co mu chodzi?

– Więc na biurku, to było marzenie? – pytam cierpko, próbując rozładować napiętą atmosferę.

Uśmiecha się enigmatycznie i już wiem, że to nie pierwszy raz, kiedy uprawiał seks na swoim biurku. Nie jest to przyjemna myśl. Przestępuję z zażenowaniem z nogi na nogę.

– Lepiej już pójdę pod prysznic.

Christian marszczy brwi i przeczesuje palcami włosy.

– Mam jeszcze parę telefonów do wykonania. Jak się wykąpiesz, zjemy razem śniadanie. Wydaje mi się, że pani Jones uprała twoje wczorajsze ubranie. Znajdziesz je w szafie.

Że co? A kiedy, u licha, to zrobiła? Jezu, słyszała nas? Oblewam się rumieńcem.

– Dziękuję – bąkam.

– Ależ nie ma za co – odpowiada automatycznie, ale w jego głosie słychać jakiś podtekst.

Nie dziękuję ci za to, że mnie przeleciałeś. Choć to było bardzo…

– No co? – pyta i uświadamiam sobie, że marszczę czoło.

– Co się stało? – pytam miękko.

– To znaczy?

– No... zachowujesz się dziwaczniej niż zazwyczaj.

– Uważasz mnie za dziwaka? – Próbuje ukryć uśmiech.

– Czasami.

Przez chwilę mi się przygląda.

– Jak zawsze mnie pani zaskakuje, panno Steele.

– Niby czym?

– Powiedzmy po prostu, że to była nieoczekiwana przyjemność.

– Naszym celem jest sprawianie przyjemności, panie Grey. – Przechylam głowę, tak jak on ma w zwyczaju, i powtarzam jego słowa.

– I to nie byle jakiej – stwierdza, ale wydaje się skrępowany. – Nie miałaś iść przypadkiem pod prysznic?

Och, odprawia mnie.

– Tak... eee, do zobaczenia niedługo. – Zaskoczona opuszczam jego gabinet.

Sprawiał wrażenie skonsternowanego. Dlaczego? Muszę powiedzieć, że jeśli chodzi o stronę fizyczną tego zbliżenia, było bardzo, ale to bardzo przyjemnie. Ale strona emocjonalna – cóż, zirytowała mnie jego reakcja. Powiedzieć, że było to duchowo ubogacające, to jak stwierdzić, że wata cukrowa ma wartości odżywcze.

Pani Jones nadal jest w kuchni.

– Podać teraz herbatę, panno Steele?

– Najpierw wezmę prysznic, dziękuję – bąkam i uciekam spłoniona.

W łazience próbuję odgadnąć, co gryzie Christiana. To najbardziej skomplikowany człowiek, jakiego znam, i nie potrafię zrozumieć jego zmiennych nastrojów. Kiedy weszłam do gabinetu, wszystko grało. Uprawialiśmy seks... a potem już nie grało. Nie, ja tego nie rozumiem. Zwracam się do swojej podświadomości. Gwiżdże, ręce trzyma za plecami i za wszelką cenę unika mojego wzroku. Też nie ma pojęcia, a moja wewnętrzna bogini nadal się pławi w pozostałościach orgazmicznego blasku. Nie – wszystkie mamy pustkę w głowie.

Wycieram ręcznikiem włosy, rozczesuję je grzebieniem Christiana i związuję w kok. Śliwkowa sukienka Kate wisi w szafie wyprana i wyprasowana, razem ze stanikiem i majtkami. Pani Jones jest niesamowita. Stopy wsuwam w czółenka Kate, wygładzam sukienkę, biorę głęboki oddech i udaję się do kuchni.

Christiana nigdzie nie widać, a pani Jones sprawdza właśnie zawartość spiżarni.

– Herbaty, panno Steele? – pyta.

– Chętnie. – Uśmiecham się do niej. Czuję nieco większą pewność siebie, gdy jestem już ubrana.

– Ma pani ochotę na coś do jedzenia?

– Nie, dziękuję.

– Oczywiście, że coś zjesz – warczy Christian. – Anastasia lubi naleśniki, bekon i jajka, pani Jones.

– Tak, panie Grey. A pan na co ma ochotę?

– Omlet i owoce. – Nie spuszcza ze mnie wzroku, a z jego twarzy nie da się nic wyczytać. – Siadaj – narzuca, pokazując na jeden ze stołków barowych.

Robię, co mi każe, a on zajmuje sąsiedni stołek, gdy tymczasem pani Jones zabiera się za śniadanie. O rety, wytrąca mnie z równowagi świadomość, że ktoś słyszy naszą rozmowę.

– Kupiłaś już bilet na samolot?

– Nie, zrobię to po powrocie do domu, przez Internet.

Opiera się na łokciu, pocierając brodę.

– Masz pieniądze?

O nie.

– Tak – odpowiadam z udawaną cierpliwością, jak-bym rozmawiała z małym dzieckiem.

Unosi surowo brew. Cholera.

– Tak, mam, dziękuję – poprawiam się szybko.

– Mam odrzutowiec. Przez trzy najbliższe dni jest wolny i do twojej dyspozycji.

Patrzę na niego z otwartymi ustami. No pewnie, że ma odrzutowiec. Nie bez trudu tłumię w sobie chęć prze-wrócenia oczami. Chce mi się śmiać. Nie robię tego jed-nak, gdyż nie wiem, w jakim on jest nastroju.

– Doprowadziliśmy już do poważnego nadużycia twojej floty powietrznej. Nie chciałabym robić tego po-nownie.

– Moja firma, mój odrzutowiec. – Wydaje się niemal urażony. Och, chłopcy i ich zabawki!

– Dziękuję za tę propozycję. Ale wolę polecieć tra-dycyjnymi liniami.

Przez chwilę sprawia wrażenie, jakby chciał mnie dalej przekonywać do swego pomysłu, ale jednak daje za wygraną.

– Jak chcesz. – Wzdycha. – Potrzebujesz dużo czasu, aby się przygotować do rozmów w sprawie pracy?

– Nie.

– Świetnie. I nie powiesz mi, co to za wydawnictwa?

– Nie.

Usta unoszą mu się w niechętnym uśmiechu.

– Dużo mogę, panno Steele.

– W pełni jestem tego świadoma, panie Grey. Chcesz namierzyć moją komórkę? – pytam z miną niewiniątka.

– Dzisiejsze popołudnie mam dość zajęte, więc zlecę to komuś innemu. – Uśmiecha się ironicznie.

Czy on żartuje?

– Skoro jesteś w stanie komuś to zlecić, wygląda na to, że zatrudniasz zbyt wielu pracowników.

– Wyślę mejl do kierowniczki kadr i każę jej się tym zająć. – Drgają mu kąciki ust.

Och, dzięki Bogu, wróciło mu poczucie humoru.

Pani Jones podaje nam śniadanie i przez chwilę jemy w milczeniu. Posprzątawszy, taktownie nas opuszcza. Zerkam na Christiana.

– O co chodzi, Anastasio?

– Wiesz, w końcu mi nie powiedziałeś, dlaczego nie lubisz być dotykany.

Blednie, a mnie ogarniają wyrzuty sumienia, że zadałam mu to pytanie.

– Powiedziałem ci więcej niż komukolwiek – mówi cicho, patrząc na mnie beznamiętnie.

A więc nigdy się nikomu nie zwierzył. Nie ma żadnych bliskich przyjaciół? Być może powiedział pani Robinson? Mam ochotę go o to zapytać, ale nie mogę – nie mogę się tak wtrącać. Kręcę głową. On jest rzeczywiście samotną wyspą.

– Na wyjeździe zastanowisz się nad naszym układem? – pyta.

– Tak.

– Będziesz tęsknić?

Zaskoczył mnie tym pytaniem.

– Tak – odpowiadam zgodnie z prawdą.

Jak to możliwe, że w tak krótkim czasie zaczął tak wiele dla mnie znaczyć? Znalazł drogę do mego serca… dosłownie. Uśmiecha się.

– Ja też będę za tobą tęsknił. Bardziej, niż sobie wyobrażasz – mówi cicho.

Moje serce raduje się tymi słowami. On się naprawdę stara. Delikatnie głaszcze mój policzek, nachyla się i całuje.

JEST PÓŹNE POPOŁUDNIE, a ja siedzę zdenerwowana w lobby, czekając na pana J. Hyde'a z wydawnictwa

Seattle Independent Publishing. To moja druga rozmowa i to nią bardziej się denerwuję. Pierwsza poszła dobrze, ale odbyła się w dużym konglomeracie z przedstawicielstwami rozsianymi po całych Stanach i byłabym tam po prostu jedną z wielu asystentek. Wyobrażam sobie, że taka machina korporacyjna potrafi połknąć, a potem szybko wypluć. A w SIP naprawdę chciałabym pracować. To małe i niekonwencjonalne wydawnictwo, preferujące lokalnych autorów, z ekscentryczną klientelą.

Umeblowanie jest skromne, ale to chyba taki styl raczej niż kwestia oszczędności. Siedzę na jednej z dwóch kanap obitych ciemnozieloną skórą – nawet podobnych do tej, która stoi w pokoju zabaw Christiana. Przesuwam dłonią po skórze, zastanawiając się, co Christian robi na tej kanapie. Ach, tyle jest możliwości... nie – teraz nie mogę o tym myśleć. Oblewam się rumieńcem.

Recepcjonistka to młoda Afroamerykanka z dużymi srebrnymi kolczykami i długimi, wyprostowanymi włosami. Jest w niej coś artystycznego i tak sobie myślę, że mogłybyśmy się zaprzyjaźnić. Ta myśl jest pocieszająca. Co kilka chwil podnosi na mnie wzrok i uśmiecha się miło. Niepewnie odwzajemniam jej uśmiech.

Lot mam zarezerwowany, a mama jest w siódmym niebie. Zdążyłam się już spakować, Kate obiecała, że odwiezie mnie na lotnisko. Christian polecił, bym zabrała ze sobą BlackBerry i Maca. Przewracam oczami na wspomnienie tej jego nieznośnej apodyktyczności, ale teraz do mnie dociera, że on już taki po prostu jest. Lubi sprawować nad wszystkim kontrolę, włącznie ze mną. Jednocześnie bywa tak nieoczekiwanie i rozbrajająco miły. Potrafi być czuły, wesoły, nawet słodki i te chwile wydają się zupełnie kosmiczne. Uparł się, aby mnie odprowadzić do garażu. Jezu, wyjeżdżam tylko na kilka dni, a on zachowuje się tak, jakby to były tygodnie.

– Ana Steele? – Z rozmyślań wyrywa mnie stojąca przy biurku w recepcji kobieta z długimi czarnymi włosami jak z malarstwa prerafaelickiego. Ubrana niemal identycznie jak recepcjonistka. Może mieć trzydzieści kilka lat, a niewykluczone, że przekroczyła czterdziestkę. W przypadku starszych kobiet trudno jednoznacznie określić wiek.

– Tak – odpowiadam, wstając z kanapy.

Uśmiecha się do mnie grzecznie, lustrując orzechowym spojrzeniem. Mam na sobie jedną z sukienek Kate, czarny bezrękawnik, a pod nią białą bluzkę, na nogach zaś własne czółenka. Myślę, że to strój odpowiedni na taką rozmowę. Włosy upięłam w ciasny kok i choć raz nie uciekają z niego żadne pasma. Kobieta wyciąga rękę.

– Witaj, Ana, jestem Elizabeth Morgan, kierowniczka działu kadr w SIP.

– Bardzo mi miło. – Ściskam jej dłoń. Wygląda dość swobodnie jak na zajmowane stanowisko.

– Proszę za mną.

Przez podwójne drzwi za recepcją wchodzimy do dużego kolorowego biura bez ścianek działowych, stamtąd zaś do niewielkiej sali konferencyjnej. Ściany są jasnozielone, a na nich wiszą reprodukcje okładek książek. U szczytu stołu siedzi młody mężczyzna z rudymi, związanymi w kucyk włosami. W uszach ma małe srebrne kółka. Ubrany jest w jasnoniebieską koszulę i spodnie khaki. Gdy podchodzę, wstaje i mierzy mnie uważnym spojrzeniem.

– Ana Steele, jestem Jack Hyde, redaktor prowadzący SIP. Niezmiernie miło cię poznać.

Wymieniamy uścisk dłoni. Z jego twarzy trudno cokolwiek wyczytać, ale wydaje się, że jest życzliwie nastawiony.

– Z daleka przyjechałaś? – pyta uprzejmie.

– Nie, niedawno się przeprowadziłam w okolice Pike Street Market.

– Och, no to nie masz daleko. Proszę, siądź.

Siadam, a Elizabeth zajmuje krzesło obok niego.

– Ano, dlaczego chciałabyś odbyć staż u nas, w SIP? – pyta.

Wymawia moje imię miękko i przechyla głowę na bok, jak ktoś, kogo znam – to irytujące. Starając się ignorować irracjonalną nieufność, rozpoczynam starannie przygotowaną mowę, świadoma tego, że na policzki wypełza mi różowy rumieniec. Patrzę na oboje, pamiętając o wykładzie Katherine Kavanagh, poświęconym technikom udanej rozmowy: „Utrzymuj kontakt wzrokowy, Ana!". O rany, ta kobieta też potrafi być apodyktyczna. Jack i Elizabeth słuchają z uwagą.

– Masz bardzo wysoką średnią. Jakim zajęciom pozalekcyjnym oddawałaś się w WSU?

Oddawałam się? Mrugam powiekami. Co za dziwny dobór słów. Przedstawiam szczegóły dotyczące pracy w głównej bibliotece kampusu i jedynego wywiadu z nieprzyzwoicie bogatym despotą dla gazety studenckiej. Wspominam o dwóch towarzystwach literackich, do których należałam, o pracy u Claytona i niepotrzebnej mi teraz wiedzy z zakresu majsterkowania. Oboje się śmieją, i na taką reakcję miałam nadzieję. Powoli się odprężam.

Jack Hyde zadaje bystre, inteligentne pytania, ale ja nie daję się zbić z pantałyku – dotrzymuję mu kroku, a kiedy rozmawiamy o moich preferencjach i ulubionych książkach, chyba przejmuję pałeczkę. Jack lubi wyłącznie literaturę amerykańską, nie starszą niż z lat pięćdziesiątych dwudziestego wieku. Nic więcej. Żadnych klasyków – nawet Henry'ego Jamesa, Uptona Sinclaira czy F. Scotta Fitzgeralda. Elizabeth się nie odzywa, czasami jedynie kiwa głową i robi notatki. Jack, choć lubi forsować swoje zdanie, jest na swój sposób czarujący i im dłużej rozmawiamy, tym bardziej słabnie moja początkowa nieufność.

– A gdzie się widzisz za pięć lat? – pyta.

Z Christianem Greyem – taka myśl pojawia się nie-proszona w mojej głowie. Marszczę brwi.

– W roli redaktora? Może agenta literackiego? Je-stem otwarta na to, co niesie przyszłość.

Uśmiecha się szeroko.

– Świetnie, Ano. Nie mam więcej pytań. A ty?

– Od kiedy potrzebujecie stażystki? – pytam.

– Od zaraz – odpowiada Elizabeth. – A kiedy ty mo-głabyś zacząć?

– Jestem wolna od przyszłego tygodnia.

– Dobrze wiedzieć – stwierdza Jack.

– Jeśli to wszystko – Elizabeth patrzy na nas – chyba rozmowę możemy uznać za zakończoną. – Uśmiecha się grzecznie.

– Miło było cię poznać, Ano – mówi miękko Jack, ujmując moją dłoń. Ściska ją delikatnie, a ja mrugam po-wiekami.

W drodze do samochodu czuję niepokój, choć nie po-trafię sprecyzować jego przyczyny. Chyba dobrze mi po-szło, ale nie mam pewności. Rozmowy w sprawie pracy to takie sztuczne sytuacje; każdy się zachowuje najlepiej, jak potrafi, desperacko starając się ukryć za fasadą profesjonali-zmu. Cóż, będę musiała cierpliwie poczekać na odpowiedź.

Wsiadam do audi A3 i wracam do mieszkania, nie spiesząc się. Mam lot nocny z przesiadką w Atlancie, ale samolot startuje dopiero o dwudziestej drugiej dwadzie-ścia pięć, więc jest jeszcze mnóstwo czasu.

Kate rozpakowuje w kuchni kartony.

– Jak poszło? – pyta podekscytowana. Tylko ona po-trafi wyglądać oszałamiająco w za dużej koszuli, znisz-czonych dżinsach i granatowej bandanie.

– Dobrze, dzięki. Nie jestem pewna, czy w drugim przypadku mój strój okazał się wystarczająco *cool*.

– Och?

– Boho chic byłby lepszy.

Kate unosi brew.

– Ty i boho chic. – Przechyla głowę na bok... Aaa! Dlaczego wszyscy mi przypominają o moim ulubionym Szarym? – Właściwie jesteś jedną z niewielu osób, którym ten styl naprawdę by pasował.

Uśmiecham się szeroko.

– W drugim wydawnictwie naprawdę mi się spodobało. Chyba dobrze bym się tam czuła. Jednak facet, który przeprowadzał ze mną rozmowę, był lekko niepokojący...

– Urywam. Cholera, rozmawiam przecież z Megafonem Kavanagh. Zamknij się, Ana!

– Och? – Radar Katherine Kavanagh, wyłapujący ciekawe informacje, właśnie się uruchomił. Ciekawe informacje, które potem wykorzysta w najmniej stosownym momencie.

– A tak nawiasem mówiąc, czy mogłabyś przestać drażnić się z Christianem? Ta wczorajsza uwaga na temat José była zupełnie niepotrzebna. To zazdrośnik. Nic dobrego tym nie uzyskasz.

– Słuchaj, gdyby nie był bratem Elliota, powiedziałabym znacznie więcej. On ma bzika na punkcie sprawowania kontroli. Nie wiem, jak ty to znosisz. Próbowałam obudzić w nim zazdrość, trochę mu pomóc w kłopotach z zaangażowaniem się. – Unosi obronnie ręce. – Ale skoro nie chcesz, żebym się wtrącała, dobrze, nie będę – dodaje pospiesznie, widząc moją gniewną minę.

– I bardzo dobrze. Życie z Christianem jest wystarczająco skomplikowane, uwierz mi.

Jezu, mówię jak on.

– Ana. – Patrzy na mnie. – Wszystko w porządku? Nie wyjeżdżasz do mamy po to, aby uciec?

Oblewam się rumieńcem.

– Nie, Kate. To ty mówiłaś, że przyda mi się trochę odpoczynku.

Podchodzi i ujmuje moje dłonie – co jest zupełnie nie w jej stylu. O nie… zaraz się rozpłaczę.

– Jesteś po prostu, sama nie wiem… inna. Mam nadzieję, że nic ci nie dolega i że jeśli będziesz mieć jakieś kłopoty z Panem Nadzianym, to o nich ze mną porozmawiasz. I postaram się już go nie drażnić. Ana, jeśli coś jest nie tak, powiedz mi, nie będę osądzać. Spróbuję to zrozumieć.

Mrugam, walcząc ze łzami.

– Och, Kate. – Ściskam ją mocno. – Chyba naprawdę się zakochałam.

– Ana, to widać gołym okiem. A on w tobie. Szaleje na twoim punkcie. Oczu nie potrafi od ciebie oderwać.

Śmieję się niepewnie.

– Tak myślisz?

– Nie powiedział ci?

– Nie ujął tego w taki sposób.

– A ty mu powiedziałaś?

– Nie ujęłam tego w taki sposób. – Wzruszam przepraszająco ramionami.

– Ana! Ktoś musi zrobić pierwszy krok, w przeciwnym razie donikąd nie zajdziecie.

Co… powiedzieć mu, co czuję?

– Boję się, że go tym wystraszę.

– A skąd wiesz, że on nie czuje tego samego?

– Christian, boi się? Jakoś nie jestem sobie w stanie wyobrazić, żeby bał się czegokolwiek. – Ale gdy wypowiadam te słowa, mam przed oczami małego chłopca. Może wtedy strach był jedynym znanym mu uczuciem. Na tę myśl boleśnie ściska mi się serce.

Kate przygląda mi się z zaciśniętymi ustami i zmrużonymi oczami, przypominając moją podświadomość – jedyne, czego jej trzeba, to okularów.

– Musicie siąść i poważnie porozmawiać.

– Ostatnio mało rozmawiamy. – Rumienię się. Robimy inne rzeczy. Komunikacja pozawerbalna, a to akurat nam wychodzi. Cóż, nawet bardzo.

Kate uśmiecha się szeroko.

– Za to uprawiacie seks! Jeśli jest super, to już połowa sukcesu, Ana. Pójdę po jakąś chińszczyznę, co? Gotowa do drogi?

– Prawie. Musimy wyjechać dopiero za dwie godziny.

– Okej, no to niedługo będę z powrotem.

Narzuca żakiet i wychodzi, zapominając zamknąć drzwi. Robię to za nią, a potem udaję się do swojego pokoju, dumając nad jej słowami.

Czy Christian boi się tego, co do mnie czuje? Czy w ogóle coś do mnie czuje? Takie sprawia wrażenie, mówi, że jestem jego – ale to tylko część jego osobowości Pana i kontrolera, „muszę mieć na własność wszystkich i wszystko". Uświadamiam sobie, że podczas wyjazdu będę musiała na nowo przeanalizować nasze rozmowy i się przekonać, czy coś mi się uda z nich wyłapać.

Ja też będę tęsknić... bardziej niż ci się wydaje...
Zupełnie mnie oczarowałaś...

KRĘCĘ GŁOWĄ. NIE CHCĘ teraz o tym myśleć. BlackBerry właśnie się ładuje, więc nie miałam go przy sobie całe popołudnie. Biorę go ostrożnie do ręki i z rozczarowaniem stwierdzam, że nie ma żadnych wiadomości. Włączam podłe urządzenie i tam też nic nie ma. „Ten sam adres mejlowy, Ana" – przewraca oczami moja podświadomość i po raz pierwszy rozumiem, dlaczego Christian chce mnie przekładać przez kolano, gdy to robię.

Okej. Cóż, w takim razie ja do niego napiszę.

Nadawca: Anastasia Steele
Temat: Rozmowy w sprawie pracy
Data: 30 maja 2011, 18:49
Adresat: Christian Grey

Szanowny Panie,

Moje dzisiejsze rozmowy w sprawie pracy okazały się udane.

Uznałam, że może Cię to zainteresować.

A jak Tobie minął dzień?

Ana

Siedzę i patrzę w ekran. Odpowiedzi Christiana są najczęściej natychmiastowe. Czekam… i czekam, aż w końcu słyszę znajome piknięcie.

Nadawca: Christian Grey
Temat: Mój dzień
Data: 30 maja 2011, 19:03
Adresat: Anastasia Steele

Droga Panno Steele,

Interesuje mnie wszystko, co robisz. Jesteś najbardziej fascynującą kobietą, jaką znam.

Cieszę się, że rozmowy się udały.

Poranek przerósł moje najśmielsze oczekiwania.

W porównaniu z nim popołudnie okazało się bardzo nudne.

Christian Grey
Prezes, Grey Enterprises Holdings, Inc.

Nadawca: Anastasia Steele
Temat: Doskonały poranek
Data: 30 maja 2011, 19:05
Adresat: Christian Grey

Szanowny Panie,

Dla mnie również był wyjątkowy, chociaż po wzorowym seksie na biurku zacząłeś dziwaczyć. Nie myśl, że nie zauważyłam.

Dziękuję za śniadanie. A raczej podziękuj ode mnie pani Jones.

Chciałabym zapytać Cię o nią – ale żebyś znowu nie zaczął przypadkiem dziwaczyć.

Ana

Mój palec waha się nad przyciskiem „wyślij", ale uspokaja mnie myśl, że jutro o tej porze będę na drugim końcu kontynentu.

Nadawca: Christian Grey
Temat: Ty i świat wydawniczy?
Data: 30 maja 2011, 19:10
Adresat: Anastasia Steele

Anastasio,

„Dziwaczyć" to nie jest czasownik, którego powinien używać ktoś, kto chce wejść do świata wydawniczego. Wzorowy? W porównaniu z czym, jeśli wolno spytać? I o co chcesz mnie spytać w związku z panią Jones? Zaintrygowałaś mnie tym.

Christian Grey
Prezes, Grey Enterprises Holdings, Inc.

Nadawca: Anastasia Steele
Temat: Ty i pani Jones
Data: 30 maja 2011, 19:17
Adresat: Christian Grey

Drogi Panie,

Język ewoluuje i zmienia się. To żywy organizm. Nie tkwi w wieży z kości słoniowej obwieszonej drogimi dziełami sztuki, z widokiem na panoramę Seattle i lądowiskiem dla śmigłowców na dachu.

Wzorowy – w porównaniu z innymi razami, kiedy się... jak ty to ujmujesz... ach tak... pieprzymy. Pieprzenie było wzorcowe, oczywiście takie jest moje skromne zdanie, a przecież sam wiesz, jak ograniczone jest moje doświadczenie.

Czy pani Jones to twoja była uległa?

Ana

Po raz kolejny się waham, czy wysłać, ale w końcu to robię.

Nadawca: Christian Grey
Temat: Zważaj na słowa!
Data: 30 maja 2011, 19:22
Adresat: Anastasia Steele

Anastasio,

Pani Jones to ceniony pracownik. Relacje, jakie nas łączą, mają – i miały – charakter wyłącznie zawodowy. Nie zatrudniam osób, z którymi łączą mnie relacje seksualne. Jestem zaszokowany faktem, że mogłabyś tak pomyśleć. Jedyna osoba, dla której uczyniłbym wyjątek, to Ty – ponieważ jesteś inteligentną młodą kobietą z niezwykłymi zdolnościami negocjacyjnymi. Tyle że jeśli miałabyś używać takiego języka, zapewne musiałbym taką decyzję gruntownie przemyśleć. Cieszę się, że Twoje doświadczenie jest ograniczone. I tak pozostanie – będzie ograniczone wyłącznie do mnie. Określenie „wzorowy" uznam za komplement, choć z Tobą nigdy nie mam pewności, co masz na myśli i czy góry nie bierze Twoje poczucie ironii.

Christian Grey
Prezes, Grey Enterprises Holdings, Inc., z Wieży
z Kości Słoniowej

Nadawca: Anastasia Steele
Temat: Nawet za tysiąc lat
Data: 30 maja 2011, 19:27
Adresat: Christian Grey

Szanowny Panie Grey,

Wydaje mi się, że już jasno wyraziłam swój sprzeciw
wobec pracy w Pańskiej firmie. Zdania nie zmieni-
łam i nie zmienię, nigdy. Teraz muszę Cię opuścić,
ponieważ Kate wróciła z jedzeniem. Moje poczucie
ironii i ja życzymy Ci dobrej nocy.

Skontaktuję się z Tobą po przylocie do Georgii.

Ana

Nadawca: Christian Grey
Temat: A za dwa tysiące?
Data: 30 maja 2011, 19:29
Adresat: Anastasia Steele

Dobranoc, Anastasio.
Mam nadzieję, że Ty i Twoje poczucie ironii doleci-
cie na miejsce cali i zdrowi.

Christian Grey
Prezes, Grey Enterprises Holdings, Inc.

Zatrzymujemy się przed terminalem odlotów lotniska Sea-Tac. Kate nachyla się i ściska mnie mocno.

– Baw się dobrze na Barbadosie, Kate, i porządnie wypocznij.

– Do zobaczenia po powrocie. Nie daj się stłamsić Panu Nadzianemu.

– Dobrze.

Tulimy się jeszcze raz, a potem zostaję sama. Udaję się do kolejki do odprawy i staję w niej z bagażem podręcznym. Nie zawracałam sobie głowy walizką, wystarczy plecak, który Ray podarował mi na ostatnie urodziny.

– Pani bilet? – Znudzony chłopak wyciąga rękę, nawet na mnie nie patrząc.

Z równie znudzoną miną wręczam mu bilet i dokument ze zdjęciem. Mam nadzieję, że przydzieli mi miejsce przy oknie.

– Okej, panno Steele. Została pani przeniesiona do pierwszej klasy.

– Słucham?

– Gdyby zechciała pani przejść do saloniku dla pierwszej klasy i tam poczekać na lot... – Najwyraźniej się obudził i teraz uśmiecha się do mnie promiennie, jakbym była jednocześnie Świętym Mikołajem i króliczkiem wielkanocnym.

– To musi być jakaś pomyłka.

– Nie, nie. – Jeszcze raz zerka na ekran komputera. – Anastasia Steele, pierwsza klasa. – Uśmiecha się grzecznie.

Mrużę oczy. Odbieram od niego kartę pokładową i ruszam w stronę saloniku dla pierwszej klasy, burcząc pod nosem. Cholerny Christian Grey, niepoprawny kontroler, on nie może tak po prostu odpuścić.

ROZDZIAŁ DWUDZIESTY DRUGI

Zrobiono mi manicure, wymasowano i poczęstowano dwoma kieliszkami szampana. Salonik dla pierwszej klasy ma jednak swoje plusy. Z każdym łykiem Moeta coraz bardziej jestem skłonna wybaczyć Christianowi tę jego interwencję. Otwieram MacBooka w nadziei przetestowania teorii, że działa w każdym miejscu na Ziemi.

Nadawca: Anastasia Steele
Temat: Przesadna rozrzutność
Data: 30 maja 2011, 21:53
Adresat: Christian Grey

Szanowny Panie Grey,

Mocno niepokoi mnie fakt, że wiedziałeś, na który lot mam bilet.

Twoje zapędy prześladowcze nie znają granic. Miejmy nadzieję, że doktorowi Flynnowi skończył się już urlop.

Zrobiono mi manicure, wymasowano plecy i uraczono dwoma kieliszkami szampana – przyjemny początek wyjazdu.

Dziękuję.

Ana

Nadawca: Christian Grey
Temat: Ależ nie ma za co
Data: 30 maja 2011, 21:59
Adresat: Anastasia Steele

Droga Panno Steele,

Dr Flynn wrócił i wybieram się w tym tygodniu na wizytę.

Kto Ci masował plecy?

Christian Grey
Prezes z odpowiednio ustosunkowanymi znajomymi,
Grey Enterprises Holdings, Inc.

Aha! Czas się odpłacić. Wywołano nasz lot, więc wyślę mejl z samolotu. Tak będzie bezpieczniej. Ależ jestem z siebie zadowolona.

W pierwszej klasie jest tyle miejsca. Z kieliszkiem szampana w dłoni moszczę się wygodnie na skórzanym fotelu przy oknie, a tymczasem kabina powoli się zapełnia. Dzwonię do Raya, aby mu powiedzieć, gdzie jestem – na szczęście jest tak późno, że rozmowa nie trwa długo.

– Kocham cię, tato – mówię na pożegnanie.

– Ja ciebie też, Annie. Pozdrów mamę. Dobranoc.
– Dobranoc. – Rozłączam się.
Ray jest w dobrej formie. Patrzę na Maca, a potem z tym samym dziecinnym zadowoleniem otwieram go i zabieram się za pisanie.

Nadawca: Anastasia Steele
Temat: Silne i uzdolnione dłonie
Data: 30 maja 2011, 22:22
Adresat: Christian Grey

Szanowny Panie,

Plecy masował mi bardzo sympatyczny młody człowiek. Tak. Niezmiernie sympatyczny. W zwykłej sali odlotów nie miałabym okazji poznać Jean-Paula – tak więc raz jeszcze dziękuję za tę przyjemność. Nie jestem pewna, czy po starcie wolno mi będzie pisać mejle, poza tym przyda mi się trochę snu dla urody, jako że ostatnio nie sypiam zbyt dobrze.

Kolorowych snów, Panie Grey… myślę o Panu.

Ana

Och, ależ się wkurzy – a ja będę wtedy w powietrzu, poza jego zasięgiem. Niech ma za swoje! Gdybym czekała w zwykłej sali odlotów, Jean-Paul nawet by mnie nie dotknął. Był bardzo sympatyczny, jasnowłosy i opalony – no naprawdę, kto w Seattle jest opalony? Wydaje mi się, że to gej, ale ten akurat szczegół zachowam dla siebie. Patrzę na swój mejl. Kate ma rację. Nietrudno go zirytować. Moja podświadomość wpatruje się we mnie, krzywiąc się nieładnie: „Naprawdę chcesz go rozdrażnić? Przecież to, co zrobił, jest słodkie. Troszczy się o ciebie i chce, żebyś wygodnie podróżowała". Zgoda, ale mógł mi o tym powiedzieć. A tak w punkcie odpraw wyglądałam jak jakaś ciemięga. Klikam „wyślij" i czekam, czując się jak bardzo niegrzeczna dziewczynka.

– Panno Steele, na czas startu musi pani schować laptop – mówi grzecznie odpicowana stewardesa. A ja aż podskakuję. Widać, że mam coś na sumieniu.

– Och, przepraszam.

Cholera. Teraz będę musiała czekać. Wręcza mi miękki koc i poduszkę, w uśmiechu prezentując idealne zęby. Otulam kocem kolana. Fajnie, jak czasem ktoś ci dogadza.

Pierwsza klasa zapełniła się i tylko jedno miejsce jest wolne, obok mnie. O nie... przez głowę przelatuje mi mocno niepokojąca myśl. A może siedzi tu Christian. Cholera... nie... nie zrobiłby tego. A może jednak? Powiedziałam mu, że nie chcę, by ze mną leciał. Zerkam nerwowo na zegarek, gdy bezcielesny głos z pokładu załogowego oznajmia:

– Załoga, sprawdzić drzwi.

Co to znaczy? Zamykają drzwi? Swędzi mnie skóra głowy, gdy tak siedzę i czekam. Fotel obok mnie jest jedynym wolnym miejscem w kabinie przeznaczonej dla szesnastu osób. Samolot lekko podskakuje i zaczyna się toczyć po asfalcie. Oddycham z ulgą, ale czuję także lekkie ukłucie rozczarowania. Cztery dni bez Christiana. Zaglądam ukradkiem do BlackBerry.

Nadawca: Christian Grey
Temat: Ciesz się, póki możesz
Data: 30 maja 2011, 22:25
Adresat: Anastasia Steele

Droga Panno Steele,

Wiem, co próbujesz robić – i uwierz mi, udaje Ci się. Następnym razem polecisz w skrzyni w luku bagażowym, związana i zakneblowana. Coś takiego sprawi mi zdecydowanie większą przyjemność niż zwykłe przeniesienie do pierwszej klasy.

Czekam niecierpliwie na Twój powrót.

Christian Grey
Prezes, którego świerzbi ręka,
Grey Enterprises Holdings, Inc.

Jasna cholera. Taki już problem z poczuciem humoru Christiana – nigdy nie mam pewności, czy żartuje, czy rzeczywiście jest zły. Podejrzewam, że w tym przypadku w grę wchodzi to drugie. Ukradkiem, tak żeby stewardesa nie widziała, wystukuję pod kocem odpowiedź.

Nadawca: Anastasia Steele
Temat: Żartujesz?
Data: 30 maja 2011, 22:30
Adresat: Christian Grey

Widzisz – nie mam pojęcia, czy żartujesz, a jeśli nie, to chyba zostanę już w Georgii. Skrzynie to dla mnie granica bezwzględna. Przepraszam, że Cię wkurzyłam. Powiedz, że mi wybaczasz.

A

Nadawca: Christian Grey
Temat: Żartuję
Data: 30 maja 2011, 22:31
Adresat: Anastasia Steele

Jak to możliwe, że piszesz mejle? Ryzykujesz życie wszystkich na pokładzie, włącznie z Tobą, korzystając z BlackBerry? Uważam, że to pogwałcenie jednej z zasad.

Christian Grey
Prezes, którego świerzbią obie ręce,
Grey Enterprises Holdings, Inc.

Obie ręce! Odkładam BlackBerry i opieram się wygodnie. Samolot wjeżdża na pas startowy, a ja wyjmuję wysłużony egzemplarz *Tessy* – odrobina lekkiej lektury na podróż. Kiedy zaczynamy się wznosić w powietrze, rozkładam siedzenie i wkrótce zapadam w sen.

Stewardesa budzi mnie, kiedy zaczynamy podchodzić do lądowania w Atlancie. Miejscowy czas to piąta czterdzieści pięć. Spałam tylko cztery godziny... Jestem półprzytomna, ale dziękuję za szklankę soku pomarańczowego, który mi podaje. Zerkam nerwowo na Black-Berry. Żadnych nowych wiadomości od Christiana. Cóż, w Seattle jest prawie trzecia w nocy, no i pewnie chce mnie powstrzymać przed popsuciem systemu awionicznego czy też co tam nie pozwala samolotom lecieć, kiedy włączone są telefony komórkowe.

Postój w Atlancie trwa tylko godzinę. I znowu rozkoszuję się zaletami saloniku dla pierwszej klasy. Kusi mnie, żeby skulić się na jednej z pluszowych sof i zasnąć. Ale za mało jest czasu. Aby czymś się zająć, zaczynam pisać na laptopie długi mejl do Christiana.

Nadawca: Anastasia Steele
Temat: Lubisz mnie przerażać?
Data: 31 maja 2011, 06:52 EST
Adresat: Christian Grey

Wiesz, jak bardzo nie lubię, kiedy wydajesz na mnie pieniądze. Owszem, jesteś bardzo bogaty, niemniej jednak mocno mnie to krępuje i czuję się, jakbyś mi płacił za seks. W każdym razie podróż w pierwszej klasie bardzo mi się podoba, jest o wiele wygodniej niż w ekonomicznej. Tak więc dziękuję Ci. Mówię poważnie – i naprawdę podobał mi się masaż Jean-Paula. Wyglądał mi na geja. Nie wspomniałam o tym fakcie w swoim poprzednim mejlu, bo chciałam Cię wkurzyć. Zirytowałeś mnie wtedy i teraz Cię za to przepraszam.

Ale jak zwykle przesadzasz. Nie możesz pisać mi takich rzeczy – związana i zakneblowana w skrzyni. (Mówiłeś poważnie czy żartowałeś?) To mnie przeraża... Ty mnie przerażasz... Jestem pod Twoim urokiem, wiodąc z Tobą życie, o którego istnieniu do zeszłego tygodnia nie miałam pojęcia, a potem piszesz mi coś takiego i mam ochotę uciec z krzykiem gdzie pieprz rośnie. Naturalnie tego nie zrobię, ponieważ bym za Tobą tęskniła. Bardzo. Chcę, żeby nam się udało, ale przeraża mnie głębia mych uczuć do Ciebie i mroczne ścieżki, którymi mnie wiedziesz. To, co mi oferujesz, jest erotyczne i seksowne, a ja jestem ciekawa, ale także boję się, że zrobisz mi krzywdę – fizyczną i emocjonalną. Po trzech miesiącach możesz powiedzieć do widzenia, a wtedy co się ze mną stanie? Z drugiej strony takie ryzyko niesie ze sobą pewnie każdy związek. Po prostu nie jest to związek z moich wyobrażeń. Zwłaszcza pierwszy swój związek wyobrażałam sobie inaczej.

Miałeś rację, mówiąc, że nie ma we mnie nic uległego... Teraz się z Tobą zgadzam. Pomimo to pragnę być z Tobą, a jeśli tak właśnie muszę się zachowywać, chciałabym spróbować, ale sądzę, że wszystko schrzanię i skończy się to zbiciem na kwaśne jabłko – a ta akurat myśl w ogóle mi się nie podoba.

Tak bardzo się cieszę z tego, że powiedziałeś, iż postarasz się spróbować dać mi więcej. Muszę się jedynie zastanowić, czym dla mnie jest to „więcej", i to właśnie jeden z powodów, dla którego potrzebowałam nieco dystansu. Tak bardzo mnie oszałamiasz, że niełatwo mi jasno myśleć, kiedy jesteśmy razem.

Wywołują mój lot. Muszę kończyć.

Ciąg dalszy nastąpi.

Twoja Ana

Wysyłam mejl i śpiąca udaję się do drugiego samolotu. W tym akurat jest tylko sześć miejsc w pierwszej klasie, a od razu po starcie otulam się kocem i zapadam w sen.

Zbyt szybko budzi mnie stewardesa z sokiem pomarańczowym, gdyż zaczynamy podchodzić do lądowania na lotnisku Savannah International. Piję powoli, koszmarnie zmęczona, i pozwalam sobie na odrobinę ekscytacji. Spotkam się z mamą po raz pierwszy od sześciu miesięcy. Zerkając ukradkiem na BlackBerry, przypominam sobie, że wysłałam do Christiana rozwlekły mejl – jednak odpowiedzi brak. W Seattle jest piąta rano; mam nadzieję, że jeszcze śpi, a nie wygrywa na fortepianie żałobne melodie.

ZALETY POSIADANIA BAGAŻU PODRĘCZNEGO są takie, że można szybko opuścić lotnisko, a nie czekać bez końca przy taśmociągu. Zalety podróżowania pierwszą klasą są takie, że samolot opuszcza się w pierwszej kolejności.

Mama czeka na mnie w towarzystwie Boba. Tak miło ich widzieć. Nie wiem, czy to z powodu zmęczenia, długiego lotu czy tej całej sytuacji z Christianem, ale kiedy tylko wpadam w ramiona mamy, wybucham płaczem.

– Och, Ana, kotku. Musisz być strasznie zmęczona. – Zerka nerwowo na Boba.

– Nie, mamo, ja tylko… tak bardzo się cieszę, że cię widzę. – Ściskam ją mocno.

Tak mi dobrze w jej ramionach, czuję się jak w domu. Niechętnie ją puszczam i Bob obejmuje mnie ramieniem.

Stoi odrobinę niepewnie i przypomina mi się, że ma problem z nogą.

– Witaj w domu, Ana. Czemu płaczesz? – pyta.

– Oj tam, Bob, po prostu się cieszę, że cię widzę.

Patrzę na jego przystojną twarz z kwadratową szczęką i błyszczące niebieskie oczy, w których maluje się życzliwość. Lubię tego męża, mamo. Możesz go zatrzymać. Bierze ode mnie plecak.

– Jezu, Ana, co ty w nim masz?

To pewnie Mac. Oboje biorą mnie za ręce i we trójkę wychodzimy na parking.

Zawsze zapominam, jak nieznośnie gorąco jest w Savannah. Z klimatyzowanej hali przylotów wpadamy w upalne objęcia Georgii. O w mordę! Wyplątuję się z ramion mamy i Boba, żeby natychmiast zdjąć bluzę. Tak się cieszę, że zapakowałam letnie ciuchy. Czasami tęsknię za suchym upalnym klimatem Las Vegas, gdzie jako siedemnastolatka mieszkałam z mamą i Bobem. Do tej gorącej wilgoci Georgii trzeba się przyzwyczaić. Kiedy siedzę na tylnej kanapie cudownie klimatyzowanego suva Boba, robi mi się słabo, a moje włosy puszą się w niemym proteście. Szybko wysyłam esemesa do Raya, Kate i Christiana:

„Jestem już w Savannah, cała i zdrowa. A :)"

Przez moją głowę przebiega myśl o José i przypomina mi się, że w przyszłym tygodniu jest otwarcie jego wystawy. Powinnam zaprosić Christiana, wiedząc, co względem niego czuje? A czy po tym mejlu Christian nadal mnie będzie chciał widzieć? Wzdrygam się na tę myśl, a potem wyrzucam ją z głowy. Zajmę się tym później. Teraz mam zamiar cieszyć się towarzystwem mamy.

– Skarbie, musisz być wykończona. Chcesz się przespać, gdy dojedziemy do domu?

– Nie, mamo. Chciałabym pójść na plażę.

Tak oto w niebieskim, wiązanym na szyi tankini leżę na leżaku i sączę dietetyczną colę, przed sobą mając Atlantyk. I pomyśleć, że zaledwie wczoraj spoglądałam ponad Cieśniną w stronę Pacyfiku. Moja mama leży obok w absurdalnie dużym kapeluszu i w okularach w stylu Jackie O., także pijąc colę. Jesteśmy na plaży Tybee Island, zaledwie trzy kwartały od naszego domu. Trzyma mnie za rękę. Zmęczenie minęło i cieszę się teraz słońcem. Jest mi wygodnie, ciepło i bezpiecznie. Po raz pierwszy od niepamiętnych czasów zaczynam się odprężać.

– No więc, Ana... opowiedz mi o tym mężczyźnie, który tak ci zawrócił w głowie.

Zawrócił w głowie! Skąd ona wie? No i co mam powiedzieć? Podpisałam NDA, więc nie mogę zdradzać żadnych szczegółów, ale czy gdyby było inaczej, to opowiedziałabym mamie o wszystkim? Blednę na tę myśl.

– No? – pyta i ściska mi dłoń.

– Ma na imię Christian. Jest niesamowicie przystojny. I bogaty... zbyt bogaty. Jest bardzo skomplikowany i zmienny.

Tak – niezmiernie mi się podoba to moje zwięzłe, trafne streszczenie. Przekręcam się na bok, aby ją widzieć, a mama robi to samo. Wpatruje się we mnie błękitnymi oczami.

– Chcę się skupić na tym, że jest skomplikowany i zmienny.

O nie...

– Ach, mamo, od jego zmian nastrojów kręci mi się w głowie. Miał trudne dzieciństwo, więc jest bardzo zamknięty w sobie, trudny do rozgryzienia.

– Lubisz go?

– Więcej niż lubię.

– Naprawdę? – Zaskoczyłam ją.

– Tak, mamo.

– Mężczyźni tak naprawdę nie są skomplikowani, skarbie. Są bardzo prości i dosłowni. Najczęściej mówią to, co myślą. A my godzinami analizujemy ich słowa, gdy tymczasem wszystko powinno być jasne. Na twoim miejscu traktowałabym go dosłownie. To mogłoby ci pomóc.

Patrzę na nią z otwartymi ustami. W sumie całkiem dobra rada. Traktować Christiana dosłownie. Natychmiast przypominają mi się jego słowa.

Nie chcę cię stracić...

Oczarowałaś mnie...

Rzuciłaś na mnie urok...

Ja też będę tęsknił... nie wiesz, jak bardzo...

Przyglądam się mamie. Ma czwartego męża. Może rzeczywiście wie coś na temat mężczyzn.

– Większość facetów jest humorzasta, niektórzy bardziej od innych. Na przykład twój ojciec... – Jej spojrzenie łagodnieje i robi się smutne, jak zawsze na wspomnienie mojego taty. Prawdziwego taty, tego mitycznego mężczyzny, którego nie poznałam, zabranego nam tak okrutnie przez wypadek podczas szkolenia wojskowego. Wydaje mi się, że mama przez cały czas szuka kogoś takiego jak on... Może znalazła go w końcu w Bobie. Szkoda, że nie w Rayu. – Kiedyś uważałam, że twój ojciec jest humorzasty. Ale teraz, kiedy patrzę wstecz, wydaje mi się, że był po prostu za bardzo oddany pracy i staraniom, by zapewnić nam godziwe życie. – Wzdycha. – Był taki młody, oboje byliśmy młodzi. Może w tym tkwił problem.

Hmm... Christiana nie można nazwać starym. Uśmiecham się do niej czule. Potrafi wpaść w bardzo smutny nastrój, kiedy rozmyśla o moim tacie. Ale jestem przekonana, że jego humory nie umywały się do zmiennych nastrojów Christiana.

– Bob chce nas wieczorem zabrać na kolację. Do swojego klubu golfowego.

– O nie! Bob zaczął grać w golfa? – pytam z niedowierzaniem.

– Nic mi nie mów – jęczy mama, przewracając oczami.

Po LEKKIM LUNCHU W DOMU zabieram się za rozpakowywanie. Mam zamiar oddać się sjeście. Mama zniknęła, żeby się zająć formowaniem świec, czy też co tam z nimi robi, a Bob jest w pracy, mogę się więc trochę przespać. Włączam Maca. W Georgii jest druga po południu, w Seattle jedenasta rano. Ciekawe, czy czeka na mnie odpowiedź od Christiana. Nerwowo zaglądam do skrzynki.

Nadawca: Christian Grey
Temat: Nareszcie!
Data: 31 maja 2011, 07:30
Adresat: Anastasia Steele

Anastasio,
Irytuje mnie fakt, że gdy tylko zaczyna nas dzielić odległość, Ty komunikujesz się ze mną otwarcie i szczerze. Dlaczego tak nie potrafisz, kiedy jesteśmy razem?

Tak, jestem bogaty. Przyzwyczaj się. Czemu nie miałbym wydawać na Ciebie pieniędzy? Powiedzieliśmy Twojemu ojcu, że jestem Twoim chłopakiem, na litość boską. Czy tak właśnie nie robią chłopacy? Jako Twój Pan będę oczekiwał, że godzisz się z tym bez szemrania. Nawiasem mówiąc, matce także powiedz.

Nie wiem, jak przyjąć Twoje stwierdzenie, że czujesz się jak dziwka. Wiem, że nie takich użyłaś słów, ale to właśnie sugerujesz. Nie wiem, co mogę powiedzieć czy zrobić, żebyś przestała się tak czuć. Chciałbym, żebyś miała wszystko, co najlepsze. Pracuję wyjątkowo ciężko, więc mogę wydawać pieniądze, jak mi się żywnie podoba. Mógłbym Ci kupić wszystko, czego pragniesz, Anastasio, i chcę to robić. Jeśli chcesz, nazwij to redystrybucją. Albo po prostu wiedz, że nigdy, przenigdy nie pomyślę o Tobie w sposób taki, jaki napisałaś, i bardzo jestem zły, że Ty masz takie myśli. Jesteś inteligentną, elokwentną, piękną młodą kobietą, a masz naprawdę zaburzone poczucie własnej wartości i zastanawiam się, czy nie umówić Cię z doktorem Flynnem.

Przepraszam, że Cię straszę. Potworna jest dla mnie myśl, że moje słowa wzbudzają w Tobie przerażenie. Naprawdę sądzisz, że pozwoliłbym Ci podróżować w zamknięciu? Zaproponowałem Ci własny odrzutowiec, na litość boską. Tak, to był żart, najwyraźniej kiepski. Niemniej jednak prawda jest taka, że myśl o związanej i zakneblowanej Anastasii mnie podnieca (to nie żart – taka jest prawda). Skrzynię mogę darować – nie jest mi do niczego potrzebna. Wiem, że masz problem z kneblowaniem – rozmawialiśmy na ten temat – i jeszcze przedyskutujemy, czy lub kiedy Cię zaknebluję. Wydaje mi się natomiast, że nie dociera do Ciebie fakt, iż w relacjach Pan/uległa to uległa dzierży władzę. Ty. Powtórzę: to Ty dzierżysz całą władzę. Nie ja. W hangarze powiedziałaś „nie". Nie mogę Cię dotknąć, jeśli mi nie pozwolisz – dlatego właśnie mamy umowę opisującą, co zrobisz, a czego nie. Jeśli spróbujemy czegoś, a Tobie się to nie spodoba, dokonamy w umowie stosownych zmian. To zależy od Ciebie – nie ode mnie. I jeśli nie masz ochoty leżeć w skrzyni związana i zakneblowana, po prostu do tego nie dojdzie.

Chcę dzielić z Tobą swój styl życia. Nigdy niczego tak bardzo nie pragnąłem. Jeśli mam być szczery, to Cię podziwiam, że osoba tak niewinna ma chęć spróbować. Nie masz pojęcia, ile mi to mówi. Nie dostrzegasz tego, że ja także uległem Twojemu czarowi, choć mówiłem Ci o tym tyle razy. Nie chcę Cię stracić. Denerwuję się, że przeleciałaś prawie pięć tysięcy kilometrów po to, aby na kilka dni ode mnie uciec, ponieważ przy mnie nie jesteś w stanie jasno myśleć. Ze mną jest tak samo, Anastasio. Tracę rozsądek, kiedy jesteśmy razem – tak głębokie jest moje uczucie do Ciebie.

Rozumiem Twój niepokój. Naprawdę próbowałem trzymać się od Ciebie z daleka; wiedziałem, że jesteś niedoświadczona, choć nigdy bym nie posunął się tak daleko, gdybym wiedział, jak wielkie jest Twoje niedoświadczenie. A mimo to umiesz rozbroić mnie całkowicie, jak jeszcze nikt przed Tobą. Na przykład Twój mejl: czytałem go niezliczoną ilość razy, próbując zrozumieć Twój punkt widzenia. Trzy miesiące to tylko dowolnie podana liczba. Moglibyśmy zrobić z tego sześć miesięcy, rok? Jak długo byś chciała? Co by Ci zapewniło poczucie bezpieczeństwa? Powiedz koniecznie.

Wiem, że muszę zasłużyć na Twoje zaufanie, ale z tego samego powodu musisz się ze mną komunikować, kiedy ja tego nie robię. Wydajesz się taka silna i niezależna, a potem czytam, co napisałaś, i dostrzegam Twoją inną stronę. Musimy się nawzajem nakierowywać, Anastasio. Musisz być ze mną szczera i oboje musimy znaleźć sposób, aby ten układ wypalił.

Martwisz się tym, że nie jesteś uległa. Cóż, może to i prawda. Postawę należną uległej przyjmujesz właściwie tylko w pokoju zabaw. Wygląda na to, że to jedyne miejsce, gdzie pozwalasz mi sprawować nad sobą należytą kontrolę i jedyne miejsce, gdzie robisz to, co każę. Zachowujesz się „przykładnie" – takie słowo nasuwa mi się na myśl. I nigdy bym Cię nie stłukł na kwaśne jabłko. Moim celem jest słodka różowość pośladków. Podoba mi się fakt, że poza pokojem zabaw sprzeciwiasz mi się. To dla mnie nowe, stanowiące miłą odmianę doświadczenie i nie chciałbym tego zmieniać. Więc tak, powiedz mi, czym jest dla Ciebie to „więcej". Postaram się dać Ci przestrzeń, której potrzebujesz, i będę się trzymał od Ciebie z daleka podczas Twojego pobytu w Georgii. Czekam z niecierpliwością na Twój kolejny mejl.

A tymczasem baw się dobrze. Ale nie za dobrze.

Christian Grey
Prezes, Grey Enterprises Holdings, Inc.

A niech mnie. Napisał wypracowanie, jak za czasów szkolnych – i to całkiem dobre wypracowanie. Serce podchodzi mi do gardła, gdy po raz drugi czytam ten mejl, praktycznie tuląc do siebie Maca. Trzy miesiące zamienić na rok? Mam władzę! Jezu, będę musiała to wszystko porządnie przemyśleć. „Traktuj go dosłownie" – tak brzmiały słowa mojej matki. Nie chce mnie stracić. Dwa razy tak napisał! I też chce, żeby nam się udało. Och, Christianie, ja również! Postara się trzymać z daleka! Czy to oznacza, że może mu się to nie udać? Nagle stwierdzam, że taką mam właśnie nadzieję. Pragnę go zobaczyć. Rozstaliśmy się niecałą dobę temu, a wobec perspektywy czterech dni bez niego uświadamiam sobie, jak bardzo za nim tęsknię. Jak bardzo go kocham.

– ANA, SKARBIE. – GŁOS JEST cichy i ciepły, pełen miłości i słodkich wspomnień.

Delikatna dłoń gładzi mnie po policzku. Mama mnie budzi. Leżę, tuląc do siebie laptop.

– Ana – powtarza śpiewnie, gdy ja wybudzam się ze snu, mrugając w różowawym świetle zmierzchu.

– Cześć, mamo. – Przeciągam się i uśmiecham.

– Za pół godziny wychodzimy na kolację. Nadal masz na nią chęć? – pyta życzliwie.

– O tak, mamo, oczywiście. – Bardzo się staram zdusić ziewnięcie, ale kiepsko mi to wychodzi.

– A cóż to za imponujące cudo techniki? – Pokazuje na laptop.

Cholera.

– Och… to? – decyduję się na swobodną, zaskoczoną nonszalancję.

Mama zauważy? Wydaje się bardziej spostrzegawcza, odkąd mam „chłopaka".

– Christian mi go pożyczył. Myślę, że z jego pomocą można pilotować prom kosmiczny, ale ja go używam tylko do pisania mejli i surfowania po necie.

Poważnie, to nic takiego. Mierzy mnie podejrzliwym spojrzeniem, siada na łóżku i zakłada mi za ucho luźne pasmo włosów.

– Napisał do ciebie?

Och, cholera do kwadratu.

– Taa. – Moja nonszalancja nieco się rozmywa i oblewam się rumieńcem.

– Może za tobą tęskni, co?

– Mam nadzieję, mamo.

– Co pisze?

Och, cholera do sześcianu. Gorączkowo próbuję wyłapać z tego mejla coś niewinnego, co mogę powiedzieć matce. Jestem pewna, że nie ma ochoty słuchać o Panach, krępowaniu i kneblowaniu, no ale o tym to choćbym chciała, nie mogę jej powiedzieć, ponieważ podpisałam NDA.

– Kazał mi się dobrze bawić, ale nie za dobrze.

– Brzmi rozsądnie. No to wyszykuj się, skarbie. – Nachyla się i całuje mnie w czoło. – Tak bardzo się cieszę, że tu jesteś. Cudownie cię widzieć. – Po tych słowach wychodzi z pokoju.

Hmm, Christian i rozsądek... Do tej pory byłam zdania, że to się wzajemnie wyklucza, ale po tym mejlu... hm, niewykluczone, że wszystko jest możliwe. Potrząsam głową. Potrzebuję czasu, aby przetrawić jego słowa. Pewnie zrobię to po kolacji – i wtedy mogę mu odpowiedzieć. Wstaję z łóżka, szybko zdejmuję T-shirt oraz krótkie spodenki i wchodzę pod prysznic.

Przywiozłam szarą sukienkę Kate, tę, w której odbierałam dyplom. To jedyna elegancka rzecz, jaką tu mam. Plusem tego upału jest to, że zagniecenia się wyprasowały, więc chyba się nada na kolację w klubie golfowym. Gdy się ubieram, włączam laptop. Nic nowego od Christiana i czuję ukłucie rozczarowania. Bardzo szybko piszę do niego mejl.

Nadawca: Anastasia Steele
Temat: Wielomówny?
Data: 31 maja 2011, 19:08 EST
Adresat: Christian Grey

Proszę Pana, wielomówny z Pana pisarz. Muszę jechać do klubu golfowego Boba na kolację i – dla Twojej wiadomości – przewracam oczami na tę myśl. Ale Ty i Twoja świerzbiąca Cię ręka znajdujecie się daleko, więc mój tyłek jest bezpieczny, przynajmniej na razie. Bardzo mi się podoba Twój mejl. Odpiszę, gdy będę mogła. Już za Tobą tęsknię. Miłego popołudnia.

Twoja Ana

Nadawca: Christian Grey
Temat: Twój tyłek
Data: 31 maja 2011, 16:10
Adresat: Anastasia Steele

Droga Panno Steele,

Rozprasza mnie temat tego mejla. Rzecz jasna tyłek jest bezpieczny – na razie.

Udanej kolacji. Ja też za Tobą tęsknię, zwłaszcza za Twoim tyłeczkiem i niewyparzoną buzią.

Moje popołudnie będzie nudne i nieciekawe, ożywione jedynie myślami o Tobie i Twoim przewracaniu oczami. Wydaje mi się, że to Ty roztropnie zauważyłaś, że ja także mam ten okropny zwyczaj.

Christian Grey
Prezes i przewracacz oczami
Grey Enterprises Holdings, Inc.

Nadawca: Anastasia Steele
Temat: Przewracanie oczami
Data: 31 maja 2011, 19:14 EST
Adresat: Christian Grey

Szanowny Panie Grey,

Przestań pisać do mnie mejle. Próbuję się wyszykować na kolację. Jesteś bardzo rozpraszający, nawet kiedy znajdujesz się na drugim końcu kontynentu. Aha, a Tobie kto daje klapsy, kiedy przewracasz oczami?

Twoja Ana

Wysyłam i natychmiast przychodzi mi na myśl ta niegodziwa wiedźma, pani Robinson. Jakoś nie jestem sobie w stanie wyobrazić, że Christiana bije ktoś w wieku mojej matki, to takie niestosowne. Po raz kolejny się zastanawiam, jakie ta kobieta wyrządziła szkody. Usta zaciskam w cienką, ponurą linię. Potrzebna mi laleczka, żeby powbijać w nią szpilki, może w ten sposób dam ujście części gniewu, który czuję wobec tej nieznajomej.

Nadawca: Christian Grey
Temat: Twój tyłek
Data: 31 maja 2011, 16:18
Adresat: Anastasia Steele

Droga Panno Steele,

I tak wolę mój tytuł od Twojego. Na szczęście jestem panem własnego losu i nikt mnie nie gani. Z wyjątkiem, czasami, mojej matki i oczywiście doktora Flynna. I Ciebie.

Christian Grey
Prezes, Grey Enterprises Holdings, Inc.

Nadawca: Anastasia Steele
Temat: Ganię… ja?
Data: 31 maja 2011, 19:22 EST
Adresat: Christian Grey

Szanowny Panie,

Czy choć raz miałam czelność Pana zganić, panie Grey? Myślę, że myli mnie Pan z kimś innym… co jest mocno niepokojące. Naprawdę muszę się szykować.

Twoja Ana

Nadawca: Christian Grey
Temat: Twój tyłek

Data: 31 maja 2011, 16:25
Adresat: Anastasia Steele

Droga Panno Steele,

Robisz to na okrągło na piśmie. Mogę Ci zapiąć sukienkę?

Christian Grey
Prezes, Grey Enterprises Holdings, Inc.

Z jakiegoś nieznanego powodu jego słowa zeskakują z ekranu i sprawiają, że wciągam głośno powietrze. Och… a więc chce się bawić.

Nadawca: Anastasia Steele
Temat: Dozwolone od lat osiemnastu
Data: 31 maja 2011, 19:28 EST
Adresat: Christian Grey

Wolałabym, żebyś ją rozpiął.

Nadawca: Christian Grey
Temat: Ostrożnie z marzeniami…
Data: 31 maja 2011, 16:31
Adresat: Anastasia Steele

JA TEŻ.

Christian Grey
Prezes, Grey Enterprises Holdings, Inc.

Nadawca: Anastasia Steele
Temat: Urywany oddech
Data: 31 maja 2011, 19:33 EST
Adresat: Christian Grey

Powoli…

Nadawca: Christian Grey
Temat: Jęki
Data: 31 maja 2011, 16:35
Adresat: Anastasia Steele

Żałuję, że mnie tam teraz nie ma.

Christian Grey
Prezes, Grey Enterprises Holdings, Inc.

Nadawca: Anastasia Steele
Temat: Jęki
Data: 31 maja 2011, 19:37 EST
Adresat: Christian Grey

JA TEŻ.

– Ana! – woła mnie mama, a ja aż podskakuję. Kurde. Dlaczego czuję się taka winna?
– Już idę, mamo.

Nadawca: Anastasia Steele
Temat: Urywany oddech
Data: 31 maja 2011, 19:39 EST
Adresat: Christian Grey

Muszę lecieć.

Na razie, mały.

Pędzę do holu, gdzie czekają mama i Bob. Mama marszczy brwi.
– Skarbie, dobrze się czujesz? Masz rumieńce.
– Nic mi nie jest.
– Ślicznie wyglądasz, kochanie.
– Och, to sukienka Kate. Podoba ci się?
Marszczy brwi jeszcze bardziej.
– Dlaczego masz na sobie sukienkę Kate?
O nie…
– Cóż, mnie się podoba, a Kate nie – improwizuję szybko.
Mama mierzy mnie podejrzliwym wzrokiem, a tymczasem Bob zaczyna okazywać zniecierpliwienie. Widać, że jest głodny.
– Jutro zabieram cię na zakupy – oświadcza mama.
– Mamo, nie musisz tego robić. Mam masę ciuchów.
– Nie wolno mi zrobić czegoś dla własnej córki? Chodźmy, Bob umiera z głodu.
– Święte słowa – burczy Bob, klepiąc się po brzuchu i robiąc zbolałą minę.
Chichoczę, a potem wychodzimy.

PÓŹNIEJ, KIEDY BIORĘ PRYSZNIC, rozkoszując się letnią wodą, dumam nad tym, jak bardzo moja mama się zmieniła. Podczas kolacji w gronie znajomych z klubu golfowego była dowcipna i czarująca. Bob ciepły i troskliwy... Chyba im dobrze ze sobą. Naprawdę się cieszę. To znaczy, że mogę się przestać o nią martwić i zostawić za nami mroczne czasy Męża Numer Trzy. Bob jest jej aniołem stróżem. I zaczęła udzielać mi dobrych rad. Kiedy to się zaczęło? Kiedy poznałam Christiana. Dlaczego?

Wycieram się szybko, nie mogąc się doczekać powrotu do Christiana. Czeka na mnie mejl wysłany kilka godzin temu, tuż po naszym wyjściu.

Nadawca: Christian Grey
Temat: Plagiat
Data: 31 maja 2011, 16:41
Adresat: Anastasia Steele

Ukradłaś mi tekst.
I zostawiłaś w stanie zawieszenia.

Miłej kolacji.

Christian Grey
Prezes, Grey Enterprises Holdings, Inc.

Nadawca: Anastasia Steele
Temat: Kogo nazywasz złodziejem?
Data: 31 maja 2011, 22:18 EST
Adresat: Christian Grey

Proszę Pana, jak Pan może pamięta, ten tekst jako pierwszy wyszedł z ust Elliota.

Jakiego zawieszenia?

Twoja Ana

Nadawca: Christian Grey
Temat: Niedokończone sprawy
Data: 31 maja 2011, 19:22
Adresat: Anastasia Steele

Panno Steele,

Wróciłaś. Wyszłaś tak nagle – wtedy, kiedy się zaczynało robić ciekawie.

Elliot jest mało oryginalny. Ten tekst na pewno komuś skradł.

Jak się udała kolacja?

Christian Grey
Prezes, Grey Enterprises Holdings, Inc.

Nadawca: Anastasia Steele
Temat: Niedokończone sprawy?
Data: 31 maja 2011, 22:26 EST
Adresat: Christian Grey

Kolacja była sycąca – na pewno ucieszy Cię wieść, że zjadłam stanowczo zbyt dużo.

Zaczynało się robić ciekawie? Jak to?

Nadawca: Christian Grey
Temat: Niedokończone sprawy – zdecydowanie
Data: 31 maja 2011, 19:30
Adresat: Anastasia Steele

Głupią udajesz? Przecież to Ty mnie poprosiłaś, abym Ci rozpiął sukienkę.

I naprawdę nie mogłem się tego doczekać. Cieszy mnie także wiadomość, że apetyt Ci dopisuje.

Christian Grey
Prezes, Grey Enterprises Holdings, Inc.

Nadawca: Anastasia Steele
Temat: Cóż… zawsze pozostaje nam weekend
Data: 31 maja 2011, 22:36 EST
Adresat: Christian Grey

Oczywiście, że apetyt mi dopisuje… To tylko niepewność, jaką czuję w pobliżu Twojej osoby, mi go odbiera.

I nigdy nie udawałabym nieświadomie głupiej, Panie Grey.

Ale tego to już się chyba domyśliłeś. ;)

Nadawca: Christian Grey
Temat: Czekam niecierpliwie
Data: 31 maja 2011, 19:40
Adresat: Anastasia Steele

Będę o tym pamiętał, Panno Steele, i z całą pewnością wykorzystam tę wiedzę dla własnych korzyści.

Przykro mi, że odbieram Ci apetyt. Sądziłem, że go zaostrzam. Ty właśnie taki wpływ masz na mnie.

Z ogromną niecierpliwością wyczekuję kolejnego razu.

Christian Grey
Prezes, Grey Enterprises Holdings, Inc.

Nadawca: Anastasia Steele
Temat: Językoznawstwo gimnastyczne
Data: 31 maja 2011, 22:36 EST
Adresat: Christian Grey

Znowu bawiłeś się słownikiem?

Nadawca: Christian Grey
Temat: Przejrzałaś mnie
Data: 31 maja 2011, 19:40
Adresat: Anastasia Steele

Tak dobrze mnie Pani zna, Panno Steele.

Wybieram się na kolację ze starym przyjacielem,
więc muszę kończyć.

Na razie, mała©

Christian Grey
Prezes, Grey Enterprises Holdings, Inc.

Z jakim starym przyjacielem? Nie sądziłam, że Christian ma starych przyjaciół, z wyjątkiem… niej. Marszczę brwi. Dlaczego on musi się z nią nadal spotykać? Nieoczekiwanie atak przypuszcza zielonooka zazdrość. Mam ochotę w coś walnąć, najlepiej w panią Robinson. Wyłączam gniewnie laptopa i wchodzę pod kołdrę.

Powinnam przeanalizować jego długi mejl z rana, ale zbyt dużym teraz pałam gniewem. Czemu on nie dostrzega jej prawdziwego oblicza? Oblicza osoby molestującej nieletnich? Gaszę światło i wpatruję się w ciemność. Jak ona śmie? Jak śmie zasadzać się na bezbronnego nastolatka? Nadal to robi? Dlaczego przestali? Przez moją głowę przebiegają rozmaite scenariusze. Jeśli to on miał dość, to dlaczego nadal się z nią przyjaźni? Tak samo ona. Jest zamężna? Rozwiedziona? Jezu, ma własne dzieci? „Ma dzieci Christiana?" – pyta drwiąco moja podświadomość, a mnie się robi niedobrze. Czy dr Flynn o niej wie?

Gramolę się z łóżka i na nowo uruchamiam to podłe urządzenie. Mam misję. Niecierpliwie bębnię palcami, czekając, aż się pojawi błękitny ekran. Otwieram Google i wpisuję do wyszukiwarki słowa „Christian Grey". I nagle ekran wypełniają zdjęcia Christiana: we fraku, w garniturze, rany – zdjęcia José z Heathmana, w białej koszuli i flanelowych spodniach. Skąd się wzięły w Internecie? Ależ on jest przystojny.

Przewijam szybko ekran: z jakimiś wspólnikami, następnie zdjęcie za zdjęciem najbardziej fotogenicznego mężczyzny, którego dobrze znam. Dobrze? Czy znam dobrze Christiana? Znam go na poziomie seksualnym, a wydaje mi się, że jest w nim znacznie więcej do odkrycia. Wiem, że jest humorzasty, trudny, zabawny, zimny, ciepły... Jezu, ten facet to same sprzeczności. Klikam w kolejną stronę. Nadal na wszystkich fotkach jest sam i przypomina mi się, jak Kate mówiła, że nie mogła znaleźć żadnego zdjęcia z kobietą, stąd jej „gejowskie" pytanie. A potem, na trzeciej stronie, pojawia się moje zdjęcie, razem z nim, na uroczystości wręczania dyplomów. Jedyne zdjęcie z kobietą, i tą kobietą jestem ja.

O kuźwa! Jestem w Google! Przyglądam się naszemu zdjęciu. Wyglądam na zaskoczoną obecnością aparatu, zdenerwowaną, wytrąconą z równowagi. To było tuż przed tym, jak się zgodziłam spróbować. Z kolei Christian wygląda nieziemsko przystojnie i spokojnie, no i ma TEN krawat. Przyglądam mu się, taka piękna twarz, piękna twarz, która może teraz patrzy na tę cholerną panią Robinson. Dodaję zdjęcie do ulubionych i przewijam przez wszystkie osiemnaście stron wyników. Nic. Nie znajdę w Google pani Robinson. Ale muszę wiedzieć, czy jest teraz z nią. Piszę krótki mejl do Christiana.

Nadawca: Anastasia Steele
Temat: Odpowiednie towarzystwo
Data: 31 maja 2011, 23:58 EST
Adresat: Christian Grey

Mam nadzieję, że kolacja się udała.

Ana

PS. Czy to pani Robinson?

Wysyłam i przygnębiona wracam do łóżka, postanawiając, że zapytam Christiana o jego związek z tą kobietą. Desperacko pragnę dowiedzieć się więcej, a jednocześnie chcę zapomnieć, co mi o niej powiedział. I dostałam okres, więc rano muszę pamiętać o pigułce. Szybko ustawiam w BlackBerry alarm. Odkładam go na nocny stolik, kładę się i w końcu zapadam w niespokojny sen, żałując, że nie jesteśmy w tym samym miejscu, tylko na przeciwległych końcach kontynentu.

Po PORANNYCH ZAKUPACH i popołudniowym wylegiwaniu się na plaży moja matka zdecydowała, że wieczorem powinnyśmy się wybrać na drinka. Zostawiamy Boba przed telewizorem i udajemy się do baru w najbardziej ekskluzywnym hotelu w Savannah. Piję właśnie drugiego cosmopolitana. Mama trzeciego. Dzieli się ze mną kolejnymi przemyśleniami na temat delikatnego męskiego ego. To mocno irytujące.

– Widzisz, Ana, mężczyźni uważają, że wszystko, co wychodzi z ust kobiety, to problem do rozwiązania. Nie jakaś rzucona od niechcenia myśl, o której chcemy pogadać, a potem zapomnieć. Mężczyźni wolą działać.

– Mamo, czemu mi to mówisz? – pytam, bezskutecznie próbując ukryć rozdrażnienie. Cały dzień raczy mnie takimi perełkami.

– Skarbie, wydajesz się taka zagubiona. Nigdy nie przyprowadziłaś do domu żadnego chłopaka. Sądziłam, że coś się może wykluć ze znajomości z tym kolegą ze studiów, José.

– Mamo, José to tylko przyjaciel.

– Wiem, kotku. Ale coś jest na rzeczy i wydaje mi się, że nie mówisz mi wszystkiego. – Przewierca mnie wzrokiem, a na jej twarzy widnieje matczyna troska.

– Potrzebowałam po prostu nieco dystansu od Christiana, żeby spokojnie wszystko przemyśleć… i tyle. On mnie często przytłacza.

– Przytłacza?

– Tak. A mimo to za nim tęsknię. – Marszczę brwi.

Christian nie kontaktował się ze mną przez cały dzień. Żadnego mejla, nic. Kusi mnie, aby do niego zadzwonić i sprawdzić, czy wszystko w porządku. Najbardziej się boję, że miał wypadek samochodowy; a zaraz potem, że ta pani Robinson znowu położyła na nim swoje wstrętne łapska. Wiem, że to irracjonalne, ale tam, gdzie w grę wchodzi ona, zupełnie tracę dystans.

– Skarbie, muszę iść do toalety.

Mama odchodzi od stolika, a ja mam kolejną okazję sprawdzić BlackBerry. Przez cały dzień ukradkiem do niego zaglądam. Wreszcie – odpowiedź od Christiana!

Nadawca: Christian Grey
Temat: Towarzystwo
Data: 1 czerwca 2011, 21:40 EST
Adresat: Anastasia Steele

Tak, byłem na kolacji z panią Robinson. To jedynie stara przyjaciółka, Anastasio.

Nie mogę się doczekać naszego spotkania. Tęsknię za Tobą.

Christian Grey
Prezes, Grey Enterprises Holdings, Inc.

A więc był z nią na kolacji. Skóra na głowie mnie
swędzi, a w moich żyłach buzuje adrenalina. Potwierdziły
się moje najgorsze obawy. Jak on mógł? Nie ma mnie dwa
dni, a on biegnie do tej podłej suki.

Nadawca: Anastasia Steele
Temat: STARE towarzystwo
Data: 1 czerwca 2011, 21:42 EST
Adresat: Christian Grey

Ona nie jest jedynie starą przyjaciółką.

Znalazła innego nieletniego chłopca, w którym
może zatopić zęby?

Zrobiłeś się dla niej za stary?

Dlatego właśnie skończył się Wasz związek?

Wciskam „wyślij", gdy wraca moja mama.
– Ana, strasznie jesteś blada. Co się stało?
Kręcę głową.
– Nic. Napijmy się jeszcze – burczę.
Marszczy brwi, ale przywołuje gestem jednego z kel-
nerów i pokazuje na nasze kieliszki. On kiwa głową. Ro-
zumie międzynarodowe określenie „jeszcze jedną kolej-
kę". Szybko zerkam na BlackBerry.

Nadawca: Christian Grey
Temat: Uważaj...
Data: 1 czerwca 2011, 21:45 EST
Adresat: Anastasia Steele

Nie jest to coś, o czym chcę pisać w mejlach.

Ile jeszcze cosmopolitanów zamierzasz wypić?

Christian Grey
Prezes, Grey Enterprises Holdings, Inc.

O kuźwa, on tu jest.

ROZDZIAŁ DWUDZIESTY TRZECI

Rozglądam się nerwowo po barze, ale go nie widzę.
– Ana, co się stało? Wyglądasz, jakbyś zobaczyła ducha.
– To Christian, jest tutaj.
– Co? Naprawdę? – Ona się także rozgląda.
Zapomniałam mamie wspomnieć o jego skłonnościach prześladowczych.

I już go widzę. Serce mi zamiera, a po chwili wpada w nerwowy rytm, gdy Christian rusza w naszą stronę. Naprawdę się tu zjawił – dla mnie. Moja wewnętrzna bogini zrywa się z szezlonga i wydaje radosne okrzyki. W świetle halogenów jego włosy połyskują miedzianie. W jego szarych oczach widać… co? Gniew? Napięcie? Usta ma zaciśnięte w cienką linię. Cholera jasna… nie. W tym momencie jestem tak bardzo na niego zła, a on się tu zjawia. Jak mam się gniewać na niego w obecności mojej matki?

Podchodzi do naszego stolika, patrząc na mnie nieufnie. Ubrany jest tradycyjnie w białą lnianą koszulę i dżinsy.

– Cześć – mówię piskliwie, nie kryjąc szoku i zdumienia.

– Cześć – odpowiada.

Pochyla się i całuje mnie w policzek, czym mocno mnie zaskakuje.

– Christianie, to moja matka, Carla. – Górę biorą dobre maniery.

Odwraca się w jej stronę.

– Pani Adams, niezmiernie miło mi panią poznać.

Skąd on zna jej nazwisko? Obdarza ją tym swoim firmowym, opatentowanym, promiennym Christianowym uśmiechem. I już po niej. Szczęka opada jej dosłownie na stół. Jezu, weź się w garść, mamo. Ujmuje jego wyciągniętą dłoń i wymieniają uścisk. Milczy jak zaklęta. Och, a więc zapominanie języka w buzi jest dziedziczne – o tym akurat nie miałam pojęcia.

– Christianie – wyrzuca w końcu z siebie.

Uśmiecha się do niej znacząco, a w oczach tańczą mu iskierki. Patrzę na tę dwójkę spod zmrużonych powiek.

– Co ty tu robisz? – Moje pytanie brzmi bardziej szorstko, niż zamierzałam.

Uśmiech znika z twarzy Christiana i maluje się na niej rezerwa. Niesamowicie się cieszę, że go widzę, ale jestem kompletnie wytrącona z równowagi, a gniew z powodu pani Robinson jeszcze mnie nie opuścił. Nie wiem, na co mam w tej chwili większą ochotę, nakrzyczeć na niego czy rzucić mu się w ramiona, a sądzę, że jedno i drugie by mu się nie spodobało. No i chcę wiedzieć, od jak dawna nas obserwował. Niepokoję się także mejlem, który mu właśnie wysłałam.

– Przyleciałem się z tobą spotkać, a cóż by innego? – Patrzy na mnie beznamiętnie. Och, ile bym dała, aby poznać jego myśli. – Zatrzymałem się w tym hotelu.

– W tym hotelu? – Głos mam jak studentka po amfetaminie, zbyt wysoki nawet dla moich uszu.

– Cóż, wczoraj napisałaś, że żałujesz, iż mnie tu nie ma. – Obserwuje moją reakcję. – Naszym celem jest sprawianie przyjemności, panno Steele. – Głos ma cichy, poważny.

Jasny gwint, jest na mnie zły? Może przez te uwagi na temat pani Robinson? Albo fakt, że piję trzeciego cosmopolitana, a czwarty wkrótce się przede mną pojawi? Mama patrzy na nas nerwowo.

– Dosiądziesz się do nas, Christianie? – Macha na kelnera, który w ułamku sekundy zjawia się przy stoliku.

– Poproszę gin z tonikiem – mówi Christian. – Najlepiej Hendricks, ewentualnie Bombay Sapphire. Z Hendricksem ogórek, z Bombayem limonka.

O w mordę... tylko Christian może zamawiać drinka tak, jakby to była cała kolacja.

– I jeszcze dwa cosmo – dodaję, zerkając niespokojnie na Christiana. Piję razem z mamą, o to akurat nie może być zły.

– Przysuń sobie krzesło, Christianie.

– Dziękuję, pani Adams.

Christian sięga po krzesło stojące przy sąsiednim stoliku i siada obok mnie.

– Więc tak się akurat złożyło, że zatrzymałeś się w hotelu, do którego wybrałyśmy się na drinka? – pytam, starając się, aby zabrzmiało to lekko.

– Albo tak się akurat złożyło, że wy wybrałyście się na drinka do hotelu, w którym się zatrzymałem – odpowiada Christian. – Przed chwilą zjadłem kolację, przyszedłem tutaj i zobaczyłem was. Akurat myślałem o twoim ostatnim mejlu, podnoszę wzrok i oto widzę ciebie. Co za zbieg okoliczności, no nie? – Przechyla głowę i na jego ustach dostrzegam cień uśmiechu. Dzięki Bogu, może się jednak uda uratować ten wieczór.

– Rano byłyśmy z mamą na zakupach, a po południu na plaży. A teraz wybrałyśmy się na kilka koktajli – mamroczę, czując, że jestem mu winna wyjaśnienie.

– Kupiłaś ten top? – Pokazuje na moją nową bluzeczkę z zielonego jedwabiu. – Pasuje ci ten kolor. I trochę się opaliłaś. Ślicznie wyglądasz.

Rumienię się, słysząc te komplementy.

– Cóż, zamierzałem jutro złożyć ci wizytę. Ale oto jesteś tutaj.

Ujmuje moją dłoń i ściska lekko, przesuwając kciukiem po knykciach... a ja czuję znajome przyciąganie. Pod delikatnym naciskiem jego kciuka pod moją skórą włącza się prąd, przenikając do krwi i pulsując w całym ciele, rozgrzewając wszystko na swej drodze. Nie widziałam go już dwa dni. O rany... ależ go pragnę. Oddech mam urywany. Mrugam powiekami, uśmiechając się do niego nieśmiało i widzę, że on też się uśmiecha.

– Pomyślałem, że zrobię ci niespodziankę, Anastasio. Ale jak zwykle to ty zaskakujesz mnie.

Zerkam szybko na mamę, która wpatruje się w Christiana... tak, wpatruje! Przestań, mamo. Jakby był jakimś egzotycznym stworzeniem, dotąd niespotykanym. Wiem, że nigdy nie miałam chłopaka, a do Christiana umiarkowanie pasuje takie określenie – ale czy rzeczywiście tak trudno uwierzyć w to, że mogę podobać się mężczyźnie? Temu mężczyźnie? „Szczerze mówiąc, tak" – warczy moja podświadomość. Och, przymknij się! Pytał cię ktoś o zdanie? Rzucam mamie gniewne spojrzenie, ale chyba go nie dostrzega.

– Nie chcę wam przeszkadzać. Wypiję szybkiego drinka, a potem sobie pójdę. Mam sporo pracy – mówi poważnie Christian.

– Christianie, cudownie cię w końcu poznać – wtrąca mama, wreszcie odzyskując zdolność mowy. – Ana opowiadała o tobie same dobre rzeczy.

Uśmiecha się do niej.

– Naprawdę? – Unosi z rozbawieniem brew, a ja ponownie oblewam się rumieńcem.

Pojawia się kelner z naszym zamówieniem.

– Hendricks, proszę pana – oświadcza triumfująco.

– Dziękuję – odpowiada grzecznie Christian.

Nerwowo sączę cosmopolitana.

– Jak długo będziesz w Georgii, Christianie? – pyta mama.

– Do piątku, pani Adams.

– Zjesz z nami jutro kolację? I proszę, mów mi Carla.

– Z największą przyjemnością, Carlo.

– Doskonale. A teraz wybaczcie mi, proszę, muszę skorzystać z toalety.

Mamo… dopiero co w niej byłaś. Patrzę z rozpaczą, jak wstaje i odchodzi, zostawiając nas samych.

– A więc jesteś na mnie zła o to, że byłem na kolacji ze starą przyjaciółką. – Christian kieruje na mnie nieufne spojrzenie, podnosi moją dłoń do ust i całuje delikatnie każdą kostkę.

Jezu, teraz chce to załatwić?

– Tak – bąkam, a krew w moich żyłach wrze.

– Relacja seksualna między nami zakończyła się dawno temu, Anastasio – szepcze. – Nie pragnę nikogo oprócz ciebie. Nie domyśliłaś się tego jeszcze?

Mrugam powiekami.

– Uważam ją za osobę molestującą nieletnich, Christianie. – Wstrzymuję oddech, czekając na jego reakcję.

Blednie.

– To sąd niezwykle krytyczny. Wcale tak nie było – szepcze zaszokowany. Puszcza moją dłoń.

Krytyczny?

– Och, w takim razie jak było? – pytam. Cosmopolitany dodają mi odwagi.

Marszczy brwi, skonsternowany.

– Wykorzystała bezbronnego piętnastolatka – kontynuuję. – Gdybyś był piętnastoletnią dziewczyną, a pani Robinson była panem Robinsonem, wprowadzającym cię w świat BDSM, coś takiego byłoby w porządku? Gdyby to była, powiedzmy, Mia?

Gwałtownie chwyta powietrze i patrzy na mnie wilkiem.

– Ana, to nie było tak.

Piorunuję go wzrokiem.

– Okej, ja tak tego nie postrzegałem – mówi cicho. – Stała się motorem zmiany na lepsze. Tego mi było trzeba.

– Nie rozumiem. – Tym razem to ja jestem skonsternowana.

– Anastasio, zaraz wróci twoja mama. Krępuje mnie rozmowa o tym właśnie teraz. Może później. Jeśli nie chcesz, abym został, w Hilton Head czeka na mnie samolot. Mogę wrócić do Seattle.

Jest na mnie zły... nie.

– Nie leć. Proszę. Tak się cieszę, że tu jesteś. Próbuję jedynie sprawić, abyś zrozumiał. Gniewam się o to, że ledwie wyjechałam, wybrałeś się z nią na kolację. Pomyśl, jak się czujesz, gdy spotykam się z José. A to mój przyjaciel. Nigdy nie łączyły nas relacje seksualne. Gdy tymczasem ty i ona... – urywam, nie chcąc ciągnąć tego wątku.

– Jesteś zazdrosna? – Patrzy na mnie ze zdumieniem, a po chwili jego spojrzenie łagodnieje.

– Tak, i zła z powodu tego, co ona ci zrobiła.

– Anastasio, ona mi pomogła. Tyle tylko powiem na ten temat. A jeśli chodzi o twoją zazdrość, to postaw się na moim miejscu. Przez siedem ostatnich lat nigdy się nie musiałem nikomu tłumaczyć. Nikomu. Robię to, na co mam ochotę, Anastasio. Lubię swoją autonomię. Nie spotkałem się z panią Robinson po to, żeby cię zdenerwować, lecz dlatego, że raz na jakiś czas jemy razem kolację. To moja przyjaciółka i partnerka w interesach.

Partnerka w interesach? Kurwa mać. A to nowina.

– Tak, jesteśmy wspólnikami – kontynuuje. – Seksu między nami już nie ma. Od wielu lat.

– Dlaczego zakończyliście wasz związek?

Zaciska usta.

– Jej mąż się dowiedział.

O w mordę!

– Możemy porozmawiać o tym innym razem, w jakimś bardziej ustronnym miejscu? – warczy.

– Nie sądzę, aby udało ci się przekonać mnie, że ona nie jest pedofilem.

– Ja tak jej nie postrzegam. A teraz dość!

– Kochałeś ją?

– No i co tam słychać? – Nie zauważyliśmy, że mama wróciła z toalety.

Przywołuję na twarz sztuczny uśmiech i szybko odsuwamy się od siebie.

– Wszystko dobrze, mamo.

Christian sączy drinka, bacznie mnie obserwując. O czym on teraz myśli? Kochał ją? Myślę, że tak. Poniosę sromotną klęskę.

– Cóż, drogie panie, pozwolicie, że was teraz opuszczę.

Nie... nie... nie może mnie tak teraz zostawić.

– Dopiszcie, proszę, te drinki do mojego rachunku, pokój numer sześćset dwanaście. Zadzwonię rano, Anastasio. Do jutra, Carlo.

– Och, tak przyjemnie słyszeć, jak ktoś używa twojego pełnego imienia.

– Piękne imię dla pięknej dziewczyny – stwierdza Christian i ściska jej wyciągniętą dłoń, a ona praktycznie się rozpływa.

Och, mamo – *et tu Brute?* Wstaję, wpatrując się w niego, błagając spojrzeniem, aby odpowiedział na moje pytanie. Całuje mnie grzecznie w policzek.

– Na razie, mała – szepcze mi do ucha. I znika.

Cholerny, kontrolujący wszystko drań. Mój gniew powraca z pełną mocą. Siadam na krześle.

– Zatkało mnie, Ana. Co za mężczyzna. Nie wiem jednak, co się między wami dzieje. Myślę, że powinniście porozmawiać. Ależ tu gorąco, normalnie nie do zniesienia. – Wachluje się teatralnie.

– MAMO!

– Idź i z nim porozmawiaj.

– Nie mogę. Przyjechałam tu do ciebie.

– Ana, przyjechałaś tu, bo masz mętlik w głowie przez tego chłopaka. To oczywiste, że szalejecie na swoim punkcie. Musisz z nim porozmawiać. Na litość boską, przeleciał prawie pięć tysięcy kilometrów, żeby cię zobaczyć. A sama wiesz, jak bardzo męczy taki lot.

Oblewam się rumieńcem. Nie powiedziałam jej, że Christian ma własny odrzutowiec.

– No co?

– Ma własny samolot – bąkam zakłopotana. – No i to tylko cztery tysiące, nie pięć, mamo.

Dlaczego mnie to krępuje? Mama unosi brwi.

– O rany – mruczy. – Ana, coś jest między wami nie tak. Próbuję to rozgryźć, odkąd tu przyleciałaś. Ale jedyny sposób rozwiązania problemu, bez względu na jego charakter, to rozmowa. Możesz sobie myśleć, ile tylko chcesz, ale dopóki nie porozmawiacie, donikąd cię to nie zaprowadzi.

Marszczę brwi.

– Skarbie, od zawsze masz tendencję do nadmiernego analizowania wszystkiego. Zrób to, co ci każe intuicja. A ona co ci mówi?

Wbijam wzrok w dłonie.

– Chyba się w nim zakochałam – szepczę.

– Wiem, skarbie. A on w tobie.

– Nie!

– Tak, Ana. Do diaska, czego potrzebujesz? Neonu migoczącego na jego czole?

Patrzę na nią i w oczach wzbierają mi łzy.

– Ana, kotku, nie płacz.

– Myślę, że on mnie nie kocha.

– Nieważne, jak bardzo jest się bogatym, nie rzuca się wszystkiego i nie leci prywatnym samolotem na drugi koniec kontynentu po to, aby napić się herbaty. Idź do niego! To śliczne miejsce, bardzo romantyczne. No i będziecie na neutralnym gruncie.

Kulę się pod jej spojrzeniem. Chcę iść i jednocześnie nie chcę.

– Skarbie, nie musisz ze mną wracać, naprawdę. Pragnę twojego szczęścia, a na chwilę obecną uważam, że klucz do tego szczęścia znajduje się na górze, w pokoju sześćset dwanaście. Gdybyś wróciła później do domu, klucz znajdziesz na ganku, pod donicą z juką. Gdybyś miała tu zostać… Cóż, jesteś dorosła. Tylko się zabezpiecz.

Moje policzki robią się purpurowe. Jezu, mamo.

– Dopijmy najpierw cosmopolitany.

– Zuch dziewczyna – uśmiecha się.

Pukam nieśmiało do drzwi pokoju sześćset dwanaście i czekam. Otwiera je Christian, rozmawiający przez komórkę. Mruga kompletnie zaskoczony, następnie gestem zaprasza mnie do środka.

– Wszystkie odprawy podliczone?… I jaka to kwota?… – Christian gwiżdże. – Cholera… kosztowna pomyłka… A Lucas?…

Rozglądam się po pokoju. To apartament, tak jak w Heathmanie. Wystrój jest bardzo nowoczesny i utrzymany w odcieniach zgaszonego fioletu, złota oraz brązu. Christian podchodzi do szafki z ciemnego drewna, otwiera drzwiczki i moim oczom ukazuje się barek. Gestem sugeruje, żebym się poczęstowała, następnie przechodzi do sypialni. Pewnie po to, bym nie słyszała jego rozmowy. Wzruszam ramionami. Nie przerwał rozmowy, kiedy weszłam tamtego ranka do gabinetu. Słyszę, jak leci woda... Napełnia wannę. Częstuję się sokiem pomarańczowym. Christian wraca.

– Niech Andrea prześle mi wykresy. Barney mówił, że udało mu się to rozwiązać... – Śmieje się. – Nie, w piątek... Jest tu pewna działka, którą jestem zainteresowany... Okej, niech Bill zadzwoni... Nie, jutro... Chcę się przekonać, co Georgia ma nam do zaoferowania. – Nie spuszcza ze mnie wzroku. Wręcza mi kieliszek i pokazuje na wiaderko z lodem. – Jeśli okaże się, że oferta jest wystarczająco atrakcyjna... Sądzę, że powinniśmy ją rozważyć, choć upał tutaj panuje nieziemski... Zgadzam się, Detroit ma także sporo zalet, i jest tam chłodniej... – Poważnie. Dlaczego? – Niech Bill zadzwoni. Jutro... Niezbyt wcześnie. – Rozłącza się i patrzy na mnie. Z jego twarzy nic się nie da wyczytać. Cisza się przeciąga.

Okej... moja kolej.

– Nie odpowiedziałeś na moje pytanie.

– Nie – mówi cicho. W szarych oczach czai się ostrożność.

– Nie, nie odpowiedziałeś na pytanie czy nie, nie kochałeś jej?

Krzyżuje ręce na piersi i opiera się o ścianę, uśmiechając się lekko.

– Co tu robisz, Anastasio?

– Powiedziałam ci.

Bierze głęboki oddech.

– Nie, nie kochałem jej. – Marszczy brwi, niby rozbawiony, ale i pełen konsternacji.

Nie mogę uwierzyć, że wstrzymuję oddech. Gdy wypuszczam powietrze, cała się kurczę. Cóż, dzięki Bogu chociaż za to. Jak bym się czuła, gdyby rzeczywiście kochał tę wiedźmę?

– Ależ z ciebie zielonooka bogini, Anastasio. Kto by pomyślał?

– Kpi pan sobie ze mnie, panie Grey?

– Jakżebym śmiał. – Kręci z powagą głową, ale oczy mu się śmieją.

– Och, sądzę, że byś śmiał i że często to robisz.

Parska śmiechem, przypominając sobie, że niedawno on tak powiedział do mnie.

– Przestań przygryzać wargę. Jesteś w moim pokoju, nie widziałem cię prawie trzy dni i długą przebyłem drogę, żeby się z tobą spotkać. – Ton głosu ma miękki, zmysłowy.

Odzywa się jego BlackBerry, ale wyłącza go, nawet na niego nie patrząc. Mój oddech przyspiesza. Wiem, dokąd to zmierza... No ale przecież powinniśmy porozmawiać. Robi krok w moją stronę z tą swoją seksowną miną drapieżcy.

– Pragnę cię, Anastasio. Teraz. A ty pragniesz mnie. Dlatego tu przyszłaś.

– Naprawdę chciałam wiedzieć – próbuję się bronić.

– Cóż, teraz już wiesz. Zostajesz czy wychodzisz?

Rumienię się, kiedy staje przede mną.

– Zostaję – bąkam, patrząc na niego z niepokojem.

– Och, mam taką nadzieję. – Spogląda na mnie. – Strasznie byłaś na mnie zła – mówi cicho.

– Tak.

– Nie pamiętam, by ktoś poza rodziną wściekał się na mnie. Podoba mi się to.

Opuszkami palców przesuwa po moim policzku. O rany, ta jego bliskość i rozkoszny zapach Christiana. Powinniśmy porozmawiać, ale serce mi mocno wali, krążąca po ciele krew aż śpiewa, pożądanie rośnie, przemieszczając się... wszędzie. Christian pochyla się i przesuwa nosem po moim ramieniu aż do ucha. Palce wsuwa mi we włosy.

– Powinniśmy porozmawiać – szepczę.

– Później.

– Tyle ci chcę powiedzieć.

– Ja tobie też.

Składa pod moim uchem delikatny pocałunek, a palce zaciska na włosach. Odciąga mi głowę, odsłaniając szyję. Zębami przygryza lekko skórę.

– Pragnę cię.

Wydaję głośny jęk i chwytam go za ramiona.

– Krwawisz? – Dalej mnie całuje.

Kuźwa. Czy nic się przed nim nie ukryje?

– Tak – odpowiadam cicho. Jestem zażenowana.

– Masz skurcze?

– Nie. – Oblewam się rumieńcem. Jezu…

Nieruchomieje.

– Wzięłaś pigułkę?

– Tak. – Ależ to upokarzające.

– Wykąpmy się.

Och?

Bierze mnie za rękę i prowadzi do sypialni. Dominuje w niej olbrzymich rozmiarów łoże z wymyślnym baldachimem. Ale my się nie zatrzymujemy. Zabiera mnie do łazienki, która składa się z dwóch pomieszczeń, całych w błękicie i białym piaskowcu. Jest wielka. W drugim pomieszczeniu znajduje się wpuszczona w podłogę wanna zdolna pomieścić cztery osoby. Prowadzą do niej kamienne schodki. Powoli napełnia się wodą. Nad pianą unosi się para. Wokół wanny biegnie kamienna ława. Pod jedną ze ścian migoczą świece. O kurczę… zrobił to wszystko, gdy rozmawiał przez telefon.

– Masz gumkę do włosów?

Sięgam do kieszeni dżinsów i wyjmuję ją.

– Zwiąż włosy – nakazuje cicho. Tak też robię.

W łazience jest ciepło i wilgotno i materiał bluzeczki zaczyna przyklejać mi się do skóry. Christian pochyla się i zakręca wodę. Prowadzi mnie z powrotem do pierwszej części łazienki, gdzie staje za mną. Naprzeciwko nas wisi wielkie lustro, a pod nim dwie szklane umywalki.

– Zdejmij sandałki – mruczy, a ja szybko je zzuwam.

– Unieś ręce.

Spełniam jego polecenie, po czym on zdejmuje mi bluzkę. Stoję przed nim naga od pasa w górę. Nie odrywając ode mnie wzroku, sięga do przodu i rozpina mi dżinsy.

– Zamierzam cię posiąść w łazience, Anastasio.

Pochyla się i całuje w szyję. Przechylam głowę, aby miał lepszy dostęp. Wkłada kciuki w dżinsy i powoli je zsuwa razem z majtkami. Klęka.

– Pozbądź się ich.

Chwytam się umywalki i skopuję dżinsy. Teraz jestem naga, a on klęczy za mną. Całuje moje pośladki, by po chwili zacząć je kąsać. Chwytam głośno powietrze. Christian wstaje i patrzy na mnie w lustrze. Staram się nie ruszać, ignorując naturalny odruch zakrycia się. Kładzie dłoń na moim brzuchu.

– Spójrz tylko na siebie. Jesteś taka piękna – mruczy. – Przekonaj się, jaka jesteś w dotyku. – Ujmuje moje obie dłonie i splata palce z moimi, tak że są rozcapierzone. Kładzie je na brzuchu. – Zobacz, jak gładka jest twoja skóra. – Głos ma miękki i niski. Zatacza moimi dłońmi powolne kółka, następnie kieruje je ku piersiom. – Poczuj, jak pełne są twoje piersi. – Trzyma moje dłonie tak, że obejmują piersi. Delikatnie gładzi kciukami sutki.

Rozchylam usta, jęczę głośno i wyginam plecy w łuk, tak że piersi wypełniają mi dłonie. Ugniata kciukami sutki, a one natychmiast twardnieją. Przyglądam się temu z fascynacją. Och, bardzo to jest przyjemne. Jęczę i zamykam oczy, nie chcąc już widzieć w lustrze tej lubieżnej kobiety, która podnieca się dotykiem własnych dłoni...

jego dłoni... Czuje swoją skórę tak, jak on czuje, przekonuje się, jak bardzo to podniecające.

– Tak jest, maleńka – mruczy.

Prowadzi moje dłonie wzdłuż ciała, przez talię aż do bioder, a potem do włosów łonowych. Wsuwa mi nogę pomiędzy uda, zmuszając do stanięcia w rozkroku, i przesuwa dłonie po mojej kobiecości, po kolei, ustanawiając pewien rytm. To takie erotyczne. Jestem marionetką w jego rękach.

– Popatrz tylko na siebie, Anastasio – szepcze, całując i kąsając moje ramiona. Z mojego gardła wydobywa się jęk. Nagle puszcza mi dłonie. – Rób to dalej – nakazuje i odsuwa się, aby na mnie patrzeć.

Dotykam się. Nie. Pragnę, aby on to robił. To nie jest tak samo. Bez niego czuję się zagubiona. Zdejmuje przez głowę koszulę, a potem szybko pozbywa się dżinsów.

– Wolisz, żebym ja się tym zajął? – Spojrzenie ma palące.

– Och, tak... proszę – wyrzucam z siebie.

Ponownie mnie obejmuje i ujmuje moje dłonie w swoje, kontynuując zmysłowe pieszczoty, muskając łechtaczkę. Czuję na plecach jego włoski, na pośladkach zaś naprężony członek. Och, zaraz... proszę. Kąsa mi skórę na karku, a ja zamykam oczy, rozkoszując się miriadami doznań: szyja, krocze... świadomość, że mam go za sobą. Nagle obraca mnie, jedną ręką chwyta za nadgarstki i unieruchamia mi je za plecami, drugą zaś pociąga za kucyk. Zaczyna mnie szaleńczo całować, napierając na moje usta swoimi. Przytrzymując mnie na miejscu.

Oddech ma urywany, podobny do mojego.

– Kiedy zaczął ci się okres, Anastasio? – pyta ni z tego, ni z owego.

– Eee... wczoraj – mamroczę.

– To dobrze. – Puszcza mnie i znowu obraca. – Przytrzymaj się umywalki – nakazuje i przyciąga do siebie moje biodra, tak jak w pokoju zabaw, tak że ja się pochylam.

Sięga mi między nogi, pociąga za niebieski sznureczek – że co?! – i delikatnie wyjmuje tampon, po czym wyrzuca go do muszli klozetowej. O kuźwa. Święty Barnabo... Jezu. A potem jest już we mnie... ach! Skóra przy skórze... najpierw porusza się powoli... testując mnie... o rety. Trzymam się kurczowo umywalki, dysząc, napierając pupą na niego, czując go w sobie. Och, cóż za słodka udręka... Trzyma moje biodra. A potem ustanawia rytm: wejście, wyjście, wejście, wyjście... Sięga i odnajduje łechtaczkę i zaczyna ją masować... o matko.

– Właśnie tak, maleńka – dyszy, nacierając na mnie, wyginając biodra i to wystarczy, abym poszybowała w kosmos.

I dochodzę, głośno, ściskając brzeg umywalki. Wszystko wiruje i jednocześnie się zaciska. On dociera tam chwilę po mnie, wołając głośno moje imię, jakby to była modlitwa albo litania.

– Och, Ana! – Oddech ma urywany. – Och, maleńka, czy ja się kiedykolwiek tobą nasycę? – szepcze.

Powoli osuwamy się na podłogę i bierze mnie w ramiona, unieruchamiając. Czy zawsze tak będzie? Tak oszałamiająco, zniewalająco, dojmująco i nieokiełznanie? Chciałam porozmawiać, ale teraz, wykończona i otumaniona, zastanawiam się, czy to ja się kiedykolwiek nim nasycę.

Głowę mam wspartą o jego tors i oboje się uspokajamy. Delikatnie wdycham słodki, odurzający zapach Christiana. *Nie mogę go dotykać. Nie mogę go dotykać.* W myślach powtarzam te słowa jak mantrę. Ależ mnie strasznie kusi. Mam ochotę unieść rękę i opuszkami palców rysować mu wzory na skórze... ale opieram się temu pragnieniu, wiedząc, że on by tego nie chciał. Oboje milczymy zatopieni we własnych myślach.

Przypomina mi się, że mam okres.

– Krwawię – bąkam.

– Mnie to nie przeszkadza.

– Zauważyłam – rzucam cierpko.

Spina się.

– A tobie to przeszkadza? – pyta miękko.

Przeszkadza? Może powinno… powinno? Nie, nie przeszkadza. Odchylam się i patrzę mu prosto w oczy, ciepłe, szare oczy.

– Ani trochę.

Uśmiecha się lekko.

– To dobrze. Weźmy teraz kąpiel.

Wyplątuje się ze mnie i wstaje. Gdy to robi, znowu dostrzegam te małe okrągłe blizny na jego klatce piersiowej. To nie ślady po ospie. Grace mówiła, że choroba miała u niego bardzo łagodny przebieg. Jasny gwint… to muszą być ślady po przypaleniach. Przypaleniach czym? Bledną zaszokowana. Papierosami? Pani Robinson, biologiczna matka, kto? Kto mu to zrobił? A może istnieje rozsądne wytłumaczenie, a ja zbyt mocno reaguję – zaczyna kiełkować we mnie nadzieja, nadzieja, że się mylę.

– Co się stało? – pyta zaniepokojony Christian.

– Twoje blizny – mówię cicho. – To nie są ślady po ospie.

Patrzę, jak w ułamku sekundy zamyka się w sobie, przyjmując postawę obronną, wręcz gniewną. Marszczy brwi, twarz mu się zasępia, a usta zaciskają w cienką linię.

– To prawda – warczy, ale nie rozwija tematu. Wyciąga rękę i pomaga mi wstać. – Nie patrz tak na mnie. – W jego głosie słychać chłód.

Rumienię się, wbijam wzrok w dłonie i wiem już, że ktoś gasił na Christianie papierosy. Jest mi niedobrze.

– Ona to zrobiła? – pytam, nie będąc w stanie się powstrzymać.

Milczy, więc muszę na niego spojrzeć. Patrzy na mnie gniewnie.

– Ona? Pani Robinson? Ona nie jest zwierzęciem, Anastasio. Oczywiście, że to nie ona. Nie rozumiem, dlaczego musisz tak ją demonizować.

Stoi nagi, cudownie nagi, ubrudzony moją krwią... i w końcu odbywamy tę rozmowę. I ja także jestem naga – żadne z nas nie może się nigdzie schować, chyba że w wannie. Biorę głęboki oddech, mijam Christiana i wchodzę do wody. Jest cudownie ciepła, kojąca i głęboka. Zanurzam się w pachnącej pianie i podnoszę na niego wzrok.

– Zastanawiam się, jaki byłbyś, gdybyś jej nie poznał. Gdyby nie zaznajomiła cię z twoim... eee, stylem życia.

Wzdycha i wchodzi do wanny. Siada naprzeciwko mnie. Spojrzenie ma lodowate. Pilnuje się, żeby mnie nie dotykać. Jezu, aż tak go zdenerwowałam?

Patrzy na mnie beznamiętnie, nie odzywając się ani słowem. Cisza aż dzwoni w uszach, ale nie ustępuję. Twoja kolej, Grey – tym razem się nie ugnę. Moja podświadomość się denerwuje i niespokojnie obgryza paznokcie. Nasze spojrzenia się krzyżują, ale nie daję za wygraną. W końcu Christian kręci głową i uśmiecha się drwiąco.

– Gdyby nie pani Robinson, pewnie bym poszedł w ślady biologicznej matki.

Och! Mrugam powiekami. Narkomania czy prostytucja? Jedno i drugie?

– Kochała mnie w sposób, jaki uznałem za... dopuszczalny – dodaje, wzruszając ramionami.

A co to, u licha, znaczy?

– Dopuszczalny? – pytam szeptem.

– Tak. – Spojrzenie ma świdrujące. – Sprowadziła mnie z drogi ku destrukcji, którą podążałem. Bardzo trudno dorastać w idealnej rodzinie, kiedy samemu jest się dalekim od doskonałości.

O nie. W ustach robi mi się sucho. Z twarzy Christiana nic się nie da wyczytać. I nie zamierza powiedzieć mi więcej. Jakie to frustrujące. W jego słowach jest tyle nienawiści do samego siebie. A pani Robinson go kochała. Jasny gwint... nadal kocha? Czuję się, jakbym otrzymała cios w brzuch.

– Ona cię nadal kocha?

– Nie wydaje mi się, nie w taki sposób. – Marszczy brwi, jakby wcześniej w ogóle się nad tym nie zastanawiał. – Wciąż ci powtarzam, że to było dawno temu. Zamknięta przeszłość. Nie byłbym jej w stanie zmienić, nawet gdybym chciał. A nie chcę. Ona uratowała mnie przed samym sobą. – Jest rozdrażniony i mokrą dłonią przeczesuje włosy. – Nigdy z nikim o tym nie rozmawiałem. – Wahanie. – Z wyjątkiem, naturalnie, doktora Flynna. A tobie mówię to wyłącznie dlatego, że pragnę, abyś mi zaufała.

– Ufam ci, ale chcę poznać cię lepiej, a za każdym razem, kiedy próbuję z tobą porozmawiać, ty mnie rozpraszasz. Tyle bym się chciała dowiedzieć.

– Och, na litość boską, Anastasio. Co chcesz wiedzieć? Co ja muszę zrobić? – Oczy mu płoną i choć nie podnosi głosu, wiem, że jest mocno zdenerwowany.

Zerkam na swoje dłonie, widoczne pod wodą. Piana już nie jest taka gęsta.

– Ja jedynie próbuję zrozumieć; jesteś taką zagadką. Nie znałam dotąd nikogo takiego. Cieszę się, że mówisz mi to, co chcę wiedzieć.

Jezu, może to te cosmopolitany dodają mi odwagi, ale nagle stwierdzam, że nie mogę już dłużej znieść dzielącej nas odległości. Przesuwam się w wannie, siadam obok niego i dotykamy się, skóra przy skórze. Spina się i mierzy mnie nieufnym spojrzeniem, jakbym go mogła ugryźć. A to odmiana. Moja wewnętrzna bogini patrzy na niego zdziwiona.

– Proszę, nie gniewaj się na mnie – szepczę.

– Nie gniewam się na ciebie, Anastasio. Po prostu nie jestem przyzwyczajony do tego typu rozmów, do takiego wypytywania. Takie rozmowy prowadzę tylko z doktorem Flynnem i z… – Urywa i marszczy brwi.

– Z nią. Panią Robinson. Rozmawiasz z nią? – pytam, starając się nie wpaść w gniew.

– Tak.

– O czym?

Odwraca się twarzą do mnie, tak gwałtownie, że woda wylewa się na podłogę. Kładzie mi dłoń na ramieniu.

– Nie dajesz za wygraną, co? – burczy z rozdrażnieniem. – O życiu, wszechświecie, sprawach służbowych. Anastasio, pani R. i ja znamy się naprawdę długo. Potrafimy rozmawiać o wszystkim.

– O mnie? – szepczę.

– Tak. – Szare oczy patrzą na mnie uważnie.

Przygryzam dolną wargę, starając się poskromić nagłą falę gniewu.

– Czemu rozmawiacie o mnie? – Próbuję zadać to pytanie tak, żeby w moim głosie nie było słychać irytacji, ale nie bardzo mi się udaje. Wiem, że powinnam przestać. Za bardzo go naciskam. Moja podświadomość znowu robi minę z *Krzyku* Muncha.

– Nigdy nie znałem nikogo takiego jak ty, Anastasio.

– Co to znaczy? Kogoś takiego, kto nie podpisał automatycznie twojej umowy, bez zadawania żadnych pytań?

Kręci głową.

– Potrzebuję rad.

– I udziela ci ich pani Pedo? – warczę. Jestem bardziej rozdrażniona, niż sądziłam.

– Anastasia, dość tego – rzuca surowo, mrużąc oczy.

Stąpam po cienkim lodzie, narażając się na niebezpieczeństwo.

– Inaczej przełożę cię przez kolano. Nie interesuje mnie ona w sensie seksualnym ani romantycznym. To dobra, ceniona przyjaciółka i wspólniczka. I tyle. Mamy wspólną przeszłość, dzięki której niezwykle dużo zyskałem, choć to spieprzyło jej małżeństwo. Ale ta strona naszego związku już nie istnieje.

Jezu, i znowu czegoś nie rozumiem. Była mężatką. Jak to możliwe, że spotykali się ze sobą tyle lat?

– A twoi rodzice nigdy się nie dowiedzieli?

– Nie – warczy. – Już ci to mówiłem.

I wiem, że rozmowa dobiegła końca. Nie mogę zadawać mu dalszych pytań, które mają związek z nią, inaczej zupełnie straci cierpliwość.

– Skończyłaś? – pyta ostro.

– Na razie.

Bierze głęboki oddech i wyraźnie się odpręża, jakby spadł mu z serca wielki kamień.

– No dobrze, moja kolej – burczy. – Nie odniosłaś się do mojego mejla.

Policzki robią mi się czerwone. Och, nie znoszę być w centrum uwagi, a wygląda na to, że każda próba takiej rozmowy go zdenerwuje. Kręcę głową. Być może tak się właśnie czuje, kiedy ja go zasypuję pytaniami; nie jest do tego przyzwyczajony. Ta myśl wydaje mi się nowa, niepokojąca.

– Zamierzałam to zrobić. Ale teraz ty jesteś tutaj.

– Wolałabyś, żeby było inaczej? – Wyraz twarzy ma znowu beznamiętny.

– Nie, jestem zadowolona – bąkam.

– To dobrze. – Obdarza mnie szczerym uśmiechem, jakby poczuł ulgę. – Ja też się cieszę, że tu jestem, pomimo twojego przesłuchania. Więc skoro mnie można brać w krzyżowy ogień pytań, sądzisz, że tobie przysługuje immunitet dyplomatyczny tylko dlatego, że przeleciałem taki kawał, żeby cię zobaczyć? Nie kupuję tego, panno Steele. Chcę wiedzieć, co czujesz.

O nie…

– Mówiłam ci. Cieszę się, że przyleciałeś. Dziękuję, że zadałeś sobie tyle trudu – mówię słabo.

– Cała przyjemność po mojej stronie. – Oczy mu błyszczą, gdy się nachyla, żeby mnie pocałować. Moja reakcja jest natychmiastowa. Woda jest jeszcze ciepła, w łazience unosi się para. Christian nieruchomieje i odsuwa się. – Nie. Najpierw chcę poznać odpowiedzi, a potem może być więcej.

Więcej? I znowu to słowo. I Christian chce odpowiedzi… odpowiedzi na co? Nie mam sekretnej przeszłości, nie mam okropnego dzieciństwa. Co mógłby chcieć wiedzieć na mój temat, czego jeszcze nie wie?

Wzdycham zrezygnowana.

– Co chcesz wiedzieć?

– Cóż, na początek jak się zapatrujesz na nasz potencjalny układ?

Mrugam. Pora na prawdę albo wyzwanie – moja podświadomość i wewnętrzna bogini patrzą na siebie nerwowo. A co tam, niech będzie prawda.

– Na dłuższą metę chyba nie dam rady. Cały weekend być kimś, kim nie jestem. – Oblewam się rumieńcem i wbijam wzrok w dłonie.

Christian unosi mi brodę i patrzy na mnie z rozbawieniem.

– Też sądzę, że nie dasz rady.

Część mnie czuje się nieco urażona.

– Śmiejesz się ze mnie?

– Tak, ale dobrodusznie. – Nachyla się i daje buziaka. – Nie jesteś zbyt dobrą uległą – stwierdza. W jego oczach tańczą wesołe iskierki.

Najpierw wpatruję się w niego zaszokowana, a potem wybucham śmiechem – a on się przyłącza.

– Może nie mam dobrego nauczyciela.

Parska.

– Może. Niewykluczone, że powinienem być bardziej surowy. – Przechyla głowę i uśmiecha się przebiegle.

Przełykam ślinę. Jezu, nie. Ale w tym samym czasie czuję rozkoszne zaciskanie mięśni podbrzusza. To jego sposób okazywania, że się o mnie troszczy. Być może jedyny sposób – zdaję sobie z tego sprawę. Wpatruje się we mnie, badając moją reakcję.

– Aż tak było źle, kiedy pierwszy raz dałem ci klapsy?

Mrugam. Było aż tak źle? Pamiętam, że czułam się skonsternowana swoją reakcją. Bolało, ale w sumie nie aż tak bardzo. Christian w kółko mi powtarzał, że chodzi raczej o to, co siedzi w mojej głowie. A za drugim razem... Cóż, było dobrze... podniecająco.

– Nie – mówię cicho.

– To raczej wyobrażenie na temat tego, co się działo?

– Chyba tak. Odczuwanie przyjemności, kiedy się nie powinno jej czuć.

– Pamiętam, że czułem to samo. Musi minąć trochę czasu, nim poukłada ci się to w głowie.

O w mordę. On miał wtedy piętnaście lat.

– Zawsze możesz użyć hasła bezpieczeństwa, Anastasio. Nie zapominaj o tym. A jeśli tylko będziesz postępować zgodnie z zasadami, które mnie pozwalają sprawować kontrolę, a tobie gwarantują bezpieczeństwo, może jakoś to będzie.

– Dlaczego musisz mieć nade mną kontrolę?

– Bo to zaspokaja we mnie potrzebę, która w okresie kształtowania osobowości została zaniedbana.

– Więc to forma terapii?

– Nie postrzegałem tak tego, ale owszem, pewnie tak. To akurat potrafię zrozumieć.

– Jeszcze jedna sprawa. W jednej chwili mówisz „Nie sprzeciwiaj mi się", a w drugiej, że lubisz, gdy to robię. I bądź tu, człowieku, mądry.

Przez chwilę patrzy na mnie, po czym marszczy brwi.

– Rozumiem. Ale jak na razie dobrze ci idzie.

– Ale za jaką cenę? Czuję się skrępowana.

– Lubię cię skrępowaną – uśmiecha się znacząco.

– Nie to miałam na myśli! – Z irytacją chlapię go wodą.

Patrzy na mnie, unosząc brew.

– Czy ty mnie właśnie ochlapałaś?

– Tak. – Jasny gwint… to spojrzenie.

– Och, panno Steele. – Chwyta i sadza mnie sobie na kolanach, rozlewając wodę na podłogę. – Chyba wystarczy już tej rozmowy.

Bierze w dłonie moją twarz i mnie całuje. Mocno. Obejmując w posiadanie moje usta. Przechylając mi głowę… sprawując nade mną kontrolę. Jęczę mu do ust. To właśnie lubi. W tym właśnie jest dobry. Wszystko się we mnie zapala, dłonie wędrują do jego włosów i oddaję mu pocałunki mówiące: ja ciebie też pragnę, w jedyny sposób, jaki jest mi znany. Christian wydaje jęk i poprawia mnie tak, że teraz siedzę na nim okrakiem, czując pod sobą wzwód. Odsuwa się i patrzy na mnie. Oczy ma błyszczące i pełne pożądania. Opuszczam ręce i chwytam się krawędzi wanny, ale on łapie za moje nadgarstki i przytrzymuje mi ręce za plecami.

– Zamierzam cię teraz przelecieć – szepcze i unosi mnie tak, że wiszę nad nim. – Gotowa? – pyta bez tchu.

– Tak – odpowiadam, a on opuszcza mnie na siebie, powoli, niesamowicie powoli… wypełniając mnie… obserwując przy tym moją twarz.

Jęczę, zamykam oczy i rozkoszuję się tym doznaniem, tym rozciągającym mnie wypełnieniem. Zaczyna poruszać biodrami i łapię głośno powietrze, pochylając się ku niemu, opierając czoło o jego czoło.

– Proszę, puść mi ręce – szepczę.

– Nie dotykaj mnie – prosi i puszcza moje nadgarstki, zamiast nich łapiąc mnie za biodra.

Zaciskając dłonie na krawędzi wanny, powoli unoszę się i opuszczam. Otwieram oczy, by go widzieć. Obserwuje mnie, usta ma rozchylone, oddech przyspieszony, język między zębami. Wygląda tak... podniecająco. Jesteśmy mokrzy, śliscy i nasze ciała ocierają się o siebie. Pochylam głowę i go całuję. Zamyka oczy. Z wahaniem unoszę ręce i wplatam palce w jego włosy, nie przerywając pocałunku. To wolno mi robić. On to lubi. Ja też. I poruszamy się razem. Pociągam go za włosy, odchylając mu głowę i pogłębiając pocałunek, ujeżdżając go – szybciej, w coraz szybszym tempie. Jęczę mu w usta. On zaczyna unosić mnie szybciej, szybciej... kurczowo trzyma za biodra, oddając pocałunki. Jesteśmy mokrym połączeniem ust, języków, włosów i poruszających się bioder. Moje doznania... znowu przesłaniają wszystko inne. Jestem blisko... zaczynam rozpoznawać to rozkoszne napinanie się mięśni... przyspieszanie. A woda... wiruje wokół nas, gdy nasze ruchy stają się coraz bardziej gorączkowe... rozlewa się wszędzie, naśladując to, co dzieje się we mnie... i w ogóle się tym nie przejmuję.

Kocham tego mężczyznę. Kocham jego pożądanie, to, jaki mam na niego wpływ. Kocham za to, że przebył taką drogę, żeby się ze mną spotkać. Kocham za to, że się o mnie troszczy... troszczy się. To takie nieoczekiwane, takie wzbogacające. Jest mój, a ja jestem jego.

– Właśnie tak, maleńka – dyszy..

I dochodzę, a przez moje ciało przetacza się orgazm, gwałtowne, pełne namiętności apogeum, które pochłania mnie całą. I nagle Christian przyciąga mnie do siebie... ciasno obejmuje, gdy doznaje spełnienia.

– Ana! – woła. Szaleńcza inwokacja, poruszająca i docierająca do głębi mego serca.

Leżymy na olbrzymim łożu, patrząc na siebie, szare oczy w niebieskie, twarzą w twarz. Oboje trzymamy przed sobą poduszki. Jesteśmy nadzy. Nie dotykamy się. Jedynie patrzymy i podziwiamy.

– Chce ci się spać? – pyta z troską Christian.

– Nie. Nie czuję zmęczenia. – Jestem pełna energii. Tak dobrze było porozmawiać. I chcę więcej.

– Na co masz ochotę? – pyta.

– Na rozmowę.

Uśmiecha się.

– O czym?

– O tobie.

– A konkretnie?

– Jaki jest twój ulubiony film?

Uśmiecha się szeroko.

– Dzisiaj *Fortepian*.

Jego uśmiech jest zaraźliwy.

– Oczywiście. Głuptas ze mnie. Taka smutna, poruszająca muzyka, którą z pewnością potrafisz zagrać? Tyle osiągnięć, panie Grey.

– A najważniejsze to pani, panno Steele.

– Więc jestem numerem siedemnastym.

– Siedemnastym?

– Liczba kobiet, z którymi, eee… uprawiałeś seks.

Kąciki jego ust unoszą się.

– Niezupełnie.

– Mówiłeś, że piętnaście. – Moja konsternacja jest oczywista.

– To liczba kobiet w moim pokoju zabaw. Sądziłem, że o to ci chodzi. Nie pytałaś, z iloma kobietami uprawiałem seks.

– Och. – Kuźwa… jest ich więcej. Ile? – Waniliowy?

– Nie. Ty jesteś moim jedynym waniliowym podbojem. – Kręci głową, nadal się uśmiechając.

Czemu tak go to bawi? I dlaczego ja też się uśmiecham jak idiotka?

– Nie potrafię ci podać konkretnej liczby. Nie robiłem nacięć na kolumience przy łóżku ani nic z tych rzeczy.

– O jakich liczbach mówimy, dziesiątkach, setkach… tysiącach? – Moje oczy stają się coraz większe.

– Dziesiątkach, na litość boską.

– Wszystkie uległe?

– Tak.

– Przestań się tak szczerzyć – ganię go lekko. Nie jestem w stanie utrzymać powagi.

– Nie mogę. Śmieszna jesteś.

– Śmieszna niemądra czy śmieszna ha, ha?

– Chyba jedno i drugie. – Przywłaszcza sobie moje słowa.

– Cholernie to bezczelne z twojej strony.

Przechyla się i całuje mnie w czubek nosa.

– Powiem ci coś, co cię zaszokuje, Anastasio. Gotowa?

Kiwam głową, nadal z niemądrym uśmiechem na twarzy.

– Wszystkie uległe przechodzą szkolenie. W Seattle i okolicach są miejsca, gdzie można zdobywać doświadczenie. Nauczyć się tego, co ja umiem – mówi.

Słucham?

– Och. – Mrugam powiekami.

– Aha, płaciłem za seks, Anastasio.

– To żaden powód do dumy – burczę wyniośle. – I masz rację… jestem mocno zaszokowana. I zła, że ja nie jestem w stanie zaszokować ciebie.

– Włożyłaś moją bieliznę.

– To cię zaszokowało?

– Tak.

Moja wewnętrzna bogini wykonuje mistrzowski skok o tyczce.

– Nie włożyłaś majtek na kolację u moich rodziców.

– To cię zaszokowało?

– Owszem.

Jezu, drugi skok jest jeszcze lepszy.

– Wygląda na to, że potrafię cię zaszokować jedynie w sektorze bieliźnianym.

– Powiedziałaś mi, że jesteś dziewicą. To największy szok, jaki dane mi było przeżyć.

– Tak, minę miałeś godną Oscara – chichoczę.

– Pozwoliłaś mi pieścić cię szpicrutą.

– To cię zaszokowało?

– Aha.

Uśmiecham się od ucha do ucha.

– Cóż, możliwe, że jeszcze ci na to pozwolę.

– Och, liczę na to, panno Steele. W ten weekend?

– Okej – zgadzam się nieśmiało.

– Okej?

– Tak. Wejdę znowu do Czerwonego Pokoju Bólu.

– Mówisz do mnie po imieniu.

– To cię szokuje?

– Szokuje mnie fakt, że mi się to podoba.

– Christian.

Uśmiecha się.

– Chcę jutro coś zrobić. – W jego oczach błyszczy ekscytacja.

– Co takiego?

– To niespodzianka. Dla ciebie. – Głos ma niski i miękki.

Unoszę brew i jednocześnie tłumię ziewnięcie.

– Nudzę panią, panno Steele? – pyta sardonicznie.

– W żadnym razie.

Przechyla się i delikatnie całuje mnie w usta.

– Śpij – nakazuje, po czym gasi światło.

I w tej spokojnej chwili, gdy zamykam oczy, zmęczona i zaspokojona, uważam, że znajduję się w samym oku cyklonu. A pomimo tego wszystkiego, co Christian mi powiedział i co przemilczał, chyba jeszcze nigdy nie czułam się tak szczęśliwa.

ROZDZIAŁ DWUDZIESTY CZWARTY

Christian stoi w metalowej klatce. Ma na sobie tylko te swoje podarte dżinsy. Wpatruje się we mnie. Na jego twarzy widnieje znaczący uśmiech, a oczy ma pociemniałe. Trzyma miseczkę z truskawkami. Z gracją podchodzi do prętów, nie spuszczając ze mnie wzroku. Bierze z miseczki duży dojrzały owoc i wyciąga rękę.

– Jedz – szepcze.

Próbuję do niego podejść, ale jestem skrępowana, coś trzyma mnie za nadgarstek. Puszczaj!

– Chodź, jedz – mówi, uśmiechając się ślicznie.

Ciągnę i ciągnę... puść mnie! Chcę krzyczeć, ale z mojego gardła nie wydobywa się żaden dźwięk. Christian wysuwa rękę jeszcze dalej, aż wreszcie truskawka dotyka mych ust.

– Jedz, Anastasio. – Wypowiada moje imię, przeciągając zmysłowo każdą sylabę.

Otwieram usta i biorę kęs, klatka znika, a mnie już nic nie trzyma. Wyciągam rękę, żeby go dotknąć, wplatam palce we włoski na jego klatce piersiowej.

– Anastasia.

Nie.

– No już, mała.

Nie. Chcę cię dotknąć.

– Obudź się.

Nie. Proszę. Na ułamek sekundy otwieram niechętnie oczy. Leżę w łóżku, a ktoś muska moje ucho.

– Obudź się, maleńka – szepcze, a jego słodki głos rozlewa się w moim ciele niczym ciepły karmel.

To Christian. Jezu, jest jeszcze ciemno, a ja przed oczami mam nadal to, co mi się śniło.

– Och… nie – jęczę. Chcę wrócić do jego klatki piersiowej, wrócić do snu. Czemu on mnie budzi? Jest środek nocy, a przynajmniej tak mi się wydaje. O cholera. Czy on chce seksu? Teraz?

– Pora wstać, mała. Włączę zaraz lampkę. – Głos ma cichy.

– Nie.

– Chcę gonić razem z tobą świt – mówi, całując moje policzki, powieki, czubek nosa, usta. Otwieram oczy. Lampka włączona. – Dzień dobry, moja śliczna – mruczy.

Wydaję jęk, a on się uśmiecha.

– Skowronkiem to ty nie jesteś – stwierdza.

Mrużę oczy i widzę, że pochyla się nade mną uśmiechnięty Christian. Rozbawiony. Ubrany! Na czarno.

– Myślałam, że masz ochotę na seks – burczę.

– Anastasio, zawsze mam na niego ochotę. Dobrze wiedzieć, że ty również – mówi sucho.

Moje oczy przyzwyczajają się do światła i widzę już lepiej. On nadal wydaje się rozbawiony… dzięki Bogu.

– Oczywiście, że tak, tyle że nie o takiej późnej porze.

– Nie jest późno, lecz wcześnie. Wstawaj. Wychodzimy. Seks przełożymy na inny raz.

– Miałam taki przyjemny sen – marudzę.

– A co ci się śniło? – pyta cierpliwie.

– Ty. – Rumienię się.

– Co robiłem tym razem?

– Próbowałeś karmić mnie truskawkami.

Kąciki ust unoszą mu się w uśmiechu.

– Dr Flynn miałby teraz używanie. No już, ubieraj się. Nie trać czasu na prysznic, później go weźmiemy.

My!

Siadam i pościel opada, odsłaniając moje ciało. Christian wstaje, żeby mi zrobić miejsce.

– Która godzina?

– Piąta trzydzieści.

– Mam wrażenie, że trzecia.

– Nie mamy dużo czasu. Dałem ci spać najdłużej, jak się dało. Chodź.

– Nie mogę wziąć prysznica?

Wzdycha.

– Jeśli pójdziesz pod prysznic, będę chciał do ciebie dołączyć, a oboje wiemy, co się wtedy stanie. No już, wstawaj.

Jest podekscytowany. Jak mały chłopiec, nie mogący się czegoś doczekać. Uśmiecham się.

– Co będziemy robić?

– To niespodzianka. Mówiłem ci.

Mój uśmiech robi się jeszcze szerszy.

– Okej.

Gramolę się z łóżka i biorę za szukanie ubrań. Oczywiście leżą starannie złożone na krześle obok łóżka. Na wierzchu dostrzegam dzianinowe bokserki, i to nie byle jakie, ale od Ralpha Laurena. Zakładam je, a on uśmiecha się do mnie szeroko. Hmm, bielizna Christiana Greya – kolejna zdobycz do kolekcji, w której jest już samochód, BlackBerry, Mac, czarna marynarka i cenne pierwsze wydanie serii książek. Kręcę głową; cóż za szczodrość. Marszczę brwi, gdyż przypomina mi się scena z *Tessy*: ta z truskawkami. Z kolei ona przywołuje mój sen. Co tam dr Flynn, nawet Freud miałby używanie, a potem pewnie by umarł, próbując rozwikłać tajemnice psychiki Szarego.

– Skoro już wstałaś, zrobię ci trochę miejsca.

Christian przechodzi do części dziennej, a ja idę do łazienki. Muszę siku, no i chcę się szybko podmyć. Siedem minut później wchodzę do salonu, czysta, uczesana, ubrana w dżinsy, moją bluzeczkę i bieliznę Christiana Greya. Podnosi głowę znad niewielkiego stołu, przy którym je śniadanie. Śniadanie! Jezu, o tej porze.

– Jedz – mówi.

Jasny gwint… mój sen. Wpatruję się w niego, myśląc o jego języku na podniebieniu. Hmm, wprawnym języku.

– Anastasio. – Z rozmarzenia wyrywa mnie jego surowy głos.

Dla mnie naprawdę jest za wcześnie. Jak mam to rozegrać?

– Napiję się herbaty. Mogę wziąć croissanta na później?

Mierzy mnie podejrzliwym spojrzeniem, a ja uśmiecham się słodko.

– Nie pogrywaj ze mną, Anastasio – rzuca ostrzegawczo.

– Zjem później, kiedy mój żołądek się obudzi. Około siódmej trzydzieści… okej?

– Okej.

Mocno się muszę koncentrować, że się nie wykrzywić.

– Mam ochotę przewrócić oczami.

– Ależ śmiało, zrób to, a sprawisz mi wielką przyjemność – mówi surowo.

Podnoszę oczy na sufit.

– Cóż, parę klapsów pewnie by mnie dobudziło. – Zasznurowuję usta, jakbym się nad czymś intensywnie zastanawiała.

Christian otwiera buzię.

– Z drugiej strony nie chciałabym, abyś się zgrzał; klimat jest tu wystarczająco gorący. – Wzruszam nonszalancko ramionami.

Zamyka usta i choć bardzo się stara zrobić gniewną minę, kiepsko mu to wychodzi. W jego oczach czai się wesołość.

– Prowokacyjna jak zawsze, panno Steele. Pij herbatę.

Zauważam, że to herbata Twinings i serce mi śpiewa. „Widzisz, on się naprawdę o ciebie troszczy" – mówi moja podświadomość. Siadam naprzeciwko niego, upajając się jego pięknem. Czy nasycę się kiedyś tym mężczyzną?

GDY WYCHODZIMY, CHRISTIAN RZUCA mi bluzę.

– Przyda ci się.

Patrzę na niego z konsternacją.

– Zaufaj mi. – Uśmiecha się, nachyla i daje szybkiego buziaka, a potem bierze za rękę i wyprowadza z pokoju.

Na dworze jest jeszcze względnie chłodno. Boy wręcza Christianowi kluczyki do krzykliwego sportowego samochodu ze składanym dachem. Unoszę brew.

– Wiesz, czasami tak fajnie być mną – wyjaśnia z konspiracyjnym, pełnym zadowolenia uśmiechem, którego nie jestem w stanie nie odwzajemnić. Jest taki kochany, kiedy się zachowuje tak radośnie i beztrosko. Z teatralnym ukłonem otwiera mi drzwi i wsiadam do środka. Ależ mu humor dopisuje.

– Dokąd jedziemy?

– Zobaczysz. – Śmieje mu się buzia, gdy wrzuca bieg i wyjeżdżamy na Savannah Parkway. Programuje nawigację, a potem naciska guzik na kierownicy i wnętrze samochodu wypełnia klasyczna muzyka orkiestrowa.

– Co to? – pytam, gdy wokół nas rozbrzmiewają słodkie dźwięki setki skrzypiec.

– Utwór z *Traviaty*. Opery Verdiego.

O rany… śliczny.

– *Traviata*? Już to słyszałam. Nie mogę sobie przypomnieć gdzie. Co to znaczy?

Christian patrzy na mnie z ukosa.

– Cóż, dosłownie „kobieta sprowadzona na złą drogę". Jest oparta na *Damie Kameliowej* Aleksandra Dumasa.

– Ach. Czytałam.

– Tak też pomyślałem.

– Nieszczęsna kurtyzana. – Poprawiam się na miękkim skórzanym fotelu. Czy on próbuje mi coś powiedzieć? – Hmm, smutna historia – bąkam.

– Zbyt smutna? Chcesz posłuchać innej muzyki? Mam to na iPodzie. – Christian znowu uśmiecha się w ten swój tajemniczy sposób.

Nigdzie nie widzę iPoda. Stuka palcem w ekran na konsoli między nami i pojawia się lista utworów.

– Ty wybierasz. – Usta wyginają mu się w uśmiechu i wiem, że rzuca mi tym samym wyzwanie.

iPod Christiana Greya, to powinno być interesujące. Przewijam ekran dotykowy i znajduję idealną piosenkę. Wciskam „play". Nigdy bym się nie domyśliła, że może być fanem Britney. Z głośników dudni klubowy bit i Christian przycisza. Może jest jeszcze za wcześnie na zmysłową Britney.

– *Toxic*, co? – Christian uśmiecha się szeroko.

– Nie wiem, o co ci chodzi – odpowiadam z miną niewiniątka.

Jeszcze bardziej ścisza muzykę, a ja gratuluję sobie w duchu. Moja wewnętrzna bogini stoi na podium, czekając na złoty medal. Ściszył muzykę. Zwycięstwo!

– To nie ja umieściłem tę piosenkę na iPodzie – mówi lekko i dodaje gazu, a mnie wciska w fotel.

Co takiego? Już on doskonale wie, co robi, drań jeden. Kto to zrobił? A ja muszę teraz słuchać jęczącej Britney. Kto… kto?

Piosenka się kończy i iPod losowo wybiera smutnego Damiena Rice'a. Kto? Kto? Wyglądam przez szybę i ściska mnie w żołądku. Kto?

– Leila – odpowiada na moje niewypowiedziane na głos pytanie. Jak on to robi?

– Leila?

– Moja była, to ona wrzuciła tu tę piosenkę.

Damien zawodzi w tle, a ja siedzę oszołomiona. Była… była uległa? Była…

– Jedna z piętnastki? – pytam.

– Tak.

– Co się z nią stało?

– Rozstaliśmy się.

– Dlaczego?

Jezu. Za wcześnie na tego typu rozmowę. Ale Christian wydaje się zrelaksowany, wręcz radosny, a co więcej – jest rozmowny.

– Chciała więcej. – Głos ma niski, głęboki, kończąc zdanie znowu tym słowem.

– A ty nie? – pytam, nim uruchamiam filtr kontrolujący to, co wydobywa się z moich ust. Cholera, czy chcę to wiedzieć?

Kręci głową.

– Nigdy nie chciałem więcej, dopóki nie poznałem ciebie.

Łapię głośno powietrze. A to nie ja tego pragnę. On chce więcej. On także chce więcej! Moja wewnętrzna bogini zeskakuje z podium i robi gwiazdy. A więc nie jestem w tym odosobniona.

– Co się stało z pozostałą czternastką? – pytam.

– Chcesz całą listę? Rozwiedziona, ścięta, zmarła?

– Nie jesteś Henrykiem VIII.

– Okej, nie licząc Eleny, tylko z czterema kobietami byłem w długotrwałych związkach.

– Eleny?

– Dla ciebie pani Robinson. – I znowu uśmiecha się tajemniczo.

Elena! Ta wiedźma ma imię, które w dodatku obco brzmi. Oczami wyobraźni widzę od razu oszałamiającego, bladolicego wampa z kruczoczarnymi włosami, ciemnoczerwonymi ustami i wiem, że jest piękna. Nie wolno mi o tym myśleć. Nie wolno mi o tym myśleć.

– Co się stało z tamtą czwórką? – pytam, żeby zająć myśli czymś innym.

– Cóż za głód wiedzy, panno Steele – beszta mnie żartobliwie.

– Czyżby, Panie Kiedy-Masz-Okres?

– Anastasio, muszę wiedzieć takie rzeczy.

– Ach tak?

– Tak.

– Po co?

– Bo nie chcę, żebyś zaszła w ciążę.

– Ja też nie chcę! No, a przynajmniej nie w najbliższych latach.

Christian mruga zaskoczony, po czym wyraźnie się odpręża. Okej. Christian nie chce dzieci. Teraz czy nigdy? Nie mogę się otrząsnąć po tym jego nagłym, bezprecedensowym przypływie szczerości. Może to ta wczesna pora? Tutejsza woda? Tutejsze powietrze? Co jeszcze chcę wiedzieć? *Carpe diem.*

– No więc co z tą czwórką? – pytam.

– Jedna poznała kogoś innego. Pozostała trójka chciała więcej. Wtedy coś takiego nie wchodziło w grę.

– A inne? – nie daję za wygraną.

Kręci głową.

– Po prostu nie wyszło.

Ależ mam informacji do przetworzenia. Zerkam w boczne lusterko i zauważam, że na niebie za samochodem akwamarynowe niebo zaczyna różowieć. Goni nas świt.

– Dokąd jedziemy? – pytam skonsternowana, przyglądając się autostradzie 95. Wiem tylko tyle, że w kierunku południowym.

– Na lotnisko.

– Nie wracamy do Seattle, prawda? – pytam z niepokojem. Nie pożegnałam się z mamą. Jezu, spodziewa się nas dzisiaj na kolacji.

Śmieje się.

– Nie, Anastasio. Będziemy się oddawać mojej drugiej ulubionej rozrywce.

– Drugiej? – Marszczę brwi.

– Aha. Rankiem ci mówiłem, jaka jest pierwsza.

Zerkam na jego idealny profil, wytężając pamięć.

– Rozkoszowanie się tobą, panno Steele. Jest to na szczycie mojej listy.

Och.

– Cóż, na mojej liście perwersyjnych priorytetów także zajmuje to wysoką pozycję – mamroczę, rumieniąc się.

– Miło mi to słyszeć – stwierdza sucho.

– No więc lotnisko?

Uśmiecha się szeroko.

– Szybowanie.

Coś mi to mówi. Już o tym wspominał.

– Będziemy gonić świt, Anastasio.

Odwraca się i obdarza mnie radosnym uśmiechem, gdy tymczasem nawigacja każe mu skręcić w prawo. Wygląda to na jakiś kompleks przemysłowy. Christian zatrzymuje się przed dużym białym budynkiem, nad którym wisi szyld z napisem: KLUB SZYBOWCOWY BRUNSWICK.

Szybowiec! Polecimy szybowcem!

Gasi silnik.

– Masz ochotę? – pyta.

– Ty za sterami?

– Tak.

– No to pewnie! – Nie waham się. On się uśmiecha, przechyla i całuje mnie w usta.

– Kolejny pierwszy raz, panno Steele – mówi, wysiadając z samochodu.

Pierwszy raz? To znaczy? Pierwszy raz za sterami szybowca... cholera! Nie, mówił, że już to robił. Odprężam się. Obchodzi samochód i otwiera mi drzwi. Niebo przybrało subtelny odcień opalu, połyskując lekko nad nielicznymi małymi chmurami. Zaraz będzie świtać.

Christian bierze mnie za rękę i prowadzi na tył budynku, gdzie na asfalcie stoi kilka samolotów. Obok nich czeka mężczyzna z ogoloną głową i błyskiem szaleństwa w oku oraz Taylor.

Taylor! Czy Christian nigdzie się bez niego nie rusza? Uśmiecham się do niego na powitanie, na co odpowiada grzecznym uśmiechem.

– Panie Grey, to pański pilot, pan Mark Benson – mówi Taylor.

Christian i Benson wymieniają uścisk dłoni i wdają się w rozmowę pełną szczegółów technicznych dotyczących prędkości wiatru, kierunku i tym podobnych.

– Witaj, Taylor – bąkam nieśmiało.

– Panno Steele. – Marszczę brwi. – Ana – poprawia się. – Przez ostatnie dni nie można z nim było wytrzymać. Dobrze, że tu przylecieliśmy – mówi konspiracyjnie.

Och, a to ciekawe. Dlaczego? Chyba nie z mojego powodu! Czwartek pełen rewelacji! To pewnie woda w Savannah sprawia, że ci faceci się trochę rozluźnili.

– Anastasio – mówi do mnie Christian. – Podejdź. – Wyciąga rękę.

– Do zobaczenia później. – Uśmiecham się do Taylora, który mi salutuje i oddala się na parking.

– Panie Benson, to moja dziewczyna, Anastasia Steele.

– Bardzo mi miło – mamroczę, gdy wymieniamy uścisk dłoni.

Benson uśmiecha się do mnie promiennie.

– Mnie również – mówi. Po akcencie słychać, że to Brytyjczyk.

Gdy znowu wsuwam dłoń w rękę Christiana, żołądek coraz bardziej mi się ściska z ekscytacji. O rany... szybowanie! Idziemy za Markiem Bensonem w stronę pasa startowego. On i Christian dalej prowadzą rozmowę. Wyłapuję ogólny sens. Będziemy lecieć Blanikiem L-23, który podobno jest lepszy niż L-13, choć to pozostaje kwestią otwartą. Benson będzie leciał Piperem Pawnee. Wynosi w górę szybowce już od pięciu lat. Mnie to nic nie mówi, ale przyjemnie się patrzy na Christiana, ożywionego, wyraźnie w swoim żywiole.

Szybowiec jest długi, smukły, biały w pomarańczowe pasy. Ma mały kokpit z dwoma miejscami, jednym za drugim. Długim białym kablem połączony jest z małym, zwykłym jednosilnikowcem. Benson otwiera przezroczystą kopułę z pleksiglasu, żebyśmy weszli do kokpitu.

– Najpierw musimy przypiąć pani spadochron.

Spadochron!

– Ja to zrobię – wtrąca Christian i bierze od niego uprząż.

– Pójdę po balast – mówi Benson i udaje się do samolotu.

– Lubisz mnie przypinać do różnych ustrojstw – zauważam cierpko.

– Panno Steele, nawet pani nie wie, jak bardzo. Przełóż przez to nogi.

Tak robię, wspierając się na ramieniu Christiana. On się lekko spina, ale nic nie mówi. Następnie podciąga spadochron, a ja przekładam ręce przez szelki. Sprawnie wszystko zapina i reguluje długość szelek.

– Proszę bardzo – mówi spokojnie, ale oczy mu błyszczą. – Masz przy sobie gumkę do włosów?

Kiwam głową.

– Mam je związać?

– Tak.

Szybko spełniam jego polecenie.

– No to wchodź do środka. – Ależ on apodyktyczny.

– Siadaj z przodu. Pilot siedzi z tyłu.

– Ale przecież będziesz mało widział.

– Wystarczająco – uśmiecha się.

Chyba jeszcze nigdy nie widziałam go takiego radosnego – apodyktycznego, ale radosnego. Wchodzę do kabiny i siadam na skórzanym fotelu. Jest zaskakująco wygodny. Christian nachyla się i zapina mi pasy.

– Hmm, dwa razy jednego ranka, szczęściarz ze mnie – szepcze i daje mi szybkiego buziaka. – To nie potrwa długo, dwadzieścia, najwyżej trzydzieści minut. Prądy termiczne o tej porze nie są najlepsze, ale widoki bywają zachwycające. Mam nadzieję, że nie jesteś zdenerwowana.

– Podekscytowana – uśmiecham się promiennie.

Skąd ten absurdalny uśmiech? Prawdę mówiąc, trochę jestem przerażona. Moja wewnętrzna bogini skryła się pod kocem za sofą.

– To dobrze. – Odpowiada mi równie szerokim uśmiechem, głaszcze mnie po policzku, a potem znika mi z pola widzenia.

Słyszę i czuję jego ruchy, gdy zajmuje miejsce za mną. Przypiął mnie oczywiście tak ciasno, że nie jestem się w stanie obrócić, aby na niego spojrzeć. Typowe! Przed sobą widzę panel z licznikami, dźwigniami i dużym drążkiem. Niczego nie dotykam.

Pojawia się Mark Benson. Z wesołym uśmiechem sprawdza moje pasy, a potem nachyla się i coś majstruje przy podłodze kokpitu. Chyba to ten balast, o którym wspominał.

– Okej, zabezpieczenie w porządku. Pierwszy raz? – pyta mnie.

– Tak.

– Będzie pani zachwycona.

– Dziękuję, panie Benson.

– Proszę mi mówić Mark. – Odwraca się do Christiana. – Okej?

– Aha. Ruszajmy.

Tak się cieszę, że niczego nie jadłam. Jestem niesamowicie przejęta i nie sądzę, by mój żołądek wytrzymał połączenie jedzenia, ekscytacji i wzlecenia w powietrze. Po raz kolejny oddaję się w sprawne ręce tego pięknego mężczyzny. Mark zamyka pokrywę kokpitu, udaje się do sąsiedniego samolotu i wsiada do niego.

Słyszę silnik jednosilnikowca i żołądek podchodzi mi do gardła. Jezu... to się dzieje naprawdę. Mark jedzie powoli pasem startowym, kabel coraz bardziej się napręża, aż nagle czuję szarpnięcie. Ruszamy. Słyszę jakieś głosy w radiu. To chyba Mark rozmawiający z wieżą – ale nie rozumiem, co mówi. Gdy piper nabiera prędkości, my razem z nim. Podskakujemy na asfalcie, a jednosilnikowiec nadal jest na ziemi. Jezu, czy my się w końcu podniesiemy? I nagle żołądek znika mi z gardła i opada gwałtownie aż na podłogę – znajdujemy się w powietrzu.

– No i lecimy, mała! – woła z tyłu Christian. Poza jego głosem słyszę jedynie świst wiatru i cichy szum silnika pipera.

Trzymam się oburącz krawędzi fotela, tak mocno, że aż mi pobielały kostki. Kierujemy się na zachód, zostawiając wschodzące słońce za plecami. Nabieramy wysokości, przelatując nad polami, lasami, domami i autostradą 95.

O rany. To niesamowite, nad nami już tylko niebo. Światło jest wprost niezwykłe, rozproszone i ciepłe, i przypomina mi się, jak José opowiadał o „magicznej godzinie", porze dnia uwielbianej przez fotografów... tuż po świcie.

Przypomina mi się także wystawa José. Hmm. Muszę powiedzieć Christianowi. Ciekawe, jak zareaguje. Ale nie będę martwić się tym teraz, wolę cieszyć się lotem. Uszy mi się zatykają, gdy wznosimy się coraz wyżej, a ziemia coraz bardziej się od nas oddala. Jest tak spokojnie. Doskonale rozumiem, dlaczego on tak bardzo lubi przebywać w powietrzu. Z dala od BlackBerry i presji swej pracy.

Radio wydaje z siebie kilka trzasków, a potem Mark Benson informuje, że znajdujemy się na wysokości dziewięciuset kilometrów. O kurczę, wysoko. Zerkam w dół – już wcale nie jest tak łatwo cokolwiek rozróżnić.

– Wyczepiaj – mówi do radia Christian i nagle piper znika. I nie czuć już ciągnięcia. A my unosimy się nad Georgią.

O kuźwa, to niesamowite! Szybowiec nurkuje, obraca się i teraz lecimy w stronę słońca. Ikar. Właśnie tak. Lecę blisko słońca, ale on jest ze mną, on mnie prowadzi. Łapię głośno powietrze, gdy dociera to do mnie. Opadamy po spirali, podziwiając widoki iście spektakularne.

– Trzymaj się mocno! – woła Christian i ponownie dajemy nura, tyle że tym razem chwilę później jestem do góry nogami, patrząc na ziemię przez pokrywę kokpitu.

Wydaję głośny pisk, automatycznie wyciągam ręce i opieram je o pleksiglas, żeby tylko nie spaść. Słyszę, jak się śmieje. Drań! Ale jego wesołość jest zaraźliwa i po chwili, kiedy on naprostowuje szybowiec, ja też się śmieję.

– Dobrze, że nie jadłam śniadania! – wołam do niego.

– Owszem, dobrze, bo zamierzam to powtórzyć.

I chwilę później znowu lecimy głowami w dół. Tym razem, ponieważ jestem przygotowana, trzymam się pasów i chichoczę jak głupia. Po raz kolejny wyrównuje lot.

– Pięknie, co? – woła.

– Tak!

Lecimy, przecinając majestatycznie powietrze, słuchając wiatru i ciszy, pławiąc się w świetle wczesnego poranka. Czego można życzyć sobie więcej?

– Widzisz ten joystick przed sobą? – woła ponownie.

Patrzę na drążek, który sterczy pomiędzy moimi nogami. O nie, o co mu teraz chodzi?

– Złap go.

Cholera. Każe mi sterować. Nie!

– Śmiało, Anastasio, złap go – ponagla mnie.

Nieufnie zaciskam na nim dłoń.

– Trzymaj mocno… Widzisz ten środkowy wskaźnik? Igła ma być na środku.

Serce podchodzi mi do gardła. O kuźwa, pilotuję szybowiec… Szybuję…

– Grzeczna dziewczynka. – W głosie Christiana słychać zadowolenie.

– Jestem zdumiona, że pozwalasz mi przejąć kontrolę – wołam.

– Byłabyś zdumiona, gdybyś wiedziała, na co ci jeszcze pozwolę, panno Steele. A teraz joystick wraca do mnie.

Czuję, jak drążek się nagle rusza i puszczam go, a my opadamy spiralnie i znowu zatykają mi się uszy. Ziemia jest coraz bliżej, aż mam wrażenie, że zaraz w nią uderzymy. Jezu, boję się.

– BMA, tu BG N Papa Three Alpha, zejście z wiatrem w lewo, pas siódmy trawa, BMA. – Christian stanowczy jak zawsze. Wieża coś odpowiada, ale nie rozumiem co. Kołujemy, opadając powoli ku ziemi. Widzę już lotnisko, prowizoryczne pasy do lądowania i autostradę 95.

– Trzymaj się, mała. Może trochę trząść.

Jeszcze jedno koło i opadamy niżej, aż nagle z głuchym odgłosem lądujemy i jedziemy szybko po trawie. O cholera. Moje zęby uderzają o siebie, gdy podskakujemy na trawie, aż w końcu się zatrzymujemy. Szybowiec chwilę się chwieje na boki, a potem przechyla na prawo. Biorę głęboki oddech, gdy tymczasem Christian przechyla się i otwiera luk. Wychodzi z kokpitu i się przeciąga.

– I jak było? – pyta, a oczy błyszczą mu srebrzystą szarością. Schyla się, żeby mnie odpiąć.

– Było niezwykle. Dziękuję – odpowiadam bez tchu.

– Czy to było więcej? – pyta z nadzieją w głosie.

– Znacznie więcej.

Uśmiecha się szeroko.

– Chodź. – Wyciąga rękę, a ja ją ujmuję i gramolę się z kokpitu.

Christian chwyta mnie za ramiona i mocno przytula. Nagle jego dłoń znajduje się w moich włosach, odchylając mi głowę, a druga biegnie w dół ku talii. Całuje mnie, długo, mocno i namiętnie, językiem eksplorując wnętrze ust. Oddech ma przyspieszony, jego żar... Jasny gwint – jego wzwód... jesteśmy na lotnisku. Ale mam to gdzieś. Wplatam mu palce we włosy, przyciągając jeszcze bliżej siebie. Pragnę go tutaj, teraz, na trawie. Odrywa usta i patrzy na mnie. Pociemniałe oczy pełne są surowej, aroganckiej zmysłowości. O rety. Zapiera mi dech w piersiach.

– Śniadanie – szepcze w taki sposób, że słowo to brzmi rozkosznie erotycznie.

Jak to możliwe, że w jego ustach jajka i bekon to zakazany owoc? Niezwykła umiejętność. Odwraca się, bierze mnie za rękę i ciągnie za sobą w stronę samochodu.

– A szybowiec?

– Ktoś się nim zajmie – odpowiada niedbale. – Teraz jedziemy coś zjeść – dodaje stanowczo.

Jedzenie! Mówi o jedzeniu, gdy tymczasem ja tak naprawdę pragnę jego.

– Chodź – uśmiecha się.

Jeszcze nigdy go nie widziałam w takim wydaniu. No i idę obok, trzymając go za rękę, z niemądrym uśmiechem na twarzy. Przypomina mi się, jak w wieku dziesięciu lat pojechałam z Rayem do Disneylandu. To był idealny dzień i zapowiada się, że dzisiaj będzie podobnie.

GDY JUŻ SIEDZIMY W samochodzie i wracamy autostradą do Savannah, uruchamia mi się alarm w telefonie. No tak... pigułka.

– Co to? – pyta Christian, patrząc na mnie z ciekawością.

Grzebię w torebce.

– Alarm, żeby wziąć pigułkę – mamroczę zarumieniona.

Kąciki jego ust lekko się unoszą.

– Świetnie. Nie znoszę prezerwatyw.

– Fajnie, że przedstawiłeś mnie Markowi jako swoją dziewczynę.

– A nie jesteś nią? – Unosi brew.

– A jestem? Sądziłam, że pragniesz uległej.

– Ja też, Anastasio, i nadal tak jest. Ale już mówiłem, że i ja pragnę więcej.

O rany. Przypływ nadziei zapiera mi dech.

– Bardzo się cieszę, że pragniesz więcej – szepczę.

– Naszym celem jest sprawianie przyjemności, panno Steele. – Uśmiecha się znacząco, gdy zajeżdżamy na parking przed International House of Pancakes.

– IHOP – uśmiecham się szeroko. Nie wierzę. Kto by pomyślał...? Christian Grey w IHOP.

JEST JUŻ ÓSMA TRZYDZIEŚCI, ale w lokalu nie ma wielu klientów. Pachnie tu słodkim ciastem, smażeniną i środkiem dezynfekującym. Hmm... umiarkowanie przyjemny zapach. Christian prowadzi mnie do boksu.

– Ty w takim miejscu? Nigdy bym nie pomyślała – mówię, gdy siadamy.

– Tato zabierał nas do IHOP, kiedy mama wyjeż-
dżała na jakąś konferencję. To była nasza tajemnica. –
Uśmiecha się do mnie wesoło, następnie przeczesuje palcami niesforne włosy.

Och, jak ja mam ochotę to zrobić…

Tymczasem zabieram się za oglądanie menu. Uświadamiam sobie, że jestem głodna jak wilk.

– Wiem, czego ja chcę – mówi Christian bez tchu,
głosem niskim i ochrypłym.

Podnoszę na niego wzrok. Patrzy na mnie tak, że
od razu czuję ściskanie mięśni w podbrzuszu. O cholera. Krew śpiewa mi w żyłach, odpowiadając na jego
wezwanie.

– Ja chcę tego samego – szepczę.

Bierze głośny wdech.

– Tutaj? – pyta sugestywnie, unosząc brew, uśmiechając się szelmowsko, zębami przygryzając czubek języka.

O rany… seks w IHOP. Jego twarz się zmienia, staje
się bardziej mroczna.

– Nie przygryzaj wargi – nakazuje. – Nie tutaj, nie
teraz. – Spojrzenie ma twarde i przez chwilę wydaje się
cudownie niebezpieczny. – Skoro nie mogę cię tu posiąść,
nie kuś mnie.

– Cześć, jestem Leandra. Co mogę przynieść…
eee… państwu… dzisiaj… eee… rano – duka, patrząc na
siedzącego naprzeciw mnie Pana Pięknego. Oblewa się
rumieńcem, a ja czuję ukłucie współczucia, ponieważ na
mnie on także ma taki wpływ. Obecność dziewczyny pozwala mi uciec na chwilę od jego zmysłowego spojrzenia.

– Anastasio? – pyta mnie, ignorując kelnerkę. I nie
wydaje mi się, aby komukolwiek innemu udało się wlać
tyle zmysłowości w moje imię, co jemu w tej chwili.

Przełykam ślinę, modląc się o to, aby się nie zarumie-
nić tak jak Leandra.

– Mówiłam ci, chcę tego, co i ty – odpowiadam cicho, nisko, a on patrzy na mnie wygłodniale. Jezu, moja wewnętrzna bogini praktycznie mdleje. A więc wchodzę do gry?

Leandra patrzy to na mnie, to na niego. Policzki ma szkarłatne.

– Dać państwu jeszcze chwilę do namysłu?

– Nie. Wiemy, czego chcemy. – Usta Christiana wyginają się w seksownym uśmiechu. – Prosimy dwie porcje naleśników z maślanką z syropem klonowym i bekonem z boku, dwie szklanki soku pomarańczowego, jedną czarną kawę z chudym mlekiem i jedną herbatę English Breakfast, jeśli macie – mówi Christian, nie spuszczając ze mnie wzroku.

– Dziękuję, czy to wszystko? – pyta cicho Leandra, patrząc wszędzie, byle nie na nas. Oboje zwracamy na nią spojrzenie, a ona ponownie oblewa się rumieńcem i zmyka na zaplecze.

– Wiesz, to naprawdę nie fair. – Wbijam wzrok w blat i przesuwam po nim palcem wskazującym, starając się, aby zabrzmiało to nonszalancko.

– Co jest nie fair?

– To, jak rozbrajasz ludzi. Kobiety. Mnie.

– Rozbrajam cię?

Prycham.

– Nieustannie.

– To tylko wygląd, Anastasio – mówi łagodnie.

– Nie, Christianie, to znacznie więcej.

Marszczy czoło.

– Ty mnie kompletnie rozbrajasz, panno Steele. Twoja niewinność.

– Dlatego właśnie zmieniłeś zdanie?

– Zmieniłem zdanie?

– Tak, w kwestii… eee… nas?

Długimi palcami głaszcze się w zamyśleniu po brodzie.

– Nie wydaje mi się, abym zmienił zdanie jako takie. Musimy jedynie na nowo sprecyzować kryteria, nakreślić strategię. Jestem przekonany, że to się może udać. W pokoju zabaw masz być uległą. Za łamanie zasad spotka cię kara. Ale poza tym… cóż, myślę, że wszystko podlega dyskusji. Takie są moje wymagania, panno Steele. Co ty na to?

– A więc będę z tobą spała? W twoim łóżku?

– Tego właśnie chcesz?

– Tak.

– Wobec tego zgadzam się. Poza tym bardzo dobrze mi, kiedy jesteś obok. Nie miałem pojęcia, że to możliwe. – Marszczy brwi.

– Strasznie się bałam, że mnie zostawisz, jeśli nie zgodzę się na to wszystko – mówię cicho.

– Nigdzie się nie wybieram, Anastasio. Poza tym… – Urywa, a po chwili namysłu dodaje: – Idziemy za twoją radą, zgodnie z twoją definicją: kompromis. Wysłałaś mi ją mejlem. I jak na razie to się udaje.

– Bardzo się cieszę, że pragniesz więcej – szepczę nieśmiało.

– Wiem.

– Skąd?

– Uwierz mi. Po prostu wiem. – Uśmiecha się znacząco. On coś skrywa. Ale co?

W tej chwili pojawia się Leandra z naszym zamówieniem. Burczy mi w brzuchu, przypominając, jak bardzo jestem głodna. Christian z irytującą aprobatą patrzy, jak zmiatam wszystko z talerza.

– Mogę się odwdzięczyć? – pytam Christiana.

– To znaczy?

– Zapłacić za ten posiłek.

Prycha.

– Nie sądzę.

– Proszę. Chcę to zrobić.

Marszczy brwi.

– Czy ty próbujesz zupełnie pozbawić mnie męskości?

– To prawdopodobnie jedyne miejsce, w którym będzie mnie stać na zapłacenie rachunku.

– Anastasio, doceniam twój gest. Naprawdę. Ale odpowiedź jest negatywna.

Sznuruję usta.

– Nie dąsaj się – rzuca ostrzegawczo, a w jego oczach pojawia się złowróżbny znak.

Oczywiście, że nie pyta o adres mojej matki. On go już zna, prześladowca jeden. Kiedy zatrzymuje się przed domem, nie komentuję tego. Bo i po co?

– Masz ochotę wstąpić? – pytam nieśmiało.

– Muszę się zająć pracą, Anastasio, ale zjawię się wieczorem. O której godzinie?

Ignoruję nieprzyjemne ukłucie rozczarowania. Dlaczego pragnę spędzać każdą chwilę z tym kontrolującym wszystko bogiem seksu? Ach tak, zakochałam się w nim, a on umie latać.

– Dziękuję… za więcej.

– Cała przyjemność po mojej stronie, Anastasio. – Całuje mnie, a ja wdycham jego cudowny, Christianowy zapach.

– Do zobaczenia wieczorem.

– Spróbuj mnie tylko powstrzymać – szepcze.

Macham mu, gdy odjeżdża w blasku słońca. Nadal mam na sobie jego bluzę i bieliznę i jest mi za ciepło.

Mamę zastaję w kuchni. Nie każdego dnia gości u siebie miliardera, więc strasznie się denerwuje.

– Jak tam, skarbie? – pyta i oblewam się rumieńcem, ponieważ na pewno wie, co robiłam zeszłej nocy.

– Dobrze. Christian zabrał mnie rano na szybowanie. – Mam nadzieję, że tą informacją odwrócę jej uwagę.

– Szybowanie? Takie w małym samolocie bez silnika? To masz na myśli?

Kiwam głową.

– Wow.

Patrzy na mnie bez słowa, ale w końcu bierze się
w garść i wraca do przepytywania.

– Jak się udał wieczór? Rozmawialiście?

Jezu. Moje policzki są purpurowe.

– Rozmawialiśmy. I wczoraj, i dzisiaj. Jest już lepiej.

– To dobrze. – Kieruje uwagę z powrotem na cztery
książki kucharskie rozłożone na kuchennym stole.

– Mamo… gdybyś chciała, to ja mogę się zająć go-
towaniem.

– Och, skarbie, to miłe z twojej strony, ale sama chcę
to zrobić.

– Okej.

Krzywię się, mając świadomość, że zdolności kucharskie
mamy są mocno ograniczone. Ale może coś się w tej kwestii
zmieniło, odkąd zamieszkała z Bobem w Savannah. Swego
czasu stołowania się u niej nie życzyłabym nawet – kogo nienawidzę? Ach tak – pani Robinson, to znaczy Elenie. No, jej
może jednak życzę. Czy poznam kiedyś tę przeklętą kobietę?

Postanawiam wysłać Christianowi krótki mejl z po-
dziękowaniem.

Nadawca: Anastasia Steele
Temat: Szybownictwo jako przeciwieństwo niskich
lotów
Data: 2 czerwca 2011, 10:20 EST
Adresat: Christian Grey

Czasami naprawdę wiesz, jak sprawić dziewczynie
przyjemność.

Dziękuję.

Ana x

Nadawca: Christian Grey
Temat: Szybownictwo a niskie loty
Data: 2 czerwca 2011, 10:24 EST
Adresat: Anastasia Steele

Wolę i jedno, i drugie od Twojego chrapania*. Ja też się dobrze bawiłem.

Ale tak jest zawsze, gdy spędzam czas z Tobą.

Christian Grey
Prezes, Grey Enterprises Holdings, Inc.

Nadawca: Anastasia Steele
Temat: CHRAPANIE
Data: 2 czerwca 2011, 10:26 EST
Adresat: Christian Grey

JA NIE CHRAPIĘ. A jeśli nawet, to mało szarmanckie z Twojej strony, że o tym wspominasz.

Nie jest Pan dżentelmenem, Panie Grey! A przyjechał Pan przecież na dalekie południe!

Ana

---

* Gra słów, „soaring" – szybownictwo, „snoring" – chrapanie.

Nadawca: Christian Grey
Temat: Somnologia
Data: 2 czerwca 2011, 10:28 EST
Adresat: Anastasia Steele

Nigdy nie twierdziłem, że jestem dżentelmenem, Anastasio, i sądzę, że wielokrotnie miałaś okazję się o tym przekonać. Nie przestraszyły mnie Twoje KRZYKLIWE wersaliki. Ale przyznam się do małego niewinnego kłamstwa – nie chrapiesz. Ale mówisz. I to jest fascynujące.

A co z buziakiem dla mnie?

Christian Grey
Łajdak i prezes, Grey Enterprises Holdings, Inc.

O w mordę. Wiem, że mówię przez sen. Kate wiele razy mi o tym wspominała. Co u licha powiedziałam? O nie.

Nadawca: Anastasia Steele
Temat: Puść farbę
Data: 2 czerwca 2011, 10:32 EST
Adresat: Christian Grey

Jesteś łajdakiem i draniem – z całą pewnością nie dżentelmenem.

Co w takim razie mówiłam? Żadnych buziaków, dopóki mi tego nie powiesz!

Nadawca: Christian Grey
Temat: Śpiąca mówiąca królewna
Data: 2 czerwca 2011, 10:35 EST
Adresat: Anastasia Steele

Byłoby to z mojej strony niezwykle mało szarmanckie, a za coś takiego udzielono mi już dzisiaj reprymendy.

Jeśli będziesz grzeczna, to niewykluczone, że wieczorem Ci powiem. A teraz naprawdę muszę już
pędzić na zebranie.

Na razie, mała.

Christian Grey
Prezes, łajdak i drań, Grey Enterprises Holdings, Inc.

W porządku! Aż do wieczora nie odezwę się ani słowem. Jezu. Pewnie powiedziałam przez sen, że go nienawidzę, albo co gorsza, że go kocham. Och, mam nadzieję,
że nie. Nie jestem gotowa, aby to powiedzieć, a on z całą
pewnością nie jest gotowy, aby coś takiego usłyszeć, nawet
gdyby chciał. Patrzę gniewnie na komputer i postanawiam,
że bez względu na to, co przyrządza mama, ja upiekę chleb
– wyrabianie chleba dobrze podziała na moją frustrację.

MAMA ZDECYDOWAŁA SIĘ NA gazpacho i grillowane steki
marynowane w oliwie z oliwek, czosnku i soku z cytryny.
Christian lubi mięso, a to proste danie. Bob się zaofe-
rował, że rozpali grilla. Ci faceci – oni naprawdę lubią
zabawy z ogniem.

Drepczę za mamą w supermarkecie, pchając wózek. Gdy docieramy do działu mięsnego, dzwoni mój telefon. Szukam go w torebce, myśląc, że to może Christian. Nie rozpoznaję numeru.

– Halo? – pytam bez tchu.

– Anastasia Steele?

– Tak.

– Z tej strony Elizabeth Morgan z SIP.

– Och, witam.

– Dzwonię, aby zaproponować ci pracę asystentki pana Jacka Hyde'a. Chcielibyśmy, abyś zaczęła w najbliższy poniedziałek.

– Wow. Super. Dziękuję!

– Znasz szczegóły dotyczące wynagrodzenia?

– Tak. Tak... to znaczy przyjmuję waszą ofertę. Chętnie podejmę pracę w waszym wydawnictwie.

– Doskonale. W takim razie do zobaczenia w poniedziałek o ósmej trzydzieści, tak?

– Do zobaczenia. I dziękuję.

Uśmiecham się promiennie do mamy.

– Masz pracę?

Kiwam z zadowoleniem głową, a ona wydaje głośny pisk i ściska mnie pośrodku supermarketu Publix.

– Gratulacje, kochanie! Musimy kupić szampana! – Klaszcze w dłonie i podskakuje. Ta kobieta ma lat czterdzieści dwa czy dwanaście?

Zerkam na wyświetlacz telefonu i marszczę brwi; nieodebrane połączenie od Christiana. On nigdy do mnie nie dzwoni. Natychmiast oddzwaniam.

– Anastasia – odbiera natychmiast.

– Cześć – mówię nieśmiało.

– Muszę wrócić do Seattle. Coś mi wypadło. Jestem teraz w drodze do Hilton Head. Przeproś, proszę, mamę w moim imieniu. Nie dam rady zjawić się na kolacji.

– Mam nadzieję, że to nic poważnego?

– Pojawił się problem, który muszę rozwiązać. Jutro się zobaczymy. Przyślę po ciebie na lotnisko Taylora, jeśli sam nie będę mógł tego zrobić. – Wydaje się chłodny. Wręcz rozgniewamy. Ale po raz pierwszy nie myślę od razu, że to moja wina.

– Okej, mam nadzieję, że rozwiążesz problem. Bezpiecznego lotu.

– Nawzajem, mała – mówi i z tymi słowami wraca mój Christian. A potem się rozłącza.

O nie. Ostatni jego „problem" to było moje dziewictwo. Jezu, mam nadzieję, że to nic z tych rzeczy. Patrzę na mamę. Radość na twarzy zastąpiła troska.

– To Christian. Musi wracać do Seattle. Kazał cię przeprosić.

– Och! Szkoda, skarbie. Ale i tak możemy rozpalić grilla, zresztą mamy co świętować: twoją nową pracę! Musisz mi o niej wszystko opowiedzieć.

Jest późne popołudnie i razem z mamą leżymy nad basenem. Na wieść, że Pan Nadziany nie zjawi się na kolacji, moja rodzicielka niesłychanie się rozluźniła. Gdy tak leżę na słońcu, pragnąc choć trochę się opalić, myślę o wczorajszym wieczorze i dzisiejszym śniadaniu. Myślę o Christianie, a uśmiech nie chce mi zejść z twarzy, gdy wspominam nasze rozmowy i to, co robiliśmy... co on robił.

Nastawienie Christiana uległo diametralnej zmianie. On temu zaprzecza, ale przyznaje, że próbuje „więcej". Co mogło się zmienić? Co się zmieniło od czasu, gdy przysłał swój długi mejl, i od naszego wczorajszego spotkania? Co on zrobił? Siadam nagle, niemal wylewając wodę. Był na kolacji z... nią. Z Eleną.

Kurwa mać!

Swędzi mnie skóra na głowie, gdy uświadamiam sobie ten fakt. Coś mu powiedziała? Och… gdybym tak podczas ich rozmowy mogła być muchą na ścianie. Mogłabym wpaść jej do zupy albo kieliszka z winem i sprawić, żeby się udławiła.

– Co się stało, skarbie? – pyta zaskoczona mama.

– Nic takiego, mamo. Która godzina?

– Koło wpół do siódmej.

Hmm… jeszcze nie wylądował. Mogę go zapytać? Powinnam? A może ona nie ma z tym nic wspólnego? Chciałabym. Co takiego powiedziałam we śnie? Cholera… założę się, że to jakaś nierozważna uwaga podczas śnienia o nim. W każdym razie bez względu na to, co to takiego, mam nadzieję, że zmiana w jego zachowaniu wynika z wewnętrznej potrzeby, a nie rozmowy z TĄ kobietą.

Co za piekielny upał. Muszę znowu dać nura do basenu.

Gdy szykuję się do pójścia spać, włączam komputer. Ani słowa od Christiana. Nie dał nawet znać, że bezpiecznie wylądował.

Nadawca: Anastasia Steele
Temat: Cały i zdrowy?
Data: 2 czerwca 2011, 22:32 EST
Adresat: Christian Grey

Szanowny Panie,

Proszę o informację, czy doleciał Pan cały i zdrowy. Zaczynam się martwić. Myślę o Panu.

Pańska Ana x

Trzy minuty później słyszę znajome piknięcie.

Nadawca: Christian Grey
Temat: Przepraszam
Data: 2 czerwca 2011, 19:36
Adresat: Anastasia Steele

Droga Panno Steele,

Dojechałem cały i zdrowy i przepraszam najmocniej, że się nie odezwałem. Nie chcę przysparzać Ci żadnych zmartwień. Miła jest świadomość, że troszczysz się o mnie. Ja także myślę o Tobie i jak zawsze niecierpliwie czekam na nasze jutrzejsze spotkanie.

Christian Grey
Prezes, Grey Enterprises Holdings, Inc.

Wzdycham. A więc wrócił oficjalny ton.

Nadawca: Anastasia Steele
Temat: Problem
Data: 2 czerwca 2011, 22:40 EST
Adresat: Christian Grey

Szanowny Panie Grey,

Myślę, że to oczywiste, iż bardzo się o Ciebie troszczę. Jak mógłbyś w to w ogóle wątpić?

Mam nadzieję, że Twój „problem" został już rozwiązany.

Twoja Ana x

PS. Zamierzasz mi powiedzieć, co mówiłam przez sen?

Nadawca: Christian Grey
Temat: Odmawiam
Data: 2 czerwca 2011, 19:45
Adresat: Anastasia Steele

Droga Panno Steele,

Bardzo podoba mi się fakt, że się o mnie troszczysz. „Problem" nie został jeszcze rozwiązany.

A jeśli chodzi o PS, to odpowiedź brzmi „nie".

Christian Grey
Prezes, Grey Enterprises Holdings, Inc.

Nadawca: Anastasia Steele
Temat: Niepoczytalność
Data: 2 czerwca 2011, 22:48 EST
Adresat: Christian Grey

Mam nadzieję, że Cię to rozbawiło. Ale powinieneś wiedzieć, że nie mogę brać odpowiedzialności za coś, co wychodzi z mych ust, gdy jestem nieprzytomna. Zresztą najprawdopodobniej źle usłyszałeś.

Mężczyzna w tak zaawansowanym wieku jak Ty musi być już nieco przygłuchy.

Nadawca: Christian Grey
Temat: Przyznaję się do winy
Data: 2 czerwca 2011, 19:52
Adresat: Anastasia Steele

Droga Panno Steele,

Przepraszam, mogłabyś mówić głośniej? Nie słyszę.

Christian Grey
Prezes, Grey Enterprises Holdings, Inc.

Nadawca: Anastasia Steele
Temat: Niepoczytalność raz jeszcze
Data: 2 czerwca 2011, 22:54 EST
Adresat: Christian Grey

Doprowadzasz mnie do szaleństwa.

Nadawca: Christian Grey
Temat: Mam taką nadzieję…
Data: 2 czerwca 2011, 19:59
Adresat: Anastasia Steele

Droga Panno Steele,

Tak właśnie zamierzam zrobić w piątkowy wieczór.
Czekam niecierpliwie.

;)

Christian Grey
Prezes, Grey Enterprises Holdings, Inc.

Nadawca: Anastasia Steele
Temat: Wrrrrr
Data: 2 czerwca 2011, 23:02 EST
Adresat: Christian Grey

Oficjalnie jestem na Ciebie wkurzona.

Dobrej nocy,

Panna A. R. Steele

Nadawca: Christian Grey
Temat: Dzika kotka
Data: 2 czerwca 2011, 20:05
Adresat: Anastasia Steele

Warczy Pani na mnie, Panno Steele?

Wystarczy mi, że mam kota.

Christian Grey
Prezes, Grey Enterprises Holdings, Inc.

Ma kota? W jego apartamencie nie widziałam żadnego kota. Nie, ani myślę mu odpisywać. Och, potrafi być taki irytujący. Pięćdziesiąt odcieni irytacji. Kładę się do łóżka i leżę, patrząc na sufit, gdy tymczasem wzrok przyzwyczaja mi się do ciemności. Słyszę kolejne piknięcie w laptopie. Nie sprawdzę. Nie, koniec, kropka. Nie, nie zamierzam sprawdzać. Uuuch! Nie potrafię się, głupia, oprzeć pokusie słów Christiana Greya.

Nadawca: Christian Grey
Temat: Co powiedziałaś przez sen
Data: 2 czerwca 2011, 20:20
Adresat: Anastasia Steele

Anastasio,

Wolałbym te słowa usłyszeć z Twoich ust, kiedy jesteś przytomna – dlatego Ci nie powiem. Idź już spać. Do tego, co Ci przygotowałem na jutro, musisz być wypoczęta.

Christian Grey
Prezes, Grey Enterprises Holdings, Inc.

O nie… Co ja takiego powiedziałam? Mam złe przeczucia.

ROZDZIAŁ DWUDZIESTY PIĄTY

Mama ściska mnie mocno.

– Podążaj za głosem serca, skarbie, i proszę, postaraj się za dużo wszystkiego nie analizować. Odpręż się i baw się dobrze. Jesteś taka młoda. Możesz tak wiele w życiu doświadczyć, musisz jedynie być otwarta. Zasługujesz na wszystko, co najlepsze – szepcze mi do ucha, a potem całuje włosy.

– Och, mamo. – Gdy tulę się do niej, w moich oczach wzbierają gorące, niechciane łzy.

– Skarbie, znasz to powiedzenie. Trzeba pocałować wiele żab, nim trafi się na księcia.

Posyłam jej krzywy, słodko-gorzki uśmiech.

– Chyba pocałowałam księcia, mamo. Mam nadzieję, że nie przemieni się w żabę.

Uśmiecha się do mnie z pełnią matczynej, bezwarunkowej miłości i gdy jeszcze raz się do niej przytulam, zdumiewa mnie siła uczucia, jakie względem niej żywię.

– Ana, wywołują twój lot. – W głosie Boba słychać niepokój.

– Odwiedzisz mnie, mamo?

– Oczywiście, kotku, niedługo. Kocham cię.

– Ja ciebie też.

Gdy mnie puszcza, oczy ma czerwone od powstrzymywanych łez. Nie chcę jej zostawiać. Ściskam na pożegnanie Boba i odwracam się, kierując do wyjścia – dzisiaj nie mam czasu na salonik dla pierwszej klasy. Nie oglądam się za siebie, ale kosztuje mnie to mnóstwo wysiłku. W końcu się poddaję... i widzę, że Bob tuli mamę, która rzewnie płacze. Nie potrafię już dłużej się powstrzymywać. Opuszczam głowę i idę dalej, ze wzrokiem utkwionym w błyszczącej białej posadzce, niewiele widząc przez cały wodospad łez.

Na pokładzie, w luksusie pierwszej klasy, siadam na swoim miejscu i próbuję wziąć się w garść. Zawsze czuję ból, żegnając się z mamą... Jest roztrzepana, niezorganizowana, ale od niedawna wnikliwa, no i mnie kocha. Bezwarunkowa miłość – właśnie na to zasługuje każde dziecko. Marszczę brwi, wyjmuję BlackBerry i patrzę na niego z przygnębieniem.

Co Christian wie o miłości? Wygląda na to, że we wczesnym dzieciństwie nie otrzymał tego bezwarunkowego uczucia, do którego miał prawo. Ściska mi się serce i przez głowę przelatują słowa mojej matki: „Tak, Ana. Do diaska, czego potrzebujesz? Neonu na jego czole?". Ona uważa, że Christian mnie kocha, no ale to przecież moja matka, oczywiście, że tak myśli. Uważa też, że zasługuję na wszystko, co najlepsze. Marszczę brwi. To prawda i w chwili zaskakującej jasności umysłu widzę to. Bardzo proste: pragnę jego miłości. Potrzebuję tego, aby Christian Grey mnie kochał. Dlatego właśnie jestem tak bardzo powściągliwa w kwestii naszego związku – ponieważ na jakimś podstawowym poziomie odnajduję w sobie potrzebę bycia kochaną.

A z powodu jego pięćdziesięciu odcieni ja się powstrzymuję. BDSM to oderwanie od prawdziwego problemu. Seks jest niesamowity, Christian jest zamożny, jest piękny, ale to wszystko bez miłości zupełnie się nie liczy, a najgorsze, że nie wiem, czy on w ogóle jest zdolny do miłości. Nie kocha nawet samego siebie. Przypomina mi się, jak mówił, że JEJ miłość to jedyna forma tego uczucia, jaką uznał za dopuszczalną. Karany – chłostany, bity i co tam jeszcze mu robiła – czuje, że nie zasługuje na miłość. Jak on tak może? Dlaczego? Prześladują mnie jego słowa: „Niełatwo dorastać w idealnej rodzinie, kiedy sam jesteś daleki od ideału".

Zamykam oczy, wyobrażając sobie jego ból, i zupełnie nie jestem w stanie go pojąć. Cierpnie mi skóra na myśl, że być może ujawniłam zbyt wiele. Co takiego wyznałam Christianowi przez sen? Jakie sekrety ujawniłam?

Przyglądam się BlackBerry i mam cichutką nadzieję, że może on udzieli mi odpowiedzi. W sumie nie dziwi mnie fakt, że okazuje się mało rozmowny. Ponieważ jeszcze nie wystartowaliśmy, postanawiam napisać do mojego Szarego.

Nadawca: Anastasia Steele
Temat: W drodze do domu
Data: 3 czerwca 2011, 12:53 EST
Adresat: Christian Grey

Szanowny Panie Grey,

Po raz kolejny zajmuję miejsce w pierwszej klasie, za co dziękuję. Odliczam minuty do naszego wieczornego spotkania, kiedy być może uda mi się wydobyć z Ciebie prawdę na temat moich sennych wyznań.

Twoja Ana x

Nadawca: Christian Grey
Temat: W drodze do domu

Data: 3 czerwca 2011, 09:58
Adresat: Anastasia Steele

Anastasio, czekam niecierpliwie na nasze spotkanie.

Christian Grey
Prezes, Grey Enterprises Holdings, Inc.

Marszczę brwi. Napisał zwięźle i formalnie, nie dowcipnie, jak ma w zwyczaju.

Nadawca: Anastasia Steele
Temat: W drodze do domu
Data: 3 czerwca 2011, 13:01 EST
Adresat: Christian Grey

Najdroższy Panie Grey,

Mam nadzieję, że wszystko w porządku odnośnie do „sytuacji". Ton Twojego mejla mnie martwi.

Ana x

Nadawca: Christian Grey
Temat: W drodze do domu
Data: 3 czerwca 2011, 10:04
Adresat: Anastasia Steele

Anastasio,

„Problem" mógłby być mniejszy. Już wystartowałaś? Jeśli tak, to nie powinnaś pisać mejli. Narażasz się na ryzyko, co stanowi naruszenie zasady odnoszącej się do Twojego bezpieczeństwa. Mówiłem poważnie o karach.

Christian Grey
Grey Enterprises Holdings, Inc.

Cholera. Okej. Jezu. Co go ugryzło? Może „problem"? Może Taylor oddalił się bez zezwolenia, może stracił kilka milionów na giełdzie.

Nadawca: Anastasia Steele
Temat: Zbyt silna reakcja
Data: 3 czerwca 2011, 13:06 EST
Adresat: Christian Grey

Szanowny Panie Zrzędo,

Drzwi samolotu są jeszcze otwarte. Mamy opóźnienie, ale tylko dziesięciominutowe. Ja i moi współpasażerowie mamy zagwarantowane bezpieczeństwo. Możesz więc schować swoją świerzbiącą rękę.

Panna Steele

Nadawca: Christian Grey
Temat: Przepraszam – świerzbiąca ręka schowana
Data: 3 czerwca 2011, 10:08
Adresat: Anastasia Steele

Tęsknię za Tobą i Twoją niewyparzoną buzią, Panno
Steele.

Wracaj bezpiecznie do domu.

Christian Grey
Prezes, Grey Enterprises Holdings, Inc.

Nadawca: Anastasia Steele
Temat: Przeprosiny przyjęte
Data: 3 czerwca 2011, 13:10 EST
Adresat: Christian Grey

Drzwi właśnie się zamykają. Nie usłyszysz kolejnego piknięcia ode mnie, zwłaszcza że cierpisz na
głuchotę.

Na razie.

Ana x

Wyłączam BlackBerry, nie potrafiąc pozbyć się niepokoju. Coś się dzieje z Christianem. Być może „problem"
wymknął się spod kontroli. Opieram się i zerkam na luk
bagażowy pod sufitem, gdzie znajduje się mój plecak. Rano
udało mi się, z pomocą mamy, kupić Christianowi mały
prezent w podziękowaniu za pierwszą klasę i szybowanie.
Uśmiecham się na wspomnienie szybowca – to dopiero
była frajda. Nie wiem jeszcze, czy dam mu swój niemądry prezent. Może go uznać za dziecinny – a jeśli będzie
w dziwnym nastroju, to może nie. Czekam niecierpliwie

na powrót, ale jednocześnie boję się tego, co mnie czeka na końcu podróży. Gdy w myślach rozważam wszystkie scenariusze dotyczące istoty „problemu", dociera do mnie, że po raz kolejny fotel obok mnie pozostał pusty. Kręcę głową, gdy pojawia się w niej myśl, że Christian mógł wykupić miejsce sąsiadujące z moim, żebym nie mogła z nikim rozmawiać. Uznaję ten pomysł za absurdalny – nikt chyba nie byłby aż tak kontrolujący, aż tak zazdrosny. Zamykam oczy, gdy samolot jedzie w stronę pasa startowego.

OSIEM GODZIN PÓŹNIEJ POJAWIAM się w hali przylotów lotniska Sea-Tac. I widzę Taylora, który czeka z kartką z napisem PANNA A. STEELE. No wiecie co! Ale miło go widzieć.

– Witaj, Taylorze.

– Panno Steele. – Pomimo oficjalnego tonu w jego brązowych oczach dostrzegam cień uśmiechu. Wygląda jak zawsze nienagannie: elegancki grafitowy garnitur, biała koszula i grafitowy krawat.

– Wiem, jak wyglądasz, Taylorze, nie musisz mieć kartki, i nalegam, abyś mówił do mnie Ana.

– Ana. Mogę wziąć pani bagaż?

– Nie, dam sobie radę. Dziękuję.

Zaciska usta.

– A-ale, jeśli lepiej się poczujesz, gdy ode mnie weźmiesz… – dukam.

– Dziękuję. – Bierze ode mnie plecak i nową walizkę na kółkach z ubraniami, które kupiła mi mama. – Tędy, proszę pani.

Wzdycham. Jest taki grzeczny. Pamiętam, choć to akurat wolałabym wymazać z pamięci, że ten mężczyzna kupił mi bieliznę. Właściwie – i ta myśl napawa mnie niepokojem – to jedyny mężczyzna, który kupił mi bieliznę. Nawet Ray nigdy nie musiał tego doświadczać. Idziemy w milczeniu do czarnego audi stojącego na lotniskowym parkingu. Otwiera przede mną drzwi. Wsiadam, zastanawiając się, czy włożenie takiej krótkiej spódnicy to był dobry pomysł. W Georgii było to mile widziane i *cool*. Tutaj czuję się obnażona. Taylor wkłada moje rzeczy do bagażnika i ruszamy w stronę Escali.

Jedziemy wolno z powodu popołudniowych korków. Taylor skupia się na drodze. Powiedzieć o nim, że jest małomówny, to niedopowiedzenie roku.

Nie mogę dłużej znieść ciszy.

– Co u Christiana, Taylorze?

– Pan Grey jest zatroskany, panno Steele.

Och, to pewnie przez ten „problem".

– Zatroskany?

– Tak, proszę pani.

Marszczę brwi, a Taylor zerka w lusterko wsteczne i nasze spojrzenia się krzyżują. Nic więcej nie mówi. Jezu, potrafi być równie lakoniczny jak sam Pan Kontroler.

– Dobrze się czuje?

– Myślę, że tak, proszę pani.

– Wolisz nazywać mnie panną Steele?

– Tak, proszę pani.

– Och, w porządku.

Cóż, dalej podróżujemy w milczeniu. Zaczynam uważać, że niedawna uwaga Taylora na temat tego, że Christian był nie do zniesienia, to anomalia. Być może teraz jest tym zażenowany, martwi się, że zachował się nielojalnie. Ta cisza jest paraliżująca.

– Mógłbyś włączyć jakąś muzykę?

– Oczywiście, proszę pani. Na co ma pani ochotę?

– Coś uspokajającego.

Widzę, jak uśmiech przemyka po jego twarzy, gdy nasze spojrzenia ponownie spotkają się na chwilę w lusterku.

– Dobrze, proszę pani.

Wciska kilka guzików na kierownicy i przestrzeń między nami wypełniają dźwięki Kanonu Pachelbela. O tak... tego mi właśnie trzeba.

– Dziękuję. – Opieram się wygodnie, gdy jedziemy powoli autostradą numer 5.

Dwadzieścia pięć minut później zatrzymuje się przed imponującym wejściem do Escali.

– Proszę wejść, panno Steele – mówi, przytrzymując mi drzwi. – Ja wniosę bagaże. – Wyraz twarzy ma łagodny, ciepły, wręcz dobroduszny.

Jezu... Wujek Taylor, co za myśl.

– Dziękuję, że po mnie wyjechałeś.

– Cała przyjemność po mojej stronie, panno Steele – mówi z uśmiechem.

Wchodzę do budynku. Portier kiwa głową i macha ręką.

Gdy wjeżdżam na trzydzieste piętro, w moim żołądku harcuje tysiąc motyli. Czemu się tak denerwuję? Wiem – bo nie mam pojęcia, w jakim nastroju będzie Christian. Moja wewnętrzna bogini ma nadzieję na jeden konkretny nastrój; podświadomość, tak jak i mnie, zżerają nerwy.

Drzwi windy rozsuwają się i wychodzę do holu. Dziwne, nie ma Taylora. Ach tak, parkuje samochód. Christian znajduje się w wielkim salonie. Rozmawia cicho przez BlackBerry, spoglądając przez szklane drzwi na wieczorną panoramę Seattle. Ma na sobie szary garnitur z rozpiętą marynarką i przeczesuje palcami włosy. Widać, że jest spięty. O nie, co się stało? Spięty czy nie, i tak przyjemnie się na niego patrzy. Jak on może wyglądać tak... frapująco?

– Ani śladu... Okej... Tak. – Odwraca się i na mój widok zupełnie się zmienia. Spięcie zamienia się w ulgę, a ona w coś jeszcze: coś, co dociera bezpośrednio do mojej wewnętrznej bogini, pełnia zmysłowości.

Zasycha mi w ustach i w moim ciele zaczyna kiełkować pożądanie...

– Informuj mnie na bieżąco – warczy i rozłącza się, a potem rusza w moją stronę.

Stoję jak sparaliżowana, gdy pokonuje dzielącą nas odległość, pożerając mnie wzrokiem... Do diaska... coś jest nie w porządku – napięcie widoczne na linii żuchwy, niepokój w oczach. Pozbywa się marynarki, rozwiązuje ciemny krawat i rzuca je na sofę. A potem bierze mnie w ramiona, przytula mocno, szybko chwyta mój kucyk, żeby odchylić mi głowę i całuje mnie tak, jakby od tego zależało jego życie. O co, do licha, chodzi? Ściąga mi z włosów gumkę – boli trochę, ale mam to gdzieś. W jego pocałunku jest coś desperackiego i pierwotnego. On mnie potrzebuje, bez względu na powód, właśnie teraz, a ja jeszcze nigdy nie czułam się tak upragniona i pożądana. Oddaję mu pocałunek z równym ferworem, wplatając palce w jego włosy. Nasze języki owijają się wokół siebie i wybucha między nami ogień. Christian smakuje bosko, a jego zapach – żel pod prysznic i on sam – jest niezwykle podniecający. Odrywa usta od mych warg i wpatruje się we mnie, ogarnięty jakimś nienazwanym uczuciem.

– Co się stało? – pytam bez tchu.

– Tak się cieszę, że wróciłaś. Chodź ze mną pod prysznic, od razu.

Nie potrafię zdecydować, czy to prośba, czy polecenie.

– Dobrze – odpowiadam szeptem, a on bierze mnie za rękę i prowadzi do sypialni, stamtąd zaś do łazienki.

Tam wreszcie mnie puszcza i odkręca wodę w zdecydowanie za dużej kabinie prysznicowej. Odwraca się powoli i mierzy mnie uważnym spojrzeniem.

– Podoba mi się twoja spódnica. Jest bardzo krótka – mówi niskim głosem. – Masz świetne nogi.

Zdejmuje buty, a potem skarpetki, przez cały czas nie spuszczając ze mnie wzroku. Głód w jego oczach sprawia, że głos więźnie mi w gardle. O rany... być tak pożądaną przez tego greckiego boga... Zdejmuję czarne buty na płaskim obcasie. Nagle podchodzi do mnie i opiera mnie o ścianę. Całuje moje usta, twarz, szyję... zanurzając palce w moich włosach. Czuję na plecach chłodne, gładkie płytki na ścianie, gdy tak napiera na mnie. Niepewnie kładę mu ręce na ramionach, a z jego gardła wydobywa się jęk.

– Pragnę cię teraz. Tutaj... szybko, ostro – dyszy, a dłonie ma już na moich udach, podciągając spódnicę. – Krwawisz jeszcze?

– Nie. – Rumienię się.

– To dobrze.

Kciuki wsuwa za gumkę białych bawełnianych majtek i pociąga je w dół, opadając na kolana. Spódnicę mam podciągniętą do góry i jestem naga od pasa w dół. Ciężko dyszę, owładnięta pragnieniem. Chwyta moje biodra, ponownie opierając mnie o ścianę, i całuje uda. Opuszcza na nie dłonie i zmusza mnie do rozchylenia nóg. Jęczę głośno, czując, jak językiem zatacza kółka wokół łechtaczki. O rany. Bezwiednie odchylam głowę i jęczę, a moje palce same odnajdują drogę do jego włosów.

Jego język jest nieustępliwy, silny i uparty. Ta intensywność doznań jest niemal bolesna. Moje ciało zaczyna się naprężać, a on mnie puszcza. Co? Nie! Oddech mam urywany i wpatruję się w niego z rozkosznym wyczekiwaniem. Bierze w obie ręce moją twarz i całuje mocno, wciskając mi język do ust, abym posmakowała własnego pożądania. Rozpina rozporek, uwalnia naprężoną męskość, chwyta za uda i unosi.

– Opleć mnie nogami w pasie, mała – nakazuje.

Tak robię, a ramiona zarzucam mu na szyję. Porusza się szybko i ostro, wypełniając mnie sobą. Ach! Wciąga głośno powietrze, a ja wydaję jęk. Trzymając moje pośladki, wbijając palce w miękkie ciało, zaczyna się poruszać, najpierw powoli, w jednostajnym tempie... ale po chwili przyspiesza... szybciej i szybciej. Aaaach! Odchylam głowę i koncentruję się na tym nieziemskim doznaniu... a on wypełnia mnie... głębiej, wyżej... a kiedy nie jestem w stanie znieść ani odrobiny więcej, eksploduję wokół niego, opadając spiralnie ku intensywnemu, nieokiełznanemu orgazmowi. Z gardła Christiana wydobywa się niski jęk i chwilę później skrywa twarz na mojej szyi, doznając spełnienia.

Oddech ma urywany, ale całuje mnie czule, nie ruszając się, nadal wewnątrz mnie, a ja mrugam i patrzę niewidzącym wzrokiem w jego oczy. Po dłuższej chwili delikatnie wysuwa się ze mnie i trzyma mocno, gdy opuszczam stopy na podłogę. Łazienka jest cała zaparowana i gorąca. Czuję, że mam na sobie zbyt dużo ubrań.

– Chyba się cieszysz na mój widok – mówię z nieśmiałym uśmiechem.

Kąciki jego ust unoszą się lekko.

– Tak, panno Steele, myślę, że moja radość jest dość oczywista. Chodź, zabiorę cię pod prysznic.

Wyciąga spinki z mankietów, rozpina trzy guziki koszuli, po czym ściąga ją przez głowę i rzuca na podłogę. Obok niej po chwili lądują spodnie i bokserki. Zaczyna rozpinać guziki przy mojej bluzce, a ja mu się przyglądam, pragnąc wyciągnąć rękę i dotknąć jego klatki piersiowej. Powstrzymuję się jednak.

– Jak podróż? – pyta grzecznie. Wydaje się teraz znacznie spokojniejszy.

– Dobrze, dziękuję – mruczę. – Jeszcze raz dzięki za pierwszą klasę. Naprawdę przyjemniej podróżuje się w taki sposób. – Uśmiecham się nieśmiało. – Mam ci coś do powiedzenia – dodaję nerwowo.

– Och? – Podnosi na mnie wzrok, gdy odpina ostatni guzik. Chwilę później bluzka ląduje na jego ubraniach.

– Dostałam pracę.

Nieruchomieje, następnie uśmiecha się do mnie. Spojrzenie ma ciepłe i łagodne.

– Moje gratulacje, panno Steele. Teraz powiesz mi w końcu gdzie? – pyta żartobliwie.

– Nie wiesz?

Kręci głową, marszcząc brwi.

– A skąd miałbym wiedzieć?

– Przy twoich zapędach prześladowczych, sądziłam, że mógłbyś... – urywam, gdy Christianowi rzednie mina.

– Anastasio, nawet by mi do głowy nie przyszło, żeby się wtrącać w twoje sprawy zawodowe, chyba że byś mnie o to, naturalnie, poprosiła. – Wygląda na urażonego.

– Więc nie wiesz, jakie to wydawnictwo?

– Nie. Wiem tyle, że w Seattle są cztery, więc zakładam, że to jedno z nich.

– SIP.

– Och, to małe, świetnie. Dobra robota. – Nachyla się i całuje mnie w czoło. – Bystra dziewczynka. Kiedy zaczynasz?

– W poniedziałek.

– Tak szybko? Wobec tego lepiej wykorzystam twoją obecność, dopóki mogę. Odwróć się.

Tak też robię. Rozpina mi stanik i zamek przy spódnicy. Pociąga materiał w dół, całując mnie przy tym w ramię. Nachyla się i zanurza nos w moich włosach i głęboko oddycha. Dłonie zaciska na moich pośladkach.

– Odurzasz mnie, panno Steele, i mnie uspokajasz. Cóż za uderzające do głowy połączenie. – Całuje moje włosy. Bierze mnie za rękę i ciągnie pod prysznic.

– Au! – piszczę. Woda mnie parzy. Christian uśmiecha się, gdy ukrop spływa po nim kaskadami.

– To tylko odrobina gorącej wody.

I prawdę mówiąc, ma rację. Bosko się czuję, zmywając z siebie lepki poranek w Georgii i lepkość po naszym seksie.

– Odwróć się – nakazuje, a ja posłusznie robię, co mi każe, odwracając się twarzą do ściany. – Chcę cię umyć – mruczy i sięga po żel. Wyciska trochę na dłoń.

– Muszę powiedzieć ci coś jeszcze – podejmuję, gdy jego dłonie zaczynają od moich ramion.

– Tak? – pyta spokojnie.

Biorę głęboki oddech.

– Mój przyjaciel José, ten fotograf, ma w czwartek otwarcie wystawy w Portland.

Nieruchomieje z dłońmi nad moimi piersiami. Podkreśliłam słowo „przyjaciel".

– Tak, no i co w związku z tym? – pyta surowo.

– Powiedziałam, że przyjadę. Masz ochotę wybrać się ze mną?

Po długiej chwili, która wydaje się trwać całe wieki, zaczyna mnie znowu myć.

– Na którą?

– Na siódmą trzydzieści.

Całuje mnie w ucho.

– Dobrze.

Moja podświadomość odpręża się, a potem pada na stary, wygodny fotel.

– Bałaś się mnie zapytać?

– Tak. Skąd wiesz?

– Anastasio, twoje całe ciało właśnie się rozluźniło – stwierdza sucho.

– Cóż, bo ty jesteś, eee… zazdrosny.

– Owszem, jestem – odpowiada surowo. – A ty lepiej o tym pamiętaj. Ale dziękuję, że zapytałaś. Weźmiemy Charliego Tango.

Och, chodzi mu o śmigłowiec, głuptas ze mnie.
I znowu latanie… fajnie! Uśmiecham się szeroko.
– Mogę cię umyć? – pytam.
– Nie sądzę – odpowiada i całuje delikatnie w szyję,
chcąc złagodzić ukłucie, jakie niesie ze sobą ta odmowa.
– Czy kiedyś pozwolisz mi się dotknąć? – pytam
śmiało.
Ponownie nieruchomieje, z ręką na mojej pupie.
– Połóż dłonie na ścianie, Anastasio. Mam zamiar
znowu cię posiąść – mruczy mi do ucha.
Chwyta moje biodra i już wiem, że rozmowa dobie-
gła końca.

Później siedzimy w szlafrokach przy barze śniadaniowym, posiliwszy się wybornym spaghetti alle vongole,
które nam zostawiła pani Jones.
– Jeszcze wina? – pyta Christian.
– Odrobinę. – Sancerre jest orzeźwiające i przepyszne. Christian nalewa sobie i mnie. – A jak tam, eee… problem, który kazał ci wrócić do Seattle? – pytam niepewnie.
Marszczy brwi.
– Nierozwiązany – odpowiada niechętnie. – Ale
ty się nie musisz niczym przejmować, Anastasio. Mam
względem ciebie plany na dzisiejszy wieczór.
– Och?
– Tak. Chcę, abyś za piętnaście minut czekała gotowa
w moim pokoju zabaw. – Wstaje i obrzuca mnie uważnym spojrzeniem. – Możesz się przygotować w swoim
pokoju. Nawiasem mówiąc, szafa jest teraz pełna ubrań
dla ciebie. I nie chcę słyszeć żadnego sprzeciwu. – Mruży
oczy, rzucając mi wyzwanie. Kiedy nic nie mówię, oddala
się do gabinetu.
Ja? Sprzeciw? Wobec ciebie, mój Szary? Szkoda mojego tyłka. Siedzę na stołku barowym oszołomiona, pró-

bując przyswoić ten strzęp informacji. Kupił mi ubrania.
Przewracam teatralnie oczami, doskonale wiedząc, że on
mnie nie widzi. Samochód, telefon, komputer... ubrania,
następnym razem to będzie mieszkanie i wtedy naprawdę
stanę się jego kochanką.

„Dziwka!" – krzywi się moja podświadomość. Ignoruję ją i udaję się na górę do swojego pokoju. A więc jest
nadal mój... dlaczego? Myślałam, że zgodził się na to,
abym spała w jego łóżku. Pewnie nie jest przyzwyczajony do dzielenia przestrzeni osobistej, no ale ja też nie.
Pocieszam się myślą, że przynajmniej mam gdzie przed
nim uciec.

Oglądam drzwi i widzę, że jest w nich zamek, ale
nie ma klucza. Ciekawe, czy pani Jones ma zapasowy.
Zapytam ją o to. Otwieram drzwi szafy i od razu je zamykam. O w mordę, wydał majątek. Przypomina to gar-
derobę Kate – tyle ubrań wiszących schludnie na drążku.
Wiem, że wszystko będzie leżeć jak ulał. Ale nie mam
czasu, żeby się nad tym zastanawiać – dzisiejszego wieczoru muszę klęczeć w Czerwonym Pokoju... Bólu...
albo Przyjemności.

Klęczę przy drzwiach w samych majtkach. Serce mam
w gardle. Jezu, myślałam, że po łazience będzie miał dość.
Ten mężczyzna jest nienasycony, a może wszyscy są tacy
jak on. Nie mam pojęcia, nie mam go z kim porównać.
Zamykam oczy i próbuję się uspokoić, nawiązać połączenie z moją wewnętrzną uległą. Jest tam gdzieś, chowając
się za wewnętrzną boginią.

W moich żyłach krąży niepokój. Co on tym razem
wymyśli? Biorę głęboki, uspokajający oddech, ale nie jestem w stanie się tego wyprzeć: jestem podekscytowana,
podniecona i już wilgotna. To takie... chcę myśleć, że niewłaściwe, ale przecież nie. Dla Christiana właściwe. Tego

właśnie on pragnie – a po kilku ostatnich dniach... po wszystkim, co zrobił, muszę wziąć się w garść i zaakceptować każdą jego zachciankę, każdą potrzebę.

Wspomnienie wyrazu jego twarzy, kiedy zjawiłam się tu dzisiaj, pragnienie w jego oczach, zdecydowane kroki w moją stronę, jakbym była oazą na pustyni... Zrobiłabym niemal wszystko, byle znowu zobaczyć tę minę. Zaciskam uda na to rozkoszne wspomnienie i przypomina mi się, że mam rozsunąć kolana. Tak też robię. Jak długo każe mi czekać? To czekanie mnie dobija, dobija mrocznym i zwodniczym pożądaniem. Rozglądam się szybko po subtelnie oświetlonym pokoju: krzyż, stół, kanapa, ława... to łóżko. Wydaje się takie duże. Zasłane jest czerwoną satyną. Czego Christian użyje tym razem?

Drzwi otwierają się i wchodzi do środka, zupełnie mnie ignorując. Szybko opuszczam wzrok, wpatrując się w dłonie spoczywające na rozsuniętych udach. Kładzie coś na dużej komodzie przy drzwiach, a potem zbliża się niespiesznie do łóżka. Pozwalam sobie na szybkie spojrzenie na niego i serce niemal mi staje. Nie ma na sobie nic z wyjątkiem tych miękkich, podartych dżinsów. Moja podświadomość gorączkowo się wachluje, a wewnętrzna bogini wygina się w jakimś pierwotnym, zmysłowym rytmie. Jest taka gotowa. Oblizuję bezwiednie usta. Krew pulsuje mi w żyłach, gęsta i przyprawiona nieobyczajnym pragnieniem. Co on zamierza mi dzisiaj zrobić?

Christian odwraca się i nonszalancko wraca do komody. Otwiera jedną z szuflad, po czym wyjmuje z niej jakieś przedmioty i kładzie je na blacie. Zżera mnie ciekawość, ale opieram się pokusie rzucenia na to okiem. Wreszcie staje przede mną. Widzę jego bose stopy i pragnę wycałować ich każdy centymetr... przebiec językiem po podbiciu, ssać każdy palec.

– Ślicznie wyglądasz – odzywa się.

Głowę mam opuszczoną, świadoma tego, że on na mnie patrzy, gdy tymczasem ja jestem niemal zupełnie naga. Powoli na moje policzki wypełza rumieniec. Christian nachyla się i chwyta za brodę, zmuszając do uniesienia głowy.

– Piękna z ciebie kobieta, Anastasio. I jesteś cała moja – mruczy. – Wstań. – Polecenie jest łagodne, pełne zmysłowej obietnicy.

Wstaję niepewnie.

– Spójrz na mnie.

Ma spojrzenie Pana – zimne, twarde i cholernie seksowne, siedem odcieni grzechu w jednym kuszącym spojrzeniu. W ustach czuję suchość i wiem, że zrobię wszystko, co mi każe. Na jego ustach błądzi niemal okrutny uśmiech.

– Nie podpisaliśmy umowy, Anastasio. Ale omówiliśmy granice. I pragnę powtórzyć, że jest coś takiego jak hasła bezpieczeństwa, okej?

O kuźwa… co on takiego zaplanował, że mogę potrzebować tych haseł?

– Jakie są te hasła? – pyta apodyktycznie.

Marszczę lekko czoło.

– Jakie są hasła bezpieczeństwa, Anastasio? – pyta niepokojąco powoli.

– „Żółty" – bąkam.

– I? – Usta ma zaciśnięte.

– „Czerwony" – wyrzucam z siebie.

– Zapamiętaj je.

Bezwiednie unoszę brew i już-już mam mu przypomnieć o swojej średniej ocen, ale nagły lód w jego oczach sprawia, że głos więźnie mi w gardle.

– Tutaj daruj sobie swoją niewyparzoną buzię, panno Steele. W przeciwnym razie każę ci jej użyć do zrobienia mi loda. Zrozumiano?

Przełykam ślinę. Okej. Mrugam szybko powiekami. Prawdę mówiąc, bardziej mnie onieśmiela jego ton niż słowa, które wypowiada.

– No więc?

– Tak, proszę pana – mamroczę pospiesznie.

– Grzeczna dziewczynka. – Wpatruje się we mnie.

– Moim zamiarem nie jest doprowadzenie do tego, abyś musiała użyć hasła bezpieczeństwa, ponieważ będziesz czuć ból. To, co ci zrobię, będzie intensywne. Bardzo intensywne i musisz mną pokierować. Rozumiesz?

Niezupełnie. Intensywne? Wow.

– Chodzi o dotyk, Anastasio. Nie będziesz mnie widzieć ani słyszeć. Ale będziesz mnie czuć.

Marszczę brwi – nie będę go słyszeć? Jak coś takiego ma się udać? Christian odwraca się. Wcześniej nie zwróciłam uwagi na to, że nad komodą wisi eleganckie, czarne, matowe pudełko. Gdy macha przed nim ręką, otwierają się drzwiczki, odsłaniając odtwarzacz CD oraz rząd przycisków. Christian wciska kilka po kolei. Nic się nie dzieje, ale on sprawia wrażenie zadowolonego. Kiedy odwraca się znowu twarzą do mnie, na jego twarzy błąka się ten jego tajemniczy uśmiech.

– Mam zamiar przywiązać cię do tego łóżka, Anastasio. Ale najpierw zawiążę ci oczy i – pokazuje trzymanego w dłoni iPoda – nie będziesz mnie słyszeć. Będziesz słyszeć jedynie muzykę, którą ci puszczę.

Okej. Muzyczne interludium. Nie tego się spodziewałam. Jezu, mam nadzieję, że to nie rap.

– Chodź. – Bierze mnie za rękę i prowadzi do antycznego łóżka z czterema kolumienkami. Na każdym rogu przymocowano metalowe łańcuchy ze skórzanymi kajdankami, błyszczące na tle czerwonej satyny.

O rany, serce chyba wyskoczy mi z piersi, a w środku żera mnie pragnienie.

– Stań tutaj. – Staję twarzą do łóżka. On się nachyla i szepcze mi do ucha: – Zaczekaj. Patrz na łóżko. Wyobrażaj sobie, że leżysz na nim związana, zdana wyłącznie na moją łaskę.

Odchodzi na chwilę i słyszę, że bierze coś spod drzwi. Wszystkie zmysły mam wyostrzone, zwłaszcza słuch. Wziął coś z wieszaka z pejczami i batami. O kuźwa. Co on ma zamiar zrobić?

Czuję go za sobą. Zgarnia moje włosy, związuje w kucyk, a potem zaczyna zaplatać warkocz.

– Choć podobają mi się twoje kucyki, Anastasio, trochę się teraz niecierpliwię. Będzie musiał wystarczyć jeden. – Głos ma niski, miękki.

Jego wprawne palce muskają czasami moje plecy i każdy dotyk jest dla mnie słodkim elektrycznym porażeniem. Związuje koniec gumką, a potem pociąga lekko za warkocz, tak że muszę cofnąć się o krok. Pociąga raz jeszcze, aby mieć lepszy dostęp do szyi. Nachyla się i muska ją nosem, a potem przesuwa językiem i zębami od ucha aż do ramienia. Mruczy cicho, a dźwięk ten rezonuje w mym ciele. Z mojego gardła wydobywa się jęk.

– Bądź cicho – mruczy z ustami przy mojej skórze. Wyciąga przede mnie swoje ręce. W prawej trzyma pejcz.

– Dotknij go – szepcze i brzmi jak sam diabeł. W odpowiedzi w moim ciele eksploduje ogień. Niepewnie unoszę rękę i muskam długie rzemyki. Liczne rzemyki, wszystkie są wykonane z miękkiego zamszu i mają na końcach małe koraliki. – Użyję tego. Nie będzie bolało, ale sprawi, że krew będzie szybciej ci krążyć i skóra stanie się bardzo wrażliwa.

Och, mówi, że nie będzie boleć.

– Jakie są hasła bezpieczeństwa, Anastasio?

– Eee… „żółty" i „czerwony", proszę pana – szepczę.

– Grzeczna dziewczynka. Pamiętaj, najwięcej strachu kryje się w głowie.

Rzuca pejcz na łóżko i kładzie dłonie na mojej talii.
– Nie będziesz ich potrzebować – mówi i zsuwa mi majtki. Wychodzę z nich, opierając się o jedną z rzeźbionych kolumn. – Stój nieruchomo – nakazuje i całuje mnie w pupę, a potem dwa razy kąsa. – A teraz się połóż. Na plecach – dodaje, klepiąc mnie mocno w pośladki.
Pospiesznie kładę się na twardym materacu. Satyna jest miękka i chłodna.
– Ręce nad głowę – nakazuje, i tak właśnie robię.
Rany, moje ciało jest takie wygłodniałe.

Christian odwraca się i kątem oka dostrzegam, jak idzie do komody, a potem wraca z iPodem, a także z czymś, co wygląda jak maska na oczy, podobna do tej, której używałam podczas lotu do Atlanty. Na tę myśl mam ochotę się uśmiechnąć, ale usta odmawiają mi posłuszeństwa. Za bardzo jestem pochłonięta oczekiwaniem. Z absolutnie nieruchomą twarzą wpatruję się w niego szeroko otwartymi oczami.

Siada na skraju łóżka i pokazuje mi iPoda. Oprócz słuchawek ma jakąś osobliwą antenkę. Dziwne. Marszczę brwi, próbując to rozpracować.

– To przekazuje odtwarzaną przez iPoda muzykę do odtwarzacza w pokoju – odpowiada Christian na moje niewyartykułowane na głos pytanie. – Słyszę to samo, co ty, no i mam jeszcze pilota. – Uśmiecha się tajemniczo i pokazuje mi małe, płaskie urządzenie wyglądające jak jakiś modny kalkulator. Pochyla się nade mną, delikatnie wkłada mi słuchawki do uszu i przymocowuje iPoda gdzieś nad moją głową.

– Unieś głowę – mówi, a ja natychmiast wykonuję polecenie.

Powoli nakłada mi maskę i chwilę później jestem ślepa. Gumka maski przytrzymuje słuchawki na miejscu. Nadal go słyszę, choć dźwięk jest przytłumiony. Ogłusza mnie własny oddech – płytki i urywany, odzwierciedlający moje podniecenie. Christian ujmuje moją lewą rękę, wyciąga ją delikatnie w stronę rogu łóżka i przytwierdza mi do nadgarstka skórzane kajdanki. Na koniec przesuwa długimi palcami wzdłuż całej ręki. Och! Jego dotyk wywołuje w mym ciele dreszcz. Słyszę, jak przechodzi na drugą stronę, gdzie robi to samo z prawą ręką. Chyba zaraz wybuchnę. Dlaczego to takie erotyczne?

Przechodzi na drugi koniec łóżka i chwyta moje kostki.

– Unieś głowę.

Spełniam jego polecenie, a on pociąga mnie za nogi, tak że ręce mam wyciągnięte i uniesione nad głową. A niech to, nie mogę nimi ruszać. Do podniecenia dołącza odrobina niepokoju, a ja robię się jeszcze bardziej wilgotna. Jęczę. Christian rozsuwa mi nogi i krępuje kajdankami najpierw prawą, potem lewą. I tak leżę z rozłożonymi rękami i nogami, zupełnie bezbronna. To takie irytujące, że go nie widzę. Intensywnie nasłuchuję... co on robi? I nie słyszę nic oprócz swego oddechu i dudnienia serca.

Nagle iPod budzi się do życia. Gdzieś z wnętrza mojej głowy dochodzi śpiew jednego anielskiego głosu, do którego niemal natychmiast dołącza drugi, a potem kolejne – o święty Barnabo, to chór niebiański – i śpiewając a cappella w mojej głowie jakiś pradawny, pierwotny hymn. Co to, u licha, jest? Nigdy nie słyszałam niczego podobnego. Coś niemal nieznośnie delikatnego ociera mi się o szyję, przesuwa leniwie w dół, wokół piersi, pieszcząc mnie... dotykając sutków. To takie nieoczekiwane. To futro! Futrzana rękawiczka?

Christian przesuwa dłoń, niespiesznie i celowo, do mojego brzucha, zatacza kółka wokół pępka, a potem od biodra do biodra, a ja próbuję przewidzieć, gdzie dotknie w następnej kolejności... ale ta muzyka... jest w mojej głowie... zabierając mnie... futro wzdłuż włosów łonowych... pomiędzy nogami, wzdłuż ud, sunie po jednej nodze... po drugiej... to prawie łaskocze... ale nie do końca... dołącza więcej głosów... niebiański chór śpiewa różne partie, głosy mieszają się słodko w melodyjnej harmonii, która nie przypomina niczego, co miałam okazję słyszeć. Wychwytuję jedno słowo – „deus" – i dociera do mnie, że śpiewają po łacinie. A futro przesuwa się teraz wzdłuż moich rąk i wokół talii... do góry na piersi. Sutki mi twardnieją pod tym delikatnym dotykiem... dyszę... zastanawiając się, gdzie jego ręka powędruje w następnej kolejności. Nagle futro znika i czuję na skórze rzemyki pejcza, jak przesuwają się, podążają tym samym szlakiem, co futro, a tak trudno się skoncentrować z muzyką w głowie... o rany... i nagle rzemyki znikają. A potem niespodziewanie uderzają w mój brzuch.

– Aaa! – wołam. Zaskakuje mnie to, ale szczerze mówiąc – nie boli. Uderza mnie raz jeszcze. Mocniej. – Aaa!

Chcę się ruszyć... uciec, albo powitać każdy cios... nie wiem – to takie przytłaczające... Nie mogę ruszyć rękami... nogi mam unieruchomione... a on znowu mnie uderza, tym razem w piersi. Krzyczę. To słodka udręka – do zniesienia... przyjemna – nie, nie od razu, ale gdy z każdym uderzeniem moja skóra śpiewa wraz z muzyką, jestem wciągana w ciemne, mroczne części mojej psychiki, które poddają się temu najbardziej erotycznemu z doznań. Tak – już rozumiem. Christian uderza mnie w biodro, a potem uderzenia przesuwają się po włosach łonowych, udach i z powrotem w górę ciała... biodra... Robi to, aż muzyka dochodzi do punktu kulminacyjnego i milknie. On także się zatrzymuje. Potem śpiewy rozpoczynają się od nowa... coraz głośniej i głośniej, on obsypuje moje ciało uderzeniami... a ja jęczę i się wiję.

Po raz kolejny muzyka milknie i nie słyszę niczego...
z wyjątkiem swego szaleńczego oddechu... i szaleńczego
pragnienia. Och... co się dzieje? Co on mi teraz zrobi? To
podniecenie jest niemal nie do zniesienia. Dotarłam do
bardzo mrocznego, zmysłowego miejsca.

    Łóżko porusza się i czuję go na sobie. Muzyka za-
czyna się od nowa. I jest powtórka... tym razem miejsce futra zajmują jego nos i usta... przesuwają się wzdłuż
mojej szyi, całując, ssąc... opuszczając się do piersi... Ach!
Drażniąc po kolei sutki... jego język wiruje wokół jednego, gdy tymczasem drugi pieści palcami... Jęczę, chyba
głośno, choć tego nie słyszę. Jestem zgubiona. Zgubiona w nim... zgubiona w astralnych, anielskich głosach...
zgubiona w tych wszystkich doznaniach, od których nie
jestem w stanie uciec... Jestem na łasce jego dotyku.

    Christian przechodzi do mego brzucha, językiem za-
tacza kółka wokół pępka, idąc śladem pejcza i futra... jęczę. Całuje i ssie, i kąsa... kieruje się w dół... a wtedy jego
język dociera TAM. W złączenie moich ud. Odrzucam
głowę i wydaję okrzyk, niemal eksplodując w orgazmie...
Jestem na krawędzi, a on przerywa.

    Nie! Materac ugina się i Christian klęka między mo-
imi nogami. I nagle na prawej kostce już nie mam kaj-
danków. Przesuwam nogę na środek łóżka... by oprzeć
ją o niego. Po chwili uwalnia drugą nogę. Przesuwa szybko dłońmi po moich obu nogach, uciskając i ugniatając,
przywracając im życie. Następnie chwyta moje biodra
i unosi, tak że plecami nie dotykam już łóżka. Jestem wy-
gięta w łuk, opierając się na rękach. Co? Klęczy pomiędzy
moimi nogami... i jednym płynnym ruchem wchodzi we
mnie... o kurwa... i znowu z mojego gardła wydobywa
się krzyk. Zaczynam drżeć w oczekiwaniu na zbliżający
się orgazm i Christian nieruchomieje. Drżenie ustaje...
o nie... zamierza dalej mnie torturować.

– Proszę! – jęczę.

Chwyta mnie mocniej... to ostrzeżenie? Nie wiem, ale nieruchomieję. Bardzo powoli znowu zaczyna się poruszać... wchodząc i wychodząc... nieznośnie powoli. Proszę! Krzyczę w myślach... A gdy liczba głosów w chóralnej pieśni rośnie, jego tempo przyspiesza... nieznacznie... w rytm muzyki. Ja zaś nie jestem tego w stanie dłużej znieść.

– Proszę.

Jednym ruchem opuszcza mnie z powrotem na łóżko, kładzie się na mnie i wypełnia sobą. Gdy muzyka osiąga punkt kulminacyjny, ja spadam... spadam w najbardziej intensywny, dręcząco przejmujący orgazm, jaki miałam, a Christian podąża za mną... wykonując jeszcze trzy mocne pchnięcia... wreszcie nieruchomiejąc, następnie opadając na mnie.

Gdy zaczynam odzyskiwać zdolność myślenia, on wysuwa się ze mnie. Muzyka umilkła i chwilę później mam wolną prawą rękę. Jęczę. Szybko uwalnia mi drugą rękę, delikatnie zdejmuje z oczu maskę i wyjmuje słuchawki. Mrugam w łagodnym świetle pokoju i wpatruję się w szare, płonące oczy.

– Cześć – mówi cicho.

– Cześć – odpowiadam nieśmiało. Jego usta wyginają się w uśmiechu. Nachyla się, aby mnie pocałować.

– Dobra robota, wiesz? – szepcze. – Odwróć się.

Kuźwa, co on chce teraz zrobić? Spojrzenie mu łagodnieje.

– Chcę ci jedynie rozmasować ramiona.

– Och... okej.

Przekręcam się sztywno na brzuch. Jestem taka zmęczona. Christian siada na mnie okrakiem i zaczyna masaż. Jęczę głośno – ma takie silne, wprawne palce. Pochyla się i całuje mnie w głowę.

– Co to była za muzyka? – mamroczę niewyraźnie.

– Nazywa się *Spem in Alium*, czterdziestoczęściowy motet Thomasa Tallisa.

– To było... niesamowite.

– Zawsze chciałem się przy tym pieprzyć.

– Czyżby kolejny pierwszy raz, panie Grey?

– W rzeczy samej, panno Steele.

Ponownie jęczę, gdy jego palce tańczą magicznie po moich ramionach.

– Cóż, ja też po raz pierwszy się przy tym pieprzyłam – mruczę sennie.

– Hmm... ty i ja... sporo mamy ze sobą pierwszych razów.

– Co powiedziałam przez sen, Chris... eee... proszę pana?

Jego dłonie na chwilę nieruchomieją.

– Sporo mówiłaś, Anastasio. O klatkach i truskawkach... że pragniesz więcej... i że tęsknisz za mną.

Och, dzięki Bogu.

– To wszystko? – W moim głosie słychać ulgę.

Christian kończy niebiański masaż i przekręca się, tak że leży obok mnie, z głową wspartą na łokciu. Marszczy brwi.

– A czego się bałaś?

Cholera.

– Że uważam cię za brzydkiego i przemądrzałego i że jesteś beznadziejny w łóżku.

Zmarszczki na jego czole pogłębiają się.

– Cóż, oczywiście, że to wszystko prawda i teraz to mnie dopiero zaintrygowałaś. Co ty przede mną skrywasz, panno Steele?

Mrugam niewinnie.

– Niczego nie skrywam.

– Anastasio, kiepsko ci wychodzi kłamanie.

– Sądziłam, że po seksie mnie rozśmieszysz; to na mnie nie działa.

– Nie umiem opowiadać dowcipów.

– Panie Grey! Pan czegoś nie umie? – uśmiecham się szeroko.

– Nie, jestem w tym beznadziejny. – Wygląda na tak z siebie dumnego, że zaczynam chichotać.

– Ja też jestem w tym kiepska.

– To taki śliczny dźwięk – mruczy, po czym nachyla się i mnie całuje. – I coś ukrywasz, Anastasio. Możliwe, że będę musiał wydobyć to z ciebie torturami.

ROZDZIAŁ DWUDZIESTY SZÓSTY

Budzę się nagle. Chyba we śnie spadłam ze schodów i teraz jestem kompletnie zdezorientowana. Jest ciemno i sama leżę w łóżku Christiana. Coś mnie obudziło, jakaś natrętna myśl. Zerkam na budzik przy łóżku. Piąta rano, ale czuję się wyspana. Czemu? Och, różnica czasu, w Georgii jest teraz ósma. O cholera, muszę wziąć pigułkę. Gramolę się z łóżka wdzięczna temu czemuś, co mnie obudziło. Słyszę ciche dźwięki fortepianu. Christian gra. To akurat muszę zobaczyć. Uwielbiam patrzeć, jak to robi. Wkładam szlafrok i idę cicho korytarzem, nasłuchując magicznych dźwięków melodyjnego lamentu, dochodzących z salonu.

Plama światła. Christian siedzi w niej i gra, a jego włosy błyszczą niczym miedź. Wygląda, jakby był nagi, ale wiem, że ma na sobie spodnie od piżamy. Koncentruje się, pięknie grając, pogrążony w melancholii muzyki. Waham się, obserwując go w ciemności, nie chcąc mu przeszkadzać. Mam ochotę go przytulić. Wydaje się zagubiony, wręcz smutny i boleśnie samotny – a może to wina przepełnionej żalem muzyki. Kończy utwór, przez ułamek sekundy panuje cisza, a potem zaczyna go grać od nowa. Przesuwam się ostrożnie w jego stronę, przyciągana jak ćma do ognia... Na tę myśl się uśmiecham. Christian unosi głowę, dostrzega mnie i marszczy brwi, a potem znowu opuszcza wzrok na dłonie.

Cholera, wkurzył się, że mu przeszkadzam?

– Powinnaś spać – beszta mnie łagodnie.

Widzę, że jest zaabsorbowany czymś innym.

– Ty też – ripostuję, wcale nie tak łagodnie.

Ponownie podnosi wzrok, a na jego twarzy błąka się cień uśmiechu.

– Udziela mi pani reprymendy, panno Steele?

– Tak, panie Grey.

– Nie mogę spać. – Marszczy brwi i przez jego twarz przebiega ślad irytacji bądź gniewu. Na mnie? Na pewno nie.

Ignoruję jego minę, odważnie siadam obok niego na stołku przed fortepianem i opieram głowę na jego nagim ramieniu. Patrzę, jak jego sprawne palce pieszczą klawisze.

– Co to było? – pytam, gdy utwór dobiega końca.

– Chopin. Opus dwudzieste ósme, preludium numer cztery. W tonacji e-moll, gdyby cię to interesowało – mruczy.

– Interesuje mnie wszystko, co robisz.

Odwraca się i delikatnie muska ustami moje włosy.

– Nie chciałem cię budzić.

– Nie obudziłeś. Zagraj ten drugi utwór.

– Drugi?

– Bacha, ten, który grałeś pierwszej nocy, gdy tu spałam.

– Och, Marcello.

Zaczyna grać powoli i w skupieniu. Czuję ruch dłoni w jego ramionach, gdy opieram się o niego z zamkniętymi oczami. Smutne, melancholijne nuty wirują wokół nas powoli i żałośnie, odbijając się echem od ścian. Rozdzierająco piękny utwór, jeszcze smutniejszy niż Chopin. Do pewnego stopnia odzwierciedla moje uczucia. Głębokie, przejmujące pragnienie, aby lepiej poznać tego wyjątkowego człowieka, zrozumieć jego smutek. Muzyka zbyt szybko dobiega końca.

– Dlaczego grasz tylko takie smutne utwory?

Prostuję się i patrzę na niego, gdy w odpowiedzi na moje pytanie wzrusza ramionami. W jego oczach czai się nieufność.

– Więc miałeś tylko sześć lat, kiedy zacząłeś grać? – nie daję za wygraną.

Kiwa głową. Po chwili odpowiada:

– Oddałem się grze na fortepianie, aby sprawić przyjemność mojej nowej matce.

– Aby pasować do idealnej rodziny?

– Można tak to ująć – mówi wymijająco. – Czemu nie śpisz? Nie musisz wypocząć po wczorajszym wysiłku?

– Dla mnie jest ósma rano. I muszę wziąć pigułkę.

Unosi z zaskoczeniem brwi.

– Co za pamięć – mruczy i widzę, że jest pod wrażeniem. – Tylko ty zaczęłaś je brać w innej strefie czasowej. Być może powinnaś odczekać pół godziny, a jutro kolejne pół. Tak żebyś w końcu mogła je łykać o rozsądnej porze.

– Dobry plan. No więc co będziemy robić przez te pół godziny? – Mrugam niewinnie.

– Kilka rzeczy przychodzi mi do głowy. – Uśmiecha się lubieżnie.

Odpowiadam obojętnym spojrzeniem, gdy tymczasem mięśnie w podbrzuszu natychmiast się zaciskają.

– Z drugiej strony... moglibyśmy porozmawiać – sugeruję cicho.

Marszczy brwi.

– Wolę to, co mi chodzi po głowie. – Bierze mnie na kolana.

– Zawsze wybierzesz seks zamiast rozmowy. – Śmieję się i chwytam go za ramiona.

– To prawda. Zwłaszcza z tobą. – Muska nosem moje włosy i całuje szyję. – Może na fortepianie – szepcze.

O rety. Moje całe ciało napina się na tę myśl. Fortepian. Nieźle.

– Wyjaśnijmy sobie od razu jedną rzecz – szepczę, gdy puls mi zaczyna przyspieszać, a moja wewnętrzna bogini zamyka oczy, delektując się dotykiem jego ust.

Na chwilę przerywa swoją zmysłową napaść.

– Zawsze taka złakniona informacji, panno Steele. No więc co wymaga wyjaśnienia? – Jego ciepły oddech pieści mi szyję.

– My – szepczę i zamykam oczy.

– Hmm. A co konkretnie? – Przerywa obsypywanie pocałunkami mego ramienia.

– Umowa.

Christian unosi głowę i patrzy na mnie, a w jego oczach widać cień rozbawienia. Wzdycha. Gładzi mnie opuszkami palców po policzku.

– Cóż, umowa podlega jeszcze dyskusji, nie sądzisz? – Głos ma niski i schrypnięty, oczy łagodne.

– Jak to?

– Tak to – uśmiecha się. Patrzę na niego pytająco.

– Ale to ty tak bardzo na nią nalegałeś.

– To było wcześniej. Zresztą Zasady są już ustalone i dalej obowiązują.

– Wcześniej?

– Przed... – urywa i do jego oczu wraca rezerwa. – Więcej. – Wzrusza ramionami.

– Och.

– Poza tym już dwa razy byliśmy w pokoju zabaw, a ty nie uciekłaś, gdzie pieprz rośnie.

– A spodziewasz się, że tak zrobię?

– Ty jesteś zupełnie nieprzewidywalna, Anastasio – stwierdza sucho.

– A więc postawmy sprawę jasno. Chcesz, żebym przez cały czas trzymała się Zasad, ale nie tego, co zawiera pozostała część umowy?

– Z wyjątkiem pokoju zabaw. Tam masz postępować zgodnie z duchem tej umowy. I owszem, chcę, żebyś trzymała się Zasad. Przez cały czas. Wtedy będę miał pewność, że jesteś bezpieczna i będę mógł cię mieć zawsze, kiedy tego zapragnę.

– A jeśli złamię którąś z Zasad?

– Wtedy cię ukarzę.

– A czy nie będzie ci do tego potrzebne moje pozwolenie?

– Owszem.

– A jeśli się nie zgodzę?

Przygląda mi się przez chwilę. Wydaje się skonsternowany.

– Jeśli się nie zgodzisz, to się nie zgodzisz. Będę cię musiał jakoś przekonać.

Odrywam się od niego i wstaję. Potrzebuję nieco dystansu. Marszczy brwi, gdy wpatruję się w niego. W jego oczach znowu się czai rezerwa i nieufność.

– Więc aspekt kary pozostaje.

– Tak, ale tylko wtedy, gdy złamiesz Zasady.

– Będę musiała jeszcze raz je przeczytać – mówię, próbując sobie przypomnieć szczegóły.

– Przyniosę ci. – Jego ton staje się nagle rzeczowy.

O rany. Tak szybko zrobiło się poważnie. Christian wstaje ze stołka i udaje się do gabinetu. Swędzi mnie skóra głowy. Jezu, przydałaby mi się herbata. Przyszłość naszego tak zwanego związku jest omawiana o piątej czterdzieści pięć rano, kiedy jego absorbuje coś innego – czy to mądre? Idę do kuchni, którą spowija ciemność. Gdzie się włącza światło? Znajduję włącznik, a potem napełniam wodą czajnik. Pigułka! Sięgam po torebkę, którą zostawiłam na barze śniadaniowym i szybko je znajduję. Połykam jedną. Po chwili wraca Christian i siada na jednym ze stołków. Przygląda mi się uważnie.

– Proszę bardzo. – Przesuwa w moją stronę wydrukowany dokument i widzę, że coś w nim wykreślił.

ZASADY

Posłuszeństwo:

Uległa będzie wypełniać wszystkie wydawane przez Pana polecenia bezzwłocznie i bez zastrzeżeń. Uległa wyrazi zgodę na każdą czynność seksualną, którą Pan uzna za odpowiednią i przyjemną, z wyjątkiem czynności wymienionych w granicach bezwzględnych (Załącznik nr 2). Uczyni to z ochotą i bez wahania.

Sen:

Uległa ma obowiązek spać minimum ~~osiem~~ siedem godzin podczas tych nocy, których nie spędza w towarzystwie Pana.

Jedzenie:

~~Uległa będzie spożywać regularne posiłki w celach zdrowotnych i dla zachowania dobrego samopoczucia z zalecanej listy pokarmów (Załącznik nr 4). Uległa nie będzie podjadać między posiłkami, wyjątek stanowią owoce.~~

Ubiór:

W czasie obowiązywania niniejszej Umowy Uległa będzie nosić wyłącznie te stroje, które zostały zaakceptowane przez Pana. Pan ustanowi w tym celu specjalny budżet, z którego Uległa będzie korzystać. Doraźnie Pan będzie towarzyszył Uległej podczas robienia zakupów. Jeśli Pan wyrazi taką wolę, Uległa będzie w okresie obowiązywania Umowy nosić ozdoby i dodatki wymagane przez Pana, w jego obecności bądź w innym czasie, jaki Pan uzna za stosowny.

Aktywność fizyczna:

Pan zapewni Uległej usługi trenera osobistego cztery razy w tygodniu po sześćdziesiąt minut – godziny do ustalenia między trenerem a Uległą. Trener będzie zdawał Panu relację z postępów czynionych przez Uległą.

Higiena osobista / dbanie o urodę:

Uległa będzie przez cały czas czysta i ogolona i/lub wydepilowana woskiem. Uległa będzie korzystać z usług salonu piękności wybranego przez Pana. Częstotliwość takich wizyt oraz rodzaj zabiegów ustala Pan.

Bezpieczeństwo:

Uległa nie będzie nadużywać alkoholu, palić, zażywać narkotyków ani narażać się na niepotrzebne niebezpieczeństwo.

Zachowanie:

Uległa nie będzie nawiązywać relacji seksualnych z nikim poza Panem. Uległa będzie prowadzić się skromnie, w sposób godny szacunku. Musi mieć świadomość, iż jej zachowanie w bezpośredni sposób odbija się na Panu. Zostanie pociągnięta do odpowiedzialności za wszelkie występki, wykroczenia i niewłaściwe zachowanie, jakich się dopuści, nie przebywając w towarzystwie Pana.

Niedotrzymanie któregoś z warunków wymienionych powyżej będzie skutkować natychmiastowym wymierzeniem kary, której charakter zostanie określony przez Pana.

– A więc posłuszeństwo nadal obowiązuje?

– O tak – uśmiecha się szeroko.

Kręcę z rozbawieniem głową i nim zdaję sobie sprawę z tego, co robię, przewracam oczami.

– Czy ty właśnie przewróciłaś oczami, Anastasio? – pyta bez tchu.

O kurwa.

– Możliwe, zależnie od tego, jaka jest twoja reakcja.

– Taka sama jak zawsze – odpowiada, kręcąc głową. Oczy mu błyszczą podekscytowaniem.

Przełykam odruchowo ślinę i przez moje ciało przebiega dreszcz radosnego podniecenia.

– Więc... – Jasna cholera. I co ja mam zrobić?

– Tak? – Oblizuje dolną wargę.

– Chcesz dać mi teraz klapsy.

– Tak. I zrobię to.

– Czyżby, panie Grey? – uśmiecham się. Cóż, każdy kij ma dwa końce.

– Zamierzasz mnie powstrzymać?

– Najpierw będziesz mnie musiał złapać.

Jego oczy rozszerzają się, a potem Christian uśmiecha się szeroko, powoli wstając ze stołka.

– Naprawdę, panno Steele?

Dzieli nas bar śniadaniowy.

– I przygryzasz dolną wargę – mówi bez tchu, przesuwając się powoli w lewo. Ja robię to samo.

– Nie ośmielisz się – przekomarzam się z nim. – W końcu ty też przewracasz oczami. – Dalej przesuwa się w moją stronę.

– Owszem, ale to ty właśnie podniosłaś poprzeczkę w tej grze. – Oczy mu płoną i cały emanuje wyczekiwaniem.

– Jestem szybka, wiesz? – Udaję nonszalancję.

– Ja też.

Nęka mnie we własnej kuchni.

– Przyjdziesz tu szybko? – pyta.

– A czy ja to potrafię?

– Panno Steele, co ma pani na myśli? – Uśmiecha się
znacząco. – Gorzej się to dla ciebie skończy, jeśli będę cię
musiał sam złapać.

– Nie masz innego wyjścia, Christianie. A w chwili
obecnej ani myślę dać ci się złapać.

– Anastasio, możesz się przewrócić i zrobić sobie
krzywdę. Co będzie stanowić rażące naruszenie zasady
numer siedem, teraz sześć.

– Niebezpieczeństwo grozi mi, odkąd tylko pana poznałam, panie Grey, bez względu na zasady.

– Owszem. – Nieruchomieje na chwilę, marszcząc
brwi.

I nagle rzuca się w moją stronę, na co ja reaguję pi-
skiem. Biegnę w stronę stołu w części jadalnej. Udaje mi
się uciec i znowu dzieli nas stół. Mocno wali mi serce,
a w moim ciele buzuje adrenalina. O kurczę… jakie to
fajne. Znowu jestem dzieckiem. Przyglądam się uważnie
Christianowi, który zmierza w moją stronę. Odsuwam się
kawałek.

– Z całą pewnością wiesz, jak odwrócić uwagę mężczyzny, Anastasio.

– Naszym celem jest sprawianie przyjemności, panie
Grey. Odwrócić uwagę od czego?

– Życia. Wszechświata. – Macha wymijająco ręką.

– Gdy grałeś, sprawiałeś wrażenie bardzo skupionego.
Nieruchomieje i krzyżuje ręce na piersiach. Jest rozbawiony.

– Możemy się tak bawić przez cały dzień, mała, ale
w końcu cię złapię i wtedy dopiero popamiętasz.

– Wcale nie. – Nie mogę być zbyt pewna siebie. Powtarzam te słowa jak mantrę. Moja podświadomość wy-
grzebała z dna szafy adidasy i jest już w blokach startowych.

– Jeszcze by można pomyśleć, że nie chcesz, abym cię złapał.

– Bo nie chcę. I o to właśnie chodzi. Do kary mam nastawienie takie, jak ty do dotykania twego ciała.

Zmienia się w ułamku sekundy. Znika wesoły Christian, a ten, który stoi przede mną, wygląda tak, jakbym go uderzyła w twarz. Jest szary na twarzy.

– To właśnie czujesz? – pyta szeptem.

Te trzy słowa i sposób, w jaki je wypowiada, wiele mówią. O nie. Mówią mi tak wiele na jego temat i tego, co czuje. Mówią o jego strachu i nienawiści do samego siebie. Marszczę brwi. Nie, ja nie czuję się aż tak. Nie ma mowy. A może?

– Nie aż w takim stopniu, ale teraz może mnie lepiej rozumiesz. – Patrzę na niego niespokojnie.

– Och.

Kurde. Wydaje się kompletnie zagubiony, jakbym wyciągnęła mu dywan spod nóg.

Biorę głęboki oddech i obchodzę stół, i po chwili staję przed Christianem, patrząc mu w pełne niepokoju oczy.

– Aż tak tego nie znosisz? – pyta cicho.

– Cóż… nie – uspokajam go. Jezu, a więc tak bardzo nienawistna jest mu myśl, że ktoś miałby go dotknąć? – Nie. Mam do tego stosunek ambiwalentny. Nie lubię tego, ale nie nienawidzę.

– Ale wczoraj wieczorem, w pokoju zabaw, ty…

– Robię to dla ciebie, Christianie, ponieważ ty tego potrzebujesz. Ja nie. Wczoraj wieczorem nie zadałeś mi bólu. Kontekst był zupełnie inny, poza tym ufam ci. Ale kiedy chcesz mnie ukarać, boję się, że zrobisz mi krzywdę.

Jego oczy zasnuwają grafitowe burzowe chmury. Mija sekunda za sekundą, aż w końcu mówi cicho:

– Chcę ci sprawiać ból. Ale nie taki, którego nie byłabyś w stanie znieść.

Kurwa!

– Dlaczego?

Przeczesuje palcami włosy i wzrusza ramionami.

– Po prostu tego potrzebuję. – Patrzy na mnie z udręką, a potem zamyka oczy i kręci głową. – Nie mogę ci tego wytłumaczyć – szepcze.

– Nie możesz czy nie chcesz?

– Nie chcę.

– Więc wiesz dlaczego.

– Tak.

– Ale mi nie powiesz.

– Jeśli to zrobię, uciekniesz z krzykiem z tego pokoju i już nigdy nie wrócisz. – Mierzy mnie nieufnym spojrzeniem. – Nie mogę tak ryzykować, Anastasio.

– Chcesz, żebym została.

– Najbardziej na świecie. Gdybym cię stracił, nie zniósłbym tego.

O rety.

Wpatruje się we mnie i nagle porywa w ramiona i całuje, och, tak namiętnie. Zupełnie mnie tym zaskakuje, a ja wyczuwam w tym pocałunku panikę i rozpaczliwą potrzebę.

– Nie odchodź. Powiedziałaś, że tego nie zrobisz, a we śnie błagałaś, abym ja nie zostawiał ciebie – mruczy mi do ust.

Och… moje nocne wyznania.

– Nie chcę odejść. – I serce ściska mi się boleśnie.

To człowiek w potrzebie. Jego strach jest nagi i oczywisty, ale Christian jest zagubiony… gdzieś we własnym mroku. Oczy ma szerokie i pełne udręki. Mogę go uspokoić, przyłączyć się na chwilę do mroku i dać mu nieco światła.

– Pokaż mi – mówię szeptem.

– Ale co?

– Pokaż mi, jak bardzo może boleć.

– Słucham?

– Ukarz mnie. Chcę wiedzieć, jak daleko możesz się posunąć.

Christian odsuwa się ode mnie kompletnie skonsternowany.

– Spróbowałabyś?

– Tak. Powiedziałam, że to zrobię. – Ale kieruje mną ukryty motyw. Jeśli to zrobię, może on pozwoli mi się dotknąć.

Mruga powiekami.

– Ana, to takie dezorientujące.

– Ja też jestem zdezorientowana, ale chcę, żeby nam wyszło. A ty i ja przekonamy się, raz na zawsze, czy jestem w stanie to zrobić. Jeśli tak, wtedy może ty...

Jego oczy ponownie się rozszerzają. Wie, że chodzi mi o dotykanie. Przez chwilę wygląda na rozdartego, potem jednak na jego twarzy pojawia się zdecydowanie i mruży oczy, jakby się zastanawiał nad alternatywą.

Nagle łapie mnie mocno za ramię, odwraca się i prowadzi mnie w stronę schodów, a stamtąd do pokoju zabaw. Przyjemność i ból, nagroda i kara – jego słowa rezonują w mojej głowie.

– Pokażę ci, jak bardzo może boleć, i wtedy będziesz mogła podjąć decyzję. – Zatrzymuje się przed drzwiami. – Jesteś gotowa?

Kiwam głową. Lekko mi się w niej kręci, gdy z mojej twarzy odpływa cała krew.

Otwiera drzwi, nadal trzymając moje ramię, z wieszaka przy drzwiach zdejmuje coś, co wygląda jak pasek, a potem prowadzi do obitej czerwoną skórą ławy na końcu pomieszczenia.

– Przełóż się przez nią – mruczy cicho.

Okej. Dam radę. Pochylam się nad miękką skórą. Nie zdjął ze mnie szlafroka. Trochę mnie to dziwi. O kuźwa, będzie naprawdę bolało... wiem to.

– Jesteśmy tu, ponieważ się zgodziłaś, Anastasio. I uciekałaś przede mną. Zamierzam uderzyć cię sześć razy, a ty będziesz liczyć razem ze mną.

Czemu, do licha, po prostu tego nie zrobi? Z karania mnie zawsze robi takie przedstawienie. Przewracam oczami, dobrze wiedząc, że mnie nie widzi.

Unosi skraj mego szlafroka i z jakiegoś powodu czuję się bardziej naga, niż gdybym nic na sobie nie miała. Delikatnie pieści moje pośladki, przesuwa po nich ciepłą dłonią.

– Zrobię to, żebyś zapamiętała, aby nie uciekać przede mną, i choć jest to bardzo podniecające, nie chcę, abyś to więcej robiła – szepcze.

Dociera do mnie ironia całej tej sytuacji. Uciekałam, żeby tego uniknąć. Gdyby otworzył ramiona, pobiegłabym do niego natychmiast.

– I przewróciłaś oczami. Znasz moje zdanie w tej kwestii. – Nagle z jego głosu znika ten nerwowy strach. Wraca tam, gdzie wcześniej się skrywał. Słyszę to w głosie Christiana, czuję w jego dotyku. Atmosfera w pokoju ulega zmianie.

Zamykam oczy, przygotowując się na uderzenie. Aż nadchodzi, takie, jakiego się obawiałam. Mimowolnie wydaję okrzyk bólu i łykam głośno powietrze.

– Licz, Anastasio! – nakazuje.

– Jeden! – wołam i brzmi to jak przekleństwo.

Uderza mnie ponownie, a ból pulsuje wzdłuż linii uderzenia. O kurwa... naprawdę boli.

– Dwa! – krzyczę. Tak dobrze uzewnętrznić ból.

Oddech ma urywany i głośny, gdy tymczasem ja nie oddycham prawie wcale, desperacko szukając w sobie wewnętrznej siły. Pas ponownie smaga mi ciało.

– Trzy! – W moich oczach pojawiają się nieproszone łzy. Jezu, jest trudniej, niż myślałam. Boli o wiele bardziej niż podczas klapsów.

– Cztery! – wołam, czując ponowny cios, i teraz łzy ciekną już ciurkiem po mojej twarzy. Nie chcę płakać. Przepełnia mnie to gniewem. Christian uderza znowu.

– Pięć. – Mój głos to bardziej zduszony szloch i w tym momencie myślę, że go nienawidzę. Jeszcze jeden, dam radę. Moje pośladki są całe w ogniu.

– Sześć – szepczę, gdy jeszcze raz czuję przeszywający ból.

Słyszę, jak Christian rzuca na podłogę pas i bierze mnie w ramiona, pełen współczucia... a ja go wcale nie chcę.

– Puść mnie... nie... – Wyrywam mu się, odpychając go od siebie. Walczę z nim. – Nie dotykaj mnie! – syczę. Prostuję się i piorunuję go wzrokiem, a on patrzy na mnie oszołomiony. Wierzchem dłoni gniewnie ocieram łzy. – To właśnie lubisz? Mnie, w takim stanie? – Rękawem szlafroka wycieram nos.

Patrzy na mnie z rezerwą.

– Popieprzony z ciebie sukinsyn.

– Ana – mówi błagalnie, wyraźnie zaszokowany.

– Tylko mi tu nie „Anuj"! Musisz się w końcu wziąć za siebie, Grey! – Po tych słowach odwracam się sztywno i wychodzę z pokoju zabaw, cicho zamykając za sobą drzwi.

Opieram się o nie. I co teraz? Uciec? Zostać? Jestem taka wściekła. Po policzkach płyną gorące łzy i wycieram je gniewnym gestem. Mam ochotę zwinąć się w kulkę i jakoś dojść do siebie. Uleczyć swoją zachwianą wiarę. Jak mogłam być taka głupia? Oczywiście, że to boli.

Niepewnie dotykam pośladków. Aaa! Bolą. Dokąd pójść? Nie do jego pokoju. Do mojego, czy też pokoju, który będzie mój, nie jest mój... był mój. Dlatego właśnie chciał, żebym go miała. Wiedział, że będę potrzebować własnej przestrzeni.

Idę sztywno w jego stronę, świadoma, że Christian może pójść za mną. W pokoju jest jeszcze ciemno. Wchodzę niezgrabnie do łóżka, uważając, aby nie siadać na obolałym tyłku. Zostaję w szlafroku i otulam się nim. Zwijam się w kulkę i zaczynam szlochać w poduszkę.

Co ja sobie myślałam? Dlaczego pozwoliłam mu to zrobić? Pragnęłam zapuścić się w mrok, zbadać to, co się w nim kryje – ale dla mnie to zbyt wiele. Nie potrafię tego robić. A przecież on tak właśnie się zachowuje; to go podnieca.

W końcu się przebudziłam. Ale trzeba mu oddać, że mnie ostrzegał, nie raz i nie dwa. On nie jest normalny. Ma potrzeby, których ja nie jestem w stanie spełnić. Teraz to do mnie dociera. Nie chcę, żeby tak mnie bił, już nigdy. Szlocham w poduszkę jeszcze głośniej. Stracę go. Nie będzie chciał ze mną być, jeśli nie mogę mu tego dać. Dlaczego, dlaczego, dlaczego musiałam się zakochać w Szarym? Dlaczego? Dlaczego nie mogę kochać José albo Paula Claytona, albo kogoś podobnego do mnie?

Och, i ta rozpacz na jego twarzy, gdy wychodziłam. Byłam taka okrutna, zaszokowana bólem... Czy on mi wybaczy... Czy ja wybaczę jemu? Myśli mam zagmatwane, rezonujące w mojej głowie. Moja podświadomość kręci ze smutkiem głową, a wewnętrznej bogini nigdzie nie widać. Och, cóż za mroczny poranek. Jestem zupełnie sama. Chcę do mamy. Przypominają mi się jej słowa na pożegnanie:

„Podążaj za głosem serca, skarbie, i proszę, postaraj się za dużo wszystkiego nie analizować. Odpręż się i baw się dobrze. Jesteś taka młoda. Możesz tak wiele w życiu doświadczyć, musisz jedynie być otwarta. Zasługujesz na wszystko, co najlepsze".

I podążyłam za głosem serca, a teraz mam obolały tyłek i przepełnia mnie udręka. Muszę odejść. Tak... muszę odejść. Nie jesteśmy dla siebie stworzeni. Jak coś takiego w ogóle mogłoby się udać? A myśl, że miałabym go już więcej nie zobaczyć, praktycznie mnie dławi... mój Szary.

Słyszę, jak otwierają się drzwi. O nie, on tu jest. Kładzie coś na stoliku nocnym. Materac ugina się pod jego ciężarem, gdy kładzie się obok mnie.

– Ćśśś – mówi cicho, a ja mam ochotę odsunąć się od niego, przenieść na drugi koniec łóżka, ale jestem jak sparaliżowana. Nie mogę się ruszyć i leżę sztywno. – Nie walcz ze mną, Ana, proszę – szepcze. Delikatnie bierze mnie w ramiona, chowa nos we włosach, całuje szyję.

– Nie czuj do mnie nienawiści. – Jego oddech muska moją skórę, głos jest boleśnie smutny. Serce ściska mi się na nowo i pojawia się nowa fala łez. Christian całuje mnie delikatnie, czule, ale ja zachowuję nieufność.

Leżymy tak razem długą chwilę, nie odzywając się ani słowem. Tuli mnie do siebie, a ja powoli zaczynam się odprężać i przestaję płakać. Nadchodzi świt, do pokoju zaczyna się wlewać łagodne światło poranka. A my nadal leżymy w ciszy.

– Przyniosłem ci paracetamol i krem z arniką – odzywa się w końcu.

Odwracam się bardzo powoli w jego ramionach, tak że teraz leżę twarzą do niego. Głowę mam wspartą o jego ramię.

Wpatruję się w jego piękną twarz. Niczego się nie da z niej wyczytać, ale Christian również patrzy mi w oczy, prawie w ogóle nie mrugając. Och, jest taki niesamowicie przystojny. W tak krótkim czasie stał mi się taki drogi. Unoszę rękę i przesuwam opuszkami palców po jego policzku i kilkudniowym zaroście. Christian zamyka oczy i wypuszcza powietrze.

– Przepraszam – szepczę.

Otwiera oczy i patrzy na mnie z konsternacją.

– Za co?

– Za to, co powiedziałam.

– Nie powiedziałaś niczego, czego bym nie wiedział. – W jego oczach pojawia się ulga. – Przepraszam, że sprawiłem ci ból.

Wzruszam ramionami.

– Sama o niego poprosiłam. – I już wiem. Przełykam ślinę. Oto ta chwila. Muszę to powiedzieć. – Nie sądzę, abym potrafiła być taka, jak byś chciał – mówię cicho.

Otwiera szeroko oczy, mruga i przez jego twarz znowu przebiega strach.

– Jesteś taka, jak bym chciał.

Słucham?

– Nie rozumiem. Nie jestem posłuszna i możesz mieć pewność, że nigdy więcej ci na to nie pozwolę. A tego właśnie pragniesz, sam mówiłeś.

Zamyka ponownie oczy i widzę na jego twarzy miriady uczuć. Kiedy je otwiera, spojrzenie ma puste. O nie.

– Masz rację. Powinienem pozwolić ci odejść. Nie jestem kimś odpowiednim dla ciebie.

Skóra głowy mnie swędzi, każdy mieszek włosa staje na baczność, a ziemia usuwa się spod mych stóp, pozostawiając czarną, ziejącą przepaść. O nie.

– Nie chcę odejść – szepczę. Z oczu znowu zaczynają mi płynąć łzy.

– Ja też tego nie chcę – odpowiada cicho. Głos ma zduszony. Unosi rękę i kciukiem ociera spływającą łzę. – Odkąd cię poznałem, zacząłem naprawdę żyć. – Przesuwa kciukiem po mojej dolnej wardze.

– Ja też. Zakochałam się w tobie, Christianie.

Otwiera szeroko oczy, ale tym razem widać w nich tylko czysty, niekłamany strach.

– Nie – wyrzuca z siebie.

O nie.

– Nie możesz mnie kochać, Ana. Nie… to niewłaściwe. – Jest przerażony.

– Niewłaściwe? A dlaczego?

– Cóż, popatrz na siebie. Nie potrafię dać ci szczęścia. – Głos ma pełen udręki.

– Ale dajesz mi je. – Marszczę brwi.

– Nie w tej chwili, nie kiedy robię to, czego pragnę.

Kurwa mać. A więc to naprawdę koniec. Do tego się wszystko sprowadza – niedopasowanie. Przypominają mi się te wszystkie biedne uległe.

– Nigdy tego nie przeskoczymy, prawda? – pytam cicho.

Kręci bez słowa głową. Zamykam oczy. Nie jestem w stanie na niego patrzeć.

– Cóż… w takim razie lepiej już pójdę – szepczę i siadam, krzywiąc się.

– Nie, nie odchodź. – W jego głosie słychać panikę.

– Nie ma sensu, abym zostawała. – Nagle czuję się zmęczona, dosłownie wykończona, i chcę już stąd iść. Wstaję z łóżka, a Christian za mną.

– Zamierzam się ubrać. Chciałabym odrobiny prywatności – mówię beznamiętnie i wychodzę z sypialni.

Na dole obrzucam spojrzeniem salon, myśląc o tym, że jeszcze niedawno siedziałam z głową opartą na jego ramieniu i słuchałam, jak gra na fortepianie. Tak wiele się wydarzyło od tamtej pory. Otworzyły mi się oczy i zrozumiałam poziom jego deprawacji. I wiem już, że nie jest on zdolny do miłości – dawania i otrzymywania miłości. Potwierdziły się moje najgorsze obawy. O dziwo napawa mnie to poczuciem swobody.

Ból jest tak wielki, że jego pełnia do mnie nie dociera. Czuję otępienie. Jakimś cudem uciekłam od swego ciała i teraz jestem zwykłym obserwatorem rozgrywającej się na moich oczach tragedii. Biorę szybki prysznic, myjąc się metodycznie, myśląc wyłącznie o kolejnej sekundzie. Teraz naciśnij butelkę z żelem pod prysznic. Odstaw butelkę na półkę. Umyj twarz, ramiona... i tak dalej, proste, mechaniczne czynności wymagające prostych, mechanicznych myśli.

Wychodzę spod prysznica, a ponieważ nie myłam włosów, szybko się wycieram. Ubieram się w łazience, wyjmując z małej walizki dżinsy i T-shirt. Spodnie ocierają mi się o tyłek, ale szczerze mówiąc, cieszę się, czując ból, gdyż on odwraca moją uwagę od tego, co dzieje się z moim biednym, złamanym sercem.

Przykucam, aby zamknąć walizkę, i dostrzegam torebkę z prezentem dla Christiana: modelem szybowca Blanik L-23, który trzeba samemu skleić. W moich oczach wzbierają łzy. O nie... szczęśliwe czasy, kiedy była jeszcze nadzieja na więcej. Wyjmuję go z walizki, wiedząc, że muszę mu go dać. Szybko wydzieram z notesu kartkę, piszę kilka słów i kładę ją na wierzchu pudełka.

> *To mi przypominało szczęśliwe chwile.*
> Dziękuję Ci.
> Ana

Przeglądam się w lustrze. Widzę w nim bladość i oczy przepełnione udręką. Zbieram włosy w kok i ignoruję fakt, że mam spuchnięte od płaczu powieki. Moja podświadomość kiwa głową z aprobatą. Nawet ona wie, że teraz należy oszczędzić mi drwin. Nie mogę uwierzyć, że mój świat rozpada się na maleńkie kawałki, że okrutnie mi odebrano nadzieję i marzenia. Nie, nie, nie myśl o tym. Nie teraz, jeszcze nie. Biorę głęboki oddech, podnoszę walizkę, zostawiam na jego poduszce samolot i kartkę, a potem udaję się do salonu.

Christian rozmawia przez telefon. Ma na sobie czarne dżinsy i T-shirt. Jest boso.

– Co takiego powiedział? – krzyczy, a ja aż podskakuję. – Cóż, mógł nam, kurwa, powiedzieć prawdę. Jaki jest numer do niego? Muszę zadzwonić... Welch, to prawdziwy burdel. – Podnosi wzrok i zauważa mnie. – Znajdźcie ją – warczy, a potem się rozłącza.

Podchodzę do kanapy i podnoszę z niej plecak, starając się ignorować Christiana. Wyjmuję z niego Maca i przechodzę do części kuchennej. Kładę go ostrożnie na barze śniadaniowym, a obok niego BlackBerry i kluczyki do samochodu. Kiedy odwracam się twarzą do niego, dostrzegam, że wpatruje się we mnie znieruchomiały z przerażenia.

– Potrzebuję tych pieniędzy, które Taylor dostał za mojego garbusa. – Głos mam czysty i spokojny, pozbawiony uczuć... wspaniale.

– Ana, nie chcę tych rzeczy, są twoje – mówi z niedowierzaniem. – Weź je.

– Nie, Christianie. Przyjęłam je tylko z musu, a teraz już ich nie chcę.

– Ana, bądź rozsądna – beszta mnie, nawet teraz.

– Nie chcę niczego, co będzie mi o tobie przypominać. Potrzebuję jedynie pieniędzy ze sprzedaży samochodu. – Głos mam jednostajny.

– Naprawdę próbujesz mnie zranić?

– Nie. – Marszczę brwi, wpatrując się w niego. Oczywiście, że nie... kocham cię. – Nie. Próbuję chronić siebie – dodaję szeptem. Ponieważ ty nie pragniesz mnie tak, jak ja ciebie.

– Proszę, Ana, zabierz te rzeczy.

– Christianie, nie chcę się kłócić. Potrzebuję jedynie tamtych pieniędzy.

Mruży oczy, ale ja już nie czuję onieśmielenia. Cóż, może trochę. Odpowiadam spokojnym spojrzeniem, nie ustępując.

– Przyjmiesz czek? – pyta zjadliwie.

– Tak.

Odwraca się na pięcie i idzie do gabinetu. Po raz ostatni obrzucam spojrzeniem jego apartament, obrazy na ścianach – wszystkie abstrakcyjne, chłodne, wręcz zimne. Pasujące do niego. Moje spojrzenie biegnie ku fortepianowi. Jezu, gdybym trzymała buzię na kłódkę, kochalibyśmy się na fortepianie. Nie, pieprzylibyśmy się na fortepianie. No, ja bym się kochała. On nigdy się ze mną nie kochał, prawda? Dla niego to zawsze było pieprzenie.

Wraca Christian i wręcza mi kopertę.

– Taylor uzyskał dobrą cenę. Ten samochód to klasyk. Możesz go zapytać. Zawiezie cię do domu. – Patrzy gdzieś za mnie.

Odwracam się i widzę, że w drzwiach stoi Taylor, nieskazitelny w swym garniturze, jak zawsze.

– W porządku. Sama pojadę do domu, dziękuję.

Odwracam się z powrotem w stronę Christiana i w jego oczach widzę ledwie hamowaną wściekłość.

– Przy każdej okazji zamierzasz mi się sprzeciwiać?

– Po co zmieniać przyzwyczajenia? – Wzruszam przepraszająco ramionami.

Zamyka z frustracją oczy i przeczesuje palcami włosy.

– Proszę, Ana, pozwól Taylorowi odwieźć cię do domu.

– Pójdę do samochodu, panno Steele – oświadcza zdecydowanie Taylor.

Christian kiwa mu głową, a kiedy się oglądam, Taylora już nie ma.

Dzieli nas nieco ponad metr. Robi krok w moją stronę, a ja mimowolnie się cofam. Zatrzymuje się i jego udręka jest wręcz namacalna. Szare oczy płoną.

– Nie chcę, żebyś odchodziła – mówi cicho.

– Nie mogę zostać. Wiem, czego pragnę, a ty nie możesz mi tego dać. Z kolei ja nie mogę ci dać tego, czego ty pragniesz.

Stawia kolejny krok w moją stronę, a ja podnoszę ręce.

– Proszę, nie. – Nie zdzierżę teraz jego dotyku. – Nie mogę.

Chwytam walizkę oraz plecak i ruszam w stronę holu. Christian udaje się za mną, zachowując bezpieczną odległość. Wciska guzik przywołujący windę i drzwi rozsuwają się. Wsiadam do kabiny.

– Żegnaj, Christianie – mówię cicho.

– Ana, żegnaj – mówi miękko i wygląda na człowieka załamanego, ogarniętego bólem nie do zniesienia. Takim samym jak mój. Odwracam od niego wzrok, nim zmienię zdanie i spróbuję go pocieszyć.

Drzwi zasuwają się i winda porywa mnie w dół do czeluści garażu i mego prywatnego piekła.

Taylor otwiera przede mną drzwi i wsiadam do samochodu. Unikam kontaktu wzrokowego. Przepełniają mnie wstyd i zażenowanie. Ależ ze mnie nieudacznik. Miałam nadzieję, że uda mi się zaciągnąć mojego Szarego w stronę światła, ale to zadanie okazało się ponad moje wątłe siły. Desperacko próbuję odsunąć od siebie atakujące mnie uczucia. Gdy wjeżdżamy na Fourth Avenue, wyglądam obojętnie przez szybę i powoli dociera do mnie ogrom tego, co właśnie zrobiłam. Cholera, zostawiłam go. Jedynego mężczyznę, którego kochałam. Jedynego mężczyznę, z którym spałam. Wciągam głośno powietrze, gdy przecina mnie ostry jak nóż ból. Po moich policzkach płyną niechciane łzy i ocieram je pospiesznie dłonią, szukając w torebce ciemnych okularów. Gdy zatrzymujemy się na światłach, Taylor podaje mi lnianą chusteczkę. Nic nie mówi i nie patrzy w moją stronę. Biorę ją od niego z wdzięcznością.

– Dziękuję – mówię cicho i ten mały, dyskretny akt dobroci okazuje się moją zgubą. Siedzę na luksusowej skórzanej kanapie i szlocham.

Mieszkanie jest boleśnie puste i nieznajome. Nie mieszkam tu na tyle długo, aby czuć się jak u siebie. Udaję się prosto do swego pokoju, a tam przywiązany do łóżka zwisa smętnie bardzo smutny, sflaczały balon. Charlie Tango. Wygląda i czuje się dokładnie tak, jak ja. Zrywam go gniewnie i przyciskam do siebie. Och – co ja zrobiłam?

Rzucam się na łóżko, w butach i ubraniu, i wyję. Tego bólu nie da się opisać. Fizyczny... duchowy... metafizyczny... jest wszędzie, wsącza się do mego szpiku. Gdzieś w głębi pojawia się niedobra, nieproszona myśl pochodząca od mojej wewnętrznej bogini, która krzywi się drwiąco: ból fizyczny po uderzeniach pasem to nic w porównaniu z tym cierpieniem. Zwijam się w kulkę, rozpaczliwie tuląc do siebie resztki balonu oraz chusteczkę Taylora, i popadam w żałobne odrętwienie.

Koniec części pierwszej